D15433334

L'ENCYCLOPEDIE DU
CHIEN

© 2001 Copyright pour l'édition originale
PARRAGON
Queen Street House
4 Queen Street
Bath BA1 1HE, Royaume-Uni

Tous droits réservés. Aucune partie de ce livre ne peut être reproduite,
stockée ou transmise par quelque moyen électronique,
mécanique, de reprographie, d'enregistrement ou autres que ce soit
sans l'accord préalable des ayants droit.

© 2003 Copyright PARRAGON pour l'édition française

Réalisation : InTexte Édition, Toulouse
Traduction de l'anglais : Christine Liabeuf (p. 5 à 99), Jean Fusi (p. 288 à 369),
Marie Barriet-Savev (p. 100 à 203), Olivier Fleuraud (p. 204 à 287)
Révision : Geneviève Robert-Desclaux

ISBN : 0-40541-439-1

Imprimé en Chine

L'ENCYCLOPEDIE DU
CHIEN

JULIETTE CUNLIFFE

p

Table des matières

Comment utiliser ce livre

Cet ouvrage est composé comme suit :

- **Huit chapitres contenant des informations détaillées** sur tous les aspects des soins à apporter aux chiens et sur leur place dans le monde des humains. Les photographies, les illustrations, les légendes et les encadrés apportent des informations complémentaires.
- **La description de plus de 300 races de chiens.** La première partie présente les chiens les plus répandus au sein de sept familles, tels que les chiens de travail ou les petits chiens. La seconde partie répertorie les chiens en fonction de leur pays d'origine.
- **Les icones** proposent des informations complémentaires relatives au poids, à la taille, au régime alimentaire, à l'entretien et à l'apparence de chaque race.
- **Les encadrés « En bref »** contiennent les variantes de noms de certains chiens, les données liées à leur inscription et les différentes couleurs autorisées.
- **La dernière partie** présente une bibliographie, une liste de contacts utiles, un glossaire de termes canins essentiels, ainsi qu'un index complet.

LÉGENDE DES SYMBOLES

Les quatre symboles utilisés dans les parties consacrées aux différentes races apportent des informations complémentaires en un coup d'œil.

Groupe de la Fédération cynologique internationale auquel appartient le chien (voir classification page 186).

Taille du chien, à savoir : petit, moyen ou grand.

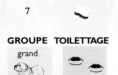

GROUPE TOILETTAGE

grand

TAILLE ALIMENTATION

Entretien du poil : d'une brosse pour un entretien simple à quatre brosses pour un entretien très complet.

Quantité de nourriture requise par race, allant d'un bol à quatre.

Introduction

L'OBJECTIF de cet ouvrage consacré aux chiens est de proposer des informations d'ordre général sur les chiens, ainsi qu'un aperçu des races reconnues de par le monde.

On estime qu'il existe entre 700 et 800 races de chiens sur le globe, dont une partie est inconnue à l'extérieur de son pays d'origine ou n'est pas officiellement reconnue. Certaines sont de création récente, tandis que d'autres sont anciennes. Dans certains cas, une reconnaissance officielle n'a jamais été envisagée.

Les différents pays étant dotés d'organismes de réglementation différents, de nombreuses races de chiens ne sont pas connues en France. À travers ce livre, j'ai tenté de présenter toutes les races reconnues par la Fédération cynologique internationale (FCI), à laquelle appartient la France, et dont la réglementation concerne de nombreux pays.

J'ai également inclus quelques races qui ne sont pas reconnues officiellement mais qui me paraissent néanmoins intéressantes. Différents pays classant les chiens en différents groupes et les appelant souvent par des noms différents, leur présentation n'a pas été tâche aisée. J'ai classé les races en deux grandes catégories : les chiens les plus répandus et les autres chiens reconnus par la FCI, classés par pays. D'autres races ont été regroupées par pays, de manière à ce que, si le lecteur ne connaît pas le nom de la race, il puisse au moins en connaître le pays d'origine, ce qui lui permettrait de trouver un chien particulier qui l'intéresse.

Les noms des races variant considérablement, j'ai choisi le nom officiellement reconnu par la FCI. Je me suis cependant attachée à signaler un certain nombre de variantes. Les informations relatives à la taille, au toilettage et à l'alimentation sont fournies à titre indicatif. Il est en effet important de comprendre que les modalités du toilettage varient considérablement selon que le chien est un animal de compagnie ou de concours. En effet, un propriétaire qui présente son lhassa apso, qui a le poil très dense, à des concours devra consacrer beaucoup de temps à l'entretien de son chien, alors que simple animal de compagnie, ce chien peut être tondu par un professionnel deux ou trois fois par an et nécessiter moins d'entretien dans l'intervalle.

À mesure que les années passent, le monde se « rétrécit » et notre

connaissance des chiens augmente.
Nombre de juges, dont je fais partie, ont
l'occasion de voyager à travers
de nombreux pays et de partager
leur passion et leur expérience en matière
de chiens. Les informations circulent
et nous apprenons à mieux connaître
et à mieux aimer les nombreuses espèces
canines qui partagent notre planète.

J'ai pris un immense plaisir à la
rédaction de cet ouvrage et je suis ravie
d'avoir pu y inclure autant de
photographies montrant de si beaux
représentants des races décrites. La plupart
de ces illustrations présentent des chiens
lauréats de différents concours à travers le
monde, notamment le Cruft's, le plus grand
concours du monde, qui a lieu tous les ans
en Angleterre. Le lecteur aura donc
l'occasion de pouvoir admirer des
photographies vraiment représentatives, ce
qui est primordial dans ce type de livre.

Je tiens plus particulièrement à
remercier une photographe spécialisée
à l'immense talent, Carol Ann Johnson,
qui m'a fourni la grande majorité des
photographies. Je remercie également
Harry Baster, Serge Sanchez de la revue
Vos Chiens, Samsung, Zena Thorn-
Andrews, Meg Purnell-Carpenter,
Marianne Kruger, Dr Daniel Taylor-Ide,
Angela Racheal, Diane Philipson, Gaye
Sansom, Alyce Ingle et tous ceux qui
m'ont aidée en me confiant des
photographies ou des informations
sur certaines races très peu connues en
Europe. Je suis également reconnaissante
à l'artiste cynophile Deirdre Ashdown.

Meriel Taylor a gentiment aidé Carol
Ann à trouver des races moins connues
et Sue McCourt m'a expliqué les
procédures de toilettage utilisées pour
les terriers. Le secrétaire général de la
Fédération cynologique internationale,
Yves de Clerq, et le Kennel Union of
South Africa (Union des clubs canins

d'Afrique du Sud) m'ont aussi apporté
une aide précieuse. Comme d'habitude,
je dois une reconnaissance sincère à toute
l'équipe de l'English Kennel Club (Club
canin anglais), plus particulièrement à
Brian Leonard et Gary Johnston, dont
l'aide m'a été d'un grand secours.

Enfin, je souhaite exprimer
ma gratitude au magazine *Kennel Gazette*
qui m'a recommandée à l'éditeur pour la
rédaction de cet ouvrage, et à Polly Willis,
la responsable de ce projet, qui m'a prêté
une oreille attentive pendant mes
recherches et la rédaction de ce livre.
J'espère que vous éprouverez autant de
plaisir à le lire que j'en ai pris à l'écrire.

JULIETTE CUNLIFFE

Un monde de chiens

IL Y A DES MILLIERS D'ANNÉES, l'homme et le chien firent équipe, profitant l'un de l'autre. Au fil du temps, différents types de chiens sont apparus, certains chassant avec l'homme, d'autres travaillant et d'autres encore étant exclusivement des compagnons.

LES TÂCHES QUE LES CHIENS ont effectuées au fil des siècles sont nombreuses et variées : protection de l'homme, garde des troupeaux, chasse et rapport du gibier, transport de charges, recherche et sauvetage de personnes sur des terrains enneigés et difficiles d'accès, voire dans la mer, la liste est longue. Nous avons désormais connaissance de l'importance du travail accompli par les chiens policiers et les chiens renifleurs. D'autres chiens servent d'« yeux » aux aveugles, d'« oreilles » aux sourds ou facilitent la vie de certaines personnes handicapées.

En haut, à droite
Les chiens furent des animaux d'utilité avant de devenir domestiques. Cette charrette fut photographiée à Anvers en 1900.

Ci-contre et ci-dessus
La relation entre l'homme et le chien est illustrée dans un manuscrit du VIIIe siècle et par une scène sur un vase grec datant de 425 avant J.-C.

GROUPES DE PEDIGREES

LES CHIENS À PEDIGREE sont élevés conformément à des normes établies par un club canin : il s'agit en quelque sorte d'une reconnaissance officielle de l'appartenance à une race reconnue dans tel ou tel pays. La cynophilie française, sous l'égide de la Société centrale canine (SCC), classe les races de chiens en dix groupes distincts : chiens de berger et de bouvier (sauf les chiens de bouvier suisse) ; chiens de type pinscher et schnauzer, molossoïdes, chiens de bouvier suisses ; terriers ; teckels ; chiens de type spitz et de type primitif ; chiens courants et chiens de recherche au sang ; chiens d'arrêt ; chiens leveurs de gibier, rapporteurs et chiens d'eau ; chiens d'agrément ou de compagnie ; lévriers et races apparentées.

Dans d'autres pays, les clubs canins reconnaissent des races différentes, même si les listes des uns et des autres ont de nombreux points communs. La Fédération cynologique internationale (FCI), quant à elle, répertorie 329 races réparties dans les 10 groupes cités précédemment.

CORNIAUDS ET CROISÉS

LES CHIENS NE PEUVENT pas tous avoir un pedigree, il existe aussi des croisés et des corniauds. Les croisés sont des chiens dont les parents sont connus. Ce terme est employé lorsqu'un chien de race pure est croisé avec un chien d'une autre race pure. Le terme « corniaud » désigne un chien dont les parents sont de race mixte. Cependant, qu'ils aient un pedigree, qu'ils soient croisés ou corniauds, tous sont des chiens et, à ce titre, méritent notre affection.

AU DÉBUT

DIFFICILE D'IMAGINER, en observant son chien au coin du feu, l'évolution de ces animaux en quelques millions d'années. Les premiers mammifères étaient herbivores, puis apparurent les carnivores qui chassaient les herbivores. Les Créodontes, contemporains des dinosaures, il y a 50 à 100 millions d'années, étaient des carnivores de la taille d'une souris. Ils parvinrent à survivre aux changements climatiques qui entraînèrent la mort des dinosaures et évoluèrent pour devenir les Miacidés, à la période éocène, il y a 38 à 54 millions d'années. Ils vivaient probablement dans les arbres et dans des tanières, étaient courts sur pattes, petits et longs avec une longue queue. Certaines de leurs caractéristiques ont été conservées par les chiens actuels.

LES PREMIERS ANCÊTRES

LES MIACIDÉS SONT EN RÉALITÉ les ancêtres des chats. L'étape suivante dans la genèse du chien fut le développement d'Hesperocyon, il y a 26 millions d'années, dont l'anatomie de l'oreille interne est caractéristique de celle de la famille des chiens. Dix-neuf millions d'années avant notre ère, le carnivore Cynodictis fit son apparition, mais les opinions divergent quant à sa parenté avec le chien. Certains penchent plutôt pour une parenté du chien avec l'Hesperocyon. Quoi qu'il en soit, il est probable que les premiers ancêtres du chien vivaient en Amérique du Nord et qu'ils ont ensuite gagné l'Eurasie.

À cette époque s'est développé un animal dont le cinquième orteil se raccourcit progressivement pour devenir plus tard la griffe de chien. Un animal avec des pattes ressemblant à celles du chien évolua alors, et sa taille augmenta.

LA FAMILLE DES CANIDÉS

IL Y A ENVIRON 12 millions d'années, au cours de la période du miocène, Tomarctus fit son apparition. Cette créature proche du loup

chassait en meutes et présentait déjà les prémices de l'anatomie dentaire du chien ; à la fin du pliocène, il y a environ deux millions d'années, les sujets à l'origine de tous les carnivores modernes étaient nés : les canidés, ancêtres des chacals, des renards, des hyènes, des loups et d'autres chiens.

Au cours des dernières décennies, diverses théories ont été échafaudées concernant l'évolution du chien, donnant lieu à de nombreux débats. Sans doute, de nouvelles découvertes verront-elles le jour au fil du temps et donneront naissance à de nouvelles théories.

Ci-dessus
Un corniaud est un chien dont un des parents est de race mixte.

A gauche
Le chien moderne était déjà établi à l'époque de ce bas-relief égyptien, de 3 500 av. J.-C.

La science et l'histoire se sont alliées pour nous permettre de remonter le temps et d'observer le développement de cet animal remarquable que nous connaissons et aimons aujourd'hui sous le nom de chien.

Ci-dessus
Cette mosaïque de Pompéi montre déjà le chien comme un animal de compagnie.

L'anatomie des chiens

LE SQUELETTE D'UN CHIEN varie selon son corps, car si les os sont semblables en termes de forme générale et de nombre, il existe des variantes qui engendrent des différences de conformation et de fonction d'une race à une autre. Par exemple, le squelette d'un teckel au corps long et aux pattes courtes est très différent de celui d'un lévrier écossais. Tous deux sont des chiens de chasse, mais ont des fonctions différentes et doivent être autrement bâtis pour répondre aux exigences de leur race.

LE SQUELETTE

QU'ILS SOIENT GRANDS ou petits, les chiens possèdent le même nombre d'os dans leur squelette, à l'exception des os de la queue. Ce qui différencie les races est la longueur, l'épaisseur et la qualité des os, ainsi que les déviations de la structure du squelette, pouvant entraîner des différences d'aspect ou de fonctionnement.

Le crâne, doté de profondes cavités pour protéger les yeux et les oreilles, varie dans sa forme selon les races.

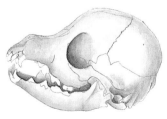

Ci-dessus
De haut en bas,
crâne d'un colley,
d'un bulldog
et d'un terrier.

TREIZE CÔTES

LES LONGUES CÔTES forment une cage protectrice autour du cœur, des poumons et du foie et, chez un chien bien constitué, elles doivent s'étendre vers l'arrière du corps. Le chien possède neuf côtes reliées au sternum par du cartilage, trois paires de côtes asternales se rejoignant à la base et une paire de côtes flottantes. Contrairement à une idée répandue, tous les chiens ont cette treizième paire de côtes flottantes, plus courtes, qui n'est pas reliée aux autres en dessous.

L'extrémité n'est visible que chez quelques chiens. Le cou et la tête sont reliées par un emboîtement réciproque des vertèbres, qui s'étendent le long du dos jusqu'à l'extrémité de la queue. Suivant la race, la queue peut compter de 3 à 26 vertèbres.

STRUCTURE DU SQUELETTE

LES OMOPLATES ne sont pas reliées au reste du squelette. C'est un avantage, dans la mesure où la liberté de mouvement est accrue, en particulier pendant la course. Cette particularité est très utile pour les chiens de course tels que le lévrier anglais. Sous l'omoplate se trouve l'humérus, ou « haut du bras », doté d'une bosse au sommet qui empêche le chien d'étendre complètement l'articulation scapulo-humérale, limitant la portée de la patte avant. À la

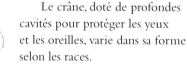

Le squelette du chien est très proche de celui de l'homme, même si ce dernier se tient en position debout. Le chien, en revanche, ne possède pas de clavicule.

hanche, le fémur doit se placer dans le pelvis à l'aide d'un emboîtement réciproque.

Des tendons élastiques, des ligaments fibreux et de puissants muscles structurent le squelette. Chaque articulation est enveloppée d'une capsule remplie de fluide lubrifiant, le liquide synovial, agissant comme un amortisseur.

MOUVEMENTS

POUR QU'UN CHIEN PUISSE SE MOUVOIR, le cerveau doit envoyer des messages le long de la moelle épinière. Ces messages inconscients se dirigent ensuite le long des nerfs périphériques, vers les muscles, qui se contractent ou se détendent, selon les ordres donnés. Les mouvements involontaires, comme les sursauts des chiens pendant leur sommeil, sont maîtrisés par le système nerveux autonome, qui fait partie du système nerveux périphérique.

Des dommages causés à la colonne vertébrale ou aux nerfs périphériques peuvent engendrer une incapacité des muscles à recevoir et à envoyer efficacement les messages ; les mouvements brusques sont souvent le signe de lésions de la moelle épinière ou du cerveau. Les muscles peuvent devenir rigides si l'afflux de sang est insuffisant ou se rétracter s'ils ne sont pas utilisés ou s'il y a un problème d'influx nerveux. Ces facteurs peuvent expliquer le manque de coordination et la paralysie partielle, voire totale.

Ci-contre et ci-dessous
On voit bien que les membres postérieurs de ce basset hound et de ce bulldog propulsent alors que les antérieures assurent la stabilité. La plupart des races ont une allure caractéristique, conséquence de la structure de leur squelette.

EXERCICE RÉGULIER

L'EXERCICE RÉGULIER est important pour la souplesse des mouvements. Par ailleurs, la suralimentation, surtout si elle est associée à un manque d'exercice, restreint les mouvements dès le plus jeune âge. Une démarche équilibrée est le résultat de la synchronisation totale, sous tous les angles, entre les deux moitiés du corps. Les membres postérieurs fournissent l'impulsion ou force motrice alors que les membres antérieurs, qui soutiennent et stabilisent, jouent un rôle moins important dans la propulsion. Pour bien se déplacer, un chien doit être correctement structuré, mais d'une race à une autre, les déplacements s'effectuent différemment.

Les principales allures sont le pas, le trot et le galop, avec des mouvements intermédiaires. Le galop à double suspension typique des lévriers, par exemple, se caractérise par deux périodes de suspension distinctes qui se succèdent dans une séquence de mouvement. Cela a pour conséquence une augmentation de la vitesse par rapport à un galop normal. Il est possible de voir les quatre membres allongés en même temps, puis contractés.

Certaines allures sont spécifiques de certaines races. L'amble, par exemple, est l'allure dans laquelle les membres antérieurs et postérieurs du même côté avancent ensemble. Cela survient fréquemment lorsque les chiens sont fatigués, mais de manière plus accentuée chez le bobtail, lorsqu'il marche lentement. Le hackney, déplacement dans lequel les paturons et les pieds antérieurs sont exagérément levés, est accepté chez le pinscher nain, mais constitue un défaut courant dans les mouvements des autres races.

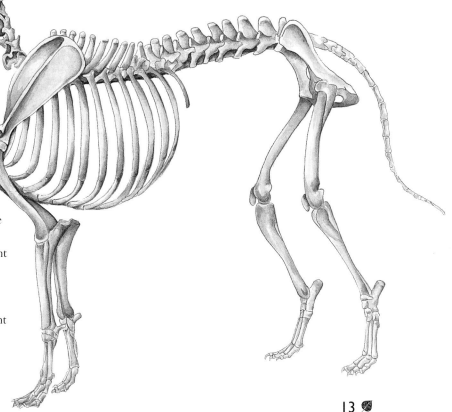

Dentition et ongles

de chaque côté des crocs dans les mâchoires inférieure et supérieure. Les pré-carnassières servent à couper et à cisailler, alors que les carnassières, à la surface plus plate, permettent d'écraser et de mâcher.

Entre les canines et les crocs se trouvent les petites incisives, généralement au nombre de six sur les deux mâchoires. Elles servent à grignoter la viande sur les os et à prendre soin du poil et de la peau.

Le chien possède en tout 42 dents, deux de plus dans la mâchoire inférieure que dans la supérieure à cause de deux pré-carnassières supplémentaires. Les racines sont très longues.

ONGLES

LES ONGLES sont en fait une structure de peau modifiée qui pousse à vitesse constante et ne peut pas être rétractée ou allongée volontairement. La fréquence de coupe des ongles dépend largement de la texture du sol sur lequel le chien passe la plupart de son temps. En effet, un chien vivant en appartement sur de la moquette aura besoin d'une taille plus fréquente des ongles qu'un chien passant des heures sur du béton tous les jours. Les pieds avant comptent

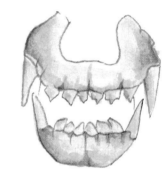

DENTS

À droite
Dans l'ordre : mâchoire normale, mâchoire à niveau, mâchoire béguë, prognathe supérieure et prognathe inférieure.

LES CHIENS ÉTANT TOUS CARNIVORES, leurs bouches et dents sont constituées pour leur permettre de manger de la viande. À l'état sauvage, les chiens se nourrissent de charognes et vont même jusqu'à tuer. Ils doivent donc être pourvus de longs crocs leur permettant de couper, mais également d'attraper et de maintenir leur proie le cas échéant : il s'agit des carnassières ou molaires, qui sont placées

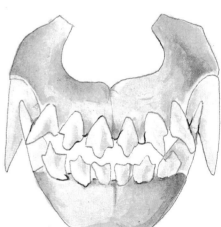

Ci-contre à droite
Dentition d'un chiot de trois mois.

Ci-dessous
Vues en coupe des dents et racines.

Ci-dessous à droite
Dentition d'un chien adulte.

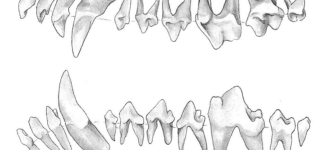

et doivent par conséquent remuer librement. Les glandes anales du chien ont également une peau fine, qui, à la défécation, permet le passage de sécrétions destinées à marquer le territoire de l'animal.

En règle générale, l'épiderme, couche de surface de la peau, n'est pas très épais. Il produit toutefois en permanence de nouvelles cellules, qui constituent la couche protectrice. Sous cette première couche se trouve le derme, plus épais, élastique et souple.

POUSSE DES POILS

LA MANIÈRE DONT POUSSENT LES POILS d'un chien dépend de la race à laquelle il appartient ; cependant, quel que soit leur aspect, tous les poils poussent par cycles. À la suite d'une étape de pousse, les poils passent par un stade transitoire, puis se reposent. Lorsqu'un chien mue, de nouveaux poils remplacent ceux qui tombent. Les cycles de pousse sont influencés par des facteurs extérieurs. La température joue un rôle dans ce processus ; non seulement la température extérieure, mais également la température intérieure dans les habitations. Normalement, les chiens muent au printemps et à l'automne.

D'autres facteurs, tels que l'allongement et la diminution du temps diurne ou les hormones, influencent le cycle de pousse des poils. Les hormones femelles ont tendance à réduire la densité des poils et les mâles à l'augmenter. C'est pourquoi de nombreuses chiennes castrées ont une robe plus abondante et, à l'inverse, les chiennes perdent leurs poils pendant ou après leurs chaleurs.

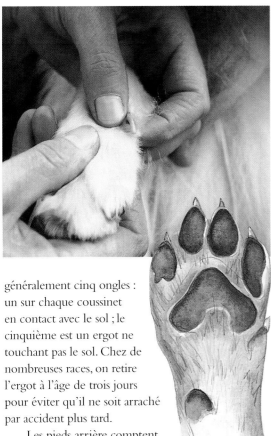

généralement cinq ongles : un sur chaque coussinet en contact avec le sol ; le cinquième est un ergot ne touchant pas le sol. Chez de nombreuses races, on retire l'ergot à l'âge de trois jours pour éviter qu'il ne soit arraché par accident plus tard.

Les pieds arrière comptent souvent quatre ongles, quelquefois cinq s'ils possèdent un ergot. Il existe des exceptions à cette règle, car certaines races sont dotées de doubles ergots. Les chiens norvégiens de Macareux ont même un orteil supplémentaire.

Du fait de leur domestication, certains chiens ont des pelages touffus et particulièrement longs et il est possible qu'ils aient des poils dans les oreilles et entre les coussinets. Cela n'arriverait pas chez les chiens sauvages, aussi est-il nécessaire de retirer les poils superflus, de manière à prévenir les infections et la formation de nœuds de poils entre les coussinets.

PEAU ET ROBE

LES DIFFÉRENTES ZONES de la peau d'un chien se présentent différemment selon leurs fonctions spécifiques. Les coussinets des pieds sont épais et durables, car ils supportent le poids de l'animal et sont en contact avec le sol dur. Les oreilles sont constituées de peau beaucoup plus fine, car elles émettent des signaux sociaux

À gauche
Chaque coussinet du pied du chien est doté d'un ongle. Chaque pied est pourvu d'un ergot, qui n'entre pas en contact avec le sol.

Ci-dessous
Même si l'aspect des robes des chiens varie, toutes suivent un cycle de pousse semblable.

Le chien à crête dorsale de Rhodésie possède une crête de poils inhabituelle, qui pousse dans le sens inverse du reste des poils le long du dos.

Vue, ouïe et odorat

VUE

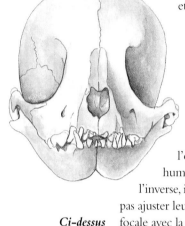

Ci-dessus
Les chiens ayant les yeux très espacés, ont une meilleure vision latérale que nous, mais plus de difficultés à ajuster leur distance focale.

Un chien dominant tente de paraître le plus imposant possible en levant la tête et la queue.

Ci-contre et ci-dessous
Les longues oreilles du basset hound lui permettent de percevoir les odeurs du sol, et la souplesse des oreilles du whippet permet de mieux capter les sons.

TOUS LES CHIENS NAISSENT aveugles et sourds. Leurs yeux et leurs oreilles commencent à être opérationnels entre le neuvième et le treizième jour de leur vie. Même si la forme de la tête varie considérablement d'un chien à un autre, les yeux sont toujours assez écartés, ce qui permet une bonne vision latérale. Les chiens détectent les plus légers mouvements du coin de l'œil, beaucoup plus facilement que les humains. À l'inverse, ils ne peuvent pas ajuster leur distance focale avec la même facilité que nous. Les yeux des chiens sont plus plats que les nôtres et, par conséquent, plus sensibles à la lumière et au mouvement. Par l'intermédiaire du nerf optique, la rétine envoie les informations au cerveau. Cachée sous la paupière inférieure, la membrane nictitante ou « troisième paupière » balaye l'œil pour le nettoyer. Pour conserver l'humidité des yeux, les larmes produites par les glandes lacrymales et leurs canaux coulent dans la cavité nasale.

OUÏE

LES OREILLES DES CHIENS sont particulièrement sensibles aux sons. Elles peuvent entendre des sons quatre fois plus éloignés que l'oreille humaine. Elles peuvent également localiser la source d'un bruit extrêmement rapidement, en $1/600^e$ de seconde. Le son est capté par l'oreille externe et envoyé le long du conduit auditif dans le tympan, où les vibrations stimulent l'oreille moyenne afin qu'elle amplifie et transmette le son. Une partie de l'oreille interne peut alors transformer le son en signaux envoyés au cerveau.

Les oreilles des chiens présentent des formes variées, selon leur fonction, et sont très mobiles, afin de percevoir le plus grand nombre de bruits. Il n'est pas rare de voir un whippet bouger les oreilles dans toutes les directions pour mieux entendre. Les longues oreilles offrent souvent une protection et peuvent permettre aux petits chiens de balayer les odeurs, pour mieux les détecter.

ODORAT

CHEZ TOUTES LES RACES, l'odorat est le sens le plus développé. Il existe même un organe « détecteur de sexe » dans le palais du chien, qui transmet des informations à la partie du cerveau traitant le comportement émotionnel. Grâce à l'humidité de la truffe, l'odeur est captée par le nez, puis transmise aux membranes nasales qui détectent les odeurs les plus ténues.

Des cellules placées le long de la membrane nasale transforment l'odeur en messages chimiques qui sont interprétés dans le cerveau. Le nez d'un humain est pourvu d'environ 5 millions de récepteurs d'odeurs alors que celui du chien en compte environ 200 millions.

COMMUNICATION CORPORELLE

MÊME SI LES CHIENS émettent des sons, ils ne peuvent pas parler et, outre les aboiements, les grognements et les gémissements, ils utilisent un langage corporel pour transmettre leurs humeurs et leurs sentiments.

L'apprentissage de la communication corporelle est transmis par la mère, et les chiots s'entraînent très tôt avec leurs frères et sœurs. Des chiots qui jouent sont comiques et peuvent sembler très turbulents, mais ces moments sont primordiaux, car les chiens apprennent et mettent en pratique des leçons importantes. Dans une portée de très jeunes chiots, on peut déjà distinguer les dominants des dominés. Ces traits de caractère perdurant généralement à l'âge adulte, il est utile de les déceler le plus tôt possible. En effet, un chien dominant aura besoin d'être mieux maîtrisé par l'homme et un chiot moins sûr de lui aura besoin de davantage d'encouragements.

Le chien montre sa puissance en intimidant les autres, membres postérieurs légèrement levés, oreilles dressées. Il regarde fixement les chiens ou se penche vers les plus soumis, relevant éventuellement les babines pour découvrir les crocs. Le moins dominant tente d'éviter le contact visuel, rabattant sa queue entre les jambes et aplatissant ses oreilles. Il peut se coucher sur le côté, oreilles en arrière, lèvres contractées en ce qu'on appelle un « sourire ».

S'allonger sur le côté ou le dos, montrer le ventre et les parties génitales est un signe de soumission. Un chiot peut même uriner. Il existe plusieurs phases intermédiaires de communication, chacune ayant son importance.

Les propriétaires de chiens savent qui est le meneur de la meute, mais celui-ci change parfois, quand le mâle dominant vieillit ou qu'un chien fort devient adulte. Il est donc important que le maître parvienne à maîtriser la situation afin d'éviter les bagarres. Là où des chiens cohabitent, l'homme doit dominer. C'est la condition pour qu'un chien respecte son maître et les règles de la maison.

LANGAGE CORPOREL INSTINCTIF

UN CHIOT QUI LÈCHE la bouche de sa mère l'incite à régurgiter ce qu'elle vient de manger pour le nourrir. Cet instinct, naturel à l'état sauvage, sera conservé à l'âge adulte dans le comportement du chien avec les humains.

Ci-contre
Le langage corporel de ce chiot montre bien la soumission face à un chat agressif.

Ci-dessous
Ce griffon bruxellois adulte domine un minuscule chiot bulldog, situation qui risque de s'inverser lorsque le chiot aura grandi.

Grâce à un incroyable odorat, la majorité des chiens peut détecter une mesure d'urine dans 60 millions de mesures d'eau.

Une vie de chien

gestation et une mise bas. Il convient donc d'éviter que des mâles ne soient en contact avec elle à ce moment-là. Les mâles deviennent sexuellement actifs entre 6 et 18 mois et peuvent le rester jusqu'à onze ou douze ans, voire plus, chez certaines races. Cependant, la capacité de reproduction du chien commence parfois à décroître à partir de sept ans chez les très grandes races.

Après les deux premières chaleurs, la femelle s'installe généralement dans un cycle régulier de deux chaleurs par an. Toutefois, certaines races n'ont qu'une période de chaleurs par an.

GESTATION

LE TEMPS DE GESTATION moyen est de 63 jours, mais la mise bas peut intervenir une semaine avant ou après sans poser de problèmes particuliers, même s'il est utile de consulter un vétérinaire à ce moment-là. Le travail de la mise bas se déroule en deux étapes. C'est au cours de la seconde étape que des complications peuvent survenir et qu'il peut être nécessaire d'assister la chienne et parfois de pratiquer une césarienne. Dans des circonstances normales, les chiots sont nourris par leur mère pendant les trois ou quatre premières semaines de leur vie, après lesquelles commence le sevrage. À six ou sept semaines, les chiots ne dépendent plus de leur mère, même s'ils prennent encore plaisir à la téter quelquefois.

Les chiots ne devraient pas être séparés de leur mère ni de la fratrie avant l'âge de huit semaines, le délai de dix semaines étant le plus courant.

L'âge de la maturité et la durée de vie étant différents d'une race à une autre, les chiens n'atteignent pas tous « la force de l'âge » au même moment. En règle générale, les races plus petites ont tendance à vivre plus longtemps que les grandes. Certaines races géantes, comme les dogues allemands ou les mastiffs, peuvent vivre jusqu'à l'âge de sept ou huit ans, alors que les lhassa apso ou les shih tzu, par exemple, vivent de 12 à 15 ans et parfois plus.

Ci-dessus et ci-contre
Les chiots restent avec leur mère et le reste de la portée pendant 8 à 10 semaines.

Ci-dessous
Fœtus de chiots dans l'utérus.

REPRODUCTION

CHEZ LA FEMELLE, la puberté apparaît en moyenne entre six et neuf mois, et peut apparaître plus tardivement chez les chiennes de très grande race. Les premières chaleurs, le plus souvent discrètes, peuvent passer inaperçues. Il est déconseillé de faire couvrir une chienne lors de ses premières chaleurs, car elle n'est pas nécessairement apte à mener à terme une

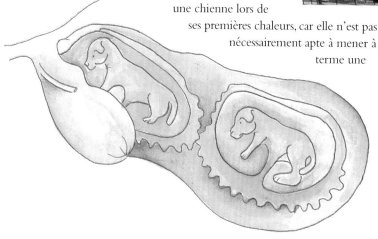

INSTINCT ET APPRENTISSAGE

L'ANCÊTRE LE PLUS DIRECT du chien est le loup mais, à l'heure actuelle, de nombreuses générations s'étant succédé, diverses races de chiens se sont développées, chacune possédant ses spécificités propres. Certains sens sont plus ou moins développés selon la fonction principale de la race. Les chiens sauvages sont des animaux vivant en meutes et certains chiens domestiques ont conservé un plus grand instinct grégaire que d'autres.

DRESSAGE DES CHIENS

MÊME SI L'ÊTRE HUMAIN a mis au point différentes races pour mieux répondre à ses propres besoins, une grande partie du comportement des chiens a toujours relevé de l'instinct. Le dressage a son importance, mais il s'appuie généralement sur des traits de caractères héréditaires. Par exemple, un chien doté d'un instinct pour garder les troupeaux doit en apprendre la méthode. Sinon, il pourrait faire des ravages en ne suivant que ses dons innés. Un animal possédant l'instinct de travailler avec son nez doit apprendre à s'en servir efficacement. Certains chiens sont spécialisés dans la recherche de truffes, des animaux ou des êtres humains. Chaque race possède son propre talent inné, qui a été largement développé par l'homme par le biais de l'élevage sélectif.

INSTINCT DE RAPPORT

CERTAINES RACES DE CHIENS de chasse ou le terre-neuve par exemple, sont naturellement de bons nageurs et, même s'ils ne sont pas dressés, rapportent des objets qu'ils trouvent dans l'eau. Il est toutefois nécessaire de leur montrer ce qui doit être rapporté ou secouru et ce qui ne doit pas l'être. En effet, certains grand chiens ont « secouru » des nageurs qui ne couraient aucun danger !

Les chiens ont depuis longtemps l'habitude de garder les personnes et leurs biens. Au Tibet par exemple, les mastiffs protègent non seulement les animaux domestiques, mais également les femmes

et les enfants lorsque les hommes ne sont pas à la maison. À l'intérieur des monastères, des chiens plus petits avertissent instinctivement les moines que des visiteurs ou des intrus ont passé les mastiffs enchaînés à l'extérieur. Certains chiens ont été créés à des fins spécialisées, telles que la traction de lourdes charrettes ou la poursuite de gibier. À l'heure actuelle, nombre de compétences des chiens, qu'elles soient instinctives ou acquises par le dressage sont utilisées de diverses façons pour s'accorder avec notre style de vie moderne.

Ci-contre

L'instinct de chasse du chien a été exploité dès le début de l'humanité.

Ci-dessous

Le dressage et le caractère hérité jouent un rôle d'une égale importance dans le développement d'une race. Les instincts naturels des pointer et des chiens de berger, par exemple, doivent être maîtrisés pour convenir à leurs propriétaires.

Si une chienne a une portée importante ou si elle ne produit pas suffisamment de lait, il est nécessaire qu'un être humain nourrisse les chiots.

Types de robes

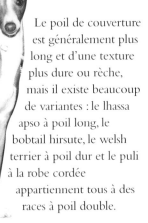

COMME LA CONSTITUTION et la silhouette, la robe varie d'un chien à un autre. Une belle robe soignée ne constitue pas seulement un plaisir pour les yeux, elle permet aussi au chien de se sentir plus à l'aise et diminue les risques de maladies de peau et de parasites externes.

En haut, à droite
Ce petit lévrier italien
a le poil simple.

Au milieu
Nombre de terriers,
dont le cairn terrier,
ont le poil dur.

Ci-dessous
Le puli possède une
robe cordée difficile
à entretenir.

DIFFÉRENTES ROBES

L'UN DES ASPECTS INTÉRESSANTS des robes est qu'elles varient énormément. Ce qui est acceptable en termes de couleur et de texture pour une race peut ne pas l'être pour une autre. La raison en est généralement la fonction de la race ; la mode jouant également un rôle important.

POIL DOUBLE

NOMBRE DE RACES DE CHIENS ont des poils doubles, constitués d'un sous-poil et d'un poil de couverture. Le sous-poil est généralement court, doux et dense. Il agit comme une couche protectrice contre l'eau et les éléments, tout en servant de support au poil de couverture. Certains chiens, en particulier ceux qui viennent de climats froids, ne muent pas et leur sous-poil épaissit et s'emmêle s'il n'est pas tondu régulièrement.

Le poil de couverture est généralement plus long et d'une texture plus dure ou rèche, mais il existe beaucoup de variantes : le lhassa apso à poil long, le bobtail hirsute, le welsh terrier à poil dur et le puli à la robe cordée appartiennent tous à des races à poil double.

POIL SIMPLE

LES RACES TELLES QUE le petit lévrier italien et le bichon maltais, qui ne possèdent pas de sous-poil, sont désignées sous le nom de chiens à poil simple. Les races à poil court ne sont donc pas les seules à ne pas posséder de sous-poil.

TEXTURE DES POILS

LES POILS ONDULÉS, RUGUEUX et rèches sont généralement décrits comme « durs », terme qui s'applique à de nombreux chiens du groupe des terriers. La texture de ces poils ressemble à l'écorce de la noix de coco, mais il s'assouplissent lorsqu'ils atteignent leur longueur maximale et doivent être retirés, de préférence par étrillage à la main. Lorsque les poils atteignent leur plus grande longueur, le poil de couverture s'assouplit. Pour que de nouveaux poils plus durs puissent pousser, les anciens doivent être retirés, souvent par épilation manuelle.

Certains poils sont décrits comme ressemblant à ceux des ours, c'est-à-dire qu'ils sont composés d'un poil de couverture rugueux, d'environ 7,5 à 15 cm, et d'un sous-poil court, laineux, d'environ 2,5 à 5 cm. D'autres chiens sont dotés d'une crinière dense, que l'on appelle quelquefois un châle, constituée de poils généralement durs autour des épaules. Elle est plus fréquente chez les mâles que chez les femelles.

Le poil bouclé est typique des races comme le retriever à poil bouclé et le chien d'eau irlandais. Leur robe est constituée d'une masse de boucles épaisses et serrées ressemblant à de l'astrakan. Les poils emprisonnent l'air, protégeant ainsi l'animal du froid et de l'eau.

Les chiens au poil dressé sont pourvus de poils longs, lourds et rugueux qui se dressent au lieu d'être plaqués sur le corps. Dans la plupart des cas, ils sont soutenus par un sous-poil dense de poils plus courts et lisses. Les spitz-loups et les spitz nains en sont un exemple.

Certaines races possèdent des poils longs, d'autres des poils lisses. Le lévrier afghan est de toute évidence un chien à poil long, alors que le terrier de Manchester et le bull terrier ont des poils lisses. Le terme « poil ras » s'applique à une robe sur une peau lisse, bien tendue, ne comportant ni rides ni plis.

mélange naturel du sous-poils et du poil de couverture. Les cordes peuvent varier en largeur, mais elles doivent toujours être séparées et ne pas se tisser ou se rejoindre. Il est important de prendre conscience du fait que les races à poil cordé ont besoin de soins constants pour que leur poil reste cordé sans s'emmêler.

D'autres variantes comprennent le poil soyeux, doux et duveteux du bedlington terrier et le poil extraordinairement long et abondant du berger de Bergame, qui a tendance à former des mèches. La robe rèche du dandie dinmont terrier est constituée d'un poil de couverture dense et dur et d'un sous-poil doux, semblable à de la fourrure. Certaines races possèdent des textures de robe diverses, qui donnent des types différents dans la même race. C'est le cas du teckel, qui possède trois types de poils.

Certaines races sont dotées de robes spécifiques, notamment le shar peï, dont le poil court et hérissé doit être rugueux au toucher. Nombreux sont ceux qui pensent qu'un poil plus long est plus esthétique, mais la bonne texture du poil est nécessaire au maintien du véritable type de race. D'autres races ont besoin d'un poil plus long, « dressé », lourd et rugueux qui se détache du corps, plutôt qu'un poil près du corps.

Les poils cordés tels que ceux que l'on trouve chez le puli et le komondor proviennent du

Ci-contre
Le boxer a le poil ras.

À gauche
Le shar peï a le poil dur et rugueux.

Au centre à gauche
Le retriever à poil bouclé est couvert de boucles serrées.

Ci-dessous
Le dandie dinmont terrier a un poil « empilé ».

Ci-dessus
Le terrier anglais d'agrément noir et feu a le poil court.

Ci-contre
Le chien de berger des Shetland est doté d'un poil long, relativement dru.

Couleurs et marques

L'UN DES ASPECTS de la couleur qui prête à confusion est qu'un terme décrivant la couleur d'une race peut décrire des couleurs légèrement différentes dans une autre. Par exemple, fauve et rouge peuvent désigner diverses nuances. Le gris varie également, du gris-argent à ardoise.

COMPRENDRE LA COULEUR

POUR COMPLIQUER DAVANTAGE les problèmes liés à la définition de la couleur, certaines races changent de couleur avec l'âge. Le kerry blue terrier n'acquiert sa couleur bleue caractéristique que lorsqu'il arrive à maturité, et certains chiens noirs deviennent gris en vieillissant. Certaines races ont des poils de diverses couleurs, mais si leur standard exige que le pigment de la truffe soit noir, les robes foie et chocolat ne peuvent être acceptées, car les caractéristiques génétiques de l'animal impliqueront que le pigment ne sera pas noir mais de la couleur correspondante.

Ci-dessous
Le kerry blue terrier n'atteint pas sa couleur distinctive avant sa maturité.

On peut également trouver des mélanges de couleur, tels que noir et havane, foie et blanc, ou le mélange tricolore, noir, havane et blanc. Les particolores sont des chiens de couleur blanche associée à une autre couleur en proportions relativement égales, alors que les pie présentent un mélange de taches blanches et noires ; pie-noir signifie que le blanc domine et noir-pie que le noir domine.

ZIBELINE

LA ROBE ZIBELINE, comme celle du chien de berger des Shetland, possède un motif d'une couleur dominante prenant la forme de plaques sombres sur un fond plus clair, les deux nuances ayant généralement le même pigment de base. Le terme « zibeline » s'applique généralement aux races à poils longs, mais certaines races à poils courts sont ainsi colorées, notamment le colley à poil court et le welsh corgi. Le terme « pommelé » est synonyme. Les chiens français portant cette robe sont dits « arlequins », les chiens britanniques sont bleu merle, mais il peut en exister des variantes, comme foie merle ou rouge merle.

TIQUETÉ

TIQUETÉ EST UN TERME souvent utilisé pour les chiens de chasse. Il désigne de petites zones de poils d'une couleur différente de la couleur d'ensemble. Le tiqueté est souvent réparti sur toute la robe et désigne des point foncés sur un fond clair. Il désigne des mouchetures ou un effet truité.

SABLE

COULEUR DE ROBE PARTICULIÈRE, produite par des poils à extrémité noire sur un fond de couleur différente. Cette couleur peut avoir des nuances différentes, comme sable-gris, sable-argent, sable-or, etc. Le sous-poil est généralement clair et les chiens à robe sable portent souvent des masques sombres.

BRINGÉE

ROBE DANS LAQUELLE un effet subtil de rayures est produit par des poils noir ou sombres sur un fond plus clair.

MARQUES EN FORME DE SELLE ET COUVERTURES

LES MARQUES EN FORME de selles et les couvertures sont des zones

de poils foncés ou noirs sur le dos, les couvertures s'étendant plus bas sur les flancs du chien. Ces termes sont fréquemment utilisés pour les chiens de chasse.

MASQUE

UN MASQUE EST CONSTITUÉ de poils foncés sur la tête, qui forme un motif évoquant un masque. Souvent, il se situe uniquement dans la région du museau, comme chez le boxer ou le dogue allemand. Chez d'autres, il peut couvrir les oreilles et le haut de la tête, comme c'est souvent le cas pour le malmute de l'Alaska. Le terme « masque » est souvent aussi utilisé pour désigner une différence de longueur du poil, qui est plus court sur la tête que sur le reste du corps.

PÉPINS

DÉSIGNE DES MARQUES situées au-dessus des yeux que l'on trouve chez la plupart des races noir et feu. Ce terme n'est cependant pas utilisé pour toutes les races, mais on peut observer ces marques chez le doberman, le rottweiler et le setter gordon. Chez les basenji noir et feu, ces marques sont appelées « pépins de melon ».

COUP DE CRAYON

TERME DÉSIGNANT LES MARQUES NOIRES le long de chaque doigt, notamment chez le terrier anglais d'agrément noir et feu.

BAS ET CHAUSSETTES

LE TERME « BAS » DÉSIGNE les zones de poil blanc qui couvrent une grande partie de la patte et créent un contraste

frappant avec la couleur principale de la robe. Lorsque la couleur ne couvre que les pieds ou ne dépasse pas le poignet à l'avant ou à l'arrière des jarrets, on parle de « chaussettes ».

PANACHÉE

UNE ROBE PANACHÉE est pourvue de marques, généralement blanches, disposées irrégulièrement sur un fond de couleur plus sombre. Ces marques sont souvent indésirables, mais cependant pas dans toutes les races.

BRANCHES DE LUNETTES

ZONES CIRCULAIRES, de couleur claire, situées

autour des yeux et typiques des spitz-loup.

PASTILLE

DÉSIGNE UNE MARQUE placée au centre du crâne, caractéristique des cavaliers king Charles spaniels de couleur blenheim. Même si ces marques sont le plus souvent sur la tête, on peut également les trouver sur d'autres parties du corps, notamment le poitrail.

Ci-contre
Chiot lhassa apso sable-or prenant fièrement la pose.

Ci-dessous
Chiot boxer pourvu d'un masque sombre autour du museau et des yeux.

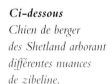

Ci-dessous
Chien de berger des Shetland arborant différentes nuances de zibeline.

Terminologie canine

LORSQU'ON TENTE de comprendre la terminologie canine, on s'aperçoit que, très fréquemment, la même expression est utilisée pour désigner plusieurs choses différentes. Cela peut arriver parce qu'un mot ou une expression s'utilise dans des contextes légèrement différents d'une race à une autre, mais souvent c'est parce que le terme a été mal interprété dans le passé et donc mal utilisé au moins oralement, ou pire encore, par écrit. Tout cela engendre une grande confusion.

COMPRENDRE LA TERMINOLOGIE

À droite
Un bichon maltais de concours doit toujours avoir la truffe noire.

DANS LES PAGES qui suivent vous trouverez les termes les plus utilisés, même si certains ont été omis, principalement car ils désignent des défauts et que l'objectif du présent ouvrage est de donner une impression d'ensemble de l'esthétique des chiens correspondant aux standards.

Ci-contre
L'épagneul tibétain est l'exemple typique d'un chien dont les antérieurs sont arqués.

Il n'en reste pas moins que nombre des expressions utilisées désignent un défaut chez certaines races, alors qu'elles sont parfaitement acceptables chez d'autres. Par exemple, un rottweiler aux pattes avant arquées aurait un aspect très étrange alors que l'on demande notamment à l'épagneul tibétain d'avoir les jambes conformées de cette manière. De la même façon, les teckels et les bassets peuvent avoir des pieds avant pointus, mais ils peuvent également être tournés légèrement

À droite
Ce fox-terrier est un bon exemple de tête en forme de brique.

vers l'extérieur, à cause de leur constitution. Ces mêmes extrémités dirigées vers l'extérieur sont qualifiées de « panards »,ce qui représente un défaut chez la majorité des races.

Ces différences entre les races sont une preuve manifeste de leur diversité. Par ailleurs, des éléments tels que la constitution et la pigmentation peuvent varier au sein d'une même race. La pigmentation et la couleur des yeux vont souvent de pair avec la couleur de la robe. Un braque de Weimar aurait une physionomie étrange avec une truffe noire et, en revanche, si un bichon maltais ne possédait pas cette même truffe noire, il serait sévèrement pénalisé dans les concours. Pour compliquer encore les choses, certaines races devraient être pourvues de truffes noires, mais si leurs robes sont plus claires, une truffe plus claire est tolérée.

PIGMENTATION

EN CE QUI CONCERNE la pigmentation, les variations peuvent également être générées par les saisons ou par l'activité hormonale. En effet, chez certaines races, la truffe est plus pâle en hiver. C'est ce que l'on appelle communément la « truffe d'hiver » ou la « truffe de neige ». La truffe reprend sa pigmentation habituelle avec l'arrivée des beaux jours.

FORME DE LA TÊTE

L'EXPRESSION « TÊTE EN FORME DE BRIQUE » serait péjorative si on l'appliquait à un lévrier afghan, mais chez certaines races, notamment le fox-terrier, il s'agit d'une caractéristique intrinsèque, qui est souvent soulignée par la tonte.

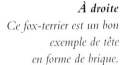

FORME DES YEUX

LES YEUX SONT UNE autre source de confusion en matière de terminologie. En effet, chez certaines races, le terme « œil en amande » a été transformé en « œil ovale », pour éliminer le risque que des chiens aux yeux trop petits soient acceptés au sein d'une race, engendrant des problèmes pour celle-ci. Certains chiens ont une trop grande quantité de peau ou de poils autour des yeux. Pour ce qui est du shar peï par exemple, le standard de la Fédération cynologique internationale cite comme défaut les « plis de la peau ou poils gênant la fonction normale des yeux ». Il reste à espérer que les éleveurs respecteront cette clause, car elle est dictée par le bon sens.

QUEUE

LA QUEUE D'UN CHIEN se tient bien sûr de

manière différente lorsque l'animal est à l'arrêt et lorsqu'il est en mouvement ; aussi, il est important, lorsqu'on juge un chien, de savoir à quelle hauteur il doit porter la queue lorsqu'il se déplace. Chez certaines races, la queue peut être dressée ou au repos lorsque l'animal est à l'arrêt, aucune de ces deux positions ne devant être pénalisée.

FORME DES OREILLES

EN CE QUI CONCERNE les oreilles, les descriptions sont très nombreuses et diverses et l'on trouve parfois plusieurs descriptions pour une même race. Certaines oreilles adoptent une position différente lorsque le chien est en alerte, puisque la plupart des chiens orientent leurs oreilles pour mieux entendre. Même le développement des dents peut affecter le port des oreilles. Aussi, chez certains animaux, cette donnée est prise en compte lors

Ci-contre
Les shar-peï ont trop de peau autour du visage.

de l'évaluation des jeunes. Les whippets, par exemple, peuvent faire des choses extraordinaires avec leurs oreilles avant d'atteindre leur maturité. Enfin, il faut tenir compte du fait que les standards de race diffèrent quelquefois d'un pays à un autre, légèrement certes, mais cela peut suffire à mettre l'accent sur tel ou tel aspect d'un chien ; c'est ainsi qu'une même race peut varier légèrement selon les pays.

À gauche
Beagle à la queue verticale.

Ci-dessous
Chiot whippet aux oreilles tombantes.

Cambrure et dos

CAMBRURE

CE TERME DÉSIGNE GÉNÉRALEMENT un dos horizontal, plus ou moins cambré au niveau des reins, de par le développement des muscles qui atteste de la puissance dans cette partie du corps. Le chien à crête dorsale de Rhodésie et les teckels sont deux exemples de race qui se doivent de présenter cette cambrure.

DOS LONG

CHEZ UNE RACE à dos long, la distance du garrot à la croupe est nettement plus longue que la hauteur du chien au garrot, comme chez le teckel ou le welsh corgi.

DOS HORIZONTAL

LES CHIENS dotés de dos horizontaux ont la même hauteur au garrot qu'au niveau des reins.

DOS VOUSSÉ

DANS LA GRANDE MAJORITÉ des cas, un dos voussé est un défaut, mais certaines races doivent avoir une légère cambrure inverse au niveau des reins, qui peut être considérée comme un dos voussé. Il est donc important de savoir si cette cambrure est correcte ou s'il s'agit d'un défaut morphologique.

DOS INCLINÉ

UN CHIEN DONT LE DOS est incliné est généralement plus haut au garrot qu'au niveau

En haut, à droite
Ce berger allemand montre un dos incliné vers l'arrière, plus haut au garrot.

Ci-dessus
Même s'il est plus petit que le chien à crête dorsale de Rhodésie, le teckel nain à poil dur a aussi les reins cambrés.

À droite
Le chien à crête dorsale de Rhodésie est doté de reins solides et musclés, typiques des chiens cambrés.

des reins, car son dos s'incline vers l'arrière, comme chez le berger allemand. Cependant, un dos incliné peut également s'incliner dans la direction inverse, c'est-à-dire, être plus haut au niveau des reins. Chez certains animaux, cette inclinaison est correcte, comme chez le bobtail et le retriever de la baie de Chesapeake.

DOS DROIT

UN DOS DROIT N'EST pas nécessairement horizontal, mais il forme une ligne droite, sans cambrure entre le garrot et les reins, comme chez le terrier anglais d'agrément noir et feu.

DOS ARQUÉ

LE DOS ARQUÉ EST une forme exagérée du dos voussé. Le dos forme un arc continu, du garrot aux reins. Les barzoï et le bedlington terrier sont des exemples typiques de ce type de dos.

Ci-contre
Le terrier anglais d'agrément noir et feu est doté d'un dos droit.

Centre et centre gauche
Le barzoï et le bedlington terrier ont tous deux le dos arqué.

Ci-dessous
Le whippet est un exemple parfait d'une ligne du dessous exagérément relevée et de poitrine accentuée.

LIGNE DU DESSOUS : RELEVÉE

FORME DE LA LIGNE sous l'abdomen, à l'endroit où celui-ci se relève, avant les membres postérieurs. Cette ligne est exagérée chez certaines races, notamment le whippet, et elle est encore accentuée lorsque la poitrine est profonde. Chez d'autres races, cette forme est plus modérée, voire à peine perceptible.

Forme et port des oreilles

présentent également un pavillon ouvert.

TOMBANTES

ELLES PEUVENT être tombantes, semi-tombantes ou pendantes. Tous ces types d'oreilles pendent à partir de leur jonction avec le côté de la tête. Les oreilles du skye terrier peuvent être tombantes ou dressées.

SEMI-DRESSÉES

ON LES APPELLE également semi-tombantes. L'extrémité penche légèrement vers l'avant, mais pas autant que dans les oreilles en V. Les bergers des Shetland possèdent ce type d'oreilles.

DRESSÉES

ÉGALEMENT APPELÉES oreilles droites, elles se tiennent raides. Elles caractérisent le berger allemand, le husky sibérien et aussi le spitz nain. Les chiens aux oreilles dressées, peuvent

cependant avoir des extrémités arrondies ou pointues, selon les races.

En haut, à droite
Le chien de berger des Shetland a des oreilles semi-tombantes.

En haut, au centre
Le border terrier a des oreilles en bouton.

En haut, à gauche
Le welsh corgi a des oreilles en chauve-souris.

Première à droite
Ce bouledogue français est doté d'oreilles arrondies.

Deuxième à droite
Le terrier anglais d'agrément noir et feu a des oreilles en flamme de bougie.

Troisième à droite
Le skye terrier peut avoir des oreilles tombantes ou dressées.

Quatrième à droite
Le bedlington terrier a des oreilles oblongues.

EN CHAUVE-SOURIS

CE TERME, en Europe, est synonyme d'oreilles en tulipe. Ces oreilles sont dressées, large à la base, légèrement écartées et arrondies au bout, et pointent vers l'avant, comme celle du welsh corgi.

EN BOUTON

LES OREILLES en bouton sont dressées à moitié. La partie inférieure est droite et la supérieure tombe vers l'avant ou est repliée vers l'avant et cache l'orifice menant au conduit auditif.

COUPÉES

ON APPELLE également les oreilles coupées, oreilles semi-tombantes. L'extrémité penche

légèrement vers l'avant, mais pas autant que dans les oreilles en V. Elles sont rejetées vers l'arrière quand le chien est au repos, ramenées vers l'avant quand le chien est attentif Les bergers des Shetland possèdent ce type d'oreilles.

ARRONDIES

LES RACES telles que le bouledogue français et le chow chow possèdent des oreilles à l'extrémité nettement arrondie, plutôt que pointue. Elles

EN FLAMME DE BOUGIE

CETTE FORME est spécifique des oreilles du terrier anglais d'agrément noir et feu.

OBLONGUES

FORME D'OREILLES particulièrement inhabituelle. Ces oreilles sont de taille modérée et attachées bas, et tombent à plat contre les joues. Elles sont plus spécifiques du bedlington terrier.

VOLANTES

OREILLES se détachant ou tombant sur les côtés

de la tête. Pour de nombreuses races, il s'agit d'un défaut, qui peut se présenter sur une ou les deux oreilles. Cependant, chez les lévriers, cette forme est acceptée ; lorsqu'un bruit attire leur attention, ils lèvent les oreilles pour mieux capter les sons. Cette

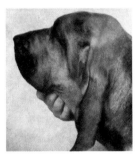

caractéristique peut, dans une plus ou moins grande mesure, être temporaire pendant le développement des dents.

PLIÉES

OREILLES tombantes, dont les lobes pendent vers l'avant plutôt qu'à plat. On trouve ces oreilles chez le saint-hubert et le field spaniel.

EN FORME DE CŒUR

MÊME SI L'ON ne peut pas véritablement voir la forme de cœur des oreilles car elle est dissimulée par les poils qui les recouvrent, on peut la détecter au toucher. Des races telles que le chien d'eau portugais et le pékinois ont des oreilles de cette forme.

ATTACHÉES HAUT

OREILLES attachées presque sur le sommet du crâne, plus haut que le niveau de l'œil. Ces oreilles peuvent être associées à divers types de formes d'oreilles.

ENCAPUCHONNÉES

CES OREILLES sont relativement petites, pointues et attachées bien en avant du

sommet de la tête, comme chez le basenji.

EN FORME DE LOBE

CES OREILLES sont la marque de races telles que le springer anglais, le chien d'eau irlandais

et le cocker anglais. Il est difficile de les voir à cause de la fourrure, mais on peut les sentir au toucher.

ATTACHÉES BAS

LE CONTRAIRE des oreilles attachées haut, elles partent d'une position relativement basse sur le crâne, comme chez le saint-hubert.

ROULÉES

OREILLES longues, pendantes et pliées, associées aux races de lévriers, l'extrémité inférieure et le bord de l'oreille sont pliés vers l'intérieur.

EN ROSE

OREILLES relativement petites, tombantes, repliées vers l'arrière et montrant le rose de l'intérieur du conduit auditif. On les trouve chez les carlins, les whippet et les bulldog.

TRIANGULAIRES

OREILLES dans lesquelles les trois côtés forment un triangle équilatéral. Elles sont attachées haut et portées droites. On les trouve chez le husky sibérien, le buhund norvégien et le chien

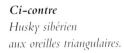

de montagne des Pyrénées.

EN TULIPE

LES OREILLES en tulipe sont souvent décrites différemment selon les pays. Il s'agit généralement d'oreilles en rose ou semi-tombantes qui, pour une raison quelconque, sont dressées et donc présentent un défaut. Cependant, dans certains pays « oreilles en tulipe » décrit des oreilles dressées, pavillon ouvert vers l'avant, comme chez le bouledogue français.

OREILLES EN V

OREILLES triangulaires, généralement tombantes, mais pas toujours. Elles ont une bonne longueur de la base à l'extrémité, comme celle du bullmastiff ou du braque hongrois.

Ci-contre
Husky sibérien
aux oreilles triangulaires.

Tout à gauche
Le saint-hubert est
l'exemple typique du chien
à oreilles pliées.

Au centre à gauche
Les oreilles du basenji sont
penchées vers l'avant,
ce qui leur donne un aspect
encapuchonné.

À gauche et ci-dessous
Ce bulldog possède
des oreilles en rose, repliées
vers l'arrière. Les oreilles
plus grandes du braque
hongrois sont en forme
de V.

Yeux et expressions

En haut, à droite
Ce setter gordon a des pépins au-dessus des yeux.

Droite
La conjonctive est un pli fin sous l'œil, que l'on voit chez le saint-hubert.

Centre
Les marques inhabituelles autour des yeux du spitz-loup s'appellent des branches de lunettes.

Centre, droite
La légende veut que le dogue du Tibet puisse prévoir les malheurs grâce à ses marques.

Ci-dessus (gauche, centre, droite)
Le chow chow a des yeux enfoncés, alors que le bulldog et le malmute de l'Alaska ont des yeux orientés vers le haut.

YEUX EN AMANDE

LES YEUX en amande sont des yeux ovales, aux extrémités légèrement pointues. On les trouve chez les chiens d'eau irlandais, les spitz finlandais, les bergers allemands et les barzoï.

YEUX ENFONCÉS

YEUX DONT les globes oculaires sont placés au fond des orbites, ce qui donne l'impression qu'ils sont enfoncés dans le crâne. Les yeux d'un chow chow, notamment, sont enfoncés.

YEUX GLOBULEUX

YEUX RONDS et légèrement protubérants, même si, vus de profil, ils ne sont pas exorbités.

YEUX À CONJONCTIVE APPARENTE

YEUX SPÉCIFIQUES de races dans lesquelles

la conjonctive (bordure intérieure de la paupière inférieure) est visible, comme chez le saint-hubert.

YEUX DISPOSÉS OBLIQUEMENT

YEUX DONT les coins

extérieurs sont situés plus haut dans le crâne que les coins intérieurs. Les races telles que le malmute de l'Alaska,

le bull terrier, le spitz finlandais et le retriever à poil plat en sont pourvus.

YEUX OVALES

NOMBRE de races ont des yeux ovales. Ce terme est synonyme, dans la plupart des cas, d'yeux oblongs. Les teckels possèdent des yeux ovales.

YEUX RONDS

LES YEUX RONDS se trouvent dans des ouvertures rondes, comme chez le bouledogue français, le griffon bruxellois et le cocker américain.

YEUX TRIANGULAIRES

LE CONTOUR des yeux triangulaires est plus anguleux que les yeux ovales ou oblongs. Les lévriers afghans ont des yeux ainsi dessinés.

MARQUES SUR LES YEUX : BRANCHES DE LUNETTES

DÉCRIT les marques claires qui entourent les yeux du spitz-loup et se détachent sur le reste de la tête dont la couleur est plus foncée.

PÉPINS

NOMBRE DE races noir et feu sont pourvues de pastilles feu au-dessus des yeux. Le terme « pépin » s'applique aux races à poil court ou relativement court, telles que les dobermans, setters gordon, rottweilers et basenji, chez qui on les appelle généralement des « pépins de melon ».

QUATRŒIL

LE DOGUE DU TIBET, ainsi que toutes les autres races du Tibet portant des marques feu au-dessus des yeux sont désignés par le terme « quatrœillé ». La croyance veut que ces chiens puisse prévoir un malheur jusqu'à trois jours à l'avance.

DOMINO

IL S'AGIT d'un masque facial inversé, que l'on trouve chez certaines races.

COULEUR DES YEUX : ŒIL VAIRON

UN ŒIL VAIRON provient d'un défaut de pigmentation du fond d'un œil à l'iris bleu. Cette couleur est très répandue chez les chiens à robe merle.

CILS

LES CILS du lhassa apso sont exceptionnellement longs, pour protéger les yeux du voile de poils qui tombe dessus. Cette combinaison de poils et de cils protège également les chiens de la réverbération du soleil et de la neige dans l'atmosphère raréfiée du Tibet.

SOURCILS

TOUT COMME

les humains, les chiens sont pourvus de sourcils, formés de peau et de poils couvrant les bords des os frontaux du crâne. L'épaisseur des sourcils varie selon la race, elle est plus visible chez les teckels à poil dur.

BORD DE L'ŒIL

CHEZ DE NOMBREUSES races, le bord de l'œil est

important, tout comme sa fermeté. La couleur du bord de l'œil indique la pigmentation et chez la majorité des chiens, cette pigmentation doit être continue. La plupart des races doivent avoir des bords foncés, mais il existe des exceptions.

TROISIÈME PAUPIÈRE

IL S'AGIT EN FAIT de la membrane nictitante, située dans le coin intérieur de chaque œil, qui le protège des blessures et agit comme un « essuie-glaces ». Elle est généralement rosée, mais son bord extérieur peut être pigmenté et se fondre avec les yeux. Lorsqu'elle n'est pas pigmentée, elle se remarque encore plus, même lorsque le chien a les yeux ouverts. Cela n'est pas nécessairement considéré comme un défaut chez certaines races. On peut observer cette troisième paupière commençant à couvrir l'œil à partir du coin intérieur lorsque le chien dort.

EXPRESSION : ORIENTALE

LE LÉVRIER AFGHAN est l'exemple typique de l'expression orientale, due à l'association de la structure de la tête, de la forme et de la position des yeux, de la couleur et du masque du visage.

BOURRUE

DÉCRIT l'expression typique du bouvier des Flandres, son aspect dur, souligné par la barbe, la moustache et les sourcils fournis.

D'APPARENCE SIMIESQUE

L'EXPRESSION « d'apparence simiesque » décrit parfaitement les visages

caractéristiques du griffon bruxellois et de l'affenpinscher, de même que celui de l'épagneul tibétain.

HARDI

LE VISAGE du chihuahua

est décrit comme hardi à cause de son air effronté, qui provient de la combinaison de la position et de la taille des divers composants de la structure du crâne de cette race et des caractéristiques de ce chien.

En haut, à gauche
Le berger des Shetland a quelquefois un motif en forme de domino autour des yeux.

Ci-contre
L'affenpinscher à l'apparence simiesque.

Centre, à gauche
Teckel nain à poil dur aux sourcils fournis.

Ci-dessous, centre gauche
L'expression du lévrier afghan est qualifiée d'orientale.

Gauche
Le griffon bruxellois, comme l'affenpinscher, a un visage simiesque.

En bas, à gauche
Lhassa apso doté de long sourcils.

Ci-dessous
Le visage hardi du chihuahua lui donne un air effronté.

Aplomb avant et pieds

EN CANON DE FUSIL

LES ANTÉRIEURS SONT droits vus de devant. Les avant bras et les jarrets sont droits, à la verticale du sol et parallèles.

EN FER À CHEVAL

DESCRIPTION DE L'APLOMB avant du bedlington terrier, dont les membres antérieurs sont droits mais plus écartés à la poitrine qu'aux pieds.

RÉGULIER

CETTE DESCRIPTION est interchangeable avec celle du canon de fusil, car dans les deux cas les antérieurs sont perpendiculaires au sol et parallèles. Dans les deux cas, cette droiture se poursuit dans les attaches et le paturon, jusqu'aux mains.

LARGE

CERTAINES RACES, notamment le bulldog, doivent avoir une avant-main large, même si l'adjectif « large » indique, pour la plupart des races, que l'avant est plus large qu'il ne devrait l'être.

Ci-dessus
Les épagneuls tibétains ont souvent les antérieurs en lyre.

Centre
Pointer aux pieds félins.

Ci-dessous
Ces teckels à poil ras ont des antérieurs cagneux.

EN LYRE

VUS DE DEVANT, les membres antérieurs sont courbés vers l'extérieur à partir du coude, puis vers l'intérieur au pied. Les antérieurs en lyre sont généralement considérés comme des défauts chez la plupart des chiens, mais sont requis chez l'épagneul tibétain et le pékinois.

CAGNEUX

STRUCTURE DE RACES telles que les teckels et les bassets, qui permet de loger la portion avant de la poitrine entre des pattes très courtes. Vus de devant, les membres antérieurs sont inclinés vers l'intérieur et quelquefois légèrement courbés.

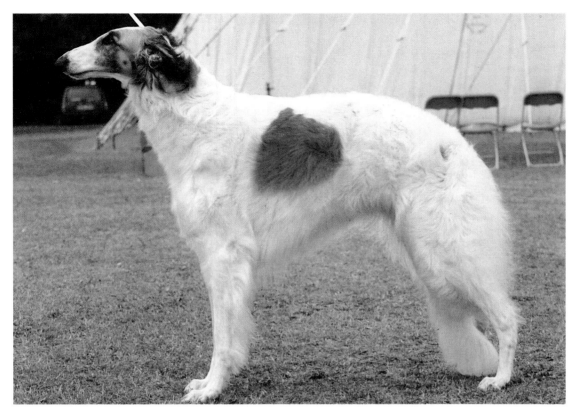

PIEDS DE CHAT

C'EST LE TERME LE PLUS USITÉ pour désigner
des mains rondes et compactes, aux doigts
bien arqués et regroupés, les deux du centre
étant légèrement plus longs que les autres.
Les coussinets sont très rembourrés et couverts
de peau épaisse. Certaines races doivent avoir des
mains circulaires ou compactes ; il s'agit en fait
des mêmes mains, qui donnent une impression
de rondeur plutôt que d'ovale.

PIEDS DE LIÈVRE

LES DOIGTS DU CENTRE sont plus longs
que les autres et l'arc des doigts est moins
marqué, ce qui donne un aspect général plus
long, comme chez l'épagneul tibétain
et les mains postérieurs
du barzoï.

PIEDS OVALES

LES PIEDS OVALES sont très
proches des pieds de chat,
hormis que les doigts
centraux sont légèrement
plus longs. On trouve ces
mains chez le pointer, il
s'agit de main normale
chez tous les chiens.

PIEDS PLATS ET OUVERTS

LES RACES QUI rapportent en plongeant dans
l'eau ont souvent les mains plates et ouvertes,
palmées. On trouve également ce type de pieds
chez les races arctiques qui doivent travailler
dans la neige.

Ci-contre
Le barzoï est doté
de pieds de lièvre.

Ci-dessous
Pieds de chat
du bulldog.

Tête et crâne

TÊTE EN FORME D'ŒUF

LE BULL TERRIER possède une tête en forme d'œuf, le mot « œuf » décrivant parfaitement la façon dont la tête du terrier s'affine vers le nez.

d'autres contextes, techniquement, c'est une tête dans laquelle le crâne et la face sont de même longueur. La tête du setter gordon en est un exemple typique.

TÊTE EN FORME DE BRIQUE

CE TYPE de tête possède

présente ni rides ni bosses dues à des os ou à des muscles. Le terme « décharné » s'applique également à d'autres races, telles que les chiens de berger belges.

TÊTE EN CÔNE

ÉGALEMENT appelée tête conique, cette forme de tête est celle des teckels. Vue de profil et du dessus, elle est triangulaire.

En haut, à droite, et au centre, à droite
Le teckel à poil ras a une tête conique, alors que la tête du spitz ressemble à celle d'un renard.

Ci-dessus et au centre
La tête du chihuahua est en forme de poire, celle du fox-terrier à poil dur en forme de brique.

Ci-contre et au centre,
Tête équilibrée du setter gordon et tête décharnée du berger belge.

À droite
Bull terrier à la tête en forme d'œuf

TÊTE EN FORME DE POMME

SYNONYME DE crâne en dôme. La boîte crânienne est en forme d'hémisphère inversé, arrondi dans toutes les directions dans des proportions différentes selon les races. L'exemple le plus extrême est celui du chihuahua.

un crâne et un museau à peu près de même largeur. Le fox-terrier à poil dur en est un bon exemple. La forme de brique est souvent accentuée par la tonte. On désigne également ce type de tête par l'adjectif « rectangulaire ».

TÊTE DE RENARD

LES RACES DE SPITZ sont connues pour leur tête rappelant celle du renard.

TÊTE SÈCHE

UNE TÊTE SÈCHE ne

TÊTE ÉQUILIBRÉE

MÊME SI LE TERME est parfois utilisé dans

Elles sont allongées et triangulaires, avec une face relativement fine.

TÊTE DE LOUTRE

CE TERME imagé désigne la ressemblance entre la tête du border terrier et celle de la loutre.

TÊTE EN POIRE

TERME DÉCRIVANT les contours de la tête du bedlington terrier.

TÊTE LONGUE

LA TÊTE du barzoï est longue et étroite, et s'affine vers le museau. Cette description est généralement utilisée pour les races chez lesquelles le stop est peu prononcé ou imperceptible.

TÊTE DE BÉLIER

CE TERME désigne l'ensemble des

contours du crâne et de la face vus de profil, qui semble convexe, comme chez le bull terrier et le bedlington terrier.

TÊTE RONDE

TERME DÉCRIVANT la forme globale d'une tête à front court et au large crâne carré, qui donnent une impression générale de rondeur.

TÊTE CARRÉE

CE TERME FAIT référence à la forme du museau ou de la lèvre d'une tête qui n'est pas en forme de V, comme chez les barzoï, ni arrondie comme chez le bouledogue français. Le pointer en est un exemple typique.

TÊTE CUNÉIFORME

TÊTE EN FORME de V. Vue de dessus ou de profil, tête formant un triangle, dont les côtés n'ont pas toujours la même longueur. Cette description peut donc être utilisée pour plusieurs races.

FORMES DE CRÂNES

IL EXISTE TROIS catégories de races déterminées en fonction de la forme du crâne :

Brachycéphale : races à faces courtes, telles que le carlin. Les chiens tels que le lhassa apso, à la face courte, sont des brachycéphales partiels.

Dolichocéphale : races à crâne de grande longueur, comme chez le barzoï.

Mésocéphale : races à crâne de longueur moyenne comme les épagneuls.

CRÂNE BOMBÉ

UN CRÂNE bombé peut être bombé d'un côté à l'autre ou dans le sens de la longueur.

CRÂNE LARGE

DÉCRIT LA LARGEUR entre les oreilles par rapport à la longueur du crâne. Le retriever golden est un exemple de chien au crâne large.

CRÂNE PLAT

CRÂNE PLAT dans toutes les directions, d'une oreille à l'autre et du stop à l'occiput. Les colley barbus, les clumber et les pointer possèdent ce type de crâne.

CRÂNE OVALE

UN CRÂNE OVALE

présente des contours doux, courbes d'une oreille à l'autre. C'est le cas notamment du setter anglais.

CRÂNE ARRONDI

MOINS EXAGÉRÉ qu'un crâne bombé ou en pomme, le haut

du crâne arrondi est bombé dans les deux sens, d'une oreille à l'autre et du stop à l'occiput. Le crâne peut être plus ou moins bombé selon la race. L'épagneul japonais et le bouledogue français sont des exemples de races à crâne arrondis.

En haut, à gauche
La tête joliment formée du border terrier tire son nom de la loutre.

Ci-contre
L'épagneul japonais a un visage arrondi.

Au centre, à gauche
Le bouledogue français possède une tête arrondie.

À gauche
Les bedlington terriers présentent une tête en forme de poire.

Ci-dessous
Les retrievers golden ont des crânes larges.

Nez

NEZ MARRON OU FOIE

À droite
*Le clumber
est doté d'un nez
couleur chair.*

UN NEZ MARRON OU FOIE est parfaitement acceptable chez certaines races, car il correspond généralement à la couleur de la robe à cause de la constitution génétique. Le braque allemand à poil court par exemple, possède un nez marron ; celui du chien d'eau irlandais est foie foncé et celui du sussex spaniel foie.

NEZ PAPILLON

QUELQUEFOIS APPELÉ également nez tacheté, un nez d'une telle couleur est à proscrire chez la plupart des races, car elle résulte d'un défaut de pigmentation du nez, qui a une apparence irrégulière. La pigmentation complète du nez apparaissant progressivement, ce défaut n'est pas toujours décelable chez les chiots. Ce type de pigmentation est toléré chez les dogues allemands de couleur arlequin, mais n'est pas désirée.

NEZ COULEUR CHAIR

NEZ À COULEUR UNIE mais plutôt pâle, comme chez le clumber et le chien du pharaon. Chez les races dans lesquelles cette couleur est considérée comme un défaut, on l'appelle « nez dudley ».

NEZ DE BÉLIER

LE NEZ DE BÉLIER est un nez aquilin. De profil, la ligne supérieure de la face est presque droite, hormis le cartilage nasal dont l'extrémité se courbe vers le bas, comme chez le lévrier écossais.

*Ci-dessus
Le nez marron du braque
allemand à poil court
est accepté à cause
de la couleur
de sa robe.*

*Ci-contre
La pigmentation des nez
des dogues allemands
de couleur arlequin
peut varier.*

NEZ ROMAIN

LE NEZ ROMAIN est convexe de profil, comme celui du bull terrier.

NEZ EN HARMONIE
AVEC LA COULEUR DE LA ROBE

NEZ DE LA MÊME PIGMENTATION que la robe, par exemple le nez couleur chocolat d'un chien chocolat et feu.

NEZ D'HIVER

ÉGALEMENT APPELÉ « NEZ DE NEIGE », on le trouve plus souvent chez certaines races que chez d'autres. En effet, ce type de nez est généralement noir uni mais, au cours des mois d'hiver, il se nuance de rose. Il est accepté chez certaines races telles que les husky sibériens et on le trouve souvent chez les retriever du Labrador.

NARINES LARGES

LES NARINES LARGES SONT OUVERTES pour laisser passer un maximum d'air. Elles sont typiques du bouvier des Flandres, dont le standard stipule que les narines doivent être bien développées.

Ci-contre
Exemple typique
de nez romain
chez ce bull terrier.

Ci-dessous
Nez de bélier
caractéristique
du lévrier écossais.

NARINES PINCÉES

C'EST UN DÉFAUT chez de nombreuses races, car les narines pincées ne laissent pas passer suffisamment d'air dans les poumons, ce qui génère des problèmes respiratoires. Le standard de la race des shih tzu précise que les narines pincées sont à proscrire.

Ci-contre
Ce retriever de la baie
de Chesapeake possède
un nez de la même
couleur que sa robe.

À gauche
Le nez de couleur
chair du chien
du pharaon
est normal
pour cette race.

Queue

En haut, à droite
Husky sibérien à
la queue enroulée.

Ci-dessus
Bobtail à la queue coupée.

Centre
Le cocker a la queue
armée, le caniche
la queue écourtée
et le bull terrier
la queue en manivelle.

Ci-dessous
et en bas à droite
Husky sibérien
et chihuahua.

QUEUE EN DARD D'ABEILLE

CETTE EXPRESSION s'utilise pour désigner la queue du pointer, qui est robuste, droite, effilée à son extrémité.

ANOURE

LE TERME « anoure » s'utilise pour désigner les chiens nés sans queue. Les chiens ayant un fouet court sont appelés « brachyoures ».

QUEUE EN BROSSE

QUEUE recouverte d'une fourrure épaisse, semblable à une brosse

dont les poils sont à peu près de la même longueur partout, comme chez le husky sibérien.

QUEUE EN FORME DE CAROTTE

LE TERRIER d'Écosse a une queue de la même forme que ce légume.

QUEUE ARMÉE

QUEUE LEVÉE à angle droit par rapport à la ligne du dos, comme chez le cocker.

QUEUE EN MANIVELLE

QUEUE à la racine arquée, qui pend ensuite verticalement et dont l'extrémité est à angle droit, comme une manivelle. On trouve ce type de queue chez le bull-terrier du staffordshire. Ce terme s'applique toutefois souvent à une queue mal formée.

QUEUE ENROULÉE

IL EXISTE DEUX types de queues enroulées :

simple ou double, mais il existe également de nombreuses variantes dans ces deux groupes.

QUEUE ÉCOURTÉE

IL S'AGIT D'UNE queue dont une partie a été coupée, ce qui se fait par opération chirurgicale,

à l'âge de quatre ou cinq jours. La législation européenne interdit que l'on coupe la queue des chiens pour des raisons autres que curatives. Autrefois, les queues de nombre de boxers, dobermans et caniches étaient coupées.

QUEUE VERTICALE

QUEUE LONGUE, portée droite et attachée haut, comme celle du beagle.

QUEUE PLATE

QUEUE SPÉCIFIQUE du chihuahua. Elle est plutôt plate d'aspect et s'élargit légèrement en son centre, pour terminer en pointe.

QUEUE PORTÉE GAIEMENT

QUEUE PORTÉE plus haut que la ligne horizontale du dos, elle constitue un défaut chez nombre de chiens, car elle est portée plus haut qu'elle ne devrait l'être, en principe lorsque le chien est en mouvement. Cependant, pour certaines races telles que le fox-terrier, il s'agit du port normal et chez d'autres, d'une exigence lorsque le chien travaille.

QUEUE À L'EXTRÉMITÉ EN CROCHET

QUEUE PENDANTE, mais recourbée à son extrémité, comme celle du chien de berger des Pyrénées ou du briard.

QUEUE HORIZONTALE

LE BULL TERRIER est l'exemple typique de queue horizontale, proche de la queue « en dard d'abeille ».

QUEUE À NŒUD

QUEUE DOTÉE d'une courbure brusque ou d'un angle aigu sur sa longueur. Chez le bouledogue français, c'est une caractéristique normale, chez d'autres races, le nœud peut être la conséquence d'une blessure.

crête, le spitz nain et le pékinois possèdent une queue à panache.

QUEUE ATTACHÉE BAS

QUEUE débutant sur une croupe tombante ou un point plus bas que la ligne du dessus.

QUEUE DE LOUTRE

UNE QUEUE de loutre est robuste, épaisse à la base et s'affine à son extrémité. Couverte d'une fourrure dense, épaisse, elle est plate dessous, afin de servir de gouvernail lorsque le chien nage. Le retriever du Labrador est doté de ce type de queue.

QUEUE À PANACHE

QUEUE DOTÉE d'une cascade de poils en forme de panache. Ce panache peut se trouver seulement à son extrémité ou sur toute la longueur, porté sur le dos. Le chien chinois à

QUEUE ENROULÉE SUR LE DOS

LE SHIH TZU a une queue très recourbée sur le dos, qui forme un arc comme une anse de théière.

QUEUE DE RAT

LA QUEUE DE RAT a

une racine épaisse couverte de boucles souples alors que le reste de la queue porte très peu de poils, voire pas du tout. L'épagneul d'eau irlandais possède ce type de queue.

QUEUE À ANNEAU

DÉSIGNE UNE longue queue formant en totalité ou en partie un anneau. Chez certaines races, cela est considéré comme un défaut, mais un véritable lévrier afghan se doit d'avoir un anneau à l'extrémité de la queue.

QUEUE EN SABRE

UNE QUEUE en sabre peut être portée relevée ou baissée, selon la race. Elle présente une courbe douce, comme celle du basset hound ou du berger allemand.

QUEUE EN CIMETERRE

SEMBLABLE à la queue en sabre, mais plus courbée, comme chez le dandie dinmont terrier ou le setter anglais.

QUEUE EN TIRE-BOUCHON

QUEUE COURTE torsadée, à nœud ou en spirale, comme celle du terrier de Boston.

QUEUE EN FAUCILLE

QUEUE PORTÉE sur le dos, en demi-cercle, pas à plat, comme celle du husky sibérien.

QUEUE EN FORME DE CROSSE

QUEUE PORTÉE sur le dos, dont l'extrémité touche le dos, comme chez le malmute de l'Alaska.

QUEUE ÉCUREUIL

LONGUE QUEUE formant un angle aigu, comme chez le pékinois. Elle suit la ligne du dos sans le toucher.

QUEUE ABSENTE

SE DIT D'UNE queue très courte, normale chez les races telles que le schipperke. Ce terme est parfois utilisé pour les chiens dont la queue est plus courte que la normale.

QUEUE PORTÉE EN LAME DE SABRE

QUEUE qui pend, comme chez le griffon vendéen et le retriever du Labrador.

QUEUE S'EFFILANT

QUEUE LONGUE, à poil court, s'affinant en pointe, comme celle du terrier anglais noir et feu.

QUEUE ESPIÉE

QUEUE POUVANT être longue ou courte, terminée par un panache ou tondue. Le chien chinois à crête est un exemple de queue espiée à panache et le pompon du caniche un exemple de queue tondue.

QUEUE EN FOUET

QUEUE POINTUE et portée raide dans le prolongement du dos, comme chez le bull terrier.

En haut et en bas, à gauche
Le pékinois et le spitz nain sont tous deux dotés de queues en panache.

Ci-dessus, à gauche
Le basset possède une queue en sabre.

Ci-dessus
Le schipperke est pourvu d'une queue absente.

Ci-dessus
Les terriers anglais d'agrément noir et feu ont des queues s'effilant.

Ci-dessus à gauche
Le chien d'eau irlandais est pourvu d'une queue recourbée.

Ci-contre
Les malmutes de l'Alaska ont des queues en forme de crosse.

Autres attributs

poitrine haute
et d'autres moins.

ÉQUILIBRE

Ci-contre
Les pattes arrière
couleur feu du terrier
de Manchester
s'appellent une culotte.

MÊME SI LE MOT « équilibre »
peut s'appliquer à seulement
une partie de l'anatomie,
comme la tête, il décrit
généralement la symétrie
globale : mélange
harmonieux et
proportionné des diverses
parties d'un animal d'une
race donnée.

Au centre
Les carlins peuvent être
décrits comme « cob »
de par leur aspect
compact.

Ci-dessous
Les bassets sont connus
pour leur aspect
tombant, causé
par le fanon.

CULOTTE

ON UTILISE ÉGALEMENT le mot « pantalon » pour
certaines races. Outre la différence de terminologie,
il existe des variantes de sens. Ce terme peut en
effet désigner la frange de poils plus longs dans la
région de la cuisse, le motif semblable à une crête
chez les chiens à poil court tels que le doberman
ou simplement la couleur, comme c'est le cas chez
le terrier de Manchester et son poil couleur feu sur
l'extérieur des pattes arrière.

POITRINE

IL EXISTE PLUSIEURS TYPES de poitrines, selon
les races. Une poitrine en tonneau (aux contours
arrondis) peut être exigée d'une race, alors que chez
une autre, comme chez les lévriers, elle est
considérée comme un grave défaut, car elle
empêche les chiens de fonctionner
correctement. Une poitrine
ovale (en forme d'œuf) est
exigée chez la plupart
des races de
chiens,
mais
certaines
ont
une

CISELURE

DÉCRIT LES CONTOURS et
lignes profilés,
principalement autour de la
tête et du museau, même si
des degrés différents de
ciselure sont requis
selon les races. Chez le
fox terrier à poil lisse,
par exemple, une partie
du museau est décrite
dans le standard comme
« modérément ciselée ».

COB

UN CHIEN « COB » est
robuste et compact.
Ce terme vient d'un type
de cheval du même nom.
Le carlin est une race
typiquement « cob ».

FLANC

LE FLANC EST LA ZONE
reliant la poitrine aux
membres postérieurs. Chez
la plupart des races, un flanc long est un défaut,
même si une longueur raisonnable permet au chien
de mieux tourner. Chez beaucoup de chiens, la
distance entre la dernière côte et la hanche est
relativement courte (flanc court), ce qui augmente
la force de cette zone.

CRÊTE

MÊME SI CERTAINES RACES sont dotées d'une
crête de poils sur la tête, le terme « crête » désigne
souvent la zone du cou entre la nuque, à la
jonction de la tête et du cou, et le garrot.

FANON

LE FANON EST LA PEAU LÂCHE, pendante,
de la zone du menton, de la gorge et du cou,
que l'on trouve chez les bassets et les
saint-hubert.

SILLON FRONTAL

LIGNE MÉDIANE QUI FORME une dépression
longitudinale provoquée par un os ou un

muscle. Elle part du centre du crâne vers le stop. Elle est exigée de certaines races, comme le braque hongrois à poil court.

ALLURE

CE TERME EST UTILISÉ GÉNÉRALEMENT pour décrire l'action ou le mouvement d'un chien. Il s'agit par conséquent d'une caractéristique susceptible de différer non seulement de par la constitution du chien et de la vitesse à laquelle il se déplace, mais également de par la conformation de l'animal.

MEMBRES POSTÉRIEURS

LES MEMBRES POSTÉRIEURS COMMENCENT au bassin. Leur angle varie énormément selon la race, avec aux extrêmes le berger allemand et le chow chow.

QUILLE

LE CONTOUR DE LA PARTIE la plus en avant du bas de la poitrine d'un teckel s'appelle « quille », car elle évoque la forme de la quille d'un bateau.

OCCIPUT

L'OCCIPUT, QUE L'ON APPELLE ÉGALEMENT crête occipitale, est la dépression formée par l'os occipital à l'endroit où il rejoint les os pariétaux de chaque côté de l'arrière du crâne. Nombre de standards de chiens mentionnent l'occiput ; celui-ci constitue normalement le point de départ des mesures des proportions de la tête.

RACÉ

UN CHIEN RACÉ est fuselé et élégant, à l'inverse d'un chien « cob ».

ÉPAULES

SELON LES RACES, les chiens doivent présenter des épaules différentes. Les termes les plus souvent utilisés sont « dégagé des épaules », qui indique que l'omoplate est placée correctement et permet une bonne extension en avant des pattes antérieures et « épaules droites » qui indique que l'angle de l'omoplate est trop droit et restreint le mouvement vers l'avant.

STOP

LE STOP EST la dépression située sur le haut de la tête, presque au centre entre les yeux

et variant en profondeur selon les races. Il est beaucoup plus proéminent chez les chiens à nez court que par exemple chez les colleys à poil long et à poil court et le barzoï.

CAGE THORACIQUE ALLONGÉE

CHIEN DONT LA CAGE thoracique s'étend vers l'arrière le long du corps.

Ci-dessus et ci-contre
Les différences dans les membres postérieurs de différentes races sont visibles lorsque l'on compare un berger allemand à un chow chow.

Ci-dessous
L'apparence longiligne des lévriers peut être qualifiée de racée.

Les soins à apporter au chien

LA DÉCISION D'ACQUÉRIR un chien constitue un engagement qu'il convient de ne pas prendre à la légère. Cette décision doit être longuement débattue en famille. Même si un seul membre de la famille est principalement responsable de l'entretien de l'animal, tous doivent être concernés et enthousiastes à propos de l'arrivée d'un nouveau membre de la famille, car c'est ainsi que le chien doit être considéré.

DISCUTER DE L'ACQUISITION D'UN CHIEN

L'ARRIVÉE D'UN CHIEN dans une maison contre le souhait d'un ou de plusieurs des membres de la famille peut être source de querelle et risque d'entraîner le renvoi du chien dans un autre foyer. Cette situation est cause de souffrance pour les personnes concernées, mais avant tout pour l'animal. Il est primordial que le chien ne soit pas laissé seul dans la maison toute la journée. L'idéal serait qu'un des membres de la famille reste à la maison, non seulement lorsque le chien, petit, s'adapte à son nouvel environnement, mais tout au long de sa vie. Toutefois, le chien peut bien sûr être laissé seul pendant de courtes périodes. Un membre de la famille qui travaille à temps partiel ou qui rentre déjeuner permet à l'animal de moins s'ennuyer et de ne pas être livré à lui-même trop longtemps. Le chien a en effet besoin de se soulager, de se dégourdir les jambes et d'avoir de la compagnie humaine pour rompre la monotonie de ses journées.

Il faut également tenir compte des voisins, car un chien laissé seul peut, par ennui, causer des dégâts ou faire du bruit. Le chien étant tranquille lorsque son maître est présent, celui-ci peut ne pas se rendre

Ci-dessus
Tous les chiens, même les chiens de travail, aiment passer du temps à l'intérieur, dans un environnement domestique.

Ci-contre
Les chiens s'ennuient facilement. Ils manifestent leur ennui par des aboiements constants ou un comportement perturbateur.

compte du bruit. Si vous avez des voisins, ceux-ci ont sans doute raison s'ils se plaignent que votre chien passe ses journées à aboyer.

Il ne faut pas oublier que les chiens sont plus heureux s'ils sont autorisés à vivre dans la maison et à prendre part à la vie du foyer. Même les chiens de travail apprécient de passer du temps dans un environnement domestique et aucun chien ne devrait être attaché à l'extérieur toute la journée. Nous avons tendance à penser que ce type de traitement de nos amis les chiens appartient au passé, mais ce n'est malheureusement pas toujours le cas.

Il convient de bien prévoir les vacances, car les animaux ne sont pas admis dans tous les types d'hébergement. Il existe d'excellents chenils-pensions, mais renseignez-vous bien au préalable et adressez-vous de préférence à une pension qui vous a été recommandée. Vous ne devez pas non plus multiplier les séjours de votre chien dans un chenil,

simplement pour des raisons de convenance personnelle.

Il faut absolument éviter d'offrir un chien car, même si le destinataire est ravi, la décision d'acquérir un animal et de s'en occuper doit revenir entièrement à la personne concernée. Certains éleveurs consciencieux refusent d'ailleurs de vendre des chiots au cours des semaines précédant Noël, de peur que ces chiots soient destinés à constituer des cadeaux surprises. De plus, les fêtes de fin d'année sont toujours une période de grande activité, au cours de laquelle la routine de la famille est bouleversée. Un nouveau chien doit être accueilli dans un environnement stable, afin d'avoir toutes les chances de s'adapter le plus facilement possible à son nouveau foyer. L'acquisition d'un chien doit donc se faire à une époque de l'année où la maison est plutôt calme, pour le bien du nouvel arrivant.

Ci-dessus et ci-contre
Tous les membres de la famille doivent vouloir un chien et doivent être capables de s'en occuper à moyen terme.

Ci-dessous
Les chiens ont besoin d'exercice et il est important d'en tenir compte avant d'acquérir un chien comme animal de compagnie.

LES QUESTIONS À SE POSER

Lorsque vous décidez d'acquérir un chien, voici quelques points importants qu'il vous faut aborder :

• Serai-je capable de m'occuper d'un chien pendant plusieurs années ?

• Tous les membres de la famille sont-ils d'accord pour accueillir un chien ?

• Un chien ne pouvant être régulièrement laissé seul toute la journée, y aura-t-il quelqu'un à la maison une grande partie du temps, chaque jour ?

• Ma maison et mon jardin sont-ils adaptés à la présence d'un chien ? Si non, puis-je apporter les aménagements, réparations nécessaires ?

• Le quartier dans lequel je vis comporte-t-il de nombreuses habitations ? Mes voisins risquent-ils d'être amenés à se plaindre ?

• Il faudra payer les frais d'alimentation, de vaccination, de vétérinaire et de toilettage pour certaines races. Ai-je les moyens d'entretenir un chien ?

• Dois-je souscrire une assurance pour mon chien, compte tenu du fait que les vaccinations obligatoires ne me seront pas remboursées ?

• Attendons-nous un enfant dans la maison ? Si tel est le cas, ne serait-il pas plus sage d'attendre que bébé ait grandi ?

• L'un des membres de la famille est-il asthmatique ou susceptible d'être allergique aux chiens ?

À la recherche du chien idéal

VOUS ALLEZ PASSER LES DIX à quinze prochaines années de votre vie avec un chien. Il vous faut donc le choisir avec soin et vous assurer que votre nouvel ami aura le meilleur départ possible dans la vie. Ne soyez jamais tenté d'acheter dans une animalerie ou un autre magasin, car vous ne feriez qu'encourager les éleveurs irresponsables à produire encore plus de portées, simplement pour l'appât du gain.

OÙ TROUVER UN CHIEN

SI VOUS RELEVEZ UNE ANNONCE dans la presse concernant la race et le type de chien que vous cherchez, renseignez-vous et n'achetez jamais un chien sans être sûr qu'il est en bonne santé et que les conditions sont bonnes. Vous devez pouvoir voir la mère du chiot, car il est préférable d'acheter un animal directement au propriétaire plutôt qu'à un tiers. De plus, mettez-vous à la place de l'éleveur. Si vous aviez élevé une portée de chiots avec soin et dévouement, ne voudriez-vous pas rencontrer les gens qui les achètent ?

Ci-dessous
Les expositions canines constituent d'excellents endroits où obtenir des informations sur la race qui vous intéresse, mais aussi sur les éleveurs.

Rendez-vous, dans la mesure du possible, à une exposition canine où vous aurez l'occasion de parler à des éleveurs, de vous renseigner davantage sur la race qui vous intéresse et de savoir où trouver des chiots à vendre dans les semaines ou les mois à venir. Il est possible que vous deviez attendre un peu, mais cela ne doit pas vous décourager. Nombre des meilleurs éleveurs ont en effet des listes d'attente.

Si vous êtes décidé sur l'achat de telle race de chien et qu'aucun chiot n'est disponible, n'achetez pas un animal d'une autre race, simplement pour avoir un chien à la maison. Vous risqueriez d'être déçu et de le comparer sans cesse à celui que vous auriez souhaité avoir.

ADULTE OU CHIOT ?

UN CHIOT VOUS APPORTERA énormément de bonheur et le plaisir de savoir que votre compagnon aura passé pratiquement sa vie entière à vos côtés. Il ne faut néanmoins pas oublier qu'un chiot demande beaucoup d'attention, car il ne sera peut-être pas complètement éduqué à son arrivée chez vous. Un chiot vous prendra beaucoup de temps, surtout au cours des premières semaines, car vous devrez l'éduquer, le nourrir plusieurs fois par jour et passer beaucoup de temps à ranger et à nettoyer derrière lui, surtout si le nouvel arrivant est trop jeune pour sortir tenu en laisse. Les dents du chiot vont pousser et à ce moment-là vous devrez le surveiller de près si vous ne voulez pas qu'il mordille tout ce qu'il trouvera dans la maison.

Il existe aussi de solides arguments en faveur de l'acquisition d'un chien plus âgé : il demande moins d'attention qu'un chiot. En effet, un chien adulte pourra immédiatement sortir se promener et être propre, même si tout chien nouvellement venu devra apprendre les règles de la maison.

ADOPTER UN CHIEN ERRANT

SI VOUS DÉCIDEZ d'adopter un chien errant, essayez d'obtenir le plus d'informations possible à son sujet car vous risqueriez d'avoir des surprises désagréables et de regretter votre décision. En France, toute personne trouvant un chien doit le conduire à la fourrière, qui se chargera d'en trouver le propriétaire. Si le propriétaire ne se présente pas après 50 jours, le chien sera considéré comme abandonné et proposé à l'adoption.

Il existe de nombreux organismes chargés de recueillir les chiens. Si vous souhaitez accueillir

Ci-contre
De nombreuses personnes préfèrent acheter des chiots, mais ceux-ci nécessitent plus de temps et d'attention.

Ci-dessous
Les chiens abandonnés doivent être examinés par un vétérinaire avant de trouver une nouvelle maison, afin que leurs nouveaux propriétaires puissent connaître leurs besoins particuliers.

un chien d'une race particulière, mettez-vous en rapport avec les chenils spécialisés de cette race. Pour les trouver, téléphonez au secrétaire du club de la race, dont vous obtiendrez le numéro auprès des sociétés canines régionales. De nombreuses raisons peuvent conduire à abandonner un chien, les plus fréquentes étant que ses propriétaires n'ont pas suffisamment réfléchi avant de l'acquérir ou que les circonstances familiales ont changé. Lorsqu'un bébé arrive dans une maison, il est fréquent que l'animal de compagnie quitte le foyer. Il existe bien entendu des raisons valables pour lesquelles un chien doit trouver un nouveau foyer : mort ou longue maladie de ses propriétaires, déménagement à l'étranger dans un pays où il est difficile de le faire entrer. Quoi qu'il en soit, même les refuges ont des listes d'attente, prenez votre mal en patience et soyez toujours honnêtes sur vos raisons d'adopter un chien plus âgé. En effet, les questions qui vous seront posées permettent de placer les animaux dans les maisons les mieux adaptées, afin qu'ils n'aient pas à être déplacés de nouveau.

Essayez toujours d'obtenir le plus d'informations possible sur l'histoire du chien et, en échange, soyez honnête sur ce que vous aurez à lui offrir en tant que propriétaire.

Un chien à la maison

LES AMÉNAGEMENTS À FAIRE dans une maison pour prendre en compte la présence d'un chien dépendent dans une grande mesure du type d'animal, de sa taille, de son niveau d'activité et, même si cela peut surprendre, du fait qu'il possède ou non une queue. En effet, le battement de queue enthousiaste d'un grand chien peut causer des dégâts aux précieux bibelots exposés sur une table basse par exemple. Pensez-y et conservez tous les objets de valeurs hors de portée de l'animal.

Ci-contre
Les chiots sont curieux
de nature et mangent
n'importe quel objet de
la maison ou du jardin,
au risque de s'empoisonner
ou de se blesser.

Ci-dessous
et page suivante
Les chiens prennent
de la place, ont besoin
de nourriture et d'attention.
Veillez à lui accorder
suffisamment de temps.

LE CHIEN ET LA SÉCURITÉ

QUELLE QUE SOIT LA TAILLE de votre chien, tout objet susceptible de le blesser doit être tenu hors de sa portée. N'oubliez pas que les chiots sont très curieux et qu'ils n'ont pas conscience de ce qui peut représenter un danger ou de ce qui peut être un amusement. Les câbles électriques doivent être soigneusement cachés, car ils peuvent entraîner la mort, comme les produits toxiques qui seraient laissés à sa portée. N'oubliez pas que les chiots

peuvent trouver toutes sortes de produits dans la salle de bains, par exemple, qui ne sont pas toujours sans danger. Certaines plantes sont elles aussi nuisibles pour les animaux et les nettoyants ménagers comportent souvent des composés toxiques. De plus, ils sont souvent conditionnés dans des emballages plastique, facilement percés par des dents acérées. Veillez aussi à ce que des objets lourds ne puissent être tirés ou renversés ou des objets tranchants volés et mâchonnés. Le verre brisé et autres objets coupants peuvent non seulement engendrer des tragédies si le chiot les avale, ou au moins des honoraires de vétérinaire élevés, mais ils peuvent aussi blesser les pieds et les coussinets.

LE JARDIN

VOTRE JARDIN DOIT ÊTRE sûr. Certains chiens aiment grimper, d'autres creuser et les chiens au long museau semblent particulièrement doués pour agrandir un minuscule trou dans une palissade. Nombre d'outils pouvant être très dangereux, les abris de jardin doivent être inaccessibles. Beaucoup de désherbants, engrais et autres produits contiennent des substances toxiques et même mortelles. Lorsque votre chien est dans le jardin, soyez très vigilant si vous le voyez se nettoyer les coussinets, car il est possible qu'il ait marché sur quelque chose de toxique. Les piscines et les mares profondes doivent également être surveillées. En effet, même si les chiens peuvent y nager, il peuvent aussi ne pas réussir à en sortir après y être tombés.

L'ÉQUIPEMENT

LES BOLS CONTENANT la nourriture doivent être propres et de l'eau fraîche disponible à tout moment. L'endroit où dort le chien doit être légèrement surélevé, de manière à éviter les courants d'air. Malgré leur aspect esthétique, les lits en osier sont déconseillés, car les chiens sont tentés de les mâchouiller, ce qui rend alors les bords dangereux. Un lit qui se nettoie est préférable et peut être protégé par des draps pour un confort et une hygiène plus grands. Un panier pliant peut être utile pour le transport et dans la maison. Le chien ne doit jamais l'associer à une

punition, mais l'envisager comme un refuge pour être tranquille.

La maison, le style de vie et l'environnement jouent un rôle important dans le choix de la race. Vous devez tenir compte de votre âge et de votre force, ainsi que de ceux des membres de votre famille. Beaucoup aiment les grands chiens, mais ne sont pas capables de s'en occuper. En effet, ces chiens ont besoin d'espace à l'intérieur et à l'extérieur, et il faut de la force pour les maîtriser et les tenir en laisse. Ils ont besoin de courir pour développer leur musculature, donc aussi de liberté.

LA SÉCURITÉ

LES CHIENS, GRANDS ou petits, peuvent sauter haut et courir vite, il faut en tenir compte pour déterminer si un chien est adapté à votre jardin ou si celui-ci doit être aménagé. N'oubliez pas que la plupart des chiens se déplacent vite et que la sécurité est primordiale. Les portillons doivent être sécurisés et les portes extérieures des maisons conçues afin que le chien ne puisse sortir que dans un périmètre sûr. Chacun doit veiller à ce que les portes soient toujours fermées. Certains chiens sont assez petits pour passer par des chatières, il faut y penser pour éviter les accidents. Un écriteau placé sur le portail demandant de refermer la porte

peut aussi être une sage précaution.

À l'intérieur de la maison, les portes sont aussi un sujet de discussion. En effet, les portes fixes sont toujours utiles, particulièrement celles qui mènent à la cuisine, où les chiens ne doivent généralement pas entrer, par souci de sécurité et d'hygiène.

Ci-dessous
Assurez-vous que le chien ne pourra pas s'échapper du jardin.

L'éducation du chien

POUR ENTRETENIR une relation heureuse mutuelle avec votre chien, un minimum d'éducation est nécessaire. Certaines races sont plus réactives au dressage que d'autres, mais la plupart sont capables d'assimiler les bases. Dans le cas contraire, la faute en incombe probablement au dresseur. L'apprentissage de la marche en laisse est indispensable, car c'est ainsi que devra circuler votre chien dans les endroits publics.

L'OBÉISSANCE

AVANT DE LAISSER VOTRE CHIEN en liberté dans certains endroits sûrs, vous devez veiller à ce qu'il soit suffisamment bien dressé pour revenir lorsque vous le lui ordonnez. Tout le monde n'aime pas les chiens et le vôtre doit apprendre à ne pas sauter sur tous les passants. Vous devez nettoyer ses excréments immédiatement et vous en débarrasser dans un endroit sûr. Vous pouvez pour cela acheter une pelle ramasse-crottes ou vous munir d'un sac en plastique, qui fait aussi bien l'affaire et est plus facile à ranger dans la poche.

Votre chien pourra bientôt apprendre des ordres simples. Le mot « non » est un ordre essentiel, comme « ici », « assis », « couché », « attends » et « au pied », que vous pouvez lui inculquer. Les chiens doivent apprendre à vivre en société, à la fois avec d'autres chiens et avec les humains. Vous devez toutefois être vigilant lorsqu'ils rencontrent de jeunes enfants, car ceux-ci sont souvent tentés d'approcher un chien soudainement et peuvent le surprendre. Je déconseille l'utilisation d'une muselière, sauf dans les cas

Ci-dessus
La récompense est une bonne méthode d'éducation d'un chien.

Ci-contre
Les chiens peuvent apprendre divers ordres tels que « non », « ici », « assis » et « couché ».

particuliers où un chien n'est pas dressé ou ne peut pas l'être, auquel cas il convient de demander l'avis d'un spécialiste.

Les cours d'éducation constituent un moyen utile et agréable d'apprendre comment montrer à un chien à se comporter comme vous le voulez. La Société centrale canine a créé une Commission nationale d'éducation et d'agility, dont le but est de développer l'éducation canine par la formation et l'information des propriétaires de chiens. Des annonces pour des cours d'éducation sont souvent affichées dans les cliniques vétérinaires, mais vous devrez choisir entre des cours d'éducation pour l'obéissance ou pour l'exposition et les sports. Pour obtenir des performances optimales dans le ring, la plupart des dresseurs recommandent de ne pas combiner les deux.

L'APPRENTISSAGE DE LA PROPRETÉ POUR LES JEUNES CHIOTS

LORSQU'UN CHIOT ARRIVE dans sa nouvelle maison, il n'est souvent pas propre ou, s'il l'était, vous devrez refaire son éducation car il est perturbé.

jeunes chiots, qui préfèrent en général uriner sur du papier plutôt que sur le sol. Placez une épaisseur de plusieurs feuilles de papier journal sur le sol et déplacez-le progressivement vers la porte, jusqu'à le mettre à l'extérieur. À partir de là, le chiot demandera à sortir dans le jardin. Lors de la période d'éducation, certaines personnes laissent un peu de salissure sur le papier pour que le chiot l'associe avec l'endroit où il doit uriner à nouveau.

RÉCOMPENSE ET PUNITION

LORSQU'UN CHIOT ou un chien adulte a fait plaisir à son propriétaire, il doit être récompensé. Il ne doit pas nécessairement s'agir d'une récompense tangible, mais de le féliciter, pour le flatter et l'encourager à recommencer à l'avenir.

Des friandises sont souvent données au cours de l'éducation, mais elles doivent être utilisées de manière raisonnable, de façon à ne pas favoriser l'obésité chez l'animal, certaines races ayant des terrains plus favorables que d'autres. Il va de soi néanmoins qu'un chien faisant de l'exercice brûlera ces quelques calories excédentaires.

À l'inverse, si un chien se comporte mal, il doit être puni. Il est cependant important de punir un chien uniquement s'il est pris en flagrant délit. S'il est puni après l'acte, le chiot ou le chien adulte n'associera pas les deux faits et ne comprendra pas les motifs de la punition. Infligée au mauvais moment, elle engendre la confusion.

La réprimande verbale est généralement suffisante, et un chien ne doit en aucun cas être traité violemment. Les simples mots « vilain chien » devraient suffire et le chien ne doit pas être caressé pendant un moment, sous peine d'engendrer de nouveau la confusion dans son esprit. La plupart des chiens réagissent à un regard droit dans leurs yeux, associé à une réprimande verbale. S'il n'y a aucun risque de morsure, vous pouvez attraper le chien par la peau du cou et tenir sa tête face à la vôtre, mais pas trop près.

Sans faute, dès le réveil ou dès qu'il a pris un repas, sortez le chiot. Il est préférable de le porter dans un premier temps car, tant qu'il n'est pas familiarisé avec la porte, il peut faire ses besoins en chemin. Restez à l'extérieur avec lui ou surveillez-le depuis une fenêtre, mais ne jouez pas avec lui, car il doit apprendre pourquoi il est dehors. On peut ajouter une injonction vocale systématique.

L'éducation avec du papier est également une bonne méthode, particulièrement pour les très

Ci-contre
Le cours d'éducation professionnel peut aider les chiens réfractaires au dressage et soulager la frustration de leurs propriétaires.

Ci-dessous
Agripper la peau du cou pour le réprimander est une punition suffisante.

En bas
Ne réprimandez que si vous le prenez sur le fait, sinon il ne comprendra pas pourquoi il est puni.

plus grands semblent généralement plus réceptifs à ce genre d'exercice et vous pourrez donc affirmer votre autorité en menant dès le départ.

Un chien doit toujours commencer par prendre l'habitude de marcher à la gauche de son maître, mais si, par la suite, il participe à des expositions, il lui sera utile de savoir marcher de l'autre côté, car un juge peut avoir besoin de le voir sous un angle différent, en raison de la configuration du ring. Dès que le chien marchera en laisse sans problèmes, vous pourrez l'emmener dans un endroit sûr près d'une route, avec un collier et une laisse appropriés – et non une laisse d'exposition, qui peut glisser trop facilement.

Lorsque vous serez absolument certain que le chien ne s'enfuira pas, au risque de provoquer un accident, vous pourrez l'éduquer à marcher sans laisse – vous devez cependant toujours le tenir en laisse dans les endroits où des véhicules circulent.

LA MARCHE EN LAISSE ET L'OBÉISSANCE

FAIRE PRENDRE À UN CHIOT l'habitude de la laisse peut être fastidieux, surtout avec certaines races. En effet, certains jeunes sont immédiatement à l'aise en laisse, alors que d'autres y sont réfractaires. Pour commencer, habituez votre chien à avoir un collier autour du cou. Laissez-lui un court laps de temps, sans jamais le laisser seul et augmentez progressivement la durée pour que le chiot cesse d'essayer de l'enlever, ce qui se produira certainement lors des premières fois.

HABITUER VOTRE CHIOT À LA LAISSE

UNE FOIS LE TEMPS D'ADAPTATION au collier passé, vous pouvez y attacher une laisse et emmener votre chiot dans un endroit sûr, l'idéal étant dans un premier temps votre jardin et, si possible, dans un secteur n'étant pas associé au jeu. Selon les propriétaires, les tactiques pour habituer un chien à la laisse sont différentes ; cela dépend beaucoup de la taille du chien et de sa race. Avec les petits chiens, il est préférable de les laisser dans un premier temps « vous promener », et tenir à peine la laisse, pour que l'animal s'aperçoive à peine que quelqu'un en tient l'autre bout. Puis, prenez progressivement les choses en main, ce qui occasionnera peut-être quelque résistance de la part de votre compagnon. Les chiens

Ci-dessus
La marche en laisse est indispensable pour la sécurité du chien et le confort du propriétaire.

Ci-contre
Les gestes sont souvent utiles lorsque l'on apprend à un chien l'ordre « au pied ».

APPRENDRE À UN CHIEN À NE PAS BOUGER

IL EXISTE différentes tactiques pour apprendre à un chien à s'asseoir et à ne pas bouger. Pour cet exercice, une longue laisse est nécessaire. Dans un premier temps, le propriétaire fait asseoir le chien, puis recule très lentement en répétant l'expression « pas bouger ». Un geste est souvent utile pour renforcer l'ordre verbal. Si le chien bouge, il doit être réprimandé, revenir à la position assise et l'exercice doit recommencer.

La distance entre l'animal et le propriétaire doit être progressivement augmentée et, au départ, si le chien réagit bien, le propriétaire doit revenir vers lui, plutôt que l'inverse. Vient ensuite le moment où le chien doit apprendre à venir lorsqu'on l'appelle, même si à ce stade il doit toujours être en laisse longue. Le propriétaire tire doucement la laisse en disant « ici ». Lorsque le chien réagit bien aux « assis », « pas bouger » et « ici », on peut le faire travailler sans laisse, toujours dans un endroit sûr.

Tout au long du processus d'éducation, des récompenses doivent être dispensées, sous forme de caresses, de compliments ou de friandises. Les étapes suivantes consistent généralement à assimiler les mots « couché » et « rapporte ». À nouveau, le propriétaire devra aider en poussant doucement le chien ou en le mettant en position. Il s'éloignera ensuite et augmentera progressivement la durée et la distance, jusqu'à disparaître complètement. Il est toutefois nécessaire qu'une confiance réciproque soit établie entre le maître et le chien.

Lorsqu'on apprend à un chien à rapporter un objet, il n'est pas rare, dans un premier temps, que l'on ait du mal à le convaincre de lâcher l'objet. Il est donc utile d'avoir sur soi quelques friandises au début ; le chien sera ravi d'échanger l'objet contre quelque chose à manger.

Certains propriétaires apprennent également à leur chien à faire leurs besoins sur commande. Même si cet exercice est très utile, il est extrêmement difficile d'obtenir un succès absolu en la matière.

Ci-contre
Les propriétaires ont souvent du mal à convaincre leur chien de lâcher l'objet qu'ils rapportent.

Ci-dessous
Les chiens doivent être tenus en laisse du côté gauche du propriétaire, même si cela est parfois inversé sur un ring d'exposition.

L'alimentation des chiens

MÊME SI LES CHIENS aiment manger de la viande, ils sont en réalité omnivores et peuvent donc manger tous types de nourriture. Ils n'ont pas besoin d'autant de protéines que les chats. Même s'il est vrai qu'un chien peut vivre parfaitement bien avec un régime équilibré qui ne varie jamais, il aime toutefois un peu de changement.

QUELQUES ÉLÉMENTS INDISPENSABLES

QUE VOUS DÉCIDIEZ de donner à votre chien des menus déjà prêts ou que vous préfériez les composer vous-même, son alimentation doit être équilibrée et contenir à la fois des protéines et des glucides. Une certaine quantité d'acides gras, de vitamines et de minéraux est également nécessaire pour la beauté de sa peau et de son poil, ainsi que certaines de ses fonctions vitales. Les fruits et les légumes sont bénéfiques et, pour les chiens convalescents, du poulet sans os ou du poisson sans arêtes, accompagné de riz complet à l'eau, est très digeste.

Un chien actif a évidemment besoin de plus de protéines qu'un chien qui passe son temps enfermé,

Ci-dessus
Les bols en inox sont les plus hygiéniques.

Ci-dessous
L'appétit d'un chien peut varier en fonction de changements hormonaux ou d'influences extérieures, comme le climat.

et les chiens trop gros doivent avaler moins de calories. Les aliments tout prêts contiennent beaucoup d'ingrédients, que vous devez étudier avant de choisir.

FRÉQUENCE ET TYPE DES REPAS

NE CHANGEZ JAMAIS BRUTALEMENT un régime, car cela peut donner au chien la diarrhée. Introduisez le changement progressivement, en mélangeant les nouveaux aliments aux anciens et en augmentant la quantité sur plusieurs jours. Les aliments frais ou en boîte doivent toujours être jetés si l'animal les laisse, mais la nourriture lyophilisée

peut se conserver toute la journée. Les chiens adultes ont généralement besoin d'un bon repas et d'un en-cas par jour, que vous pouvez remplacer par deux repas plus légers.

Un chien ne doit en aucun cas faire d'exercice violent dans la demi-heure qui suit un repas copieux. En ce qui concerne les grands chiens, l'idéal est de surélever leur bol pour qu'il n'ait pas à se baisser trop, ce qui facilite leur digestion.

Les os peuvent être dangereux pour les chiens, car ils peuvent se casser et entraîner des lésions internes. Cependant, les os à moelle sont généralement considérés comme sûrs, mais il faut les jeter s'ils commencent à se morceler. De l'eau fraîche doit à tout moment être disponible. Il existe des bols qui ne se renversent pas et l'inox est la matière la plus hygiénique pour les aliments et la boisson.

L'OBÉSITÉ ET LA SURALIMENTATION

UN GRAND NOMBRE de chiens souffrent d'obésité, due essentiellement à la suralimentation. Certaines races sont

plus enclines à l'obésité que d'autres, le cocker anglais et le labrador en sont deux exemples, alors que les races de terriers le sont moins.

Si un chien a des problèmes de poids, veillez à ce qu'il mange seulement ce que vous lui donnez. Empêchez d'autres personnes de lui donner à manger entre les repas. Il peut exister une raison médicale au surpoids d'un chien, consultez un vétérinaire avant de le mettre au régime.

Si un chien aime particulièrement ce que vous lui donnez à manger, il aura tendance à manger plus que nécessaire, mais si vous lui donnez une nourriture moyennement appétissante, il réduira la quantité en conséquence. Il convient donc de lui donner des repas savoureux mais équilibrés. Les chiots qui mangent en groupe mangent davantage que s'ils sont seuls. Cette règle s'applique également à l'âge adulte, à cause de la concurrence.

En règle générale, les chiens difficiles en matière de nourriture ont moins de problèmes d'obésité que les chiens moins délicats. D'autres facteurs, notamment hormonaux, peuvent entraîner une prise de poids importante. En effet, un chien ou une chienne castrés subissent des changements hormonaux qui peuvent modifier le mécanisme de régulation du poids.

L'appétit d'un chien augmente lorsqu'il fait plus froid. Il est donc prudent d'augmenter la quantité de nourriture tout en réduisant le nombre de calories en hiver si un chien a tendance à prendre du poids. Les carottes crues peuvent être utiles pour remplacer les biscuits et elles permettent de limiter le nombre de calories absorbées. Vous pouvez également les faire cuire, les hacher et les mélanger à un repas afin que celui-ci dure un peu plus longtemps et semble plus copieux.

Ci-dessus
Une alimentation équilibrée est importante pour la beauté du poil.

Ci-contre
Il ne faut pas encourager le chien à réclamer de la nourriture, car cela risque de devenir une habitude et de mener à l'obésité.

Ci-dessous
Le fait de surélever le bol d'un grand chien facilite la digestion.

Le toilettage et les soins généraux

LE TOILETTAGE DONT A BESOIN votre chien dépend largement de sa race. La longueur et la texture de son poil jouent un rôle important, mais qu'il soit long ou court, il doit être soigné.

LA TOILETTE DU CHIEN

CERTAINS CHIENS À POIL LONG doivent être baignés une fois par semaine et brossés tous les jours, pour que leurs poils ne s'emmêlent pas. D'autres, au poil court, tels que le whippet, n'ont besoin d'un bain que de temps en temps, mais les poils morts doivent être éliminés, puis une toilette faite avec un gant de cuir, et ensuite une peau de chamois pour lustrer le poil.

SOINS PARTICULIERS

CERTAINES RACES ONT BESOIN d'être épilées, alors que des chiens tels que le bichon à poil frisé ne nécessitent que peu d'entretien, car, selon la FCI, il n'admet aucun toilettage. Pour savoir quels soins particuliers apporter à la robe de votre animal, demandez l'avis d'un spécialiste et achetez un livre spécifique de la race. Même si vous décidez de faire toiletter votre chien par un professionnel, vous aurez besoin de lui faire sa toilette entre les visites.

Les zones nécessitant un entretien quotidien sont les yeux et le pourtour de l'anus ; il faut vérifier qu'ils ne sont pas souillés. Il faut également inspecter les oreilles, pour éviter l'accumulation de cire, que l'on détecte souvent à l'odeur ou par la présence d'une inflammation.

Les ongles des pieds doivent être vérifiés, plus ou moins souvent selon que votre chien marche régulièrement ou non sur des surfaces dures. Les coupe-ongles de style guillotine sont souvent les

Ci-dessus
Application de pommade dans un œil blessé et application de gouttes dans une oreille.

Ci-contre
Outils de toilettage, certains étant plus particulièrement destinés à certaines races.

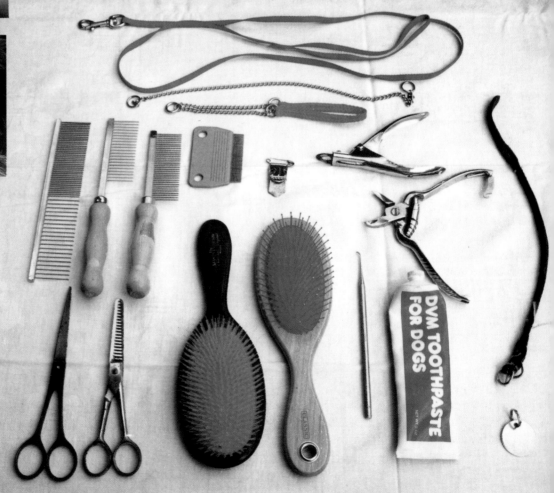

plus faciles à utiliser, mais veillez à ne pas couper l'ongle trop court, car cela peut entraîner des saignements et des douleurs. Un ami expérimenté ou votre vétérinaire peut vous montrer comment procéder. N'oubliez pas non plus les ergots, car ils ne tombent pas naturellement. Dès le plus jeune âge, les dents doivent être nettoyées régulièrement, à l'aide d'une brosse à dents et d'un dentifrice canin spécial.

Un chien bien éduqué sera plus facile à toiletter qu'un chien moins discipliné. C'est notamment important pour les races à poil long ou celles qui doivent être épilées. Si un chien n'a pas l'habitude de s'allonger lorsqu'on le lui ordonne et s'il est plutôt petit, vous pouvez vous pencher

sur lui et maintenir les pattes avant et arrière du côté opposé pour le faire coucher. Les premières fois, caressez-le et commencez à le brosser doucement, en lui parlant calmement. Le chien trouvera bientôt l'expérience agréable et la toilette deviendra plus facile.

Lors de la toilette, le poil ne doit jamais être complètement sec, car les pointes risquent de se casser. Utilisez un démêlant doux pour chiens. La plupart des bonnes animaleries les vendent en aérosol et, choisissez le mieux adapté à votre chien ou, mieux encore, demander conseil à quelqu'un de plus expérimenté que vous. Lorsque vous toilettez un chien pour une exposition, il est important de prendre connaissance des règles du club canin du pays, car certaines préparations sont interdites dans certains pays. Vous devrez habituer votre chien à toujours être debout sur la table de toilettage, pour pouvoir le toiletter dans la même position. Pour les finitions, il est important que le chien soit immobile. S'il est nécessaire qu'il ait une raie le long du dos, celle-ci doit être faite en partant du cou vers l'arrière, à l'aide du bord du peigne, en un seul mouvement.

Certains chiens doivent être tondus, avoir le poil coupé ou épilé, ce qui constitue tout un art. Demandez conseil à quelqu'un qui s'y connaît avant d'investir dans une tondeuse coûteuse, à laquelle il est toujours difficile de s'habituer. L'achat d'outils non adaptés peut coûter cher.

LE BAIN

MÊME SI L'IDÉE DE donner un bain à un chien, surtout un grand, peut effrayer dans un premier temps, cela ne devrait pas poser de problèmes majeurs. Un chien éduqué depuis son plus jeune âge peut vraiment prendre plaisir à se baigner. Il est important qu'il se tienne sur une surface non glissante et que l'eau soit à bonne température. Rincez le shampooing soigneusement et utilisez un démêlant, tout

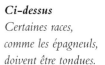
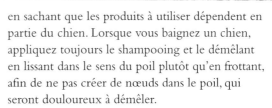

en sachant que les produits à utiliser dépendent en partie du chien. Lorsque vous baignez un chien, appliquez toujours le shampooing et le démêlant en lissant dans le sens du poil plutôt qu'en frottant, afin de ne pas créer de nœuds dans le poil, qui seront douloureux à démêler.

Après un rinçage soigneux, il est utile d'utiliser un linge très absorbant, afin d'éliminer l'humidité, avant d'envelopper le chien dans une serviette, dans l'idéal chaude, puis le sortir du bain. Le chien voudra toujours se secouer, il est donc préférable qu'il le fasse dans le bain, plutôt que sur la table.

Le séchage peut ensuite se faire à l'aide d'un sèche-cheveux, tiède plutôt que chaud, et, pour la plupart des races, vous devez poursuivre le toilettage pendant le séchage pour obtenir de meilleurs résultats.

Ci-dessus
L'entretien du poil d'un terrier du Yorkshire de concours représente beaucoup de travail.

Ci-contre
Tous les chiens doivent être baignés régulièrement pour avoir la robe propre.

Ci-dessus
Certaines races, comme les épagneuls, doivent être tondues.

Santé et élevage

UNE FOIS VOTRE CHIEN ACHETÉ, il est sage de lui faire passer une visite de contrôle. Cependant, même les chiens en bonne santé peuvent tomber malades. Il est impossible de dresser la liste de tous les maux qui peuvent affecter votre animal, mais voici certains désagréments courants.

Les abcès : sont très douloureux et vous ne les détecterez peut-être pas chez un chien à poil long avant un stade avancé. Un abcès doit être traité avec une solution d'eau chaude salée, qui fera éclater l'abcès et libérera le pus ; celui-ci pourra alors être nettoyé. Le traitement doit être poursuivi après que l'abcès est crevé, car il doit se vider complètement pour que la peau puisse cicatriser. S'il n'éclate pas, ou si plusieurs abcès apparaissent, consultez un vétérinaire qui prescrira des antibiotiques.

Les glandes anales : situées de chaque côté de l'anus, elles occasionnent une gêne lorsqu'elles sont pleines, comme on peut souvent l'observer lorsque le chien se gratte le derrière par-terre. Le vétérinaire peut vider ces glandes facilement et vous montrer comment le faire à l'avenir.

La constipation : est généralement provoquée par le régime alimentaire et se soigne par un changement d'alimentation. Privilégiez les biscuits trempés plutôt que la nourriture sèche, ainsi que les légumes verts légèrement cuits. Une cuillerée à soupe d'huile de paraffine peut également aider à débloquer.

Les pellicules : peuvent indiquer un manque d'acides gras essentiels dans l'alimentation. Ajoutez un peu d'huile aux repas ou des capsules d'huile pour chiens.

La diarrhée : est souvent la conséquence d'un changement d'alimentation ou d'un léger refroidissement. Elle guérit grâce à une diète de 24 heures, qui permet à l'intestin de se vider et de se remettre. De l'eau fraîche doit toujours être disponible. Adoptez une alimentation légère au cours des jours suivants. S'il y a du sang dans les selles, ou si elle est accompagnée de vomissements ou d'autres symptômes, consultez immédiatement un vétérinaire.

L'otite : l'accumulation de cire et les otodectes peuvent provoquer la gale du chien. Le chien se gratte l'oreille, secoue la tête ou la penche de côté et une odeur pestilentielle s'en dégage souvent. Des gouttes permettent de le soulager, mais si les oreilles sont rouges, il est préférable de consulter un vétérinaire.

Ci-dessus
Un basset hound heureux
et en bonne santé.

Ci-contre
Prenez toujours soin
des dents de votre chien,
qui doivent être brossées
régulièrement.

Ci-dessous
Coupez régulièrement
les ongles de votre chien,
afin de lui éviter
tout inconfort lorsqu'il
marche et court.

Les problèmes oculaires : sont nombreux et divers et chez certaines races héréditaires, il s'agit donc de tester la vue du chien en conséquence. Au moindre signe d'ulcération ou de couleur bleuâtre dans l'œil, consultez immédiatement un vétérinaire pour éviter des lésions irréparables.

Les problèmes cardiaques : il est assez rare qu'un chien meure d'une crise cardiaque telle que nous la connaissons, mais il peut souffrir de maladies cardiaques. Une obstruction progressive ou soudaine de l'afflux de sang au cerveau le fait s'effondrer et perdre connaissance. Il revient à lui souvent après quelques secondes et a besoin d'air frais. Dans les cas de maladie coronarienne provoquée par un problème d'afflux sanguin au muscle du cœur, les membres se raidissent mais le chien ne perd pas connaissance. Dans tous les cas, il faut consulter immédiatement un vétérinaire.

Le rhume des foins : les chiens peuvent être allergiques au pollen. L'allergie se manifeste par les yeux qui coulent et des éternuements provoqués par l'inflammation des muqueuses du nez. Il est difficile de trouver un remède, mais un vétérinaire ou un homéopathe peut trouver une solution à ce problème.

L'insolation : un chien doit toujours avoir de l'ombre et ne jamais être laissé dans une voiture, surtout s'il fait chaud, même fenêtres ouvertes. En effet, la température du corps augmente très rapidement, ce qui peut entraîner la mort. Les signes d'insolation sont les vomissements, la diarrhée et la perte de connaissance. Pour faire baisser la température du corps, plongez le chien jusqu'au cou dans de l'eau fraîche, même dans un ruisseau. Si vous n'avez pas beaucoup d'eau à proximité, versez ce que vous avez sur le chien. Appelez d'urgence un vétérinaire.

Les hernies inguinales : quoique rares, elles peuvent affecter les chiens d'un côté ou des deux. Elles ne sont parfois pas visibles avant l'âge adulte. Consultez un vétérinaire dès que vous constatez un gonflement, afin de déterminer si une intervention chirurgicale s'impose.

L'allergie aux produits laitiers : quelques races semblent allergiques aux produits laitiers ; une irritation apparaît sur le ventre ou sous les pattes, sous la forme de plaques ou de boutons. Si vous donnez à votre animal des produits laitiers, il est préférable d'arrêter ou de réduire les quantités afin de vérifier s'ils sont bien à l'origine de l'irritation.

Ci-contre
Les dents d'un chien peuvent être douloureuses lorsqu'elles poussent.

Ci-dessous
Les chiens peuvent souffrir de rhume des foins, mais tout comme pour les humains, des traitements existent.

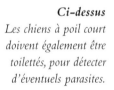

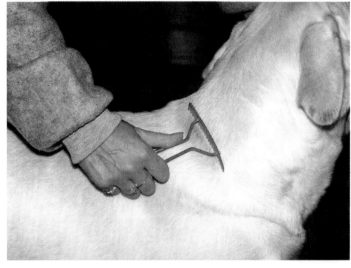

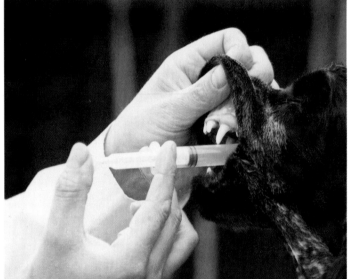

La toux de chenil : la vaccination est indispensable dans la prévention de la toux de chenil, qui est très contagieuse. Au début, le chien est enroué, puis est affecté d'une toux rauque. Vous devez alors l'isoler et consulter un vétérinaire. Le problème se règle généralement à l'aide d'un traitement, mais les chiots ou les chiens âgés ou infirmes risquent des lésions à long terme et même la mort.

L'insuffisance rénale : un besoin fréquent d'uriner peut être un signe de problèmes aux reins, surtout s'il s'accompagne d'une respiration accélérée et d'un vieillissement prématuré. Consultez un vétérinaire.

Les maladies du foie : tous les problèmes de foie sont graves et vous devez contacter un vétérinaire dès les premiers symptômes. L'un des symptômes que l'on remarque le plus est le jaunissement du blanc de l'œil et des membranes bordant l'œil et la bouche. Vous pouvez remarquer un jaunissement du dessous de l'oreille, plus facile à détecter à la lumière naturelle. Parmi les autres symptômes figurent nausées, perte d'appétit, diarrhées et constipation, abdomen douloureux, miction moins fréquente et urine foncée.

La pyométrie : il s'agit d'un problème grave, affectant l'utérus qui s'emplit de pus, dont les premiers symptômes sont une forte fièvre et une soif accrue. Il existe deux types de pyométrie, la première accompagnée de pertes vaginales et l'autre sans, mais toutes deux sont mortelles et vous devez consulter un vétérinaire sur-le-champ.

Problèmes de colonne vertébrale : vous devez être à l'affût des problèmes de dos, en particulier chez les chiens à pattes courtes et dos long. Ils doivent faire attention, surtout les chiens âgés, quand ils sautent sur les meubles. Consultez un vétérinaire au moindre

Ci-dessus
Les chiens à poil court doivent également être toilettés, pour détecter d'éventuels parasites.

Ci-contre
Il est quelquefois plus facile d'administrer des médicaments à l'aide d'une seringue.

Ci-dessous
Il est indispensable de couper les poils entre les coussinets, pour empêcher la formation de nœuds.

signe de blessure au dos. Il est possible que le chien récupère, en apparence complètement, mais dans d'autres cas, une paralysie au moins partielle peut s'ensuivre. Si le vétérinaire le préconise, la nage peut être un bon exercice à la suite d'une blessure. Les kinésithérapeutes peuvent aussi être efficaces.

Le mal des transports : certains chiens ne sont jamais malades en voyage, et d'autres « guérissent » avec l'âge. Demandez conseil à votre vétérinaire sur les cachets à administrer si ceux que vous trouvez dans les animaleries n'ont pas l'effet voulu. Lisez toujours soigneusement la notice.

Les hernies ombilicales : certaines races de chiens y sont sujettes, elles se manifestent sous la forme de boules sur l'ombilic. Elles sont évidentes chez les chiots. Elles varient en taille et sont généralement molles. Il est important qu'un vétérinaire les examine, car si elles durcissent, elles peuvent s'étrangler et nécessiter une intervention chirurgicale d'urgence.

Les testicules non descendus : les testicules des chiens doivent être complètement descendus dans le scrotum, ce qui se voit à l'œil nu vers l'âge de quatre ou cinq mois. Si aucun des deux ou seulement l'un d'entre eux apparaît, il est important de consulter un vétérinaire, car il y a risque de formation d'une tumeur.

LES PARASITES

Les parasites internes : les deux principaux parasites sont le ver rond et le ver plat. Il est crucial qu'un programme de vermifugation complet soit commencé alors que les chiens sont encore chez l'éleveur et se poursuive par la suite. À l'âge adulte, les chiens sont souvent vermifugés tous les trois à six mois. Achetez toujours le vermifuge chez un vétérinaire plutôt que dans une boutique et pesez votre chien afin de lui administrer la dose adéquate.

La puce étant un hôte intermédiaire du ver plat, veillez à ce que la vermifugation soit à jour si votre chien a des puces.

Les parasites externes : si votre chien commence à se gratter, vous devez en trouver la raison

rapidement. Une petite irritation sur l'estomac peut être le signe d'une réaction allergique, mais il peut s'agir d'une irritation provoquée par un parasite, car les chiens peuvent avoir des réactions allergiques aux puces.

Les puces se nourrissent de sang et sont difficiles à voir, car elles se déplacent rapidement sur le poil et peuvent sauter très loin. La présence de crottes de puces, qui ressemblent à de petits grains de sable est un

signe d'infestation. Il existe une grande variété d'agents insecticides, mais ils ne doivent pas être mélangés. Demandez conseil à votre vétérinaire.

Les poux sont des insectes qui piquent, mais qui se déplacent plus lentement et ne sautent pas, ils sont plus faciles à trouver et à éliminer. Ils ont tendance à se regrouper sur les oreilles et le cou du chien.

Les aoûtats, que l'on élimine à l'aide d'un shampooing en vente chez les vétérinaires, ressemblent à de minuscules grains de sable orange qui forment des grappes entre les orteils du chien et quelquefois au-dessus des yeux.

Enfin, les tiques sont des insectes suceurs de sang qui se collent à la peau généralement dans des régions à moutons et cerfs. Il est nécessaire de les retirer soigneusement à l'aide d'une pince, avec la tête. L'une des méthodes d'élimination consiste à les recouvrir d'éther, pour les empêcher de respirer.

Ci-dessus
Les chiens doivent être vermifugés quant ils sont encore des chiots, puis tous les six mois à l'âge adulte pour éviter les parasites internes.

Ci-contre
Les chiens peuvent attraper des tiques dans l'herbe, en particulier pendant l'été.

Les soins d'urgence

TOUT ACCIDENT DANS LEQUEL est impliqué un chien est dramatique, mais les accidents de la route sont peut-être les pires et les plus redoutés. En effet, à cause de la peur ou de la douleur, un chien, même docile, peut être dangereux à manipuler, ce qui ne fait qu'empirer la situation, surtout si le chien a été coincé dans un véhicule au cours de l'accident.

AGIR VITE

IL VA DE SOI QUE LA PREMIÈRE chose à faire est d'appeler un vétérinaire, bien qu'il soit plus rapide de lui amener le chien, car le médecin n'aura peut-être pas tous ses outils en déplacement. Téléphonez-lui pour le prévenir de votre arrivée afin qu'il se prépare, en lui donnant le plus d'informations possible sur l'état du chien et les circonstances de l'accident.

Cette page et la suivante
Surveillez de près vos chiens, de manière qu'ils ne puissent pas s'enfuir et provoquer un accident.

Donnez-lui des informations sur son rythme cardiaque, sa respiration, haletante ou non, d'éventuelles hémorragies, la pâleur des gencives, l'impossibilité de se tenir debout et les fractures évidentes.

Restez calme. Approchez-vous lentement en le rassurant et mettez-le en laisse. Vous pouvez, pour les chiens à long museau uniquement, improviser une muselière, à l'aide d'une écharpe ou autre, attachée autour du museau, puis à l'arrière de la tête. Il est toutefois important de ne pas mettre de muselière s'il y a le moindre signe de blessure à la poitrine ou de gêne respiratoire. Un chien muselé ne doit pas être laissé seul.

Le chien doit être déplacé avec d'infinies précautions, et vous devez le surveiller, au cas où les muqueuses deviendrait bleues et où il aurait des difficultés à respirer. Le chien peut être posé sur une couverture que vous utiliserez comme civière, aidé de trois autres personnes, pour soutenir la tête, le dos et le bassin. Au cas où personne ne pourrait vous aider, déplacez le chien très lentement et avec beaucoup de précautions.

Heureusement, les blessures ne sont pas toutes graves et ce qui suit peut vous aider à soulager certains problèmes moins importants.

Les morsures : nettoyez la blessure à l'eau tiède. Si la peau est lésée, faites examiner le chien par un vétérinaire, au cas où un traitement antibiotique ou des points de suture seraient nécessaires.

Le saignement : les coupures superficielles cessent de saigner au bout de quelques minutes. Une aide professionnelle d'urgence est nécessaire si le saignement se poursuit ou provient d'une artère. En cas d'urgence, improvisez une compresse à l'aide d'un tissu propre trempé dans l'eau froide et serrez assez pour arrêter le saignement.

Les brûlures : passez la zone brûlée sous l'eau froide. Les brûlures mineures peuvent être traitées avec une pommade spécifique, mais les plus graves nécessitent l'intervention d'un vétérinaire, car elles sont accompagnées d'un état de choc.

L'évanouissement : consultez un vétérinaire en urgence. Entre-temps, créez une voie d'air en dégageant le mucus de la gorge et en tirant la langue vers l'avant. Si nécessaire, stimulez le système respiratoire en comprimant fortement la cage thoracique toutes les 10 secondes.

Corps étranger coincé dans la bouche : un chien ayant des difficultés à fermer la bouche, portant sa patte à la bouche en permanence ou salivant beaucoup peut avoir quelque chose coincé entre les dents ou en travers du palais, entre les deux molaires supérieures. Si vous ne parvenez pas à déloger l'objet, consultez un vétérinaire immédiatement car, outre l'inconfort évident, une inflammation va sûrement apparaître.

L'empoisonnement : ses origines sont variables, et les premiers signes sont souvent vomissements, spasmes musculaires et saignement, par exemple des gencives. Si possible, indiquez le poison que le chien a ingéré, car l'antidote en dépendra. Lorsque vous téléphonez au vétérinaire, demandez-lui conseil quant à la nécessité de faire vomir l'animal. Veillez à ce que le chien soit au chaud et au calme, avec une bonne aération.

Les piqûres : empêchez-les chiens d'attraper les insectes au vol, car les piqûres dans la bouche et la gorge sont dangereuses et nécessitent une intervention immédiate du vétérinaire et une piqûre d'anti-histaminique. Gardez le chien au frais et tirez sa langue, pour laisser la voie d'air libre. Les piqûres au coussinet sont moins graves. Les antiseptiques soulagent et le vinaigre est efficace en cas de piqûre de guêpe. Retirez les dards à l'aide de pince à épiler et appliquez du bicarbonate de soude.

Ci-dessous
Les chiens à poil long, tels que les lévriers afghans, peuvent vomir des boules de fourrure. Il est important de veiller à ce que celles-ci ne le fassent pas étouffer.

Les boules de fourrure : chez les races à poil long ou dense, les chiens peuvent vomir des boules de fourrure sans signes de maladies ou d'inconfort. Il faut être vigilant car elles peuvent étouffer le chien.

Les graines d'herbe : leurs épines les font pénétrer dans la fourrure. Elles peuvent entraîner une irritation, une infection ou un abcès ; il est souvent nécessaire que le vétérinaire extraie la graine.

La claudication : peut avoir de nombreuses causes, mais si elle est soudaine, elle a pu être provoquée par une lésion ou une gêne sur un coussinet du pied. S'il y a une coupure, consultez le vétérinaire. Il n'est pas toujours facile de découvrir l'origine d'une boiterie. Ce peut être une morsure, que l'on détecte à cause du gonflement, ou le chien a pu marcher sur un objet acéré, comme une épine. Si les poils entre les coussinets n'ont pas été coupés chez les races à poil long, un nœud a pu se former, provoquant de la douleur, et doit être coupé, ou un petit caillou a pu se loger entre les coussinets. Consultez le vétérinaire si la claudication ne passe pas après 48 heures.

Soigner un chien âgé

LES PERSONNES qui éprouvent un véritable attachement pour leur chien auront à cœur de lui assurer une fin de vie confortable. Le rythme du vieillissement et la durée de vie sont variables d'une race à une autre. Les petits chiens vivent en moyenne plus longtemps que les gros : le lhassa apso peut vivre jusqu'à 14 ans, alors qu'un dogue allemand aura du mal à vivre jusqu'à 10 ans. Il y a cependant des exceptions, et l'état de santé joue un rôle important.

LE TAUX DE VIEILLISSEMENT

TOUTES LES RACES ne vieillissent pas au même rythme. Par ailleurs, les chiens lourds souffrent de maladies liées à l'âge différentes de celles des races légères.

LA DENTITION

SI VOUS AVEZ PRIS SOIN de la dentition de votre chien tout au long de sa vie, il y a de fortes chances qu'il conserve la plupart de ses dents jusqu'à un âge avancé, plus particulièrement s'il s'agit d'une race de chien de compagnie. Chez les races dont les racines sont peu

Ci-dessus
Le fait de prendre soin des dents de votre chien tout au long de sa vie permet de s'assurer qu'il aura une bouche saine en vieillissant.

Au centre
La réduction de mobilité qu'entraîne l'âge peut entraîner une prise de poids.

Ci-contre
Un lhassa apso âgé est un animal très aimable.

profondes, le chien est plus susceptible de perdre ses dents, même relativement jeune. S'il a perdu un certain nombre de ses dents du fond, votre animal préférera des aliments mous, qui facilitent la mastication. Si un chien d'un certain âge n'a pas l'habitude qu'on lui lave régulièrement les dents, il est vraisemblable qu'il n'aimera pas cette corvée. Il existe néanmoins des os à mâcher qui peuvent aider à nettoyer les dents.

LES PROBLÈMES DE POIDS

CONSERVER UN POIDS RAISONNABLE est un facteur important pour rester en bonne santé. En effet, un chien obèse éprouvera davantage ses tendons et ses ligaments et sera donc plus facilement sujet à des problèmes de mobilité à la fin de sa vie. L'obésité oblige le cœur et les autres organes à plus d'efforts, ce qui peut entraîner des problèmes respiratoires. Les chiens âgés sont bien sûr plus susceptibles de prendre du poids que les jeunes, surtout s'ils sont castrés.

Si un chien a mangé régulièrement un repas par jour, il préférera que la même quantité de nourriture soit répartie sur deux repas. Cela facilite d'une part la digestion, et, d'autre part, ajoute une autre « activité » à la journée. Certains chiens plus âgés, en fonction de leur santé, se portent mieux s'ils ont un régime pauvre en protéines ; demandez conseil au vétérinaire.

LES VERS ET LA VERMIFUGATION

UNE TOUX PEUT ÊTRE le signe d'un problème cardiaque, mais elle peut aussi indiquer une infestation vermineuse et, dans ce cas, un traitement de vermifugation doit être mis en place tout au long de la vie de l'animal. Si un chien est gravement malade, ce processus peut affaiblir son système davantage et vous devez demander conseil au vétérinaire avant de lui administrer des vermifuges.

LA VUE

CERTAINS CHIENS conservent une bonne vue toute leur vie, mais d'autres sont affectés par une baisse de ce sens. Si un vieux chien ne devient pas brutalement aveugle, il s'en accommode souvent très bien, si bien que parfois son propriétaire ne soupçonne pas son état. Si la vue de votre chien est défaillante, ne déplacez pas les meubles de la maison si ce n'est pas nécessaire. Surveillez-le dans les jardins ou lieux publics, pour éviter les accidents.

L'INCONTINENCE

UN CHIEN VIEILLISSANT peut avoir des problèmes d'incontinence. Les causes pouvant être diverses, il est préférable de consulter un vétérinaire pour en découvrir l'origine. Réprimander le chien s'il lui arrive un accident n'aura aucun effet positif et, de toute façon, un chien qui a été propre toute sa vie n'éprouve aucun plaisir à se laisser aller. Un vieux chien doit avoir de fréquentes occasions de sortir, pour réduire les possibilités d'incidents.

L'ARRIVÉE D'UN CHIOT

MÊME SI L'ARRIVÉE d'un jeune dans la maisonnée peut dans certains cas mettre un peu d'animation dans la vie d'un vieux chien, l'introduction d'un chiot dans les derniers stades de la vie d'un animal n'est pas recommandé. Il est important qu'un chien âgé conserve sa position dans la maison et seul le propriétaire saura comment procéder. Bien sûr, les deux chiens ne doivent pas rester seuls, car le chien âgé a besoin de repos et d'intimité.

L'ADIEU

TÔT OU TARD, L'HEURE tant redoutée arrivera. Si votre chien âgé a la chance de mourir paisiblement dans son sommeil, sans souffrir, vous n'aurez pas à prendre la décision de le faire endormir à jamais. S'il montre des signes de détresse et de douleur, vous préférerez peut-être mettre fin à ses souffrances et vous trouverez plus charitable de faire venir le vétérinaire.

Il existe des cimetières pour animaux ; celui d'Asnières est le plus connu mais les places y sont peu nombreuses. Vous pouvez également enterrer votre chien, si son poids est inférieur à 40 kg, dans un lieu privé si celui-ci est à plus de 35 m d'une habitation ou d'un point d'eau. Le corps sera recouvert de chaux vive et d'au moins 35 cm de terre.

L'incinération, collective ou individuelle, est la pratique la plus répandue en milieu urbain. Le propriétaire peut assister à la cérémonie. Les personnes vivant à la campagne ont parfois recours à l'équarrissage. Celui-ci devra intervenir impérativement dans les 24 heures après réception de l'avis donné par le propriétaire.

À gauche
Ce lhassa apso peut vivre jusqu'à au moins 14 ans.

Ci-contre
À l'âge de 13 ans, ce lhassa apso est toujours capable d'escalader une barrière.

Ci-dessous
Les chiens plus âgés apprécient tout de même d'être à l'extérieur, même s'ils ne sont plus aussi actifs qu'avant.

La reproduction de chiens

PRENDRE LA DÉCISION de contribuer à la naissance d'une portée de chiots ne doit pas être fait à la légère. Le mâle et la femelle doivent être d'excellente qualité, en bonne santé, et robustes. Ils doivent être des spécimens typiques de leur race et se compléter. Si l'un des parents a un défaut anatomique à améliorer, l'autre ne doit pas en être affecté. Il convient également d'étudier les pedigrees, sur plusieurs générations.

LA PLANIFICATION DE LA REPRODUCTION

Ci-contre
Le mâle et la femelle doivent tous deux être les archétypes de leur race pour donner des chiots à pedigree.

Ci-dessous
Ce nid est excellent, car il laisse suffisamment d'espace à la chienne et à ses trois petits.

L'ÂGE EST UN FACTEUR à prendre en compte, qui varie selon les races. Les chiennes ne doivent pas être engrossées avant 18 mois et, en règle générale, il est sage qu'elles aient la première portée avant l'âge de quatre ans. L'âge limite de procréation est souvent huit ans en France.

L'idée persistante qu'une chienne doit absolument avoir une portée pour son bien est une ineptie. Elle peut vivre comblée et heureuse sans maternité et ceux qui prévoient une reproduction pour cette seule raison doivent réviser leur projet.

Une vermifugation de routine est conseillée avant les chaleurs de la femelle. Celle-ci ne sera prête pour l'accouplement que quelques jours au cours de cette période – entre trois et cinq. Avant et après cette période, elle ne sera pas réceptive aux avances d'un chien et sa vulve ne sera pas suffisamment large pour permettre une pénétration confortable. Une fois que vous aurez trouvé l'étalon idéal et obtenu le consentement de son propriétaire, il s'agit de mettre les deux animaux en contact le premier jour des chaleurs et de fixer une date approximative pour l'accouplement Celui-ci doit toujours se faire chez le propriétaire de l'étalon et deux séances espacées d'une journée sont souvent organisées. Toute disposition contractuelle doit être exprimée par écrit. Souvent, le propriétaire consent à un nouvel accouplement si aucun chiot n'est produit.

L'ACCOUPLEMENT

LE COMPORTEMENT DES CHIENS et des chiennes mis en présence est variable. Lors d'un accouplement idéal, les deux chiens manifesteront un intérêt mutuel et batifoleront un peu avant que le mâle ne monte la femelle. Mais, cela n'est pas toujours aussi facile, en particulier dans le cas d'un chien ou d'une chienne vierge, c'est pourquoi il n'est pas conseillé d'accoupler des animaux sans expérience. Lors d'un accouplement réussi, après la pénétration, le chien et la chienne restent unis environ 15 minutes, mais cela peut durer jusqu'à une heure. L'union doit être supervisée en permanence et la chienne ne doit pas

être autorisée à se retirer, car elle pourrait blesser le mâle. Les muscles de la chienne vont finir par se détendre et par libérer son partenaire. Il est alors d'usage de les laisser ensemble quelques instants avant de les séparer.

Il est primordial de savoir qu'une chienne montée par plusieurs chiens peut donner naissance à des chiots de pères différents ; il est donc impératif que la chienne ne puisse pas entrer en contact avec d'autres mâles.

LA CHIENNE GESTANTE

LA TAILLE ET LE COMPORTEMENT

d'une chienne varient peu au cours des cinq semaines suivant l'accouplement. À ce moment-là, l'augmentation de volume de l'abdomen devient visible. Jusque-là, la quantité de nourriture qu'elle absorbe doit être relativement normale, mais de bonne qualité pendant toute la grossesse. Elle doit également faire de l'exercice pour conserver sa forme.

Aux environs de la septième semaine, ses glandes mammaires commencent à grossir et elle mange déjà de grandes quantités depuis deux semaines. Les repas doivent être moins importants, mais plus fréquents.

La chienne doit avoir accès à un endroit tranquille et doit être introduite dans l'endroit où elle mettra bas avant la huitième semaine, la période de gestation étant en moyenne de 63 jours et les chiots pouvant arriver quelques jours plus tôt ou plus tard. Le nid idéal laisse assez d'espace pour que la chienne puisse se tourner sans marcher sur ses petits. Il est important qu'une barrière entoure le nid, de manière à ce qu'elle n'écrase pas involontairement les chiots ; vous pourrez l'enlever lorsque les chiots auront grandi et seront en mesure de se protéger. Placé dans un endroit tiède et légèrement surélevé pour éviter les courants d'air, le nid doit permettre à la chienne d'enter et de sortir facilement et être assez haut pour empêcher les chiots de s'échapper. Il est utile que le panneau avant puisse se régler et se

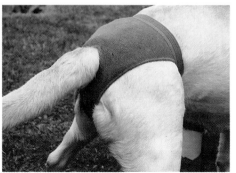

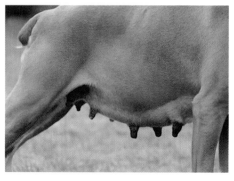

retirer pour que les chiens sortent et jouent devant quand ils tiendront sur leurs pattes.

CONDITION PHYSIQUE

LA ROBE DE LA CHIENNE doit être conservée en bon état tout au long de la grossesse, même si elle ne doit pas être soumise à un long toilettage. Au cours des deux dernières semaines, elle fera moins d'exercice et il est déconseillé qu'elle saute. Dans les dernières 24 heures de sa grossesse, il se peut qu'elle refuse de manger, sa température baisse et elle s'agite en grattant sa litière. Tous ces signes indiquent l'imminence de la mise bas ; prévenez le vétérinaire au cas où une visite à domicile se révélerait nécessaire à cause de complications.

En haut
Un chiot shih tzu.

Ci-dessus à gauche
Une chienne en chaleur portant des culottes hygiéniques.

Ci-dessus
Chienne boxer gestante.

LA MISE BAS

LA FACILITÉ AVEC LAQUELLE une chienne met bas dépend surtout de sa constitution : les races à grande tête ou autres caractéristiques prononcées risquent d'avoir plus de problèmes que d'autres. Dans certains cas, une assistance est nécessaire, dans d'autres il est préférable de laisser la chienne faire le travail seule et de se tenir à proximité au cas où elle aurait besoin d'aide. Certaines races subissent plus souvent une césarienne que d'autres, toujours en fonction de leur constitution.

Les mères peuvent être dans un état de confusion jusqu'à ce que le premier chiot naisse et tète. Chez certaines races, il est habituel que le propriétaire rompe la poche qui entoure le chiot et coupe le cordon ombilical, chez d'autres, ce n'est pas nécessaire. Vous devez donc vous renseigner

Ci-dessus
Un chiot shih tzu à l'âge de quelques jours.

En haut à droite
Chiots shih tzu aux yeux ouverts.

auprès d'un éleveur expérimenté sur les problèmes que vous risquez de rencontrer lors de la mise bas. Bien entendu, les personnes se lançant dans la reproduction de manière réfléchie auront consulté des ouvrages au préalable et demandé conseil à des spécialistes. Des cours sont aussi disponibles et utiles.

LES NOUVEAU-NÉS

LES CHIOTS DOIVENT TÉTER leur mère dès que possible et vous devez les observer, sans toutefois intervenir, pour vous assurer que tous tètent bien.

Il est utile de vérifier si le chiot souffre d'une fente palatine à la naissance, en tâtant son palais à l'aide de l'auriculaire. En effet, même si ce défaut n'empêche pas un bébé de téter, il représentera un problème quand il devra manger de la nourriture solide. Certains éleveurs pèsent chaque chiot à la naissance et surveillent la prise de poids au cours des deux ou trois premières semaines de leur vie.

Pendant au moins les deux premières semaines, une chienne doit pouvoir profiter de ses petits sans être dérangée par une foule de curieux. Vous aurez de nombreuses occasions de faire admirer les petits lorsqu'ils auront un peu grandi et que la mère sera moins possessive.

Les chiots passent environ 90 % de leur temps à dormir, période au cours de laquelle leurs muscles tressautent beaucoup. C'est normal et même essentiel dans le développement des muscles. Les ongles des chiots sont tranchants et doivent être coupés régulièrement à l'aide de ciseaux à ongles, pour qu'ils ne blessent pas leur mère. Les chiens naissent avec les yeux fermés et les ouvrent généralement entre le dixième et le quinzième jour, sans toutefois bien focaliser au début. À la naissance, leurs oreilles sont scellées ; elles s'ouvrent autour de la quatrième semaine. À dater de ce moment, ils réagissent au bruit et le monde commence à s'animer doucement autour d'eux.

LE SEVRAGE

LE SEVRAGE commence généralement la troisième ou quatrième semaine de la vie du chiot, d'abord avec des repas à base de lait, puis avec l'introduction progressive de repas à base de viande alternés. Le nombre de repas par jour commencera à quatre et diminuera, et les chiots ne devraient plus dépendre de leur mère pour leur alimentation à partir de la septième semaine environ.

LES ERGOTS ET LA QUEUE

POUR CEUX D'ENTRE VOUS qui font reproduire des chiens selon des spécifications strictes, prenez conseil auprès d'un vétérinaire pour ce qui est du retrait des ergots et de la coupe de la queue. Ceux d'entre vous qui les produisent comme animaux de compagnie peuvent considérer cela comme un détail, mais chez certaines races, le retrait des ergots est une exigence inscrite dans le standard. Chez certains, ils doivent être conservés, alors que chez la plupart le choix en est laissé au propriétaire. Si vous décidez de les retirer, vous devez le faire le troisième jour, au plus tard le quatrième. Si le

Le jaune d'un œuf (toujours sans le blanc) semble toujours apprécié et est bénéfique. Pour prévenir l'éclampsie, beaucoup d'éleveurs donnent également du calcium. Il est préférable de donner du calcium sous forme liquide à partir du jour de la mise bas, car il est absorbé plus facilement s'il est mélangé au jaune d'œuf. Certains problèmes médicaux, tels que l'éclampsie, la métrite et la mastite pouvant survenir, le vétérinaire devra examiner la chienne peu de temps après la mise bas. Soyez toujours attentif au moindre changement dans son comportement, qui pourrait être le signe d'une complication.

Ci-dessous
Chiot lhassa apso explorant fébrilement le jardin.

vétérinaire ne se déplace pas, emmenez aussi la mère, car elle sera angoissée si vous lui enlevez ses petits. Elle ne doit cependant pas entendre leurs cris lorsqu'on coupera les ergots, car elle serait très inquiète. Les chiots arrêtent de pleurer en quelques secondes et elle les retrouvera très rapidement.

Les lois et les opinions divergeant sur la coupe de la queue, il est très important de prendre l'avis d'un spécialiste de la race. La législation ayant également changé récemment dans certains pays, il est bon de se faire confirmer la position officielle verbalement, car les informations trouvées dans les livres ne seront pas nécessairement à jour.

LES SOINS À APPORTER À LA MÈRE

UNE CHIENNE ÉLEVANT une portée nécessite beaucoup de soin et d'attention. Ses repas doivent être peu copieux, de très bonne qualité et fréquents. Elle doit avoir du liquide à disposition, dans l'idéal, contenant du glucose en poudre.

Ci-contre
Les chiots trouvent l'aventure partout, sans savoir ce qui est sûr et ce qui ne l'est pas.

Ci-dessous
Chiot de berger des Shetland.

L'histoire du chien

LES ANCÊTRES DU CHIEN ont évolué en raison de changements climatiques et d'habitat. Au fil du temps, ils ont tissé les relations sociales nécessaires à la chasse en meute, qui leur permettait de pourchasser et de tuer des animaux plus grands et plus lourds qu'eux.

autres parents éloignés du chien.

S'il est probable que le coyote et le chacal ont contribué aux gènes du chien, ils n'ont pas le comportement social du loup, désormais connu comme l'ancêtre le plus proche du chien. Le loup est un prédateur sociable qui, jusqu'à ce que l'humain intervienne, vivait dans toute l'Europe, l'Asie et l'Amérique du Nord. De par sa nature de charognard, son destin est lié depuis longtemps à celui des peuplements humains. Il a toujours suivi les pas de l'homme, au moins depuis le début de l'*Homo sapiens*, une théorie récente prétendant que le lien est encore plus ancien – environ 150 000 ans. Il existe de nombreuses sous-espèces de loup, depuis le loup du Kenai, qui s'est éteint en

Ci-dessus
Le chien domestique a peut-être hérité de gènes du chacal.

Ci-contre
Le chien vient du loup, qui s'est domestiqué progressivement.

Ci-dessous
L'instinct de meute du chien fait qu'il peut être dressé pour la chasse.

LES PARENTS PROCHES DU CHIEN

IL EXISTE DIX GENRES de canidés, parmi lesquels le chien qui appartient au genre *Canis*, aux côtés du chacal, du coyote et du loup, parent le plus proche du chien. Tous possèdent le même nombre de chromosomes et peuvent se reproduire entre eux.

LE RESTE DE LA FAMILLE

LES ANIMAUX COMPOSANT

les neuf autres genres sont des parents plus lointains, notamment le renard, dont il existe 21 sous-espèces. Parmi les autres, le lycaon vit en meutes de 6 à 25 individus, le dhole indien possède l'habitat le plus diversifié des canidés sauvages et le loup à crinière de certains pays d'Amérique du Sud diffère des loups véritables. Le chien viverrin n'aboie pas, mais possède d'autres caractéristiques comportementales des membres de la famille du chien, alors que le bush d'Amérique du Sud communique par des hurlements et est très différent des

1915 au loup nord-américain, plus grand membre de la famille encore en vie, en passant par le loup japonais, sans doute le membre le plus petit de la famille ayant survécu jusqu'au XXᵉ siècle – le dernier fut tué en 1905.

À mesure qu'un louveteau grandit, il développe un comportement d'attachement, comme les chiots et, à l'instar du chien, le loup adopte des positions de dominant et de dominé. Le loup arabe, particulièrement adaptable et sociable, a vécu dans des zones inhabitées dont sont originaires les chiens, et il est possible que son sang coule dans les veines de beaucoup de chiens européens et asiatiques actuels.

L'ÉVOLUTION DU CHIEN DOMESTIQUE

LE DÉVELOPPEMENT DU CHIEN à partir du loup a probablement commencé par la sélection naturelle. Les loups étaient attirés par les peuplements humains à cause de leur nature de charognard et il est probable que des louveteaux ont été recueillis, emmenés dans des campements pour y être élevés et soignés. Les chiens auraient évolué à partir de ces animaux semi-domestiqués. Ils montaient la garde, aidaient à chasser, nettoyaient les campements en mangeant les charognes, et il n'est pas impossible qu'ils aient eux-mêmes servi de nourriture quand la viande devenait rare.

LE CHIEN ET L'HOMME

AU FIL DU TEMPS, les chiens ont évolué pour s'adapter à leur proximité avec l'homme, tout en conservant certains comportements et attributs physiques de leurs ancêtres les loups. Il suffit d'observer l'association des aborigènes australiens avec le dingo pour constater la facilité avec laquelle le chien fut intégré à ces communautés, chacun tirant avantage de l'autre. Les Aborigènes élevaient de jeunes dingos pour qu'à l'âge adulte ils rapportent le gibier, ce que les dingos faisaient

de bonne grâce, en remerciement des soins prodigués.

L'homme joua ainsi un rôle en adaptant le chien pour qu'il convienne à ses besoins et à son environnement, grâce à la reproduction sélective. Il sélectionna des caractéristiques, à la fois comportementales et physiques, et augmenta ou réduisit sa taille en fonction de ses besoins ou de ses goûts. Les chiens utilisés pour avertir d'un danger devaient aboyer fort et cette caractéristique, associée à une taille imposante, devait provoquer la peur chez l'intrus. De longues pattes et des muscles puissants étaient nécessaires pour ceux que l'on utilisait pour la chasse, alors que ceux qui chassaient à l'odeur avaient besoin d'un odorat développé.

LES MEUTES

LES CHIENS ÉTAIENT HABITUÉS à vivre en meutes, ce qui facilita leur intégration aux sociétés humaines, car ils étaient capables de travailler avec l'homme ou avec d'autres chiens, et éventuellement de protéger d'autres animaux appartenant à l'homme. Des méthodes de chasse furent mises au point et l'aptitude du chien à traquer et à rapporter du gibier fut reconnue et encouragée, pour devenir plus tard une activité de loisir, plus qu'une nécessité.

Les chiens travaillaient pour obtenir des récompenses et devinrent aussi des compagnons. Peut-être fournissaient-ils de la chaleur, et leur affection et leur dévouement étaient sans doute appréciés ; plus tard leur apparence fut raffinée pour correspondre au goût des individus.

Le lévrier est le chien le plus rapide du monde et le 18ᵉ mammifère le plus rapide.

Ci-dessus
La reproduction sélective a permis à l'homme d'adapter les caractéristiques du chien à des activités telles que la chasse.

Ci-contre
Le chien de Canaan est semi-domestiqué et survit en dévorant des charognes.

Ci-dessous
Pendant des centaines d'années, les chiens devaient travailler en échange de nourriture et d'abri, mais ils sont désormais plus appréciés pour leur compagnie.

Né en 1926, « Mick the Miller » a gagné le Derby anglais deux fois, et 19 courses consécutives par la suite.

Les chiens dans l'Antiquité

LES PREMIÈRES REPRÉSENTATIONS picturales nous apportent des indices sur l'importance des chiens en Égypte ancienne et dans d'autres grandes civilisations. Les tombes des personnalités des peuples anciens sont décorées de chiens qui furent leurs compagnons. En Égypte, le plus ancien est le « chien de Khufu », que l'on trouve sur la sépulture du roi Khufu (connu sous le nom de Khéops), qui a vécu vers 2590 av. J.-C. et qui fit construire la Grande Pyramide. Son chien de compagnie Akbar, était toujours représenté attaché à la chaise de son maître et portant un collier faisant quatre tours autour de son cou.

Ci-dessus
Des lévriers ornent la sépulture de Ptahhotep à Sakkara, qui date de 2 500 avant J.-C.

Ci-contre
La découverte de chiens momifiés atteste de l'importance que les Égyptiens accordaient à leurs compagnons.

Ci-dessous
Certaines civilisations considéraient les chiens comme sacrés. Ils étaient dépeints comme compagnons des dieux ou même vénérés comme des dieux.

BAHAKAA

NOMBRE DE CHIENS ÉGYPTIENS étaient des animaux de compagnie, mais d'autres servaient pour la chasse et, sur la tombe d'Amten, quelque 200 ans avant Khufu, les chiens sont manifestement en train d'attaquer un cerf. À peu près à la même époque, les noms des chiens étaient consignés dans les temples. La tombe d'Antefa II vers 2000 av. J.-C., représente quatre chiens, dont l'un porte un collier fin, attaché à l'avant par un nœud. Ce chien blanc, appelé Bahakaa, avait les oreilles pendantes alors qu'à cette époque les chiens avaient les oreilles pointues. Plus tard apparurent des chiens à corps long de type teckel, à marques noir et feu, la forme et la couleur des chiens en vogue semblant dépendre largement des goûts du monarque régnant. Il y a désaccord sur le fait que les Égyptiens teignaient leurs chiens, mais certains sont indéniablement représentés en bleu, rouge ou vert.

Lorsque leurs animaux mouraient, les hommes portaient le deuil et quiconque trouvait un chien mort avait le devoir de le renvoyer à sa ville d'origine pour qu'il puisse y être enterré

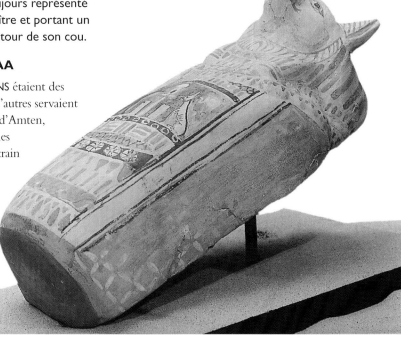

décemment. On peut en conclure qu'il devait exister un système d'identification.

DES ÊTRES SACRÉS

DANS CERTAINES RÉGIONS, LES CHIENS étaient considérés comme des êtres divins, notamment à Cynopolis, qui signifie « cité des chiens » en grec. La population y était obligée de fournir une certaine quantité de nourriture pour les chiens. Il y eut même une guerre contre une ville avoisinante car l'un de ses habitants avait mangé un chien de Cynopolis. Même si le taureau et l'ibis avaient encore plus d'importance, le caractère sacré du chien est un fait établi. À la mort d'un chien, les maîtres se rasaient la tête et exprimaient ouvertement leur douleur. Ils jeûnaient et détruisaient même parfois toute la nourriture de la maison. Le chien, soigneusement embaumé, était placé dans une tombe et, sur sa sépulture, son maître rendait compte des bonnes actions que le chien avait accomplies au cours de sa vie, alors que l'assistance se frappait pour exprimer sa douleur. Toutes les villes possédaient un cimetière consacré aux chiens, si plein qu'il devait souvent être agrandi. Nombre de cadavres de chiens que l'on retrouva étaient enterrés avec leurs colliers en cuir.

LA CONSTELLATION DU CHIEN

L'ADORATION DU CHIEN doit en partie son origine à Sirius, la constellation du Chien, qui marquait le jour le plus important de l'année égyptienne. L'apparition de cette étoile à l'horizon annonçait la crue du Nil, et la vie des Égyptiens était menacée par l'inondation. L'étoile du chien apparaissait aussi à l'époque la plus chaude de l'année et l'on pensait que cela rendait les chiens irascibles et enclins à l'hydrophobie.

Anubis, dieu à tête de chacal, contribua également au respect entourant le chien, car il jouait un rôle essentiel dans l'embaumement des corps et vérifiait que le fléau de la balance servant à peser les âmes était dans la bonne position. Il apparaissait également devant les cadavres afin des protéger du Mangeur de morts.

Vers 625 avant J.-C., beaucoup de chiens de type mastiff étaient utilisés pour la chasse au lion et à l'âne sauvage. Certains portaient des noms imagés, tels que Mordeur-de-ses-ennemis, Celui-qui-courait-et-aboyait. Cent ans plus tard, un roi égyptien possédait de grandes meutes de chiens féroces entraînés pour attaquer en groupe.

LEUR RÔLE DANS D'AUTRES PAYS

EN PERSE, tuer un chien était un crime et, à Babylone, quatre villes étaient exemptées d'impôts car leurs habitants étaient formés à l'élevage de mastiffs pour les armées. Dans la Grèce antique, le chien était utilisé par des bergers, mais aussi pour la chasse, sport populaire. Les Grecs s'entraînaient à la guerre au cours de la chasse. Des races de chiens plus grands en Grèce étaient utilisées au cours des guerres pour combattre dans les escadrons, et l'on prétend que Corinthe fut sauvée par les chiens de garde postés sur les remparts pendant que leurs maîtres dormaient.

Au Japon, le chien était vénéré à cause de son lien avec le dieu Omisoto. Curieusement, les chiens au Japon étaient enterrés debout, leur tête dépassant de terre et, au cours des jours suivant leur mort, l'on venait venaient déposer de la nourriture à leur côté.

Ci-dessus
Les assyriens utilisaient les chiens lors des combats.

Ci-dessous
Le dieu égyptien à tête de chacal, Anubis.

Les chiens plébiscités

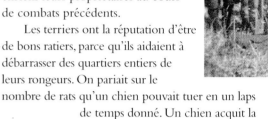

GRÂCE À LEURS NOMBREUSES QUALITÉS, les chiens ont toujours connu un grand succès, aussi bien comme animaux de chasse et de travail que comme compagnons. Ils sont dépeints dans l'art depuis des millénaires et ont également joué un rôle important dans le folklore et la religion.

ce qui provoquait à la fois joie et peur. Ces « sports » devinrent des crimes, mais les combats de chiens connurent un succès grandissant et remplacèrent pour une part les sports de combat. On gagnait et on perdait de l'argent et nombre de chiens vainqueurs perdaient la vie, récompense paradoxale pour avoir enrichi leurs propriétaires au cours de combats précédents.

Les terriers ont la réputation d'être de bons ratiers, parce qu'ils aidaient à débarrasser des quartiers entiers de leurs rongeurs. On pariait sur le nombre de rats qu'un chien pouvait tuer en un laps de temps donné. Un chien acquit la réputation d'avoir tué 100 gros rats en cinq minutes et demie.

LES CHIENS ET LA CHASSE

AUJOURD'HUI, la chasse est très controversée, mais les chiens ont été employés pour cette activité depuis la nuit des temps. Les parties de chasse étaient généralement des événements et la chasse au sanglier a souvent été décrite dans les manuscrits anciens. Le chien aidait également au rapport d'animaux et d'oiseaux. Le lévrier irlandais et le barzoï furent utilisés contre le loup, le second notamment dans les grandes chasses de l'archiduc de Russie Nicolai Nikolajawitsch. En Écosse, les propriétaires terriens utilisaient le lévrier écossais pour terrasser les cerfs. Les chiens ont longtemps servi pour la chasse au blaireau et autres animaux, désormais illégale. Les saint-hubert servaient à la chasse à l'homme.

Différentes espèces ont été utilisés par la police, sociétés de sécurité et autres services, et leur importante contribution est saluée dans le monde entier. La compétence des chiens renifleurs est un fait acquis et ils furent acteurs de nombre d'histoires spectaculaires.

AU SERVICE DE L'HOMME

LA « CHASSE » aux truffes, quant à elle, est réservée à une élite. Les chiens, possédant un odorat plus puissant que le cochon ou la laie utilisés avant eux, les supplantèrent. Un autre chien utile au personnel

Ci-dessus et ci-contre
Les chiens ont toujours joué un rôle important dans la vie sociale, de l'Égypte ancienne à nos jours.

LEUR RÔLE DANS L'ANTIQUITÉ

DANS L'ÉGYPTE ANCIENNE, les chiens étaient momifiés après leur mort et Anubis, dieu qui accompagnait les âmes des morts lors du Jugement dernier, était représenté avec une tête de chacal sur un corps humain. Même dans l'Église chrétienne, saint Christophe était représenté avec la tête d'un chien. Les chiens étaient utilisés dans les sports de combat et certains étaient même placés dans des cages avec des lions. La chasse au taureau était une autre variante : les foules couraient dans les rues avec des chiens à la poursuite d'un taureau,

complètement coupés du monde.

Les chiens furent aussi largement utilisés pendant les années de guerre, pour déplacer les canons, les soldats blessés ou les munitions. Certains transportaient également des chiens de guerre blessés, sorte de service d'ambulance canin. Au cours des guerres, les chiens aidèrent aussi à poser des mines et à transmettre des messages aux troupes stationnées derrière les lignes, parfois munis de masques à gaz.

Ci-contre
Dans la chasse au blaireau, les chiens faisaient preuve de courage et de ténacité.

Ci-dessous
Les sports de combat étaient un passe-temps populaire et les chiens s'opposaient à divers animaux, dont les lions.

ASSISTANCE AUX HOMMES

de cuisine fut le turnspit, chien long au corps bas, qui tournait comme un hamster dans une roue près du feu pour faire tourner la broche.

Les chiens de trait furent fréquemment utilisés pour tirer des charrettes, surtout en Europe où ils aidaient les marchands de charbon et autres travailleurs de l'industrie et de l'agriculture. Il y eut dans l'histoire de nombreuses querelles entre les partisans et les détracteurs de l'utilisation des chiens comme animaux de trait ; il semblerait que tirer des traîneaux passait pour moins choquant. Sans doute est-il plus facile d'accepter l'usage des chiens de traîneaux dans des contrées réputées difficiles. Ils étaient incontestablement une aide précieuse pour leurs maîtres qui, sans eux, auraient été

LA PREMIÈRE TENTATIVE CONNUE de formation des chiens-guides eut lieu au XVIIIe siècle, lorsqu'un hôpital de Paris fournit à des patients aveugles des chiens pour les guider dans la rue. Depuis, un grand nombre d'aveugles ou de mal-voyants ont bénéficié des services précieux des chiens-guides. Ces derniers reçoivent une formation rigoureuse et sont jugés sur leurs performances avant d'être certifiés chien-guide. Les chiens-guides pour les sourds et malentendants et l'association ANECAH (Association nationale d'éducation de chiens d'assistance pour handicapés) proposent des services similaires.

Ci-contre
Les chiens ont souvent été utilisés comme animaux de trait dans le passé mais, à l'exception du husky, cette pratique n'est plus autorisée dans les pays occidentaux.

Les sports de combat

LES SPORTS DE COMBAT étaient sans aucun doute des passe-temps répugnants. Ils font toutefois partie de l'histoire des chiens et il faut prendre en compte les modes de vie de l'époque et savoir que ces sports cruels faisaient partie intégrante de la vie quotidienne. Si l'on aborde le problème d'un autre point de vue, peut-être est-il de notre devoir de rendre compte du sort de ces pauvres animaux qui ont tant souffert.

L'EMPIRE ROMAIN

ALORS QUE LES TÉMOIGNAGES dont nous disposons sur les combats d'animaux sont très anciens, ils semblerait que ces sports aient atteint leur apogée sous l'Empire romain. Divers animaux tels que des chiens, des taureaux ou des ours étaient placés dans une fosse et se battaient entre eux ou combattaient des prisonniers, des gladiateurs ou de pauvres esclaves chrétiens sans défense.

Ci-dessus
Les compétitions entre animaux sauvages exotiques étaient l'un des passe-temps favoris des Romains.

Ci-contre
Les combats d'animaux prenaient diverses formes, mais ils se terminaient tous par la mort sanglante de tous les animaux.

En 1944, une foxhound américaine a mis bas une portée de 23 chiots en Pennsylvanie, aux États-Unis.

Les Romains ayant utilisé avec succès des taureaux pour ce genre de spectacle, d'autres animaux plus connus dans un environnement domestique rejoignirent dans l'arène les animaux sauvages tels que les lions.

LE BULL BAITING

AU MOYEN ÂGE, le *bull baiting*, combat entre un chien et un taureau, remporta un grand succès en Grande-Bretagne. Sous le règne d'Henry II Plantagenêt (1154-1189) au début des vacances d'hiver, la jeunesse de Londres se divertissait avec les spectacles de combats de sangliers et de chiens contre des ours. Le premier jardin d'ours à Londres était connu sous le nom de Paris Gardens (jardins de Paris) et, lors des spectacles, taureaux et ours étaient attachés par derrière, puis attaqués par les grands « chiens de taureaux (*bulldog*) anglais ». Cela n'était d'ailleurs pas sans risque pour les chiens, qui étaient parfois tués sur le coup. Ils étaient cependant immédiatement remplacés.

À cette époque, les autorités municipales approuvaient publiquement ces spectacles et les organisaient. Il était du devoir des maires de s'assurer que suffisamment d'animaux était disponible et les archives municipales de Leicester attestent qu'aucun boucher n'était autorisé à tuer un taureau pour la vente s'il n'avait pas été combattu. À Chesterfield, dans le

Derbyshire, une amende de trois shillings et quatre pence était due si un taureau était tué sans avoir combattu au préalable sur la place du marché.

Le bull baiting fut particulièrement en vogue dans le centre de l'Angleterre, où les hommes allaient jusqu'à voler des taureaux dans les villes voisines. À Coventry, par exemple, les hommes mirent au clou la cloche de l'église et achetèrent un taureau avec l'argent ainsi obtenu, mais cet acte blasphématoire fut frappé du jugement divin, car ce taureau fut volé par des hommes d'une ville voisine qui le firent combattre.

Samuel Pepys (1633-1703), auteur britannique d'un journal, décrivait en 1666 le bull baiting comme « un plaisir grossier et méchant » et décrivait des scènes de taureaux jetant en l'air des chiens atterrissant parfois dans les gradins.

Le bull baiting fut autorisé jusqu'au XIXᵉ siècle et, en 1835, le Parlement prononça son interdiction. Cependant, les combats de chiens étaient toujours autorisés et les Britanniques purent encore un temps parier sur leur combattant favori.

UN SPORT CRUEL RÉPANDU

Au Japon, au début du XIXᵉ siècle de nombreux chiens domestiques furent transformés en chiens de combat.Ces combats devinrent de plus en plus populaires et les parieurs de plus en plus nombreux. Les éleveurs sélectionnaient les animaux les plus combattifs et pratiquèrent des croisements avec d'autres races tel le mastiff afin de rendre les chiens de plus en plus féroces. Devant les sommes considérables investies dans ce sport cruel, le gouverneur de la province où il était le plus répandu décréta une loi l'interdisant, au début du XXᵉ siècle. Après un temps, l'application de la loi se relâcha et les paris reprirent de plus belle.

La France n'échappa pas à l'engouement pour les combats de chiens. Théophile Gautier décrit, à la fin du XIXᵉ siècle, la barrière du Combat à Paris comme un endroit lugubre où une population de

chiens s'entasse dans des cages grillagées. Sous le regard des parieurs, les combats s'achèvent le plus souvent à la mort de l'un des combattants. Quant aux survivants, une fois soignés et guéris de leurs blessures, ils prennent part à de nouveaux combats.

L'INTERDICTION DES COMBATS DE CHIENS

CE SONT LES HOLLANDAIS qui, les premiers, interdirent les combats de chiens en 1689. La France les interdit en 1834, un an avant la Grande-Bretagne. Aujourd'hui, les combats de chiens sont théoriquement interdits dans le monde. Cependant, dans certains pays, ils se déroulent encore clandestinement, générant d'importants profits pour ceux qui les organisent.

Ci-dessus
Même si l'ours était gêné dans ses mouvements car attaché au mur, il était tout de même capable de tuer des chiens téméraires.

Ci-contre
Le bull baiting était un sport dangereux où les chiens pouvaient être éventrés ou jetés en l'air. L'issue dépendait en grande partie de la formation et des compétences du chien.

Ci-dessous
Vers la fin du XVIIIᵉ siècle, l'opinion publique commença à se détourner des sports de combat. Cependant, les traditions ont la vie dure et, malgré leur illégalité, des combats ont toujours lieu.

Les chiens de trait

LE BRUIT DES ROUES EN FER des charrettes des bouchers, à l'aube, dans les rues pavées des grandes villes était fréquent au Moyen Âge. La viande était transportée du marché principal vers les échoppes de la ville, et les voitures étaient fréquemment tirées par des chiens. Cela engendrait une gêne considérable, car les conducteurs faisaient la course et les chiens aboyaient furieusement. Il n'était pas rare de voir des enfants dans de petites voitures tirées par des chiens tels que les terre-neuve. À Terre-Neuve, les chiens étaient utilisés aux même fins et pour transporter le bois dans les maisons.

LA VOITURE À CHIEN

DANS LES GRANDES VILLES FRANÇAISES, les laitières arrivaient avec leurs charrettes remplies de bidons de lait. Grâce à leurs attelages canins, elles détaillaient et vendaient leurs produits de porte en porte. Marchands de primeurs, de quatre saisons, petits métiers, rémouleurs étaient aussi nombreux. À la campagne, les porteuses de pain, chiffonniers etc., dans les régions côtières, les vendeurs de marée utilisaient ce mode de locomotion.

Curieusement, les historiens ont peu parlé de l'attelage canin. Pourtant, il était couramment utilisé au début du XXᵉ siècle : vers 1910, des recensements effectués en France en révèlent plusieurs milliers, ce qui suppose une réalité bien plus importante, certains circulant sans autorisation ou sans être déclarés. Le Loiret possédait en 1925 le plus d'usagers : 1 322 chiens attelés recensés lors d'une enquête ouverte par la préfecture sous la pression de la SPA, alors qu'il n'en circulait que 200 à 300 dans le Cher ou la Nièvre à la même période. Les autorisations limitées par différents règlements, souvent contradictoires, d'une préfecture à l'autre sont à l'origine de ces disparités. C'est au sud de la Loire, en Sologne, pays plat et pauvre, aux habitations éloignées, que l'on roule le plus en voitures

Ci-dessus

Certains commerçants, tels que ce laitier belge, utilisaient des charrettes à chien.

Ci-contre

Les voitures à chien sont devenues illégales en France au XIXᵉ siècle.

Ci-dessous

Un handicapé découvre qu'une voiture à chien lui permet de se déplacer.

à chiens. Qui sont les utilisateurs ? Les écoliers qui habitent à plusieurs kilomètres du village, les laitières, les fermières se rendant au marché du canton, les boulangers qui portent le pain dans les hameaux et les facteurs distribuant le courrier.

LES ATTELAGES À CHIEN EN EUROPE

EN BELGIQUE ET HOLLANDE, au cours du XXᵉ siècle, les chiens et leurs attelages rendaient tant de services aux petits commerçants et agriculteurs que personne n'osait les interdire. En effet, la prohibition aurait entraîné un tollé général et les conséquences auraient été désastreuses, car nombre de foyers se seraient retrouvés sans le sou.

Un club pour l'amélioration de la condition du chien de trait fut créé, afin d'encourager l'élevage de chiens plus adaptés à cet emploi. Il visait à améliorer le harnachement des chiens, ils étaient mieux menés, les charrettes mieux équilibrées et plus mobiles. Les conducteurs recevaient des conseils et on leur donnait l'occasion de gagner des prix, médailles, diplômes ou argent.

Dans les années 1930, les marchés de Belgique grouillaient encore de petites voitures tirées par des chiens, la plupart paraissant satisfaits de leur condition. Ces attelages étaient utilisés par des jardiniers, laitiers, bouchers, boulangers et même charbonniers. Dans la plupart des cas, un ou deux chiens étaient harnachés, mais ils étaient parfois cinq. Le coût d'achat de tels chiens avoisinait l'équivalent de six euros et on les nourrissait en général de viande de cheval, ce qui semblait leur convenir.

Les lois concernant les chiens de trait en Hollande n'étaient pas appliquées à la lettre et l'on utilisait aussi des voitures à chiens en Suisse, en Autriche et en Tchécoslovaquie, où leur emploi était réglementé par les conseils municipaux. Les chiens trop âgés, les chiennes gestantes ou allaitant ne pouvaient pas travailler et la taille minimale d'un chien de trait était de 61 cm. Les chiens ne pouvaient pas être laissés harnachés à leur voiture au soleil et certaines charrettes étaient adaptées de manière à ce que les chiens puissent s'y allonger lors des livraisons. Les enfants de moins de 14 ans n'étaient pas autorisé à les superviser.

LE HARNACHEMENT DES CHIENS

LES HARNAIS DEVAIENT ÊTRE REMBOURRÉS sur les parties en contact avec le chien et les véhicules à moins de quatre roues devaient soit être soutenus, soit avoir des bras ouverts vers l'extérieur, pour ne pas empêcher le chien de s'allonger s'il le souhaitait. Un troisième bras empêchait la charge de peser sur le cou du chien. Les charrettes devaient être montées sur ressort, les axes graissés. Des restrictions existaient quant à la charge maximale et, par grand froid, les propriétaires étaient obligés de couvrir les chiens.

L'INTERDICTION DES ATTELAGES

EN FRANCE, les voitures à chien ont été interdites officiellement au XIXᵉ siècle. Cette interdiction fut motivée largement par les compagnies de diligence, qui faisait concurrence aux voitures à chien, en particulier dans le domaine de la livraison de paquets.

Il arrivait souvent que les chiens et les conducteurs fassent la course avec leurs voitures pour le plaisir, sur des distances de presque cinq kilomètres.

Ci-dessus
À Terre-Neuve, les voitures à chien étaient utilisées à diverses fins, depuis le transport de la famille à la collecte de bois pour le feu.

Ci-contre
Les chiens étaient souvent employés pour tirer des charrettes dans nombre de pays européens. Les réglementations au sein de ces pays étaient différentes, mais la plupart avaient comme objectif commun la protection du chien.

Les chiens de coche

E N DALMATIE, sur la côte orientale de l'Adriatique, le dalmatien était dressé pour courir aux côtés de cavaliers dans les champs, grâce à son énergie impressionnante. À la fin du XVIIIe siècle, ce chien arriva en Grande-Bretagne. Dans ce pays – et dans ce pays seulement –, il fut utilisé comme accompagnateur de diligences. Il était alors courant de couper une partie de ses oreilles, afin d'augmenter la beauté de la race. Il arrivait que l'on coupe le pavillon entier, découvrant ainsi la cavité de l'oreille. Cela avait toutefois pour effet d'augmenter le risque d'infection et, en 1880, cette pratique avait complètement disparu.

DES CHIENS DE GARDE

À l'apogée de l'ère des diligences, le dalmatien était utilisé comme gardien des chevaux, des diligences et de leur contenu, et on le voyait souvent courir aux côtés des équipages au XIXe siècle. Il semblerait que jusque dans les années 1950, il n'était pas rare de le voir courir entre les roues d'un attelage.

LE CHIEN DE COCHE

TOUT AU LONG du XIXe siècle, mais plus particulièrement au début, le dalmatien était connu sous le nom de « chien de coche ». Le dogue allemand, appelé aussi danois,

accompagnait également les attelages à cette époque. Pour différencier les deux, il était d'usage d'appeler le dalmatien « petit danois ». On les surnommait également tous deux *plum pudding dog* outre-Manche, car leurs taches rappelaient les raisins secs.

Grâce à ces taches, le dalmatien se voyait bien la nuit, ce qui était particulièrement utile lorsqu'il accompagnait des équipages à travers les campagnes. Pendant de nombreuses années, on a pensé que ce chien était stupide, incapable d'être employé à autre chose qu'à l'accompagnement d'une diligence ou d'un cheval lors de ses exercices. Au fil du temps, on se rendit compte que cette croyance était erronée.

À une certaine époque, avoir un chien pour surveiller la diligence et les chevaux pendant un voyage était une pratique très en vogue, et le dalmatien devint un élément indispensable des équipages des notables de la ville.

Cependant, au fil du temps la mode passa et le dalmatien se trouva bientôt sous l'axe de l'attelage. Ce chien occupa divers postes autour de l'équipage. Lorsqu'il constituait seulement un élément « décoratif » et de prestige, il courait souvent derrière, galopait devant ou sur les côtés – mais quelle que soit la position qu'il occupait, il restait remarquable par sa grande endurance.

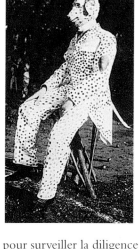

B arry Manilow a fait psychanalyser son beagle.

Ci-dessus
Les dalmatiens inspirent toutes sortes de passions, mais il faut bien avouer que ce genre de déguisement est osé.

Ci-contre
À l'origine chiens de travail, les dalmatiens ont été transformés en icône de mode par le film de Walt Disney
Les 101 Dalmatiens.

DES VOYAGES DANGEREUX

LE DALMATIEN paraissait infatigable, il pouvait parcourir en moyenne près de 30 kilomètres par jour, distance parcourue souvent par les attelages privés. Lorsqu'il était en mouvement, le chien restait près des chevaux et de la diligence, mais à l'arrêt il se comportait comme n'importe quel autre chien.

Courir le long d'un équipage constituait un danger permanent pour les chiens de coche. Un chien qui suivait régulièrement la ligne Londres-Brighton (dans le Sud de l'Angleterre) connut en 1851 une fin tragique alors qu'il sautait de la diligence pour prendre position sous les roues.

Ce chien se trouvait parfois dans la diligence, mais la plupart du temps il trottait à ses côtés et venait d'effectuer en huit jours un voyage de 116 kilomètres. Après sa mort, son corps fut empaillé, conservé dans une châsse de verre et exposé dans un pub de Londres.

LE DÉCLIN DU CHIEN DE COCHE

À LA FIN DU XIXe SIÈCLE, il semble qu'il était devenu rare de voir des dalmatiens courir aux côtés de diligences. Un récit de la fin du XIXe siècle relate l'émerveillement d'enfants lors de leur rencontre avec un dalmatien.

Le dalmatien était un chien d'écurie qui rentrait rarement dans la maison. Les opinions divergeaient quant à son amour des chevaux ; certains prétendaient qu'il était inné et d'autres qu'il était tout simplement dû à ses conditions de vie. Il existe de nombreux exemples d'amitié solide entre des chiens et des chevaux, et on disait que les dalmatiens n'étaient jamais aussi heureux que lorsqu'ils couchaient à l'écurie avec les chevaux.

OLD SAM

À LA FIN DU XIXe SIÈCLE, un chien connu sous le nom de Old Sam suivait le poney et la charrette de son propriétaire partout. Old Sam et ses compagnons canins connurent nombre d'hôtels et d'auberges et partaient régulièrement seuls – parcourant parfois plus de 30 kilomètres – pour retrouver des endroits où on les avait accueillis chaleureusement. Ils rentraient tard si souvent que leur propriétaire plaçait une pancarte autour de leur cou disant : « Avis aux propriétaires de restaurants : ne gardez pas ce chien ».

Ci-dessus

Les dalmatiens gardaient les diligences et étaient dressés pour courir à côté pendant les voyages.

Ci-contre

Lorsque le dalmatien perdit son rôle de chien de coche, il connut une nouvelle carrière en tant que chien à la mode.

En arrivant à Coventry en 1895 le dalmatien Lady Godiva se fit enlever le collier pour pouvoir courir les rues nue comme le fit, selon la légende, Lady Godiva.

Les chiens et l'Église

LES CHIENS ONT TRÈS RAREMENT été enterrés à l'ombre de l'église, malgré de fréquentes batailles juridiques en faveur des droits des propriétaires à avoir leur compagnon à leur côté après leur mort. Les chiens ont toutefois des liens avec l'Église depuis longtemps, même si l'attitude de cette dernière envers eux n'a pas toujours été vertueuse.

LES CHIENS RESTENT DEHORS

SOUS L'ANCIEN RÉGIME, on reprochait souvent aux nobles d'assister aux offices avec leurs lévriers. Ceux-ci prirent donc l'habitude d'écouter la messe à l'extérieur de l'église. En conséquence, les portes des églises restaient ouvertes et les prêtres sortaient sur la place pour bénir cette partie importante de leur congrégation, ce qui engendra la coutume de la bénédiction de tous les animaux sur le pas de la porte de l'église.

Puis, il ne devint plus irrespectueux d'amener des chiens dans la « Maison de Dieu » car, pour nombre de fidèles, la route était longue et dangereuse jusqu'à l'église : mieux valait recourir à la protection d'un chien.

Au fil des siècles, les chiens présentèrent un problème de plus en plus

En 585, les prêtres ne pouvaient pas posséder des chiens. Cela était dû aux expressions d'intérêt sexuel que pouvaient adopter ces animaux, ainsi qu'au bruit et à la rage.

Ci-contre
Les chiens étaient représentés dans les peintures religieuses ou dans des effigies sur les tombes, mais beaucoup d'églises refusaient d'enterrer les chiens avec leur propriétaire.

Ci-dessous
Les pinces à chien étaient employés pour chasser les chiens des églises, ce qui occasionnait souvent des blessures.

sérieux pour les autorités ecclésiastiques. Les barrières d'autel auraient été conçues pour empêcher les chiens d'entrer, mais leurs barreaux étaient tellement espacés qu'il est peu probable qu'elles aient servi cet objectif efficacement.

Au XVII⁰ siècle, dans les églises britanniques, des dog-whippers (« fouetteurs » de chien) s'assuraient que les chiens n'entrent pas dans les lieux de culte. Ils étaient rémunérés chichement, ne recevant souvent que du tabac pour tout salaire.

Le *dog-whipper* devait aussi faire en sorte que les fidèles restent éveillés pendant les sermons. Ils disposaient, pour remplir cette tâche, d'un long manche doté d'une brosse en poil de renard qui servait à chatouiller le visage des femmes endormies, et d'une poignée à l'autre extrémité pour frapper la tête des hommes… C'est à cette époque qu'apparurent les « pinces à chien ». Elles ressemblaient à des pinces à sucre hérissées de pointes. Ces pinces étaient si puissantes qu'elles pouvaient fracturer le crâne d'un chien si le *dog-whipper* serrait trop fort.

Dans certaine églises toutefois, le clergé était plus charitable envers nos amis canins. Parfois, plus particulièrement au pays de Galles et en Cornouailles, des « portes pour chiens » étaient aménagées, pour qu'ils puissent sortir se soulager quand ils en éprouvaient le besoin et, dans les zones rurales, il était habituel que les chiens de bergers assistent à la messe.

CHIEN DE SAINT

DESTIN D'EXCEPTION pour un chien que rester à jamais associé à la figure d'un grand saint de la chrétienté. Originaire de Montpellier, Saint Roch fut atteint par la peste lors de son pèlerinage en Italie. Retiré dans une forêt, il fut visité chaque jour par le chien de chasse d'un gentilhomme du voisinage nommé Gothard. L'animal lui apportait de la nourriture et léchait ses plaies. Le saint bénit l'animal et l'on dit que son maître renonça aux biens de ce monde et se fit ermite.

Dans toutes les représentations de saint Roch, le chien bienveillant est resté associé à celui dont il contribua à alléger les souffrances. Selon une vieille expression populaire, de deux personnes qui ne se quittaient pas on disait volontiers : *C'est saint Roch et son chien*… Certains voient même dans le compagnon du saint l'origine du mot *roquet* – le « petit Roch », le petit chien qui ne quitte pas son maître d'une semelle.

DES FEMMES QUI ABOIENT

En Bretagne, dans la petite commune de Josselin, près d'Auray dans le Morbihan, une légende affirmait que la Vierge était passée un jour, sous les traits d'une pauvre vieille en guenilles, près de la fontaine où les femmes du village lavaient le linge. Un chien se mit à aboyer férocement. L'étrangère prit peur. Mais, au lieu de l'apaiser, les matrones excitèrent l'animal pour qu'il morde la mendiante. C'est alors que Marie les avertit qu'en punition de leur méchanceté elles-mêmes et leurs filles, ainsi que les filles de leurs filles seraient condamnées à aboyer comme des chiens.

On raconte qu'une messe s'est tenue sans pain car un chien avait volé la miche qui se trouvait sur l'autel.

La malédiction se réalisa. Les descendantes des lavandières furent la proie de crises, aussi soudaines que violentes, au cours desquelles elles poussaient d'horribles aboiements.

Des siècles durant, il fallut amener de force les « Aboyeuses de Josselin » dans l'église du village, devant l'autel de la Vierge, pour demander pardon de l'affront infligé jadis à la Mère du Seigneur et supplier celle-ci qu'elle guérisse les pauvres filles.

**Ci-dessus
(gauche et droite)**
Jusqu'à relativement récemment, les chiens étaient tolérés dans les églises. Les bancs et les portes étaient adaptés à cet effet.

Ci-contre
De par la difficulté de faire enterrer leurs animaux dans des cimetières classiques, des cimetières privés apparurent, contenant souvent des sépultures élaborées.

Chiens de bienfaisance

Bien avant que les chiens ne deviennent des compagnons indispensables aux personnes aveugles ou handicapées, ils ont souvent été utilisés, en Grande-Bretagne, pour des quêtes et diverses manifestations au profit d'organismes charitables. Équipés de troncs, de sacs ou de tirelires, parfois déguisés, ils faisaient appel avec beaucoup de succès à la générosité publique.

Ci-dessus
Zulu était un habitué du front de mer à Hastings, en Angleterre. Il était connu pour sa capacité à collecter des fonds pour les œuvres de bienfaisance.

Ci-dessous
Absent-Minded Beggar (mendiant distrait) portait bien son nom lorsqu'il renversait les pièces contenues dans sa tasse.

UN DÉFILÉ POUR LES ŒUVRES DE BIENFAISANCE

LES CHIENS ONT TOUJOURS ÉTÉ utiles et doués pour collecter des fonds pour les bonnes causes. Un jour neigeux de janvier 1900, la Ladies' Kennel Association organisa un défilé de quelques 400 chiens pour collecter des fonds destinés à une association de veuves et orphelins de guerre, qui rapporta la somme rondelette de 3 000 livres sterling.

L'organisation de cet événement avait été menée de main de maître. Nombre de chiens portaient des costumes patriotiques. Ils étaient répartis en « compagnies », toutes dirigées par un « officier divisionnaire », les bulldogs étaient menés par un bulldog appelé Simple Simon. Le chien de Cheltenham du sergent Locker arborait des culottes rouges et un manteau écarlate et portait sur le dos un pistolet miniature et des drapeaux. Ce jour-là, la place d'honneur et la coupe en argent furent attribuées à une jeune fille qui tenait son petit chien sous sa cape, et qui portait également un drapeau, qu'elle refusa qu'on lui enlève.

GYP

CE DÉFILÉ FUT une date très importante pour les chiens et leurs propriétaires, mais nombre de chiens collectaient de l'argent individuellement tout au long de l'année. Gyp était un terrier très intelligent qui arriva chez un nouveau maître en 1898, car son premier propriétaire l'avait menacé d'une arme à feu, ayant décidé qu'il n'en avait plus l'utilité. À son arrivée dans son nouveau foyer, Gyp commença à récolter de l'argent pour diverses œuvres de bienfaisance, notamment le *Transvaal War Fund* (fonds pour la guerre du Transvaal), pour lequel il collecta neuf livres sterling. On racontait que Gyp avait l'appétit d'argent d'un miséreux et que le tintement des pièces l'attirait comme un aimant. Une fois qu'il tenait une pièce dans sa bouche, il ne la lâchait plus. Il s'asseyait pour quémander et attrapait au vol les pièces qu'on lui lançait avec une précision remarquable.

BHUTAN, LE LHASSA APSO

BHUTAN, LHASSA APSO importé d'Himalaya inscrit au English Kennel Club en 1896 faisait aussi le beau pour récolter de l'argent. Il quémandait, assis dans cette position pendant des heures lors d'expositions. Un jour, la princesse Alexandra, qui assistait fréquemment à ce genre d'événements,

remarqua à son sujet : « Ce petit chien demande à quitter l'exposition ». Malheureusement, alors qu'il récoltait des fonds pour un hôpital, Bhutan contracta la maladie de Carré et, selon son maître, succomba dans l'exercice de ses fonctions. En effet, le petit chien déterminé s'effondrait en position allongée, mais après un court repos, reprenait bravement sa position habituelle. Son propriétaire affirma qu'il avait tenu bon jusqu'au bout pour ensuite rentrer à la maison mourir.

ABSENT-MINDED BEGGAR

ABSENT-MINDED BEGGAR, petit chien blanc, avait une forte aversion pour les policiers et les livreurs de journaux. Mais ses manières peu sociables lui étaient pardonnées car il collectait de l'argent pour des causes patriotiques. Un samedi, il était sur la place du marché à quémander lorsque le bruit des pièces dans la boîte autour de son cou lui parut étrange. Il les renversa donc sur le pavé, à la grande

C'est en 1915, en Allemagne qu'a été créé le premier centre d'éducation de chiens-guides d'aveugle.

Les boîtes dans lesquelles les chiens récoltaient de l'argent était des boîtes de tabac vides, des sacs en satin, des tirelires et des sacs en cuir de tous types.

joie des chapardeurs qui s'enfuirent avec l'argent.

Zulu, retriever à poil bouclé, collectait de l'argent sur le front de mer à Hastings, sur la côte méridionale anglaise. Il se tenait généralement au même endroit que l'orchestre, orné de rubans rouge, blanc, bleu et portant une casquette kaki. En 1900, Zulu versa plus de vingt livres au *Hasting Observer* et fut acclamé par le journal pour son travail.

DADLES

DADLES COLLECTAIT des fonds pour l'hôpital de Cirencester, entre autres. Il avait le contact facile et les gens aimaient le regarder. Les habitués avaient tendance à l'ignorer et on peut peut-être comprendre pourquoi. Il attendait près des voitures, au fond de la cour de l'hôtel. Il repérait quelqu'un, l'attendait à l'entrée de l'hôtel et l'accompagnait jusqu'au salon pour les fumeurs. Une fois la personne confortablement installée, Dadles commençait son spectacle hilarant d'illustration de la vie canine par des pantomimes, au terme duquel il « tombait malade » et « mourait ». Après ce qu'il considérait un laps de temps décent, il « ressuscitait » miraculeusement et faisait le tour de la pièce pour ramasser de l'argent.

Ci-dessus
Gyp récoltait des fonds pour des œuvres de bienfaisance et d'autres chiens pour les aveugles.

Ci-contre
Le défilé de la Ladies' Kennel Association en 1900, qui rassembla plus de 400 chiens, permit de récolter 3 000 livres sterling.

Voyager avec un chien

AU DÉBUT DU XXᵉ SIÈCLE, très peu de gens possédaient des voitures et le transport de chiens d'un endroit à un autre n'était pas tâche facile comme à l'heure actuelle. Les gens aisés, en revanche, faisaient montre de davantage d'indulgence envers leurs compagnons et posaient fièrement pour la presse avec leur chien dans le luxe d'un véhicule à quatre roues ou même d'une grande motocyclette avec side-car. La plupart des chiens voyageaient en train.

LES VOYAGES AUTREFOIS

POUR LE COMMUN DES MORTELS, le transport était limité au chemin de fer et souvent les chiens voyageaient vers des expositions et autres destinations non accompagnés. À la fin du XIXᵉ siècle, les installations destinées aux transport d'animaux de valeur n'étaient pas satisfaisantes, et le public considérait qu'il n'était pas logique qu'un chien soit transporté dans les mêmes conditions qu'un colis. Tous deux occupaient le même espace et risquaient tout autant d'être écrasés pendant le transport. Les grands chiens devaient voyager dans les compartiments à bagages, mais les plus petits pouvaient, si leurs propriétaires le souhaitaient, prendre place dans de petits casiers sous les sièges, qui étaient toutefois considérés comme très inconfortables pour des animaux un peu délicats.

Les propriétaires se disaient prêts à payer davantage pour faire transporter leur chien dans de meilleures conditions. Cependant, nombre d'incidents survenaient dus aux conditions de transport elles-mêmes aussi bien qu'à la négligence de certains propriétaires de chiens. Le plus souvent, les chiens de valeur étaient transportés dans de vieux paniers en rotin, dont ils pouvaient facilement s'échapper. Souvent, déchiqueté par l'animal, le fond avait complètement disparu et le chien portait en fait le panier, plutôt que l'inverse. Il arrivait également que les colliers et les chaînes utilisés soient trop peu solides et que les chiens aient toute facilité de s'échapper pendant le transport. De plus, certaines chiens ne voyageaient même pas dans des paniers, mais libres.

Ci-dessus et ci-contre
Au début du XXᵉ siècle, seuls les riches possédaient une voiture, ils aimaient promener leurs chiens.

Ci-dessous
La plupart des chiens et leurs propriétaires devaient voyager en train. Les chiens étaient souvent envoyés seuls.

LES VOYAGES AUJOURD'HUI

Voyager avec un chien aujourd'hui est devenu plus facile. Il convient cependant de respecter certaines règles et de prendre certaines précautions. La première d'entre elles consiste à emporter le carnet de santé de l'animal

En voiture : arrêtez-vous toutes les deux heures pour lui permettre de boire, faire ses besoins, se dégourdir les pattes et se restaurer. Ne laissez jamais votre animal dans votre voiture en plein soleil, même la fenêtre ouverte ! Il risque un coup de chaleur qui peut être mortel. Pensez que le soleil tourne, et qu'un véhicule laissé à l'ombre peut se retrouver en plein soleil quelques heures plus tard. Si votre chien souffre du mal des transports, vous pouvez lui administrer avant le départ un antinauséeux recommandé par votre vétérinaire.

En avion : renseignez-vous auprès de la compagnie aérienne et pensez à la prévenir dès la réservation car, sur certains vols, le nombre d'animaux en cabine peut être limité. Prévoyez aussi de vous présenter au moins une demi-heure avant l'heure d'enregistrement afin d'accomplir les formalités pour votre animal.
À titre d'exemple : pour un voyage en France, vous pourrez garder votre chat ou votre chien en cabine s'il pèse moins de 5 kg. Il voyagera installé dans un sac spécialement conçu à cet effet et fermé. S'il pèse plus de 5 kg, il devra voyager en soute (ventilée, chauffée et pressurisée) et être installé dans une cage spécifique, achetée dans l'aéroport de départ.

En train : si votre animal pèse moins de 6 kg, il devra être installé dans un sac adapté. Une fois dans le wagon, vous pourrez le sortir mais toujours en laisse. Il disposera d'un titre de transport au prix forfaitaire quelle que soit votre destination. S'il pèse plus de 6 kg, on vous demandera 50 % du prix d'un billet de seconde classe. Attention ! Certains chiens

doivent être muselés. Renseignez-vous auprès de la SNCF.
Pour pallier les éventuels désagréments occasionnés par votre animal, il existe une « tolérance des autres voyageurs » en vertu de laquelle un voisin incommodé peut vous faire changer de place.

En bateau : sur des trajets à destination de la Corse, votre animal doit voyager soit dans votre véhicule, soit dans le chenil du bateau. Pour des transports internationaux, renseignez-vous auprès des compagnies maritimes. Ces dernières vous informeront sur les quarantaines en vigueur. (Au Royaume-Uni, de nouvelles dispositions suppriment la quarantaine).
Lors de vos déplacements, n'oubliez pas le carnet de santé de votre animal. Et pour l'étranger, n'hésitez pas à consulter ambassade, consulat ou office de tourisme : ils vous renseigneront sur les documents à fournir et les quarantaines en vigueur.

Pour voyager avec un chien dans un wagon-lit, il faut obtenir l'occupation exclusive du compartiment.

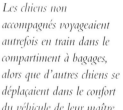

VALUABLE
LIVE PUPPY

Les chiens non accompagnés voyageaient autrefois en train dans le compartiment à bagages, alors que d'autres chiens se déplaçaient dans le confort du véhicule de leur maître.

Les chiens acteurs

Presque rien, dit le Chien, donner
la chasse aux gens
Portants bâtons, et mendiants ;
Flatter ceux du logis, à son Maître complaire :
Moyennant quoi votre salaire
Sera force reliefs de toutes les façons :
Os de poulets, os de pigeons,
Sans parler de mainte caresse…
Le loup et le Chien, Jean de la Fontaine

LES CHIENS ACTEURS

AU COURS DU MOYEN ÂGE, le chien avait souvent une triple fonction : garde du corps, compagnon et partenaire de travail des amuseurs itinérants. Les clowns anglais du XVIIe siècle étaient accompagnés de chiens et des témoignages parlent de chiens appartenant à des vagabonds dansant sur de la musique et prenant toutes sortes de postures, debout, couchés sur le sol, tournant sur eux-mêmes en se mordant la queue.

Dans le livre de William Harrison intitulé *Description of England* (*Description de l'Angleterre*) publié en 1586, l'auteur fait mention de chiens dressés pour quémander de la viande

Ci-dessus
Certains maîtres apprenaient à leur chien à jouer aux dominos, à la grande joie de la foule, qui ne détectait aucune tricherie.

Ci-contre
Les chiens déguisés ont toujours remporté un vif succès, surtout s'ils jouent un rôle.

Le marionnettiste de la Reine utilisait habituellement des corniauds pour jouer le rôle de Toby, car il les trouvait plus faciles à dresser.

et pour ôter la casquette sur la tête d'un homme. Ces chiens portaient des habits bigarrés et de petites vestes courtes. Certains témoignages sérieux attestent de chiens dressés pour parler, avec l'exemple d'un chien du XVIIIe siècle qui avait appris 30 mots en allemand après trois années de dressage.

LES ACTEURS DE THÉÂTRE

LES CHIENS JOUAIENT également un rôle au théâtre, particulièrement au début du XIXe siècle, lorsque les pièces de chiens étaient à la mode. La pièce intitulée *Le chien de Montargis ou la Forêt de Bondy,* montée au Théâtre de la Gaîté à Paris en 1814 connut un tel succès qu'elle fut traduite en hollandais, allemand, italien, polonais, russe, espagnol et anglais.

Au XIXe siècle, on pouvait voir une étrange pièce au théâtre Sadler's Wells, à Londres. Les chiens prenaient d'assaut une forteresse sous les tirs d'armes à feu et les fumées de canon. Un « déserteur », abattu pour son crime, était emporté par ses compagnons tandis que d'autres chiens manifestaient une douleur extrême dont ils se remettaient lentement, montrant bientôt des signes de joie.

FILOUS ET FORAINS

LES CHIENS DE FORAINS étaient dressés pour jouer aux dominos devant des foules de curieux. Ils jouaient normalement, une pièce après l'autre, le chien choisissant des dominos que le maître plaçait. Les observateurs ne détectaient aucun des signes donnés au chien, malgré les petits bruits de bouche que faisaient les propriétaires lorsque les chiens se déplaçaient pour choisir chaque domino.

LES CHIENS DÉGUISÉS

UN ÉCRIVAIN RELATE CERTAINES scènes à Paris impliquant six chiens attachés par paires à l'aide d'un joug à une voiture légère. Dans la voiture se tenait un terrier magnifiquement habillé, qui parvenait à se tenir debout sur ses pattes arrière même lorsque l'attelage était en mouvement. Dans la calèche se trouvaient deux autres chiens, de type lévriers et un « caniche russe ». Ces chiens faisaient divers tours. L'un d'eux, vêtu d'un jupon et d'un bonnet élégant, dansait le menuet et l'un des lévriers sautait à travers le cerceau que tenait un garçon au-dessus de sa tête. Une fois qu'il avait sauté, le chien s'éloignait en feignant de boiter, sur une jambe, puis sur l'autre.

À mesure que le spectacle avançait, le cercle s'élargissait, car la calèche faisait des cercles de plus en plus grands. Le maître du chien étalait alors 10 cartes aux quatre coins d'un vieux torchon. Chacune des cartes portait un numéro et

les spectateurs devaient citer un nombre ne dépassant pas quatre chiffres. Les chiens plaçaient les cartes dans l'ordre requis pour former les numéros demandés. On a tenté plusieurs fois de détecter une éventuelle tricherie, mais en vain.

LES CANICHES ACTEURS

PARIS ÉTAIT CÉLÈBRE pour ses chiens acteurs, en particulier les caniches. Ceux du Pont Neuf étaient connus, car ils étaient dressés pour souiller les bottes des passants, qui étaient alors obligés de recourir aux services d'un cireur de bottes se trouvant à proximité.

Dans les rues de Londres, les marionnettes Punch et Judy étaient célèbres, ainsi que le chien Toby, qui portait un collier doté de clochettes pour éloigner le diable de son maître. Cette fameuse pièce de théâtre a été jouée pour la première fois à Covent Garden en 1661 et Toby fut seulement un personnage empaillé jusque dans les années 1820, lorsqu'un chien fut dressé pour jouer le rôle. Le spectacle fut alors connu sous le nom de « Punch et Toby » avant d'être rebaptisé « Punch et Judy ». Même le marionnettiste royal a monté ce spectacle pour les enfants de la reine Victoria et d'Édouard VII.

Haut de la page
Un chien peut servir de garde du corps, de compagnon ou d'amuseur.

Ci-dessus
Les chiens peuvent être dressés pour jouer dans toutes sortes de spectacles et accepter d'être habillés comme des humains.

Ci-contre
Les caniches avaient une bonne faculté d'adaptation et étaient particulièrement célèbres à Paris.

Toby le chien a appris à chanter et à fumer la pipe, ainsi qu'à serrer les mains et à attraper Punch par le nez.

Les chiens de traîneaux

LES TRACES LAISSÉES par les anciens Inuits dans la pierre et l'os montrent qu'ils utilisaient les chiens pour tirer les traîneaux depuis très longtemps. Au XVIe siècle, les voyageurs partis chercher de l'or au Groenland et les navigateurs des mers arctiques se sont intéressés aux utilisations pratiques que pouvaient avoir ces chiens proches des loups.

EXPÉDITIONS EN ARCTIQUE

AU COURS DES XVIIe et XVIIIe siècles, les Russes entreprirent des expéditions des frontières de l'Europe vers le détroit de Béring, emmenant avec eux un grand nombre de chiens. Les voyageurs européens en emportèrent moins, mais un explorateur américain, le lieutenant Peary, en possédaient plus de 100.

L'écrivain du XIXe siècle Taplin raconte que les chiens vivant dans ces conditions arctiques creusaient leur propre lit dans la neige et que seul leur nez dépassait. Ils étaient d'excellents nageurs et chassaient en meutes le renard arctique, le phoque et l'ours polaire. Ils avaient la réputation d'être très agressifs envers tout animal domestique qu'ils rencontraient.

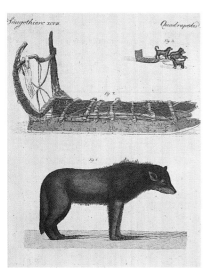

Ci-dessus et ci-contre
Les premiers chiens de traîneau étaient très différents des huskys sibériens d'aujourd'hui.

Ci-dessous
En été, les chiens pouvaient tirer les bateaux.

LES CHIENS DE TRAÎNEAU SIBÉRIENS

LES CHIENS DU KAMCHATKA étaient forts et actifs, très peu différents de par leur taille des chiens de berger de Russie. Ils étaient réputés les plus endurants de Sibérie. Dans cette région, le prix des chiens était élevé au début du XIXe siècle, environ l'équivalent de 15 euros. On dépensait également de grosses sommes pour leur harnachement. Les sièges des voitures étaient recouverts de fourrures ou de peaux d'ours et les traîneaux équipés d'une barre transversale à laquelle était relié le harnais et d'où pendaient des maillons en fer ou de petites clochettes. Le bruit était censé encourager les chiens. Les traîneaux transportaient rarement plusieurs

Nipper sauva 300 moutons d'un incendie et, faisant fi de ses brûlures aux pattes, retourna dans la fournaise sauver les vaches.

personnes, mais des colis contenant des provisions étaient arrimés derrière leur conducteur. Ces véhicules étaient généralement tirés par quatre chiens, quelquefois cinq.

LES CHIENS ET LEUR MAÎTRE

LES CHIENS RÉAGISSAIENT PRINCIPALEMENT à la voix, mais le conducteur utilisait également un bâton pour frapper la neige, afin de réguler la vitesse. La manœuvre la plus difficile pour un chauffeur consistait à lancer le bâton sur les chiens pour les punir, puis de le rattraper tout en continuant à avancer, ce qui demandait une dextérité remarquable.

Même si les propriétaires de ces chiens dépendaient d'eux, ils n'étaient pas réputés pour leur tendresse. Les chiens devaient généralement se débrouiller par eux-mêmes ; ils mangeaient des moules, des baies ou ce qu'ils trouvaient. De temps en temps si des phoques avaient été capturés en grand nombre, les chiens buvaient le sang et mangeaient les morceaux non utilisés par les hommes. Certains chiens étaient même mangés et engraissés dans ce but, et rien n'était gâché. Leur peau était utilisée dans la confection de vêtements, ainsi que dans l'isolation des habitations. Les intestins du chien servaient dans la fabrication de fil à coudre.

UN TEST D'ENDURANCE

AU GROENLAND, jusqu'à dix chiens pouvaient constituer une équipe pour tirer un traîneau transportant cinq ou six phoques sur une distance allant jusqu'à 90 kilomètres par jour. Au milieu du XIXe siècle, on utilisait quelquefois douze chiens, attachés au traîneau par un seul trait et sans rênes. Chaque chien pouvait transporter 55 kg sur la neige à une vitesse de 11 à 13 km/h. En été, les chiens servaient d'animaux de meute, et transportaient sur leur dos des marchandises pesant jusqu'au tiers de leur poids. À cette époque de l'année, les chiens se portaient mieux, car ils pouvaient se nourrir des restes de baleines et de veaux de mer. Certains témoignages de la fin du XIXe siècle affirment que des équipes de quatre chiens portaient chaque jour de 130 à 180 kg sur plus de 50 kilomètres sur une bonne piste.

Des races plus petites mais semblables existaient en Laponie et en Islande, mais le nom générique « chiens d'esquimaux » les désignait toutes. Ces chiens possédaient beaucoup de caractéristiques des loups, notamment le hurlement, au lieu de l'aboiement. Ils pouvaient également détacher la chair d'un poisson très proprement. L'un des

chiens couramment utilisé au Canada au début du XXe siècle était un croisement entre un chien d'esquimau et un staghound, chien de renne. Ces chiens étaient inégalés en vitesse, force et énergie. Le samoyède était également employé avec les traîneaux en hiver, mais il était plus connu comme gardien de troupeaux de rennes et chien de garde.

Sur cette page
Les chiens de traîneaux étaient appréciés pour leur vitesse, force et énergie. Ils devaient se débrouiller pour trouver leur nourriture et leur abri.

James Spratt

L E NOM DE JAMES SPRATT est très connu dans le monde canin. En effet, cet homme s'est bâti une renommée en fabriquant des biscuits pour chiens. Grand voyageur, il vécut aux États-Unis pendant de longues années et commença sa vie professionnelle en tant qu'électricien, spécialisé dans les conducteurs de paratonnerres.

RÉPONDRE À TOUS LES BESOINS DES CHIENS

L'ENTREPRISE DE FABRICATION d'aliments et produits pour chien connut des débuts modestes dans le quartier londonien de Holborn. Charles Cruft (qui donna plus tard son nom à la plus grande exposition canine du monde), qui fut l'un de ses tout premiers employés, contribua grandement au développement de la société. En conséquence du succès des produits, l'entreprise déménagea, mais Spratt était inquiet car des imitations de ses produits commençaient à inonder le marché. C'est alors qu'il ressentit le besoin de se doter d'une marque, ainsi que d'une carte de visite, et il acheta une série complète de gravures de Sir Edwin Landseer pour les utiliser sur ses cartes.

Le « X » qui est devenu la marque de Spratt était en fait la croix qu'utilisait le jeune Charles Cruft pour faire la différence entre les clients particuliers et les professionnels dans son travail de facturier. Cruft devint plus tard directeur de la société.

James Spratt ne parlait pas beaucoup du type de viande utilisé dans ses biscuits pour chien et, après avoir vendu la société, il conserva le contrat d'approvisionnement en viande jusqu'à sa mort, en 1880.

L es premières créatures à revenir vivantes de l'espace furent les chiennes Belka et Strelka.

Ci-dessus

Les aliments et produits pour chiens de Spratt étaient connus dans le monde entier.

Ci-contre

James Spratt était électricien et voyageur passionné avant de fonder son entreprise.

LE DÉVELOPPEMENT DE LA SOCIÉTÉ

L'ENTREPRISE SE DÉVELOPPA à un point tel, que bientôt des milliers d'agents étaient répartis sur les cinq continents pour vendre des produits destinés non seulement aux chiens de concours, mais également aux chiens de sport et aux animaux domestiques. La société élargit même ses activités au secteur du gibier et de la volaille.

Outre les produits alimentaires, les établissements vendaient également des niches portatives décrites comme étant « de petits palais » ou « des couffins de salon », clairement destinés aux chiens d'agréments les plus précieux. Ils fabriquaient également des boîtes de voyage, des chaînes, colliers et vêtements pour chiens, ainsi que de nombreux accessoires et machines destinés aux chenils. La société vendait également des produits destinés à soigner les petits maux des chiens.

INFORMER SUR LES PRODUITS

JAMES SPRATT VOULAIT que ses clients comprennent la nature des produits qu'ils achetaient et il publiait régulièrement de petits livrets proposant des conseils pratiques aux lecteurs. Certains de ces livrets décrivaient également le processus de fabrication des biscuits. Les céréales,

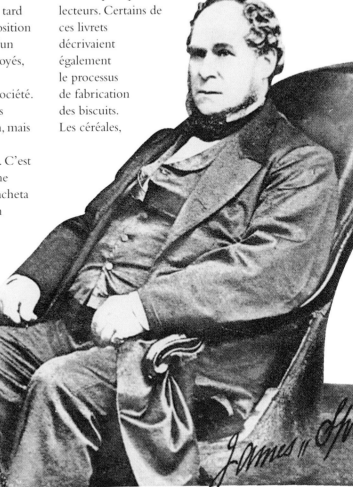

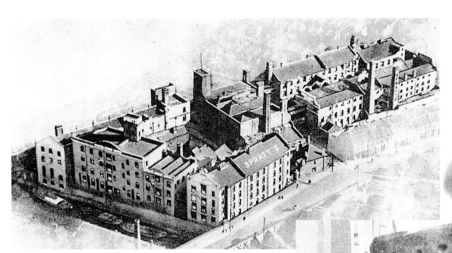

la farine et les autres ingrédients étaient transportés à bord de navires et de péniches dans l'usine, où ils étaient stockés au cinquième étage de l'immense bâtiment. Lorsque la farine avait été mélangée à de la fibrine de viande, elle était transportée automatiquement dans un énorme réceptacle, dans lequel elle était pétrie mécaniquement, par lots de 8,5 quintaux. La pâte était alors placée dans une machine pour y être abaissée à l'épaisseur voulue, pour former une immense couverture de pâte. Elle était ensuite transportée vers les machines à couper, où 50 000 biscuits étaient produits par heure, frappés du fameux X.

Les biscuits étaient alors placés dans des fours, d'où ils sortaient sous forme de « rangées de petits bonshommes bruns, tous cuits à point ». Ils étaient ensuite répartis dans des séchoirs, dont ils étaient retirés 48 heures plus tard et emballés pour livraison au monde canin, qui les attendait avec impatience.

DES BISCUITS, DES BISCUITS, ENCORE DES BISCUITS

LE NOMBRE DE BISCUITS PRODUIT par la société a été très documenté. Au cours de la Première Guerre mondiale, le poids total des biscuits fournis aux chiens de l'armée fut de 70 144 tonnes, ce qui correspondait au nombre phénoménal de 1 256 976 708 biscuits. Si ces biscuits avaient été placés bout à bout, ils auraient représenté plus de trois fois le tour de l'équateur. Empilés, ils auraient atteint la hauteur de 15 955 km.

Les livrets de Spratt prodiguaient également de précieux conseils en matière de traitement des petits maux affectant les chiens, car la société vendait diverses pilules et potions qui pouvaient les soulager. Il existait des comprimés purgatifs, des médicaments contre la jaunisse, des liniments stimulants et des pilules tonifiantes. L'entreprise proposait également des traitements remarquables contre les parasites, notamment le savon pour chien Spratt qui était « absolument libre de tout poison » et dont il était dit que même un être humain pouvait l'avaler sans risque pour la santé. Existaient aussi divers vermifuges et, si ceux-ci donnaient la diarrhée, Spratt en possédait également le remède.

Ci-dessus
L'usine londonienne de Spratt produisait presque 50 000 biscuits à l'heure.

Ci-dessous
Outre les biscuits pour chiens, Spratt commercialisait toute une gamme de pilules et potions.

Les chiens de guerre

LORS DE LA Première Guerre mondiale, les chiens constituèrent une aide précieuse pour les armées européennes. Les conseils prodigués pour le dressage des chiens de guerre étaient tout aussi stricts que ceux dispensés pour le chargement des armes à feu. Il était largement reconnu que de grandes responsabilités reposaient sur les épaules de ces chiens et, bien entendu, sur celles de leurs dresseurs.

Un bull terrier blanc qui avait été présenté à l'Armée territoriale anglaise en 1949 fut élevé au rang de sergent.

Ci-dessus et ci-contre
Les chiens étaient parachutés derrière les lignes ennemies et livraient des rations au cours de la Première Guerre mondiale.

LES CHIENS DE GUERRE

LES RACES LES PLUS COURAMMENT associées aux responsabilités en temps de guerre étaient le berger allemand, l'airedale, le rottweiler et le schnauzer géant, même si d'autres races étaient employées car, outre la compétence du dresseur, le succès des missions dépendait de l'intelligence et de l'endurance du chien. La France semble avoir été le premier pays à employer les chiens lors de manœuvres de l'infanterie, mais l'expérience fut plutôt de courte durée, car certaines critiques affirmaient que les crédits n'avaient pas été saisis correctement dans le budget du ministère de la Guerre. Les chiens furent largement utilisés en Allemagne et en Russie, où à chaque exposition, une section était réservée aux « chiens de guerre ».

Des chiens baptisés « chiens de tambour » servaient dans l'armée autrichienne comme chiens de trait pour les grands tambours de l'orchestre du régiment. Ils tiraient une petite voiture sur laquelle était placé le tambour, mais furent bientôt remplacés par des poneys. Le chien a proposé une grande diversité de services en temps de guerre : certains remplaçaient les veilleurs la nuit, alors que d'autres transportaient les blessés, humains et canins, dans une ambulance canine spéciale destinée au transport de chiens blessés. On pensait qu'un bon chien méritait d'être soigné et de récupérer complètement avant d'être renvoyé au front. Les chiens étaient également très utiles pour tirer les voitures contenant les munitions et l'artillerie légère.

DES RECRUES CANINES

Au DÉBUT de la Première Guerre mondiale, les chiens n'étaient pas toujours appréciés à leur juste valeur et les chiens messagers étaient peu utilisés. Cependant, il devint vite évident qu'ils pouvaient accomplir de grandes choses et on commença à les

respecter. Beaucoup de races étaient employées comme messagers, notamment l'airedale terrier, les chiens de berger et le colley. Au fil du temps, le besoin en chiens grandissait et n'importe quel croisé ou corniaud errant dans la rue était enrôlé d'office. Le ministère de la Guerre britannique, par exemple, lança un appel aux foyers privés et aux pensions pour chiens, à la suite duquel nombre d'animaux furent proposés pour le dressage. La plupart de ces chiens auraient vraiment souffert s'ils n'avaient pas été engagés, car il devenait de plus en plus difficile pour les familles de les nourrir. La majorité arrivait maigre et faible, mais l'armée leur fournissait une nourriture copieuse et beaucoup d'exercice.

Les chiens aidèrent à maintenir la communication entre les régiments en transportant des messages urgents de et vers les quartiers généraux pendant les bombardements. Souvent, les chiens messagers passaient là où un être humain n'avait pratiquement aucune chance de survivre et traversaient des terrains traîtres, pouvant couvrir une distance de 3 à 5 km en quelques minutes.

Lorsqu'on s'attendait à une attaque, les animaux étaient abrités dans les tranchées, où ils restaient pendant la durée du bombardement. Lorsqu'un message urgent devait être envoyé, on le plaçait dans

un petit sac en cuir autour du cou du chien, en indiquant l'heure d'envoi. Un chien atteignait sa destination en un laps de temps précis si tout se passait bien.

S'ACCLIMATER À LA GUERRE

Au COURS DU DRESSAGE, les chiens s'habituaient à tous les bruits de la guerre, notamment au sifflement des obus et au bruit des camions. Il était indispensable qu'ils s'habituent au bruit des armes à feu. Ils restaient calmes si une grenade explosait près d'eux. On ne les punissait pas lors du dressage et la plupart semblaient satisfaits. Comme messagers, dès lors qu'ils

Ci-dessus
Chien traversant une rivière portant sur son dos un panier contenant un pigeon messager.

Ci-contre
Les chiens devaient être dressés pour s'habituer au bruit des armes à feu.

connaissaient leur destination, les chiens mettaient tout en œuvre pour y arriver. Les pigeons, quant à eux, n'étaient d'aucune utilité les jours de brouillard ou la nuit mais certains chiens en transportaient dans des cages sur leur dos. Le gaz moutarde affectait les chiens, mais moins que les soldats.

Au cours de leur mission, il était interdit aux soldats de les caresser, pour ne pas les détourner de leur maître, mais tous étaient nourris avant de partir pour le front et ils n'y restaient jamais plus de 12 heures.

Ci-contre et ci-dessous
Les chiens pouvaient transporter des messages urgents ou installer des lignes de signaux, alors que des soldats se seraient fait tuer.

Les soins apportés aux chiens

Ci-dessous
Le monde chrétien a mis du temps à s'intéresser activement aux chiens. Leur santé est alors devenue une préoccupation importante.

LES ARABES APPORTAIENT une assistance médicale à leurs chiens malades ou blessés et pratiquaient même des interventions chirurgicales sur leurs compagnons canins. Dans le monde chrétien toutefois, jusqu'au VIIIᵉ siècle, les chiens furent méprisés et les seuls à avoir été traités avec beaucoup d'égard étaient les chiens de chasse des princes. Cela étant, les chiens devinrent peu à peu des objets d'intérêt et d'affection et les gens commencèrent à se préoccuper de leur santé.

DES SOINS INEFFICACES

EN RAISON DE L'IGNORANCE en matière vétérinaire, peu de « traitements » étaient vraiment utiles. Au XIᵉ siècle, pour guérir un chien de la rage, on retirait le ver sous sa langue, on le découpait et on l'enfouissait dans une figue. Le « ver » était le frein reliant la langue à la partie inférieure de la bouche. Cette pratique s'est poursuivie jusqu'au XIXᵉ siècle.

LE DÉVELOPPEMENT DES SOINS

AU XIVᵉ SIÈCLE, certains livres illustrés étaient publiés à l'intention des chasseurs, expliquant comment employer au mieux les chiens et s'occuper d'eux. Les chenils devaient se trouver dans des endroits ensoleillés, nettoyés tous les jours et être garnis de paille fraîche et, après une partie de chasse, les chiens devaient se reposer dans une salle chauffée par une cheminée. Il ne faut pas oublier qu'à cette époque il n'était pas habituel qu'une maison soit chauffée, sauf par les feux de cuisine. Un employé du chenil dormait habituellement à l'étage, pour pouvoir intervenir en cas de bagarre nocturne.

Pour l'alimentation, on préconisait du pain et de la viande. Après avoir marché, le chien devait être frotté avec de la paille. Certains manuscrits recommandaient de baigner les chiens tous les soirs, tâche sans doute contraignante pour les employés des chenils, qui, de plus, devaient filer les laisses destinées à attacher les chiens lors d'une chasse. Au XVIᵉ siècle, certains maîtres autorisaient les chiens à dormir dans leur chambre et le chien semblait gagner de plus en plus l'affection des humains, même dans le monde chrétien.

DES CHIENS CHOYÉS

SOUS LOUIS XIV (1638-1715), les petits chiens étaient choyés à l'excès, leur poil bouclé, coupé et coiffé selon la mode du jour. L'argent dépensé pour les chenils de chasse avait atteint des proportions ridicules. En Grande-Bretagne, le petit lévrier italien était particulièrement choyé au XVIIIe siècle, car considéré comme trop délicat pour le climat et prédestiné aux « conforts de la table à café, au coin du feu, aux douillets canapés et aux genoux tièdes de sa maîtresse ». Ceux qui sortaient en hiver était d'abord enveloppés dans des vêtements chauds.

À la campagne, le chien de berger, à la fois animal domestique et chien de travail, était soigné avec attention s'il se blessait. Une vieille poudrière servait à allumer le feu pour faire bouillir de l'eau et ses blessures étaient bandées de vieux tissus.

L'AMÉLIORATION DES SOINS VÉTÉRINAIRES

LES MÉTHODES VÉTÉRINAIRES qui s'apparentaient d'abord plus à un art qu'à une science, évoluèrent lentement au fil des siècles. Les chiens ayant couru jusqu'à épuisement étaient saignés afin de récupérer plus facilement, mais il est vraisemblable que le repos plus que le saignement leur permettait de se rétablir. Les propriétaires comprirent qu'il était prudent de retirer les parasites tels que les tiques, ils frottaient alors la peau du chien avec de l'huile pour boucher les pores respiratoires de la tique.

QUELQUES REMÈDES CURATIFS

ON LAVAIT LES BLESSURES profondes à l'aide de lait et d'eau, et un cataplasme de pain et de lait était appliqué. Puis, la plaie était lavée de nouveau et séchée avec de la soie, avant d'être légèrement recouverte d'alun brûlé et enveloppée de bandes pendant 10 jours. Le linge était changé tous les jours.

On frottait les plaques d'irritation avec de la racine d'hellébore en poudre et du saindoux, et si l'état du chien ne s'améliorait pas, on mélangeait du beurre fondu à de la poudre à canon avant de l'appliquer sur la blessure. L'onguent restait sur la plaie toute une nuit, puis on lavait au vinaigre. Généralement, trois applications suffisaient. La gale de l'oreille était un autre problème chez les chiens, que l'on soulageait autant que possible à l'aide de tabac infusé dans de l'eau. Pendant trois jours consécutifs, les oreilles du chien étaient baignées dans le mélange chaud. Ce « traitement » faisait tomber les poils, mais leur chute était généralement stoppée par l'utilisation d'une « savate » brûlée mélangée à du saindoux.

On utilisait également le saindoux pour frotter les pieds des pointers et setters après les avoir baignés dans de l'eau salée à la fin d'une journée de travail. La bière tiède et le beurre étaient utilisés aux mêmes fins. La graisse d'oie fondue, filtrée dans une passoire et mélangée à de l'alcool de vin et de térébenthine pouvait être appliquée sur les blessures par balle.

La graisse d'oie mélangée à du rhum servait à arrêter les montées de lait d'une chienne.

Ci-dessus
Cette fontaine du XIXe siècle montre le changement d'attitude des hommes envers les chiens. Après avoir été méprisés, ces derniers sont désormais choyés.

Ci-dessus (gauche)
Les soins vétérinaires se sont lentement améliorés avec l'avènement des remèdes populaires, tels que les lavements de lait et d'eau et les pommades au saindoux.

Ci-contre
Cette illustration des soins apportés aux chiens est extraite d'un livre de chasse du XIVe siècle.

Les premiers accessoires canins

LES COLLIERS UTILISÉS JADIS étaient beaucoup plus sophistiqués qu'aujourd'hui. Les grands chiens qui accompagnaient leur propriétaire purement pour l'esthétique portaient un collier en étain, sur lequel était fixé un cadenas portant le nom du maître, gravé sur une plaque d'argent ou d'acier. Les colliers à pointes étaient utilisés pour des besoins différents, pour aider le chien si celui-ci se battait. Ils étaient en étain épais ou en cuir, parsemé de piques métalliques. Ils servaient souvent aux propriétaires de chiens qui voulaient provoquer une bagarre, sachant que leur propre chien aurait un avantage par rapport à ses adversaires.

Ci-contre
Les colliers varient grandement, de la lanière de cuir au collier en étain décoré. Ils sont devenus au fil du temps moins décoratifs et plus fonctionnels.

Ci-dessous
Les paniers de voyages ressemblaient souvent à des niches miniatures et pouvaient être très sophistiqués.

LES VARIÉTÉS DE COLLIERS

LE COLLIER GOURMETTE était une autre variante. Il s'agissait d'une imitation, souvent en acier, de la gourmette utilisée pour fixer le mors d'un cheval. Ils étaient polis et fermés par un verrou doté d'une clé. La plupart des colliers gourmettes étaient dotés d'une plaque d'étain ou d'acier sur laquelle étaient gravés le nom et l'adresse du propriétaire. La majorité des colliers étaient en cuir, certains doublés de flanelle ou de peau de chamois. Les colliers larges étaient employés pour les chiens lourds, mais malheureusement beaucoup de maîtres les serraient trop, pour accentuer l'aspect lâche de la peau et rides des races de bulldog.

LA LITIÈRE

LES CHIENS DORMANT SUR DE LA PAILLE, et la zone où il faisait de l'exercice ayant été vraisemblablement recouverte de cendre, ils portaient souvent des manteaux avant d'aller à une exposition, car leurs propriétaires étaient conscients qu'un poil soigné constituait un premier pas vers le succès lors d'un concours. Lorsqu'il était à l'intérieur, le chien portait un caraco blanc uni en été et des vêtements couvre-reins semblables à ceux utilisés pour les chevaux. S'il pleuvait, il portait un drap imperméable. Le type de manteau le plus usité s'attachait devant par une boucle, et l'on pouvait par temps froid ajouter une

poitrinière particulièrement utile pour éviter les courants d'air dans les expositions.

On attachait peu d'importance à la confection d'un nid lorsque la mise bas était imminente. La chienne se voyait plutôt réserver une place au chaud dans la cuisine, sans doute près du poêle.

LA PRÉPARATION DES ALIMENTS

LES CHENILS IMPORTANTS POSSÉDAIENT leur propre bouilleur d'aliments, qu'il fallait surveiller toujours pour conserver les aliments au point d'ébullition sans qu'ils brûlent. La préparation de la nourriture fut facilitée par l'avènement des cuiseurs à vapeur, qui pouvaient se maintenir à

une température ne dépassant jamais 100 °C, ce qui permettait aux morceaux de viande, de cartilage et autres de mijoter sans laisser de déchets. Les tailles de ces cuiseurs variaient à partir de 145 litres et nombre de chenils pouvaient en conséquence les utiliser.

LES NICHES

LES PETITS ANIMAUX DOMESTIQUES possédaient de beaux paniers dans lesquels ils dormaient, certains ressemblant à de petites maisons, en quelque sorte des niches miniatures. Ces paniers étaient néanmoins peu pratiques, car les chiens pouvaient facilement endommager le rotin dont ils étaient faits. On plaçait donc généralement souvent un tapis à l'intérieur pour empêcher le chien de gratter le sol. Plus pratique pour un usage intérieur, les « niches miniatures » étaient placées sur un socle.

Certaines niches d'extérieur étaient d'excellente facture et il existait même une niche portative pliante, en bois, très pratique pour ceux qui souhaitaient voyager avec leur chien. Lorsqu'ils se rendaient à des expositions, certains maîtres accompagnaient leurs chiens, mais souvent ces derniers voyageaient seuls, dans des paniers de voyage. Au début, ils étaient rudimentaires et juste suffisamment grands pour contenir le chien. Malheureusement, on avait peu pensé à la ventilation de ces paniers et il y eut de nombreux cas d'étouffement.

DES NICHES PLUS MODERNES

HEUREUSEMENT, LES PROPRIÉTAIRES prirent de plus en plus conscience des besoins de leur animal et la ventilation devint un élément clé des paniers de voyage. Un modèle particulièrement plébiscité était équipé d'un espace dans le toit permettant de stocker les articles dont les exposants avaient besoin pour une exposition. Le chien prenait place

dans la partie inférieure. Ce panier était disponible en plusieurs tailles.

Un autre modèle possédait un plateau amovible destiné au transport du matériel nécessaire à une exposition et une porte munie d'un dispositif de sécurité qui la protégeait lors du transport. Les chiens puissants devaient voyager dans des boîtes sécurisées plutôt que dans des paniers. Ces boîtes étaient dotées d'un verrou et de deux poignées robustes. Un élément important de cet équipement était une étiquette, visible à l'extérieur, portant l'heure et la date de départ du train, afin d'éviter de perdre le précieux chargement, ce qui arrivait quelquefois.

Ci-dessus
Le collier élaboré de ce chien de salon a été coordonné à la tenue de sa maîtresse.

Ci-dessus, à gauche
Lit à baldaquin miniature.

Ci-dessous
Comme un coq en pâte !

Chenil et soins infirmiers

LORSQUE LA VIE reprit son cours après la Première Guerre mondiale, de plus en plus de personnes acquirent des chiens, ce qui eut pour effet d'augmenter le nombre d'élevages et de chenils, avec une demande accrue de personnel. Nombreux étaient les postulants, souvent de jeunes femmes aisées, car il s'agissait à leurs yeux d'une occupation saine, agréable et intéressante, en attendant de s'installer dans la vie conjugale. D'autres postulants étaient dans une position financière moins confortable et avaient véritablement besoin d'une rémunération, si maigre fût-elle.

LES EMPLOYÉS DE CHENIL

CERTAINS EMPLOYÉS inefficaces ou laxistes posaient beaucoup de problèmes dans les chenils, mais d'autres valaient beaucoup plus que le salaire qu'on leur versait. Les femmes avaient la réputation d'être plus compatissantes envers les animaux sains comme malades, et nombre de personnes qui confiaient leur chien à un chenil préféraient qu'il soit entre leurs mains plutôt que dans celles des hommes.

LES PROPRIÉTAIRES DE CHENIL

LES CHENILS DE DRESSAGE n'avaient pas tous le même fonctionnement, certains se spécialisant dans une race ou dans plusieurs. Certains chenils, propriété d'éminents exposants, proposaient même des formations pour élèves payants ou « bénévoles ». Ces chenils comptaient souvent 50 à 100 chiens et les stagiaires avaient de nombreuses occasions d'apprendre et de rendre service, en échange du logement et de la formation. Celle-ci terminée, les employés se voyaient parfois offrir un emploi. Ils avaient étudié les pedigrees, l'accouplement sélectif, la mise bas et l'élevage des chiots, ainsi que des tâches générales afférentes au chenil et à son administration, ce qui leur permettait éventuellement d'ouvrir leur propre chenil. Ils débutaient souvent tout en bas de l'échelle, mais certains montaient méthodiquement les échelons, jusqu'à devenir responsable de chenil.

L'UNIFORME

DANS LES GRANDS CHENILS il existait souvent une uniformité dans les vêtements. Il s'agissait souvent

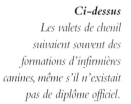

Ci–dessus
Les valets de chenil suivaient souvent des formations d'infirmières canines, même s'il n'existait pas de diplôme officiel.

Ci-contre
Les valets étaient peu rémunérés mais beaucoup de femmes suivirent cette voie après la Première Guerre mondiale.

de culottes de cheval légères, bas et chaussettes de golf, avec chemise ou blouse et cravate. Les employés portaient parfois des salopettes kaki ou bleu marine, mais les femmes, les trouvant trop masculines, en adoptaient des bleu clair. Aucun des employés d'un chenil ne devait être débraillé ou sale, car cela donnait une mauvaise image de leur travail, et aussi du chenil.

LES RESPONSABILITÉS D'UN VALET DE CHENIL

LES EMPLOYÉS DEVAIENT SOUVENT se lever à six heures pour que les niches aient été nettoyées avant le petit-déjeuner, ce qui laissait le reste de la matinée libre pour la tonte, l'épilation et l'exercice des chiens. Les après-midi étaient souvent consacrés à la vaisselle, ainsi qu'à la préparation du repas du soir, car les aliments prêts à l'emploi n'existaient pas encore et il

que la plupart ignoraient. Outre les tâches évidentes spécifiques à un chenil, elles devaient également savoir détecter problèmes de santé et signes de chaleurs, gérer les chiens méchants, toiletter mais aussi baigner et sécher les chiens. Il était également important qu'elles apprennent à administrer des médicaments et à désinfecter chenils et vêtements.

LES INFIRMIÈRES CANINES

APRÈS LA FORMATION dans le chenil, certaines jeunes filles entreprenaient une formation d'infirmières, autre aspect de l'élevage canin qui avait pris de l'importance après la guerre et était à la mode à l'époque. Elles pouvaient obtenir un diplôme de soins infirmiers canins, mais il n'existait aucun institut de formation reconnu et les certificats valaient à peine le papier sur lesquels ils étaient écrits.

La formation pratique n'était pas toujours dispensée et, à moins que les stagiaires ne travaillent en parallèle quelques mois dans une clinique ou un hôpital vétérinaire, elles avaient peu d'occasions d'acquérir les compétences pratiques indispensables.

Celles qui étaient formées pour travailler avec des chiens entamaient une carrière exigeante et parfois onéreuse, mais il s'agissait d'un domaine jugé idéal pour les jeunes filles, qui permettait à celles qui aimaient les chiens d'avoir un travail agréable, en plein air.

Ci-dessus
Les valets de chenils devaient avoir une apparence propre et soignée. Beaucoup adoptaient alors un uniforme, tel que des culottes ou une salopette.

Ci-contre
Les valets de chenil devaient s'assurer que les chiens étaient propres, nourris et avaient fait de l'exercice. Ils devaient également apprendre à les baigner, à les toiletter, à leur administrer des médicaments et à s'occuper de chiens difficiles ou méchants.

fallait préparer la nourriture. Outre les pauses pour le petit déjeuner et le déjeuner, un valet de chenil pouvait, s'il avait de la chance, compter sur une heure de repos dans l'après-midi et terminer sa journée de travail à 17 h 30. La plupart des filles travaillaient neuf heures par jour, six jours par semaine.

Elles devaient ranger leurs quartiers et donc, avant d'envisager ce travail ou formation, savoir au moins faire leur lit, la vaisselle et cuire un œuf, ce

Dans les grands chenils, les employés pouvaient espérer avoir un demi-journée ou une journée de congé par semaine, les dimanches étant chômés par rotation.

Premiers soins vétérinaires

SI LA PREMIÈRE ÉCOLE VÉTÉRINAIRE au monde fut créée à Lyon en 1762, c'est à partir des années 1930 que commencent les véritables débuts des soins vétérinaires ; ils se sont ensuite considérablement développés au cours des dernières décennies. La période qui suivit la Première Guerre mondiale connut de grandes avancées technologiques et les soins apportés aux animaux prirent de plus en plus d'importance alors qu'apparaissaient divers traitements et appareils.

LES HÔPITAUX VÉTÉRINAIRES

LES HÔPITAUX POUR CHIENS étaient divisés en plusieurs catégories. Au sommet du classement, se trouvaient des établissement bien équipés, comme les facultés vétérinaires. Ils compreaient un service médico-légal dans lequel étaient pratiquées des autopsies permettant de découvrir la cause de la mort de l'animal. Beaucoup d'informations intéressantes pouvaient être ainsi obtenues.

Il existait par ailleurs d'autres établissements, tenus par des vétérinaires, bien plus petits et dont seul un petit nombre était aussi bien équipé que les facultés vétérinaires.

LA RÉVOLUTION DES RAYONS X

EN 1896, LORSQUE LA RADIOGRAPHIE commença à être utilisée, un temps d'exposition de 20 minutes était nécessaire, ce qui la rendait peu utile pour la science vétérinaire. Au début des années 1930, les rayons X étaient très utilisés pour les chiens, particulièrement à des fins de diagnostics. À cette époque, il suffisait de deux secondes pour radiographier n'importe quelle partie du corps. Des machines portables étaient souvent utilisées car les praticiens ne pouvaient pas se permettre d'installer leur propre équipement.

La radiographie servait surtout à établir des diagnostics en cas de blessures aux pattes et aux pieds des lévriers de course, qui étaient des chiens de grande valeur. Les rayons X permettaient également de détecter des maladies osseuses, par exemple d'un os de la mâchoire. Le cas d'un chien d'élan dont la mâchoire supérieure était atteinte fit beaucoup de publicité à ce procédé car sans lui, le chien aurait subi l'extraction de ses dents.

Dans les années 1930, on utilisait de l'argent pour assembler les petits os fracturés, ce qui montre à quel point la chirurgie canine avait progressé.

En haut
La dentition canine était prise très au sérieux et exigeait un détartrage régulier ainsi que des extractions.

À droite
Les avancées technologiques permirent d'établir plus facilement des diagnostics. Au début des années 1930, par exemple, beaucoup de vétérinaires avaient recours à la radiographie.

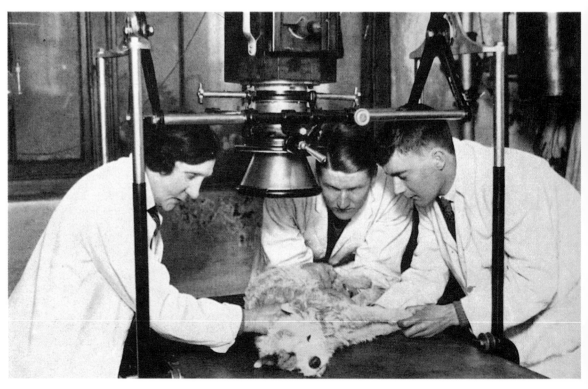

La médecine dentaire pour chiens était alors considérée comme presque aussi élaborée et efficace que celle des hommes. Le détartrage des dents était souvent réalisé par des experts. Si les dents étaient déjà branlantes et si la personne était suffisamment habile, elle pouvait en extraire dix sans anesthésiant. Dans les cas difficiles et si les patients étaient nerveux, on leur administrait de la morphine une heure avant l'opération pour les calmer et les détendre.

Les cabinets les plus à la pointe avaient recours aux ultraviolets, même si les résultats n'étaient

certainement pas efficaces à 100 % et que les chiens avaient l'air un peu bizarre avec leurs lunettes de protection ! Le rachitisme et les maladies de peau non parasitaires pouvaient aussi être traités de cette façon, avec un succès assez fréquent. Les chiens souffrant d'eczéma, d'ulcères, de furoncles, d'abcès, d'acné, d'alopécie et de contusions pouvaient guérir de leurs affections grâce à ce procédé.

LES PROCÉDURES CHIRURGICALES

À CETTE ÉPOQUE, l'hygiène fut reconnue comme une nécessité et des opérations chirurgicales délicates étaient souvent réalisées. Beaucoup de femelles étaient castrées et des opérations de la vessie étaient souvent effectuées avec succès, bien qu'il y ait toujours un risque. En chirurgie optique, le succès ou l'échec de l'opération dépendait beaucoup du talent du chirurgien.

On pratiquait l'amputation des membres et l'ajout de prothèses. Bien que plus risquées, des opérations impliquant l'incision de l'intestin pour en retirer des corps étrangers ou des tumeurs étaient également réalisées. Malgré les règles

d'hygiène, des infections apparaissaient fréquemment, provoquant rapidement la mort postopératoire.

Pendant l'entre-deux guerres, une blouse blanche, des locaux propres et de hauts salaires garantissaient sans aucune doute que l'on avait affaire à un chirurgien qualifié. Il y avait cependant à cette époque beaucoup de charlatans prêts à tromper les honnêtes gens en leur faisant croire qu'ils étaient compétents.

LES PREMIÈRES LOIS

DÈS 1919, EN GRANDE-BRETAGNE, une loi, l'Animal

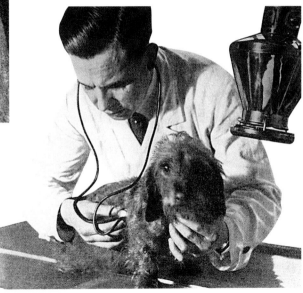

(Anaesthetics) Act, fut votée pour empêcher que les animaux ne souffrent inutilement, rendant ainsi illégales certaines opérations réalisées sans anesthésie générale. La loi fixait des amendes pour les premières condamnations et des emprisonnements pour les fautes suivantes. Mais elle n'était pas pour autant satisfaisante et dut être révisée ; l'un des principaux points faibles était que l'anesthésie générale n'était nécessaire que si l'animal était âgé de plus de six mois. De plus, seules certaines amputations devaient être réalisées sous anesthésie. On constate combien la science vétérinaire a progressé au cours du XXe siècle. Les anesthésies sont aujourd'hui effectuées sous très haute surveillance, avec des contrôles préalables très poussés.

En haut
Les opérations, comme les amputations, réussissaient à condition que l'infection ne s'installe pas.

À gauche
Parmi les innovations technologiques, on peut citer le traitement aux ultraviolets pour guérir les maladies de peau non parasitaires.

Ci-contre
Les standards de traitement variaient considérablement, allant des facultés vétérinaires de grande qualité aux charlatans sans qualifications officielles.

Pour détartrer les dents d'un chien, les dentistes canins utilisaient généralement un ouvre-bouche afin de se protéger des morsures.

Premiers toilettages

 D U XIXᵉ AU XXᵉ SIÈCLE , on prêta de plus en plus d'attention aux différentes manières de toiletter les chiens. Beaucoup de propriétaires de chien étaient contre la pratique du bain car ils estimaient que le pelage, même s'il avait provisoirement l'air propre, n'était en réalité pas nettoyé en profondeur. Force est de constater que les préparations étranges utilisées à cette époque justifiaient en partie l'opposition des détracteurs du bain…

La baignoire idéale pour chiens était alors en bois, percée d'un trou fermé par un bouchon. Elle était placée au-dessus d'un caniveau ou d'une canalisation afin d'être facilement vidée.

Au début de la Première Guerre mondiale, différentes méthodes de nettoyages firent leur apparition. Par exemple, lorsqu'on soupçonnait des problèmes de peau, le savon au phénol était ce qui convenait le mieux. Malheureusement, son odeur forte persistait dans le pelage, ce qui révélait que le chien avait un problème dermatologique.

UN CHIEN BIEN PRÉSENTÉ ET TOILETTÉ

AU DÉBUT DES ANNÉES 1920, les propriétaires de chiens comprirent qu'ils auraient plus de chances de gagner les concours s'ils privilégiaient le toilettage. En particulier, il valait la peine de baigner les chiens noirs et blancs. Les chiens à poils durs, en revanche, étaient rarement baignés de peur que cela n'adoucisse leurs poils. Mais les autres races étaient souvent baignées une fois par semaine. Le toilettage des chiens était en train de devenir un art.

De petits « additifs » étaient utilisés : des sachets pour améliorer la couleur des robes blanches ou quelques gouttes de brillantine dans l'eau du bain pour faire briller le pelage. Les baignoires pour chiens s'améliorèrent avec l'apparition des modèles en fer galvanisé, disponibles en plusieurs tailles et plus faciles à manipuler. Il fallait faire attention à ne pas ébouillanter l'animal, mais la plupart des gens pensaient qu'il n'y avait pas de mal à rajouter soit un désinfectant, soit quelques gouttes d'ammoniaque à l'eau pour dégraisser le chien.

Ci-dessus
Au début des années 1920, les chiens de concours étaient régulièrement baignés et toilettés.

En haut, à droite
Les baignoires en fer galvanisé étaient plus pratiques que les premières baignoires en bois.

LE BAIN DU CHIEN

ON APPLIQUAIT DU JAUNE D'ŒUF sur le pelage que l'on frottait avec de l'eau, ce qui le faisait mousser. Malheureusement, le jaune d'œuf ne se rinçait pas facilement et de copieuses ablutions étaient donc nécessaires. L'un des principaux avantages du jaune d'œuf par rapport au savon, était qu'il ne piquait pas les yeux et ne brûlait pas la peau. Et si, par hasard, le jaune d'œuf n'avait pas été bien rincé, le chien pouvait sans danger se lécher lui-même pour retirer tout résidu.

PRODUITS DE TOILETTES CANINS

LES PUCES ET AUTRES PARASITES provoquaient d'inévitables problèmes et lorsqu'on baignait un chien, les puces avaient la mauvaise habitude de se réfugier dans les oreilles. Pour résoudre ce problème, l'une des solutions consistait à bien savonner le cou du chien, à baigner ensuite le reste du corps puis à rincer tout le chien, à l'exception de cette zone bien mousseuse. Pour utiliser efficacement le savon, il fallait couper chaque pain en morceaux afin qu'ils tiennent dans la paume de la main. Le savon doux n'était pas satisfaisant car, appliqué en grande quantité, des morceaux demeuraient souvent sur le pelage. Beaucoup de toiletteurs composaient eux-mêmes leurs préparations, en mélangeant une livre de savon doux avec du camphre en poudre et un onguent à base de mercure.

Après son bain, le chien était conduit dans une pièce bien chauffée, puis installé dans une caisse avec de la paille. Mais comme le chemin menant à la maison était souvent couvert de cendres, les petits chiens devaient être portés et les plus grands devaient être tenus en laisse afin qu'ils ne se roulent pas dans les cendres. Il est en fait très difficile de nettoyer les cendres d'un pelage mouillé, tout autant que le sable ou la terre.

Pour certains chiens de plus grande taille, un plongeon suivi d'une bonne course remplaçait le bain et étaient considérés comme suffisants. Les races à poils doux devaient être frottées à l'aide d'un bouchon ou d'un gant de toilettage. Et en ce qui concernait l'hygiène dentaire, bien qu'il n'y ait aucun dentifrice pour chiens sur le marché, du charbon en poudre déposé sur une brosse à dents convenait tout à fait.

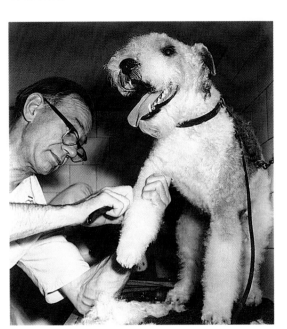

En haut
Le séchage devant la cheminée fut remplacé par les sèche-cheveux au début des années 1930.

À gauche
Les propriétaires des chiens prirent le toilettage de plus en plus au sérieux.

En bas
Les puces étaient éliminées grâce à des brosses que l'on plongeait dans un mélange de paraffine et de pétrole brut ou dans des vapeurs de camphre.

Au Paraguay et au Pérou, des femmes nourrices étaient employées pour s'occuper des chiots orphelins.

Quelques chiens héros

L'HISTOIRE EST PLEINE de ces chiens qui ont connu la gloire et ont reçu la reconnaissance des hommes pour services rendus à l'humanité. Le 11 septembre 2001 à New York, alors que les Twin Towers avaient été percutées par des avions terroristes, c'est son fidèle compagnon qui guida Mike, aveugle, dans les escaliers alors qu'ils étaient tous deux coincés au 78ᵉ étage de l'une des deux tours. En Grande-Bretagne, dans les années 1930, une League of Kindness (Ligue de la gentillesse) fut inaugurée par le Daily Mail, ce qui entraîna la création de la Brave Dogs Roll of Honor (Liste des chiens courageux). On enquêta sur des centaines de cas particuliers, mais seuls quelques chiens furent sélectionnés pour recevoir la prestigieuse récompense : un joli collier en maroquin bleu orné d'une plaque en argent sur laquelle était simplement inscrite la phrase : « Pour sa bravoure ».

En haut, à droite
Nip eut l'honneur de figurer sur la liste des chiens courageux, mais cela lui valut deux pattes cassées.

À droite
Chum était un sealyham terrier, très intelligente et qui adorait réaliser des tours devant un public. Sa bravoure pendant le sauvetage de ses maîtres lors d'un incendie lui coûta un œil et elle fût brûlée en de nombreux endroits.

L e valeureux Nip se cassa deux pattes en sautant d'une fenêtre et fut emmené à Paris pour y être plâtré.

CHUM LA CHARMEUSE

CHUM FUT L'UN DE CES CHIENS qui reçut cette marque d'honneur. C'était une charmante chienne de race SealyHam terrier qui était également une

actrice très talentueuse dans sa jeunesse et ne se lassait jamais de jouer devant un public de connaisseurs. Elle était de ces chiens qui adorent n'importe quel tour ou rôle qui les mettent sous les projecteurs. Elle pouvait feindre la maladie, écrire une lettre, rire à une blague, dire ses prières, et mettre sa patte autour d'un chat, pour lui faire prendre un bain. À la fin de son tour, Chum s'asseyait et applaudissait semble-t-il à sa propre intelligence.

En 1929, Chum réalisa un nouveau tour, y gagna un collier mais y perdit un œil. Une nuit, ses maîtres furent réveillés par la chienne qui grattait à la porte. Le maître se précipita au rez-de-chaussée et trouva cette partie de la maison en feu et les pièces remplies d'une fumée dense. Il sortit pour appeler les pompiers, mais sa femme ne put le suivre à cause de la fumée. Elle réussit à sortit par une fenêtre pour rejoindre la maison voisine. Une grande confusion s'ensuivit : les pompiers arrivèrent, déployèrent la lance à incendie, les voitures s'arrêtèrent et les passants s'agglutinèrent devant la maison. Tout le monde supposa que Chum était saine et sauve. Mais bientôt, les pompiers trouvèrent le terrier assis patiemment près du lit de sa maîtresse. Apparemment, sortie de la maison, elle avait bravé les flammes pour y revenir rechercher sa maîtresse. Trouvant la chambre vide, elle s'était assise et attendait son retour.

Chum fut gravement brûlée sur la tête et les oreilles et perdit un œil. Elle ne retrouva la santé qu'aux prix de longs soins attentifs.

BARRY LE SAINT-BERNARD

IL Y A PLUS DE TROIS SIÈCLES que les saint-bernard sont dressés pour sauver les personnes égarées en montagne. Une statue fut érigée à Paris, au cimetière des animaux pour honorer Barry, l'un d'entre eux, qui fut particulièrement valeureux.

ans, il changea de propriétaires et noua rapidement une amitié sincère avec son nouveau maître dont la gouvernante était sujette à des convulsions. Un jour, elle tomba sur la cuisinière et le velours de sa robe prit rapidement feu. Heureusement, Bunty n'était pas loin. Il déchira les morceaux en feu de la robe de la gouvernante, brûlant sa gueule et ses pattes. Il réussit à tirer le corps de la gouvernante loin du fourneau. Les brûlures de la jeune fille et du chien mirent cinq semaines à guérir. La bravoure de Bunty devint célèbre en Grande-Bretagne.

Il naquit pendant les guerres napoléoniennes et déploya des qualités d'intelligence, de fidélité et de dévouement exceptionnelles dès son plus jeune âge. Il sauva quarante personnes perdues dans le brouillard et la tempête. Un poète suisse, qui a étudié l'histoire du Grande Saint-Bernard, en Suisse, où vivait Barry, relate même que l'animal extirpa un enfant de la neige et que, l'ayant ranimé à grands coups de langue, il réussit en le portant sur son dos à le ramener à la civilisation.

BUNTY LE BRAVE

BUNTY était un corniaud avec une bonne dose de retriever labrador. À l'âge de quatre

RUDY LE SAUVEUR

EN 1988, ALORS QU'UN TERRIBLE SÉISME vient de secouer l'Arménie, des équipes d'intervention françaises sont envoyées sur le terrain. Parmi elles, des maîtres-chiens et, notamment, Rudy, un chien croisé de husky et de berger allemand. Les hommes et les chiens travaillent dans des conditions extrêmes ; la température chute jusqu'à -20 °C la nuit. Le quatrième jour, Rudy signale quelque chose : sous les décombres, une femme, gravement blessée, a survécu sans eau ni nourriture. Grâce à l'intervention de Rudy, elle est bientôt dégagée et évacuée.

En 1935, la Grande-Bretagne n'avait que 25 chiens d'aveugles. Parmi eux, Mona, un berger allemand, considérée comme une héroïne.

En haut
Alors que la gouvernante avait perdu conscience, Bunty la tira loin de la cuisinière et déchira ses vêtements en feu.

En haut, à gauche
Après avoir réalisé cet acte de bravoure, Chum entama une nouvelle carrière d'actrice en faisant des apparitions dans les expositions de chiens courageux.

À gauche
Tess sauva de la noyade Aaron, un petit garçon de deux ans qui venait de tomber dans un étang.

Un club mondial

LE TAIL-WAGGERS' CLUB (club des remueurs de queue), fut fondé en 1928 en Grande-Bretagne pour réunir les propriétaires et leurs chiens dans une organisation destinée à promouvoir le bien-être canin. Lors de la première réunion, quinze chiens furent inscrits. Ensuite, les demandes d'adhésion affluèrent et, trois mois plus tard, le nombre d'adhérents était passé à 10 000, venant du monde entier et permettant ainsi au club d'effectuer des dons en faveur de la protection du chien et de la recherche sur les maladies.

Ci-dessus
Chaque nouveau membre du Tail-Waggers' Club recevait une médaille de collier gravée avec son numéro d'adhérent.

À droite
En une seule journée, le Club reçut 810 kilos de courrier.

C'est en 1909, dans la célèbre exposition canine Cruft, que le public découvrit le golden retriever, un chien sans doute issu de la même souche que le labrador.

ADHÉRER AU TAIL-WAGGERS' CLUB

LE MONTANT MINIMAL d'adhésion, valable pour toute la durée de vie du chien enregistré, n'était que de deux shillings.

La procédure d'adhésion était très simple : il suffisait de donner le nom du chien, de son propriétaire et son adresse. Le Club lui envoyait alors une médaille de collier en argent oxydé représentant deux queues de chiens croisées qui étaient l'emblème du Club, ainsi que la devise gravée : « *I help my pals !* » (j'aide mes copains). Au dos de la médaille, était inscrit le numéro d'adhérent du chien ainsi que des informations concernant les locaux du Club.

Les chiens du prince de Galles, de la princesse Mary, de la comtesse de Harewood et de la reine Maud de Norvège comptèrent parmi les premiers membres du Club. D'autres personnages de la royauté les rejoignirent et le nombre d'adhésions continua d'augmenter très vite. Après cinq mois d'existence seulement, le Club comptait 22 000 membres et le slogan de l'année 1929 était « En avant vers les 100 000 ! ». Au mois d'août de cette année-là, le nombre d'adhérents avait dépassé l'objectif. Les demandes d'adhésions se comptaient par milliers chaque jour et, en douze jours, le Club recruta 55 000 nouveaux membres, ce qui était à la fois une joie et un vrai cauchemar pour les organisateurs.

LE MANUEL DU TAIL-WAGGERS' CLUB

POUR RÉDIGER SES NOMBREUSES publications, le Club eut la chance de bénéficier du soutien de Arthur Croxton Smith qui, depuis 1909, s'était spécialisé dans l'écriture de documents consacrés aux chiens. La société Spratt Patent Limited autorisa le Club à utiliser le contenu de leurs guides et offrit généreusement de payer l'impression et la distribution d'un manuel.

Comme c'était la mode à l'époque, le Club établissait de nombreuses statistiques, ce qui nous permet de juger aujourd'hui de son importance. En une seule année, deux tonnes et dix quintaux de certificats d'adhésions furent utilisés, ainsi que 360 000 feuilles de papier à en-tête. Le courrier quotidien pesait environ 45 kilos, les médailles et les certificats expédiés représentaient environ 171 kilos. Un jour, le Club reçut 280 kilos de courrier et en expédia 810 kilos. Les archives du Club quant à elles occupaient près de 20 mètres cubes.

LES AVANTAGES DES ADHÉRENTS

LE SERVICE DES « chiens perdus » mis en place par le Tail-Waggers' Club fut bientôt très apprécié : la médaille accrochée au collier et comportant le numéro d'adhérent

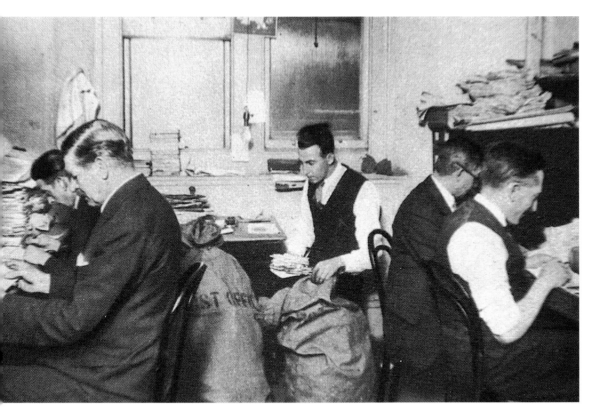

Le Royal Veterinary College est l'une des nombreuses organisations qui bénéficient des dons provenant du Tail-Waggers' Club.

fonctionnement et de faire un don à l'agence locale d'une société de protection des animaux approuvée par le Club.

UNE INFLUENCE MONDIALE

LE CLUB ÉTAIT VRAIMENT présent partout dans le monde, de l'Albanie aux îles Fidji, en passant par la Nouvelle-Zélande, le Venezuela ou Zanzibar. Quelques chiens s'illustrèrent particulièrement. Bobby, une chienne qui appartenait à l'initiateur du club, est considérée comme la mère de tous les Tail-Waggers.

Le cocker anglais Lucky Star of Ware fut un membre particulièrement célèbre du club pour les prix qu'il remporta.

Il est certain que, grâce au club, beaucoup de chiens ont été mieux traités qu'ils ne l'auraient sans doute jamais été. Le millionième membre a adhéré en 1958.

En haut et à gauche
Les demandes d'adhésions abondaient de tous les coins du monde, de l'Albanie à Zanzibar. Cinq mois après ses débuts, le Club comptait déjà 22 000 membres.

En bas
Lucky Star of Ware remporta la compétition à Crufts, en 1930.

permettait en effet d'identifier plus facilement les chiens perdus. Au fil des ans, le Club se développa et, grâce à des cotisations nombreuses put facilement effectuer un grand nombre de dons. Il put ainsi agir efficacement aussi bien sur un plan pratique que philanthropique.

Dans les quartiers pauvres, les chiens devaient se débrouiller seuls car leurs propriétaires ne pouvaient pas se permettre de payer la cotisation. Le Tail-Waggers' Club ouvrit alors son propre club de licences canines. Les gens aux faibles revenus devaient alors payer deux pence par semaine et le Club payait le complément. La somme ainsi récoltée permettait également de couvrir les coûts de

Mythes et magie

LES CHIENS ONT ÉTÉ MIS à mal dans plusieurs cultures et à différentes périodes, entre autres parce qu'ils étaient traités comme des objets de rituels et utilisés dans des cérémonies au cours desquelles ils souffraient et mouraient même parfois.

SUPERSTITIONS CHINOISES

EN CHINE, les chiens étaient tués pour diverses raisons : par exemple pour être utilisés dans des préparations médicinales. Autrefois, les chiens de grande taille, comme le dogue du Tibet,

Au-dessus
Les chiens étaient souvent associés à la sorcellerie et étaient eux aussi redoutés.

À droite
Dans certaines cultures, le sang du chien faisait partie intégrante de la cérémonie de mariage au moment où le couple se jurait fidélité.

Les chiens chinois de plusieurs couleurs peuvent être appelés *Hua Tsé*, ce qui signifie « enfant fleuri ».

À droite
Les chiens utilisés dans les cérémonies ou rituels souffraient souvent et y trouvaient même la mort.

symbolisaient la loyauté et la férocité. Les femmes étaient donc prêtes à les acheter à un prix élevé pour essayer de conserver la fidélité de leur mari. Elles tuaient le chien et ordonnaient à son esprit d'empêcher leur mari de voir une autre femme. En cas de manquement à cette règle, l'esprit devait alors ramener le mari volage à son épouse. Apparemment, les dames préféraient dépenser leur argent pour un petit morceau de dogue plutôt que d'acheter un carlin ou un autre chien de plus petite taille… Petit à petit, cette coutume fut heureusement remplacée par l'utilisation de têtes

de chien… dessinées. C'était à la fois moins cher et plus pratique. L'épouse indiquait au charme ce qu'il devait faire, puis brûlait le dessin et, en secret, frottait son mari avec la cendre ou la mélangeait à son thé. Mais la tradition demeura qui consiste à suspendre la chair d'un chien ou à badigeonner de son sang l'extérieur d'une maison pour en éloigner la maladie, les insectes nuisibles et les intrus.

LES CHIENS UTILISÉS COMME REMÈDES

LA CULTURE CHINOISE n'est pas la seule à avoir considéré les chiens comme la base de remèdes. La poudre de chien était jugée comme le meilleur remède pour guérir les maux d'estomac d'un enfant et, au Japon, la « boîte à chiens » procurait la chance et assurait une naissance facile. Ce talisman protégeait également l'enfant de la fièvre et des loups-garous et autres animaux fantastiques. Pendant la journée, la boîte était placée près du bébé et, à la tombée de la nuit, on la mettait au-dessus de son lit pour éloigner les mauvais esprits. Au VIIIᵉ siècle, les Chinois utilisaient un moyen relativement inoffensif d'empêcher un enfant de pleurer. Ils prenaient un

petit poil sous la gorge d'un chien, le mettaient dans un sac rouge qu'ils plaçaient dans les mains du bébé qui, à ce qu'on disait, s'arrêtait immédiatement de pleurer.

Lors de l'une de leurs cérémonies religieuses, les Babyloniens envoyaient en mer un chien noir et blanc ; ils pensaient également que, en fonction de la couleur du chien, sa morsure pouvait signifier le bien ou le mal. Un dogue était peint de chaque côté de l'entrée des maisons babyloniennes et servait de gardien magique.

Dans la littérature hébraïque, il était écrit qu'il ne fallait pas vivre là où on pouvait entendre des chiens aboyer. Et si l'on entendait des aboiements sur le chemin d'un mariage, il était préférable de

l'annuler. Dans certaines cultures pourtant, le chien faisait partie de cette cérémonie de mariage. Le futur marié prêtait serment en buvant le sang d'un chien et sa future épouse jurait sa fidélité sur le chien mort.

Le pauvre chien servait aussi à chasser la maladie. Sa queue était coupée et, tandis qu'il hurlait à la mort, il était emmené dans toutes les pièces de la maison puis violemment jeté dehors. Ce rituel symbolisait les esprits des maladies courant partout dans la maison et la quittant finalement poursuivis par le chien. Plus ce dernier avait été jeté au loin, plus les esprits étaient chassés à bonne distance, ce qui diminuait ainsi les risques qu'ils reviennent.

LA SORCIÈRE ET SON CHIEN

ON DISAIT SOUVENT que les sorcières se transformaient en chien afin d'utiliser les pouvoirs qu'elles avaient reçus du diable. L'un des tableaux de Goya représente quatre sorcières dans leur chaumière, en train de fabriquer des sortilèges tandis qu'elles se transforment en chiens.

Les chiens avaient la réputation d'être les démons familiers d'une sorcière : on disait que lorsqu'une sorcière faisait pour la première fois un pacte avec le diable, ce dernier lui donnait ce petit animal pour veiller sur elle. Il pouvait sucer le sang de la sorcière pour retrouver sa force, ce qui créait un lien très fort entre ces deux êtres.

SYMBOLES RELIGIEUX

DANS LES ANCIENNES REPRÉSENTATIONS chrétiennes occidentales, saint Christophe est décrit comme un jeune homme à tête de chien. On disait qu'il avait été un très beau soldat romain, son physique avantageux constituant une tentation à la fois pour les hommes et les femmes. Pour en être délivré, il pria qu'il puisse devenir laid et se retrouva avec la tête d'un chien. D'autres êtres à tête de chien furent imaginés par certains explorateurs du XVIIIe siècle qui crurent avoir rencontré un animal en partie oiseau, cochon et chien. Cet animal les suivait, attaquant tout être humain ou bête qui l'approchait, assurant ainsi leur traversée dans ce qui avait dû être un nouveau territoire étrange…

Au-dessus
Cerbère, le chien à trois têtes, gardait l'entrée des Enfers.

Ci-dessous
Lorsqu'une sorcière faisait un pacte avec le diable, ce dernier lui donnait un chien pour veiller sur elle.

Les chiens royaux britanniques

BEAUCOUP DE MEMBRES de la royauté britannique ont été étroitement liés aux chiens et c'est encore le cas aujourd'hui ; plus que partout ailleurs, on ne compte plus les amitiés qui se sont nouées entre les grands de la cour britannique et leurs amis canins au cours des siècles. Au XVe siècle, Édouard IV offrit cinq mastiff au roi de France et deux siècles plus tard, James Ier fit le même cadeau au roi d'Espagne. Dans plusieurs monuments, en particulier les gisants, les chiens sont souvent représentés au pied des défunts royaux ou nobles, montrant ainsi la loyauté qui les liaient à leurs maîtres ou maîtresses, même dans la mort. Dans la cathédrale de Canterbury où se trouve la tombe d'Édouard, surnommé le Prince Noir, on peut admirer une sculpture représentant un bouledogue français, son compagnon fidèle.

Ci-dessus et en haut
Les enfants du roi Charles Ier avaient des épagneuls : la reine Elisabeth II préfère les corgi.

À droite
Le duc et la duchesse de Windsor adoraient leurs chiens.

Le roi George V ordonna qu'aucun piège à mâchoires d'acier ne fut utilisé sur les domaines royaux.

HENRI VIII

LA COUR DU ROI HENRI VIII était envahie par les chiens, si bien que le roi dut prendre un décret interdisant les chiens à la cour. Seuls les petits épagneuls ou les chiens autorisés par le roi ou la reine étaient permis. Dans les comptes personnels d'Henri VIII, on a même retrouvé des traces d'une récompense offerte à la personne qui avait retrouvé l'un de ses épagneuls, prouvant ainsi qu'il tenait beaucoup à ses animaux.

Henri déclara que les chiens devaient être « gentils, sains et propres », mais il n'était pas contre la chasse puisque c'est sous son règne que la charge de « Maître du gibier royal, des ours et des mastiffs » fut créée et demeura jusqu'en 1642. Par ailleurs, les archives montrent qu'il envoya 400 chiens à Charles Quint pour sa guerre contre la France.

LE ROI CHARLES ET LES ÉPAGNEULS

LES PETITS ÉPAGNEULS devinrent de plus en plus populaires, surtout sous le règne des Tudor et des Stuart. La cour de Charles II (1660-1685) en était pleine et on dit que le roi préférait jouer avec ses chiens plutôt que de s'occuper des affaires du royaume. Il était tellement associé à ses chiens, qu'une race fut même baptisée « cavalier king Charles spaniel ».

L'ÈRE VICTORIENNE

LA REINE VICTORIA joua un grand rôle dans le monde canin. Elle aimait tellement les chiens que, une fois la cérémonie de son couronnement terminée, elle se précipita chez elle pour donner son bain habituel à son chien préféré. Elle exposait souvent ses chiens lors de concours canins et, avec la princesse de Galles, elles exposaient toutes deux régulièrement à la fameuse Cruft's. La reine Victoria soutenait aussi les concours de chiens de bergers qui se tenaient au pays de Galles et y assistait personnellement. Son élevage de lévriers écossais aida beaucoup au maintien de cette race. Parmi ses nombreux chiens, on comptait aussi trois turnspit tyke, des chiens étranges, au corps allongé, utilisés pour tourner les broches. La reine ne les gardait que comme animaux de compagnie.

Lorsque le prince de Galles arriva à Terre-Neuve en 1860, on lui présenta un magnifique chien terre-neuve, muni d'un lourd collier en argent. En 1875, le prince de Galles devint président du Kennel Club et le resta, même après son accession au trône sous le nom d'Édouard VII.

La reine Alexandra était très impliquée dans le monde canin : elle possédait des barzoï, basset hound, chow chow, skye terrier, épagneuls japonais et carlins. Avec son mari, elle se rendait souvent dans les expositions canines, s'arrêtant pour parler aux chiens, leur montrant ainsi une sympathie évidente, surtout lorsque les animaux provenaient de son propre chenil. Les chenils royaux étaient aussi bien tenus que les étables royales, admirablement aérés et dotés de l'eau chaude courante. Les chiens pouvaient faire de l'exercice dans l'un des trois enclos qui se trouvaient devant le chenil, ou dans la cour pavée de briques rouges et bleues. Il y avait une « nursery », un hôpital et une cuisine où l'on préparait la nourriture des chiens.

ÉDOUARD VII

LE ROI ÉDOUARD DÉTESTAIT la chasse au cerf apprivoisé : il supprima donc la meute royale de saint-hubert, de même, la pratique qui consistait à couper les oreilles des chiens devint illégale en Grande-Bretagne. L'un de ses chiens les plus célèbres était sans doute un terrier sur le collier duquel était gravé « Je suis César. J'appartiens au roi. » César voyagea dans toute l'Europe avec son maître et, après la mort du roi, en 1910, fut inconsolable. La reine Alexandra plaça César dans le cortège funèbre, derrière l'affût de canon ; ce célèbre petit terrier accompagnant son maître à sa dernière demeure toucha le cœur des milliers de passants assistant à la procession.

Le roi Édouard VII s'intéressait à beaucoup de races, entre autres aux chiens du Tibet, mais c'est Vénus un dandie dinmont terrier qui était son compagnon inséparable.

À gauche
La reine Victoria
à Balmoral en 1874
avec l'un de
ses nombreux chiens.

Ci-dessous et en bas
Édouard VII avec
son chien César et
la princesse Alexandra
avec sa meute
de lévriers.

Les chiens dans les lettres

QUELLE QUE SOIT L'ÉPOQUE, le chien a toujours joué un rôle essentiel dans la littérature. Nous savons que les Grecs aimaient les chiens et qu'ils en mentionnent beaucoup dans leurs écrits et donnent même leurs noms. Les chiens y sont presque toujours décrits comme fidèles à leurs maîtres. Les écrits de Plutarque font référence à un chien doté d'une queue magnifique. Le propriétaire du chien ordonna de la couper afin de passer pour un esprit original au yeux de la société.

LES CHIENS DANS LA LITTÉRATURE

À l'époque romaine, les écrivains donnaient plus l'impression que les chiens étaient utilisés pour divers travaux, essentiellement pour garder les troupeaux et les maisons. Ici encore, on nous parle de leur fidélité envers leur maître, mais ils sont moins appelés par leur nom que chez les Grecs.

Dans l'Ancien Testament, bien que le chien soit mentionné, il est toujours considéré avec mépris et haine par les Hébreux qui ne l'apprécient manifestement guère, comme le montrent ces extraits de la Bible : « Celui de la maison de Jéroboam qui mourra dans la ville sera mangé par les chiens. » (Iᵉʳ livre des Rois, 14:11) ou « Ils sont tous des chiens muets, incapables d'aboyer; Ils ont des rêveries, se tiennent couchés, Aiment à sommeiller. » « Et ce sont des chiens voraces, insatiables » (Ésaïe, 56:10 et 11).

Dans l'Odyssée d'Homère, le chien apparaît

Ci-dessus
Beaucoup de chiens sont devenus des héros de la littérature, comme les chiens savants de Sans famille écrit par Hector Malot.

À droite et ci-dessus, à droite
Les chiens apparaissent dans les mythes romains et grecs ainsi que dans les légendes et dans la Bible. Mais ils ne sont pas toujours présentés sous un jour favorable. Ces peintures du XVᵉ siècle proposent une vision contemporaine des chiens.

comme le plus fidèle des amis. Argos est en effet le seul à reconnaître Ulysse, qu'il n'a pas vu depuis de nombreuses années. « Ulysse et le porcher Eumée se parlaient ainsi, et un chien, qui était couché là, leva la tête et dressa les oreilles. C'était Argos, le chien du malheureux Ulysse qui l'avait nourri lui-même autrefois, et qui n'en jouit pas, étant parti pour la sainte Illios. Les jeunes hommes l'avaient autrefois conduit à la chasse des chèvres sauvages, des cerfs et des lièvres; et, maintenant, en l'absence de son maître, il gisait, délaissé, sur l'amas de fumier de mulets et de bœufs qui était devant les portes, et y restait jusqu'à ce que les serviteurs d'Ulysse l'eussent emporté pour engraisser son grand verger. Et le chien Argos gisait là, rongé de vermine. Et, aussitôt, il reconnut Ulysse qui approchait, et il remua la queue et dressa les oreilles; mais il ne put pas aller au-devant de son maître, qui, l'ayant vu, essuya une larme, en se cachant aisément d'Eumée. »

ÉPITAPHE

Outre les textes qu'ils leur ont consacrés, beaucoup d'écrivains ont composé une épitaphe pour leur chien, ce qui témoigne de l'amour de l'homme pour cet animal. Certains font référence à des races spécifiques, comme Lord Byron et son terre-neuve, mais les poètes ont écrits des hommages à leur compagnon canin, quelle que soit sa race ; ainsi Joachim Du Bellay (1522-1560) qui écrivit un poème intitulé simplement *Épitaphe d'un petit chien* et dédié à son chien Peloton.

Mignon, le chien de la duchesse d'Orléans est ainsi passé à la postérité grâce à une épitaphe écrite par Jean de La Fontaine (1621-1695) « en l'honneur de Mignon, chien de SAR Madame la duchesse douairière d'Orléans » dont voici un extrait :

Petit chien, que les destinées
T'ont filé d'heureuses années!
Tu sors de mains dont les appas
De tous les sceptres d'ici-bas
Ont pensé porter le plus riche;
Les mains de la maison d'Autriche
Leur ont ravi ce doux espoir :
Nous ne pouvions que bien échoir.
Tu sors de mains pleines de charmes
Heureux le dieu de qui les larmes
Mériteraient, par leur amour,
De s'en voir essuyer un jour!
De ces mains, hôtesses des Grâces,
Petit chien, en d'autres tu passes
Qui n'ont pas eu moins de beauté,
Sans mettre en compte leur bonté.

En haut
Dans les Métamorphoses, Ovide évoque la figure de Diane, déesse romaine de la chasse, accompagnée de son chien. C'est ainsi qu'elle est le plus souvent représentée.

En bas
Le chien a très souvent été célébré dans la littérature.

Elles te font mille caresses;
Tu plais aux dames, aux princesses;
Et, si la reine t'avait vu
Mignon à la reine aurait plu..
Mignon à la taille mignonne
Toute sa petite personne
Plaît aux Iris des petits chiens,
Ainsi qu'à celles des chrétiens.
Las! qu'ai-je dit qui te fait plaindre?
Ce mot d'Iris est-il à craindre?
Petit chien, qu'as-tu? dis-le moi :
N'es-tu pas plus aise qu'un roi?
Trois ou quatre jeunes fillettes
Dans leurs manchons aux peaux douillettes
Tout l'hiver te tiennent placé...

Plus proche de nous, Maurice Maeterlinck, poète belge mort en 1949, pleurant la mort d'un petit chien, écrit : « J'ai perdu ces jours-ci un petit bouledogue. Il venait d'accomplir le sixième mois de sa brève existence. Il n'a pas eu d'histoire. Ses yeux intelligents se sont ouverts pour regarder le monde et pour aimer les hommes, puis se sont refermés sur les secrets injustes de la mort.

« L'ami qui me l'avait offert lui avait donné, peut-être par antiphrase, le nom assez imprévu de Pelléas. Pourquoi l'aurais-je débaptisé ? Un pauvre chien aimant, dévoué et loyal déshonore-t-il un nom d'homme ou de héros imaginaire ? »

Rudyard Kipling

En haut, à droite
*« Croyez-moi, ça ne mène
à rien de trop s'attacher
à un chien ».*

En bas, à droite
*Boots est le personnage
central de plusieurs histoires
de chiens écrites par
Rudyard Kipling.*

En bas
*Les dessins représentent les
personnages de* Collected
dog stories *complètent
le texte à la perfection.*

NÉ EN INDE EN DÉCEMBRE 1865, Joseph Rudyard Kipling fut non seulement un grand romancier et un poète, mais il écrivait également beaucoup de nouvelles dans lesquels il exprimait son profond respect pour les chiens, quel que soit leur statut. En effet, il n'hésitait pas à écrire des histoires dont les héros étaient des bâtards, ou même des dholes, ces chiens sauvages indiens.

DES HISTOIRES DE CHIENS

LE PÈRE DE RUDYARD KIPLING était professeur à la School of Art de Bombay et également conservateur du musée de Lahore. En 1871, Rudyard et sa plus jeune sœur furent envoyés en Angleterre et mis en pension. Rudyard Kipling reçut le prix Nobel de littérature en 1907, mais ce n'est qu'en 1930 que son histoire, *Ce chien, ton serviteur* fut publié. En 1934, elle faisait partie d'un recueil intitulé *Collected dog stories* (*Histoires complètes de chiens*) et illustré par des dessins tout simples permettant de mettre en valeur les personnages.

BOOTS

LE HÉROS DE *Ce chien, ton serviteur* est un terrier prénommé Boots, qui raconte « son » histoire dans une langue simple et facile à comprendre. Il rapporte ses conversations avec ses copains chiens, leurs aventures variées et amusantes. Semblant de prime abord simpliste, cette histoire, qui rencontra un énorme succès public, n'est pas si facile à lire mais elle plaisait sans aucun doute aux jeunes lecteurs de l'époque.

Boots apparaît également dans d'autres histoires (*The great play hunt*, *Toby Dog*) devenant ainsi un héros récurrent de l'œuvre de Rudyard Kipling.

D'autres nouvelles et poèmes de Rudyard Kipling sont destinés à un plus large public, comme ce poème très connu, intitulé *Le pouvoir du chien* :

> *À chaque jour suffit amplement le chagrin*
> *Que vaut à tous les hommes leur amour du prochain ;*
> *Pourquoi donc en dépit de cette certitude*
> *Voulons-nous ajouter à notre servitude ?*
> *Croyez-moi, ça ne mène à rien*
> *De trop s'attacher à un chien.*

> *Acheter un chiot vous rend propriétaire*
> *D'un amour absolu, parfaitement sincère*
> *Une passion totale. Vous payez votre dette*
> *D'un coup d'pied dans les côtes, d'une tape sur la tête.*
> *Pourtant, ce n'est vraiment pas bien*
> *De trop s'attacher à un chien.*

> *Quand l'asthme ou la tumeur, ou le spasme clôture*
> *Le laps de quatorze ans qu'accorde la nature,*
> *Que le vétérinaire tacitement prescrit*
> *La piqûre mortelle ou le coup de fusil,*
> *Vous sentez la force des liens*
> *Qui vous attachaient à ce chien.*

À gauche
« L'amour n'est pas
donné, mais prêté
seulement » écrit
Rudyard Kipling dans
son poème Le pouvoir
du chien.

Ci-dessous
Le grand écrivain Sir
Rudyard Kipling naquit
en Inde en 1865, mais
il partit encore enfant en
Grande-Bretagne.
Il mourut en 1936,
en ayant écrit beaucoup
d'histoires consacrées
à des héros canins.

Lorsqu'à jamais se taisent les abois d'amitié
De celui qui faisait vos quatre volontés,
Lorsque vous abandonne définitivement
Celui qui partageait votre humeur du moment,

    Vous recommencez néanmoins
    De vous attacher à un chien.

Nous avons largement notre part de chagrin
Quand il s'agit de mettre en terre notre prochain.
L'amour n'est pas donné, mais prêté seulement :
L'intérêt composé se monte à cent pour cent.
La douleur que nous cause la mort d'un être aimé
N'est pas fonction du temps passé à ses côtés :
Lorsque vient le moment de payer l'échéance,
La durée de l'emprunt a bien peu
d'importance.

    Quand renoncerons-nous enfin
    À nous attacher à un chien ?

en forme car ils tiraient des traîneaux et parcouraient jusqu'à 48 kilomètres par jour pour chercher de la nourriture. Ils étaient parfois autorisés à voyager dans les grands bateaux des humains ; les chiens et les bébés étaient alors couchés ensemble aux pieds des adultes. Dans cette histoire, le style de Rudyard Kipling est à son apogée et nous découvrons les vies des peuples indigènes. Le lecteur participe aux épreuves et aux tribulations de la famille inuit, partageant leurs joies et leurs peines.

QUIQUERN

LA NOUVELLE INTITULÉE *Quiquern* fait partie du *Second livre de la jungle* écrit par Rudyard Kipling en 1895. Elle a pour héros un adolescent inuit, Quiquern, et commence par la description très vivante d'un jeune chiot caché dans une poche en peau de phoque.

Pour cette histoire, Rudyard Kipling s'est parfaitement bien documenté sur la vie des Inuits et de leurs chiens. Ces derniers devaient être très

AUTRES HISTOIRES

LES CHIENS JOUENT UN RÔLE central dans beaucoup d'autres histoires de Rudyard Kipling, en particulier *Garm, le chien otage, A sea dog,* et *The dog Hervey.* Dans cette dernière histoire, on suit les aventures de Hervey, un chien sans race, très laid, mais absolument adorable.

Rudyard Kipling mourut le 18 janvier 1936 mais ses œuvres et beaucoup des personnages canins qu'il inventa continueront certainement à vivre dans les mémoires de ses lecteurs des siècles futurs.

Ci-dessus
Hervey n'était pas un beau chien, mais il était très aimé et partagea beaucoup d'aventures avec ses maîtres humains.

À droite
L'histoire d'un adolescent inuit, Quiquern, de sa famille et de leurs chiens raconte de manière vivante la vie de ce peuple nomade.

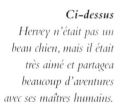

Autres écrivains

BEAUCOUP D'ÉCRIVAINS ont attribué un fort caractère aux chiens qu'ils décrivaient. Les œuvres de Charles Dickens par exemple, montrent que les chiens ont souvent une nature indépendante, comme c'est le cas par exemple du chien Jip, dans *David Copperfield*. Lors de leur première rencontre, David Copperfield déclare : « Je m'approchais de lui avec tendresse, mon amour s'étendant jusqu'à lui, mais il me montra les dents, se retira sous une chaise en grognant et ne voulut pas admettre la moindre familiarité ».

LES CHIENS DANS LA LITTÉRATURE MONDIALE

LES ÉCRIVAINS DE TOUS les pays, quelle que soit la nature de leur œuvre ont écrit sur les chiens. Aux États-Unis, Jack London nous raconte l'histoire de *Croc-Blanc*, ce chien-loup sauvage capturé petit par un indien et qui découvre la soumission à l'homme. Mais au fond de lui, Croc-Blanc reste indomptable et fier, solitaire et cruel. Avant de rencontrer enfin un homme capable de l'apprivoiser et de l'aimer.

En France, Romain Gary raconte dans *Chien blanc* l'histoire d'un berger allemand qu'il avait recueilli lorsqu'il vivait aux États-Unis. Il s'avère que le chien a été dressé pour chasser les noirs. L'histoire de ce chien, Batka, est alors prétexte à dénoncer le racisme et à critiquer l'Amérique de la fin des années 1960. Cette œuvre n'est pas la seule à utiliser un chien comme personnage principal pour dénoncer les errements de l'histoire et la bêtise de l'homme : *Cœur de chien* écrit par Mikhail

Boulgakov en 1925 raconte l'histoire d'un chien transformé en homme par un savant fou pendant la révolution russe. À travers le personnage de Bouboul devenu Polygraph Polygraphitch Bouboulov, l'auteur se moque des excès de la Révolution et de la science.

Plus récemment, dans *Tombouctou*, Paul Auster raconte les méditations de Mr Bones dont le maître vient de mourir. Dans cette histoire poignante, c'est la fidélité du chien qui est exaltée, comme dans nombre de romans dont les chiens sont les héros.

Dans un autre genre, on peut citer *Lettre à mon chien* écrit par François Nourrissier en 1975. Ce livre dédié à sa chienne teckel, Polka, est une véritable déclaration d'amour à celle que l'écrivain considère comme sa confidente et sa psychanalyste. Les chiens sont aussi le sujet de nombreuses poésies : *Le Loup et le Chien* de Jean de La Fontaine en est un bel exemple.

Et que dire de la bande dessinée, et en particulier d'un personnage comme Milou, le fidèle compagnon de Tintin ? Snoopy est aussi un personnage canin extrêmement important.

Ci-dessus

Bull's eye et son maître, Bill Sykes, forment un couple très déplaisant dans Oliver Twist *de Charles Dickens.*

À gauche

Les écrivains représentent souvent leurs propres chiens dans leurs œuvres, certains tenant un rôle secondaire, d'autres étant les personnages principaux de l'œuvre.

Sir Walter Scott

En 1812, WALTER SCOTT, sa famille et ses chiens, emménagèrent dans ce qui allait devenir leur demeure familiale : Abbotsford, en Écosse. C'était initialement une vieille ferme qui avait été démolie et dont le bâtiment principal avait été reconstruit. En 1820, Walter Scott fut fait baronnet. Aujourd'hui, cette maison est à peu près dans le même état qu'à l'époque de Sir Walter et elle regorge de tableaux et de souvenirs.

En haut
L'écrivain écossais, Sir Walter Scott vécut pour la plus grande partie de sa vie d'adulte à Abbotsford, au sud de l'Écosse.

Ci-dessous
Walter Scott était accompagné d'un grand nombre de chiens, dont Maida est sans aucun doute le plus célèbre. Sa statue se trouve toujours sur les terres d'Abbotsford.

UN MAÎTRE DÉVOUÉ

LES CHIENS DE WALTER SCOTT venaient toujours immédiatement après ses enfants. Camp, un gros bull-terrier mourut juste avant le déménagement à Abbotsford et Walter Scott parlait toujours de lui comme s'il était humain, le considérant comme un vieil ami très sage. Il fut enterré dans le jardin derrière la maison de la famille Scott à Edimbourg. Les chiens étaient autorisés à rentrer dans le bureau de Walter Scott à n'importe quel moment, et ses lévriers, Douglas et Percy, sautaient régulièrement par la fenêtre pour y rentrer ou en sortir. Lorsque son lévrier préféré, Maida, voulait quitter la pièce, il tapait violemment sur la porte avec ses grosses pattes.

Maida était issu du croisement d'une femelle lévrier écossais et d'un mâle des Pyrénées, cette ascendance expliquant la présence de poils blancs

SIR WALTER SCOTT'S GREAT HOUND MAIDA.

dans sa robe, que l'on retrouve en petit nombre chez les lévriers écossais actuels. Maida avait un caractère très sérieux, ce qui amusait Walter Scott qui déclarait : « Je suis sûr que lorsqu'il se retrouve seul avec les autres chiens, il joue aussi joyeusement que n'importe lequel d'entre eux, mais il a honte de le faire en notre compagnie... »

Tous les animaux semblaient aimer Scott qui, bien qu'il écrivit très rapidement et qu'il soit très concentré, avait l'habitude de parler aux animaux quand il travaillait. De temps en temps, il s'arrêtait pour caresser la tête de Maida, tandis qu'un gros chat l'observait, trônant généralement tout en haut d'une grande échelle utilisée pour atteindre les livres les plus hauts.

La maison était remplie de chiens : un lévrier noir, Finnette ; l'épagneul de Lady Scott, Ourisque ; un terrier écossais et des dandie dinmont terriers appelés Pepper (Poivre), Mustard (Moutarde) et Ketchup. Chaque dimanche soir, Sir Walter dînait chez lui et invitait parfois quelques amis, ce qui réjouissait beaucoup tous ses chiens.

Maida demeura actif très longtemps, mais un hiver, Scott en fut séparé. Cela lui causa beaucoup de souci. Il écrivit William Laidlaw : « Cher William, j'espère que Maida sera bien traité. Il lui faut un

lit dans la cuisine et n'oubliez pas de le faire rentrer à la nuit car ce peut être dangereux. Demandez à Swanson de le mettre dans une caisse qu'il remplira de paille de temps en temps. Ci-joint un chèque de 50 livres pour régler les comptes, etc. »

LA MORT DE MAIDA

MALHEUREUSEMENT, le 22 octobre 1824, Maida mourut tranquillement dans sa paille, après un bon repas. Il fut enterré sous une pierre taillée par le maçon de Walter Scott et placée au portail d'Abbotsford, un an avant la mort de l'écrivain. L'épitaphe indique : « *Beneath the sculptured form which late you wore, Sleeps soundly Maida, at your master's door* » (Sous cette forme sculptée, dors profondément, Maida, à la porte de ton maître). Malheureusement le texte latin comportait une erreur qui fut rapportée dans la presse. Walter Scott en fut très vexé, mais écrivit par la suite, « Maida est mort, mais il vit toujours. »

DES ANIMAUX FAMILIERS TRÈS EN FAVEUR

LES NOMBREUX CHIENS QUI apparaissent dans les histoires de *Waverley* donnent des indices quant à l'identité de leur auteur, bien que les éditeurs de Walter Scott n'aient pas été autorisés à révéler son nom. Bevis et Roswal sont évidemment Maida.

Ses chiens entouraient Walter Scott dans les semaines précédant sa mort ; « ses chiens s'étaient rassemblés autour de sa chaise et lui faisaient la fête en lui léchant les mains. Il pleurait et leur souriait jusqu'à ce que le sommeil l'envahit. »

Aujourd'hui, la vie continue à Abbotsford et une atmosphère très spéciale règne toujours dans cet endroit. Endormi tranquillement près de la porte de son maître, Maida ne savait pas qu'en 1992 les descendants de Walter Scott ouvriraient leur maison et leur jardin à l'Association des lévriers écossais qui amena 71 lévriers pour rendre hommage à Maida et à son maître, Sir Walter Scott.

Terminons enfin par un extrait très émouvant d'une lettre que Walter Scott écrit à Abbotsford en 1822 : « Je pense souvent au fait que les chiens ont une vie courte et je leur en suis reconnaissant ; car, si nous souffrons tellement de la mort d'un chien alors que nous l'avons connu pendant dix ou douze ans, qu'en serait-il s'il devait vivre deux fois plus ? »

En haut à gauche
Les poils blancs de la robe des lévriers écossais sont attribués au père pyrénéen de Maida.

En haut
En 1992, 71 lévriers écossais vinrent à Abbotsford pour commémorer la relation très forte qui liait Walter Scott et son lévrier Maida.

Au centre à gauche
La statue de Maida, sous laquelle se trouve sa dépouille, garde toujours le portail d'Abbotsford.

Les chiens dans l'art

SI L'ON CONSIDÈRE QUE les premières peintures rupestres, tout comme les sculptures trouvées sur les tombes antiques, sont une forme d'art, le sujet du chien dans l'art est très vaste. Cette section n'a donc pas la prétention d'être exhaustive car il faudrait en fait un livre entier pour cela. L'art, et en particulier l'art grec, égyptien, romain et assyrien, bien avant la naissance du Christ, nous permet d'en savoir plus sur la manière dont les chiens ont évolué.

POTERIES ET SCULPTURES

Ci-dessus à droite
La chasse à courre avec des chiens existe depuis des centaines d'années, comme le montre cette illustration datant du XVᵉ siècle.

Ci-dessous
Sir Edwin Landseer était l'un des artistes favoris de la reine Victoria. Elle est ici représentée en train de passer en revue ses troupes avec le duc de Wellington

LE BRITISH MUSEUM à Londres abrite une magnifique amphore décorée noire datant de 520-500 avant J.-C. et représentant Cerbère, gardien des Enfers, menant deux chiens magnifiques qui semblent être des chiens courants et qui portent des colliers. L'une des sculptures canines les plus célèbres de tous les temps est peut-être celle découverte en Italie au XVIIIᵉ siècle, datant du IIᵉ siècle après J.-C. et qui représente deux lévriers assis. Elle se trouve à présent au British Museum et permet de constater que cette race s'est très peu modifiée au cours des siècles.

On a retrouvé peu de statues de chiens de l'Antiquité romaine ou grecque. Cependant, dans le sanctuaire de Delphes, se dresse un sphinx à tête de

femme, dont certains archéologues pensent que le corps serait celui d'un chien et plus précisément celui d'une chienne. Son corps longiligne ainsi que sa finesse le rapprochent de races comme le lévrier.

Beaucoup de statues de chiens de garde en terre ont été retrouvées en Chine dans les tombes de la dynastie Han. On a également découvert plusieurs jarres en terre décorées de simples motifs, dont plusieurs représentaient des chiens manifestement utilisés pour la chasse.

MANUSCRITS, TAPISSERIES ET ARMOIRIES

DES MANUSCRITS ET TAPISSERIES très anciens représentent fréquemment des chiens. *Le livre de la chasse* de Gaston Phébus, comte de Foix, qui est un traité sur la chasse initialement écrit en 1382, présente un intérêt tout particulier. Il permet d'apprendre beaucoup de choses sur la manière dont les chiens étaient traités à cette époque, comment ils étaient utilisés et même quel type de collier ils portaient. Plusieurs chapitres sont en effet consacrés à la description du dressage des chiens de chasse ainsi qu'aux soins qui leur sont apportés. De très nombreux chiens de chasse y sont représentés participant à la chasse au cerf, au sanglier ou au renne. L'étude de ce document permet de supposer notamment que Gaston Phébus utilisait, entre autres, des mâtins de Naples.

Le chien a également été souvent employé dans les armoiries. La plupart du temps, il était représenté sous une forme stylisée, mais il arrivait qu'il le soit sous une forme plus réaliste.

Plusieurs races de chiens apparaissaient sur les armoiries : le lévrier était le plus populaire. Il figure notamment sur les armoiries de la ville du Mans.

LA PEINTURE EN EUROPE

JUSQU'AU MOYEN ÂGE, les chiens n'eurent pas très bonne presse, la plupart d'entre eux errant à la recherche de charognes et se montrant volontiers agressifs. Aussi, ils sont peu représentés par les peintres. Puis, leurs qualités de chasseur étant reconnues, l'opinion changea et les chiens apparaissent, le plus souvent en meute, sur les tableaux. Il faut attendre la Renaissance pour que les chiens soient représentés en tant que compagnon de l'homme. Des chiens de compagnie de petite taille figurent aux côtés des dames, tandis que d'élégants lévriers suivent leur seigneur et maître. À cette époque cependant, le chien était essentiellement considéré comme un chasseur et, les races se multipliant, les chiens devinrent reconnaissables. L'intérêt des peintres pour la gent canine s'accrut vers la fin du XVIIᵉ siècle ; certains se consacrant à leur représentation dans des tableaux d'un extrême réalisme, y compris sur le plan anatomique. C'est au XIXᵉ siècle que le chien sera représenté essentiellement dans le rôle qu'il tient encore aux côtés de l'homme : celui du compagnon.

ESPAGNE

En Espagne, les tableaux de Vélasquez (1599-1660) sont célèbres pour les gros chiens que l'artiste utilisait souvent pour établir un contraste avec les enfants qu'il représentait.

FRANCE

Les artistes français du XVIIᵉ siècle représentaient souvent des épagneuls nains, que l'on appelle aujourd'hui papillons, tandis que sur un thème complètement différent, certain peintres sont célèbres pour leurs représentations de Diane chasseresse avec ses lévriers.

Deux des peintres animaliers les plus célèbres du monde sont sans aucun doute François Desportes (1661-1743) et Jean-Baptiste Oudry (1686-1755). Ce dernier était l'un des peintres préférés de Louis XV qui lui demanda de peindre plusieurs de ses chiens. L'artiste travaillait au Louvre, dans des pièces somptueuses installées spécialement pour lui. Jean-Baptiste Oudry produisit non seulement des centaines de tableaux représentant des chiens, mais en tant qu'inspecteur de la Manufacture des Gobelins, il dessina une série intitulée *Les chasses de Louis XV*, qui représente des chasses à Fontainebleau, Rambouillet et Chantilly. Au XVIIIᵉ siècle, les chiens continuèrent à jouer un rôle important dans la peinture. Une race particulière, les épagneuls cavalier king Charles, étaient souvent représentés, parfois en accompagnement coloré du sujet principal.

GRANDE-BRETAGNE

PLUSIEURS CÉLÈBRES ARTISTES britanniques ont inclus des chiens dans leur peinture, parmi lesquels sir Joshua Reynolds (1723-1792) et Thomas Gainsborough (1727-1788). Sir Reynolds peignit

Ci dessous
Une scène de chasse typique du XIXᵉ siècle.
Les cavaliers, les chevaux et les chiens se rafraîchissent.

ce que l'on considère souvent comme le premier portrait d'un cocker noir, ainsi que la première peinture britannique d'un bichon maltais. Il peignait souvent des enfants et réussissait à rendre fidèlement la chaleur qui unissait ses petits modèles à leurs amis canins.

Bien qu'il soit plus connu pour ses excellents portrait de chevaux, George Stubbs (1724-1806) a également peint des chiens. Il est l'auteur d'un grand nombre d'études de Fino, un spitz noir et

Ci-dessus
Les chiens sont bien mis en évidence dans cette représentation vivante d'un pique-nique provenant du Livre de la chasse *de Gaston Phébus.*

blanc qui appartenait au prince de Galles d'alors, le futur George IV. Philip Reingale (1749-1833) s'intéressa également aux chiens lorsqu'il commença à peindre des sujets sportifs. Plusieurs de ses œuvres sont très connues et représentent des setters, des lévriers et des petits lévriers italiens. Philip Reingale fut nommé responsable des vingt-quatre études de races de chiens commandées pour le livre *The sportsman's cabinet* publié en 1803.

John Emms (1843-1912) était également célèbre pour ses tableaux de terriers et de foxhounds anglais. Il était aussi considéré comme faisant autorité en matière de chiens. On peut également citer le tableau de R. Marshall intitulé Jemmy Shaw's Canine Meeting (1855) qui appartient actuellement à l'English Kennel Club et qui est probablement la première représentation picturale d'une exposition canine. Au moins neuf races différentes sont représentées dans cette peinture merveilleusement réalisée.

Plus proche de notre époque, on peut citer les noms de George et Maud Earl. George naquit en 1800 dans une famille sportive originaire de l'ouest de l'Angleterre. Au-delà de sa peinture, il portait un intérêt pratique aux chiens. Il peignit plusieurs races

différentes et dessina également des portraits sur bois.

Sa fille, Maud, naquit à Londres et se mit rapidement à la peinture. Ses œuvres furent très appréciées au début des années 1880, ce qui lui valut une commande de la reine Victoria, dont elle est peignit le collie favori. Elle exécuta également des œuvres pour le roi Edouard VII et la reine Alexandra.

ITALIE

LE CÉLÈBRE TABLEAU D'ANTONIO PISANO (1395-1455), *La vision de Saint Eustache*, montre des chiens de type lévrier accompagnés d'autres chiens plus gros, moins grands et dotés de poils plus longs. Pisano, également connu sous le nom de Pisanello, connaissait certainement très bien l'anatomie canine, ce qui lui permettait de représenter les chiens de manière très vivante. L'art animalier italien était jusqu'à un certain point influencé par saint François d'Assise, qui était célèbre pour son grand amour des animaux. Il n'est donc pas surprenant de trouver tellement de tableaux italiens ayant le chien pour sujet. Paolo Caliari (1528-1588), plus connu sous le nom de Véronèse, peignit plusieurs races de chiens, parmi lesquelles environ 30 tableaux représentant des salukis.

PAYS-BAS

DANS LES PAYS-BAS DE L'ÉPOQUE (Belgique, Hollande et Luxembourg), beaucoup d'artistes incluaient le chien dans leurs tableaux, mais la plupart représentaient la vie quotidienne et non des thèmes mythologiques ou religieux. On remarque un terrier à poil dur dans l'un des tableaux de Jan Van Eyck (1385-1441), et Jérôme Bosch (1450-1516) peint un lévrier blanc dans *L'adoration des mages*. *Le jardin des délices* comprend beaucoup de chiens parmi d'autres animaux bizarres et des humains grotesques.

Peter Paul Rubens (1577-1640) aimait manifestement beaucoup les chiens car ceux qu'il a représentés semblent avoir été peints avec beaucoup d'enthousiasme. Dans ses œuvres, on trouve toute une série de scènes de chasse parmi lesquelles le *Loup et*

Chien qui représente plusieurs gros chiens attaquant un loup.

LA VOIX DE SON MAÎTRE

À LA FIN DU XIXE SIÈCLE, Francis Barraud (1856-1924), un photographe devenu peintre, créa une œuvre connue mondialement sous le nom de *La voix de son maître*. Il s'était inspiré de son chien, Nipper, qui était à moitié bull-terrier et vendit le tableau à une société de gramophones qui l'utilisa comme logo publicitaire. Le tableau original se trouve toujours dans la salle de conférence de la maison de disques EMI. Le petit chien, Nipper, qui vécut jusqu'à l'âge de 11 ans, est enterré au sud-ouest de Londres. Il demeure l'un des chiens les plus célèbres du monde car cette peinture a marqué les esprits.

LES ARTISTES ACTUELS : DEIRDRE ASHDOWN

DEIRDRE ASHDOWN EST UNE ARTISTE autodidacte dont les œuvres sont très appréciées dans le monde canin. Très admirée pour ses portraits de la race canine, elle travaille généralement à l'encre, avec une plume très fine et dure et jusqu'à 30 encres de couleurs différentes, toujours superposées, mais jamais mélangées. Pour beaucoup de ces œuvres, elle utilise également des crayons de couleur ou même de l'aquarelle afin de rendre les nuances.

dessinés à l'encre ou au crayon, et les a choisis comme décor pour les objets qu'il produit. Il peint aujourd'hui le portrait des chiens de ses clients et va même jusqu'à les représenter de manière très originale. Il peut en effet leur faire porter un canotier ou un frac selon le tempérament qu'il a décelé chez l'animal après un entretien avec le maître.

RENO DITTE

Reno Ditte est un peintre animalier qui exerce aujourd'hui à Paris. Il est passionné par les animaux, mais plus particulièrement par les chiens, et plus particulièrement encore par les bull-terriers. Cette passion pour les chiens est due à un coup de foudre avec Urbain Oscar Mona de Mallorque, un bull-terrier. Pendant plusieurs années, il a représenté Urbain et sa sœur Uttah. de toutes les manières possible. Il les a peints, gravés, photographiées,

En haut
Carlins déguisés en anges *par Deirdre Ashdown.*

Au centre
Un shar peï et un colibri.

En bas
Des chiens papillons.

Edwin Landseer

UN TALENT PRÉCOCE

Sir Edwin Landseer (1802-1873) est un des peintres animaliers les plus connus. Tous les amoureux des chiens connaissent ses œuvres. Cet artiste très important devint le favori de la reine Victoria et du prince Albert et fit le portrait de beaucoup de leurs chiens, parmi lesquels Eos, le magnifique lévrier qui était le chien préféré du prince consort. Il céda également à la nouvelle passion de la reine pour l'Écosse et réalisa pour elle de nombreuses peintures et les esquisses représentant des scènes sentimentales dans les Highlands. Bien que la grande majorité des œuvres de Sir Landseer soient très connues aujourd'hui, beaucoup d'études et d'esquisses se trouvent dans des collections privées ou ont été vendues il y a un siècle aux enchères comme c'est souvent le cas lorsque le travail d'un l'artiste prend de la valeur. Elles n'ont donc pas pu être présentées au public.

Bien qu'il ait souvent été dit qu'Edwin Landseer dessinait des chiens dès l'âge de cinq ans, ses premiers dessins furent réalisés à l'âge d'environ dix ans. Intitulé *In the turnips* (*Dans les navets*), son premier croquis représente un setter qui semble avoir senti des navets dans un champ de panais. Le nez pointé en avant et la queue en l'air, le setter les désigne au sportif qui l'accompagne.

À quatorze ans, Edwin Landseer dessine *The dustman's dog* (*Le Chien de l'éboueur*), souvenir de l'époque où les éboueurs annonçaient leur arrivée grâce à une cloche. Seule la signature au bas de ce dessin au crayon révèle l'âge de l'artiste. On y voit le chien de l'éboueur attendre patiemment

En haut
Cette lithographie est intitulée Cora.

À droite
Dogs at bay (*Chiens aux abois*) *est une esquisse au crayon très vivante qui représente deux chiens s'amusant avec un hérisson.*

sur un paillasson, en surveillant la cloche
de son maître. Il n'est vraiment pas difficile
d'imaginer l'éboueur vidant la poubelle de la maison.

DES IMAGES ÉVOCATRICES

THE BRAGGART (*Le Vantard*) est l'une des premières
esquisses à l'encre. Elle fut exposée en 1819. Dans
le tableau final qui est peut-être plus connu, les chiens
se trouvent au même endroit que dans l'esquisse,
mais à droite, est représenté un magnifique paysage.
Quant au tableau intitulé *The rescue* (*Le Sauvetage*),
il préfigure une œuvre plus connue intitulée
Highland Sheperd's dog in the snow (*Chien de berger
écossais dans la neige*). Le premier tableau représente
un chien de berger grattant vigoureusement la neige
sous laquelle se trouve une brebis. Il paraît évident ici
que l'artiste souhaite montrer que le chien fait tout
ce qu'il peut pour aider le mouton avant d'alerter
son maître.

Une autre esquisse, intitulée *Highland Maiden
(Jeune Fille écossaise)* annonce une autre œuvre

intitulée *Highland Whisky-still (Distillerie écossaise)*,
même si, dans ce cas, l'œuvre finale diffère
quelque peu de l'esquisse initiale.
Dans le croquis préparatoire, la jeune fille semble
vulnérable et avoir besoin de protection.
Son chien simplement et pourtant admirablement
dessiné, est tenu par une corde, ce qui indique
qu'il faudrait le retenir si un intrus entrait.

DES SUJETS SENTIMENTAUX

QUELQUES COUPS DE PINCEAU suffisent pour
dessiner à la fois le chien et le garçon qui se trouvent
sur la plage de Hastings, dans le tableau intitulé
The Fisherman's dog (*Le Chien du pêcheur*). Ils sont tous
deux couchés dans une attitude merveilleusement
détendue et l'esquisse est pourtant pleine de vie.
Ils sont si réels qu'on a l'impression qu'ils vont se
réveiller à tout moment pour reprendre leur tâche.

Un chien portant le nom de Cora se trouva
être le sujet d'une lithographie en 1824, dont
la gravure fut par la suite publiée sous un autre titre.

Ci-dessus :
Alpine Mastiffs
(Les saint-bernard)
*était dessinée à la
craie. Malgré le titre
au pluriel, on ne voit
qu'un chien.*

Cette œuvre donne au chien une image quelque peu masculine. Cora y est représentée en train de garder les bagages d'un passager. À l'arrière-plan, nous voyons que le cocher s'est arrêté pour changer de chevaux. On peut facilement imaginer les passagers dînant à l'auberge toute proche, comme c'était alors la coutume. Et il est très facile d'être absorbé par cette simple esquisse et de revivre le passé, tout en appréciant bien sûr les qualités de la valeureuse Cora dont le souvenir mérite certainement de traverser les siècles.

À droite
Highland Maiden (Jeune Fille écossaise) *s'inscrit dans la passion victorienne pour tout ce qui était lié à l'Écosse.*

Ci-dessous
The Braggart (Le Vantard) *est une esquisse à l'encre qui fut exposée pour la première fois en 1819.*

PLUSIEURS RACES REPRÉSENTÉES

LE TABLEAU INTITULÉ *Alpine Mastiffs* (*Les Saint-bernard*) fut dessiné en 1820 à la craie sur du papier bleu-gris. Bien que le titre de l'esquisse soit au pluriel, on ne voit qu'un seul chien. L'autre animal n'est représenté que

par un trait. Dans le coin supérieur droit de l'esquisse, on aperçoit le monastère de Saint-Bernard. Il semblerait que c'est cette œuvre qui a inspiré un tableau plus connu, *Alpine Mastiffs re-animating a traveller* (*Des Saint-bernard réanimant un voyageur*) qui fut gravé en 1830 par John Landseer, le père de Sir Edwin.

L'étude réaliste et assez élaborée de la tête d'un terre-neuve appelé César est d'un style assez différent. On sait peu de choses sur le chien qui servit de modèle, si ce n'est qu'il a été dressé pour la chasse et que la légende écrite par Sir Edwin Landseer indique « Newfoundland dog of Wales » (terre-neuve du Pays de Galles).

Ci-dessus
Une peinture à l'huile intitulée King Charles Spaniels.

À gauche
Un détail du lévrier dans l'œuvre de Sir Landseer Queen Victoria and the Duke of Wellington (*La Reine Victoria et le Duc de Wellington*).

Les chiens comédiens

DEPUIS LONGTEMPS, les chiens ont joué les amuseurs, bien que les « divertissements » auxquels ils participaient n'en étaient pas vraiment pour eux. Même si l'on trouve la trace de chiens au théâtre dès le commencement de la Commedia dell'arte, on peut considérer qu'ils font leurs débuts formels dans la pièce de Shakespeare *Les Deux gentilshommes de Vérone*, lorsqu'à l'acte II, scène II, Launce entre « en tenant un chien ». Bien qu'il n'y ait pas de tirade écrite pour le chien, il est probable qu'il ait volé la vedette à l'acteur humain comme cela arrive souvent lorsque des chiens se retrouvent sous les projecteurs…

LES CHIENS ACTEURS

CE N'EST QUE LONGTEMPS après Shakespeare que les chiens réalisèrent leur destinée théâtrale.

À Londres, dans les années 1770, Philip Astley présenta des pièces équestres dans les amphithéâtres de Westminster Bridge Road et découvrit des performances très réussies des chevaux faisaient en quelque sorte de l'ombre à celles des artistes humains. Il continua à ouvrir des théâtres à Dublin et à Paris et, ravi du succès de ses chevaux, lança « un spectacle étonnant de danse venant de France, d'Italie et des autres endroits distingués du globe ».

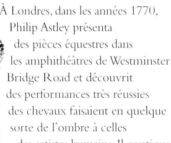

En haut
Les stars canines,
Blair et
Rintintin

Ci-dessus
Renee Adoree et son
camarade dans
Man and Maid

À droite
Charlie Chaplin et
un chien dans
Charlot boxeur

Au début du XIXe siècle, les pièces de théâtre canines devinrent en vogue à travers l'Europe et l'Amérique. En 1810, Carlos, le chien héroïque, joua dans une courte pièce comique à Drury Lane, un grand théâtre londonien ; son rôle consistait à sauver une personne qui était en train de se noyer dans un réservoir d'eau. L'utilisation sur scène d'un vrai chien et d'eau réelle provoqua l'enthousiasme du public.

Nous avons vu précédemment le succès que rencontra *Le Chien de Montargis ou la Forêt de Bondy* représenté pour la première fois à Paris, le 18 juin 1814 dans laquelle jouait une star canine. Tout au long du XIXe siècle, de plus en plus de chiens jouèrent dans des mélodrames spectaculaires qui étaient très populaires en Amérique.

Au théâtre, les chiens étaient souvent représentés dotés de caractéristiques et de sentiments humains. Le cinéma exploita cette tendance afin de satisfaire la demande du public. Au début du cinéma, les producteurs utilisaient des photographies truquées et des montages pour réaliser des illusions surprenantes et représenter les chiens dans diverses situations.

Puis, comme aujourd'hui, ils recourirent à l'attirance des artistes animaux pour la nourriture tandis qu'une utilisation habile de la caméra faisait croire au public que le chien réalisait un acte héroïque ou fantastique. Cette technique est toujours utilisée comme le montre le film à succès des années 1990, *Babe*, dans lequel un cochon aux talents multiples travaille aux côtés de chiens de berger.

LES DÉBUTS DES CHIENS AU CINÉMA

AU TOUT DÉBUT DU CINÉMA, à la fin du XIXᵉ siècle, les chiens jouaient surtout des rôles de figurants, mais le film de Cecil Hepworth, *Rescued by Rover*, sorti en 1905, révéla le vrai potentiel du chien. Pendant sept minutes, on voyait un colley sauver un bébé qui avait été kidnappé. Ce qui était incroyable, c'était le prix du film : l'équivalent de moins de 12 euros… Des centaines de copies furent vendues au prix unitaire de 15 euros et étaient tellement demandées que le film dut être refait deux fois car à cette époque, les négatifs s'usaient quand ils étaient trop utilisés.

Ce court métrage réussi entraîna plusieurs suites, mais le colley mourut en 1910. Après sa mort, Cecil Hepworth écrivit « Même son nom était un pseudonyme destiné à la scène. Son vrai nom était Blair, en souvenir de ses origines écossaises. C'était un véritable ami et un splendide compagnon. Mais mon souvenir le plus vif de lui restera la manière dont chaque matin, il sautait sur le panier à linge situé près de ma table de toilette alors que je me rasais. Il attendait impatiemment que je lui donne un petit coup de blaireau sur son museau. Puis, avec toutes les expressions révélant un bonheur intense, il léchait le savon et en redemandait ».

RINTINTIN, PREMIÈRE STAR CANINE

L'UNE DES STARS CANINES les plus importantes et les plus connues fut sans aucun doute Rintintin, un berger allemand. Trouvé dans une tranchée allemande par un pilote de l'American Air Force, il fut adopté et dressé aux États-Unis comme chien policier. Rintintin commença

par se construire un impressionnant état de service en réalisant d'importantes expéditions, gardes et tâches générales pour la Croix-Rouge. En 1923, il apparut dans le film *Where the North begins*, réalisé par Chester Franklin. Ce film rencontra un succès immédiat qui permit aux frères Warner, qui venaient de connaître un revers financier important, de renouer avec la réussite. La popularité de Rintintin rivalisait alors avec de grands noms, comme ceux de Charlie Chaplin et des sœurs Gish. En 1925, un sondage l'élut « star la plus populaire d'Amérique ».

Rintintin apparut dans plus de 40 films et en 1927, il gagnait l'équivalent en dollars de 600 euros par semaine. Cette somme permit à la star canine d'avoir son propre compte en banque et une voiture, en plus de son luxe quotidien qui consistait à manger deux steaks. Ce chien remarquable

partageait avec les acteurs et actrices humain(e)s les pages « people » des magasines. Sa visite prévue pour l'Angleterre et d'autres pays européens provoqua d'ailleurs l'inquiétude de ses fans. Malheureusement, il ne put jamais profiter de sa retraite puisqu'il

Ci-dessus
Lassie, l'une des stars canines les plus célèbres de tous les temps, était un colley mâle appelé Pal.

mourut lors d'un tournage en 1932. Mais il avait sans doute eu une vie remarquable et fut même la cause du divorce de son dresseur, dont la femme avait considéré que le chien lui avait enlevé l'affection de son mari. Le tribunal approuva d'ailleurs sa plainte, sans aucune hésitation.

Rintintin engendra plusieurs portées de chiots, dont l'un, Rintintin Junior, qui joua lui aussi dans des films. Mais aucun chien n'a jamais plus réussi à atteindre le niveau de notoriété du vrai Rintintin.

LASSIE

À droite
Charlie Chaplin
s'attacha vraiment
à Scraps, le bâtard qui
tourna à ses côtés dans
Une vie de chien.

Ci-dessous
Les chiens ne sont
pas toujours montrés
comme des
compagnons amicaux :
les films les
représentent aussi
comme des bêtes
sauvages, prêtes à tuer.

LE FAMEUX COLLEY à poil long nommé Lassie était en fait un mâle appelé Pal qui, petit, avait bizarrement été le plus faible de sa portée. Son dresseur, Rudd Weatherall, utilisait des commandes verbales pour l'amener à jouer la peur, la fatigue et le courage. L'acteur Roddie MacDowell ne voyait jamais le chien hors du plateau. Sauf pendant le tournage de la fameuse scène de son retour chez lui pour laquelle il passa une semaine avec le chien, qui fut isolé la veille du tournage. L'acteur fut alors la première personne que Lassie vit à ce moment-là et sa joie de le revoir fut quelque peu exagérée par la crème glacée qui avait été étalée sur le visage de l'acteur…

AUTRES STARS CANINES

BEAUCOUP D'AUTRES CHIENS ont atteint la célébrité, souvent en compagnie de grands noms du cinéma. Charlie Chaplin avait de temps en temps des chiens comme partenaires, parmi lesquels un « splendide bâtard pur sang » qui joua dans *Une vie de chien* en 1918. On y voyait, entre autres, le chien

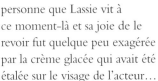

Scrap se glisser à l'intérieur du pantalon de Chaplin à la joie non feinte du public. On raconte que l'amitié entre Scraps et Chaplin perdura bien après ce film : le chien accueillait Chaplin tous les matins au travail.

Les chiens ont joué beaucoup au cinéma, souvent comme acteurs de second rôle, avec des grandes stars. Un petit terrier qui jouait dans *L'introuvable* avec William Powell était payé l'équivalent de plus de 1 000 euros par semaine par la MGM. Le même chien gagna l'équivalent de 7 500 euros pour son rôle dans *Piccadilly Circus* avec Gracie Fields. Pendant le tournage, le terrier était logé dans une suite de luxe à bord du paquebot *Queen Mary*, où il dînait apparemment de ragoût de mouton et de crème glacée. Les stars canines s'imposèrent aussi dans les cinémas des autres pays. On peut, entre autres, citer l'adaptation de *La Dame au petit chien* de Tchékhov en ex-URSS.

LES CHIENS DANS LES DESSINS ANIMÉS

BEAUCOUP DE CHIENS ont joué un rôle mémorable dans les productions de Walt Disney, initialement comme personnages de dessins animés. Récemment, de vrais chiens sont apparus. Le tournage des *101 Dalmatiens* a provoqué une grande controverse dans le monde canin, non seulement à propos du dressage des chiens, mais également à propos des conséquences sur la valeur commerciale des dalmatiens. Les élevages de races très cotées constituent toujours un vrai danger car les chiens sont fréquemment élevés pour de mauvaises raisons, souvent commerciales, ou pour le simple prestige de leurs propriétaires.

Dans le film, plusieurs chiens adultes ont été utilisés, leurs taches soigneusement modifiées pour qu'ils se ressemblent et de nombreux chiots furent utilisés, car il fallait remplacer les groupes de jeunes chiens qui grandissaient au fur et à mesure. Tous vivaient dans des conditions parfaites et étaient très bien soignés par la compagnie de production.

LES CHIENS À LA TÉLÉVISION

LES CHIENS MIRENT UN PEU plus longtemps à atteindre la célébrité sur le petit écran. Lorsque le film *Lassie* fut transposé en série télévisée, cette dernière suscita immédiatement l'engouement des téléspectateurs. Les chiens apparurent également dans des émissions pour enfants, par exemple dans l'émission britannique, *Blue Peter* dans laquelle les chiens Petra, un berger allemand, et Shep, un chien de berger, jouaient chaque semaine un rôle actif dans l'émission. Lorsque Petra devint adulte, il fut décidé que l'émission s'associerait à une association de chiens guides d'aveugles. Les émissions comme celles-ci rendent de grands services à nos amis canins, car elles les font rentrer chez les téléspectateurs et attirent ainsi l'attention sur eux. Au cours des dernières décennies, un nombre croissant d'émissions a traité de sujets relatifs aux chiens, à leurs maîtres ou à leurs admirateurs.

Avec la récente apparition à la télévision de nouvelles émissions montrant la vie quotidienne de plusieurs catégories de la population, on a pu voir beaucoup d'émissions réussies sur les vétérinaires, les dresseurs de chiens policiers et les soigneurs d'animaux. Des documentaires ont aussi été réalisés sur les refuges.

Ci-dessus
La star de L'introuvable *était payée l'équivalent de 1 000 euros par semaine.*

À gauche
Les chiens jouent un rôle essentiel dans le film de 1935, L'Appel de la forêt.

Ci-dessous
« Jogging canin. »

Les chiens et les hommes

ÈS LEUR PREMIÈRE RENCONTRE, le chien et l'homme ont éprouvé l'un pour l'autre une grande amitié qui n'a fait que se développer, chacun tirant des avantages de leur association. Les époques, les climats et les traditions ont changé, mais les relations entre ces deux espèces sont restées fortes et les chiens se sont peu à peu adaptés aux besoins des hommes.

À droite
Les chiens policiers et leurs maîtres développant de solides relations de travail basées sur une grande confiance mutuelle.

L'HOMME ET LE CHIEN

IL EST SOUVENT DIFFICILE de remonter aux racines d'une amitié et on ne sait pas exactement quand commença celle qui unit l'homme et le chien ; plus de 5 000 ans sans doute, peut-être plus.

Ci-dessus et en face
À tout âge et dans tous les pays, un chien est un compagnon fidèle qui apporte beaucoup de joie.

LE MEILLEUR AMI DE L'HOMME

LE CHIEN DE KHUFU, datant du règne de Khéops vers 2590 avant J.-C, est l'un des plus anciens trouvé sur un monument en Égypte. Plus tard, vers 2000 avant J.-C., le pharaon Antefa II est représenté avec quatre chiens à ses pieds. Ceux qui voyagent aujourd'hui dans le désert peuvent encore voir des chiens suivre les caravanes et les tribus de Bédouins, perpétuant ainsi l'une des relations les plus importantes du monde symbiotique du chien et de l'homme.

Aujourd'hui, la peur croissante de la transmission de la rage ainsi que l'attention des médias fixée sur quelques cas de morsures touchant des enfants ont fait beaucoup de mauvaise publicité à nos amis canins. Il est malgré tout impossible de ne pas avoir remarqué les relations qui unissent clairement les chiens et les enfants. Toutes les époques regorgent ainsi d'histoires montrant sans équivoque leur dévouement mutuel.

La légende dit que l'on retrouva dans les ruines de Pompéi le squelette d'un grand chien entourant celui d'un jeune garçon. Sur le collier du chien se trouvait une inscription rapportant son courage et son dévouement pour son maître. L'inscription indiquait également que le chien avait par deux fois sauvé la vie du jeune garçon, la première d'une attaque de voleurs, et la deuxième d'une noyade. Malheureusement, la troisième fois leur coûta la vie à tous deux. On peut néanmoins s'imaginer le réconfort qu'ils ont été l'un pour l'autre dans leurs derniers moments ensemble.

LE MEILLEUR AMI DE L'ENFANT

BEAUCOUP DE SITUATIONS révèlent l'attachement qu'un chien éprouve envers un enfant, peut-être parce que l'animal comprend que ce jeune être a besoin de sa protection. Les observateurs attentifs des chiens remarqueront leur fidélité, leur dévouement, leur surveillance instinctive et parfois leur sacrifice pour leurs maîtres.

Un sondage très intéressant mené aux États-Unis dans les années 1930, indiquait que seul 1 % des hommes ayant effectué un séjour en prison avait possédé un chien pendant leur enfance. C'était un pourcentage incroyablement faible, s'il ne faut pas en tirer des conclusions hâtives, ces statistiques laissent à penser que la présence d'un chien – sans doute parce qu'elle est liée à un environnement familial stable – aide les enfants à devenir des adultes équilibrés.

UN AMOUR INNÉ DES CHIENS

CEUX QUI AIMENT SINCÈREMENT les chiens sont peut-être nés dotés d'une affinité avec la race canine. Même lorsque les enfants sont petits, on peut nettement distinguer ceux qui vont probablement grandir en aimant les chiens. Cependant, l'environnement et l'éducation jouent un grand rôle. Un enfant dont les parents ont peur

des chiens ou dont la culture enseigne que les chiens sont sales ou que l'on doit craindre les animaux, se liera rarement avec des chiens.

En revanche, les parents qui apprennent à leurs enfants à respecter les animaux et à être gentils avec eux, même s'ils n'ont pas de chien eux-mêmes, les inciteront plus probablement à s'intéresser à la race canine, ouvrant ainsi les horizons des enfants qui pourront décider eux-mêmes de partager leurs vies avec le plus populaire des animaux familiers.

Il va sans dire que l'on peut commencer à tout âge une relation privilégiée avec un chien. Les chiens prêtent une oreille attentive aux humains et s'ils sont bien traités, ils ne portent pas de jugement. Un chien peut aimer une personne, qu'elle soit riche ou pauvre, petite ou grande, mince ou grosse. Ce qui compte c'est la communication et la chaleur qui passent entre le chien et l'être humain. Un chien peut jouer un grand rôle dans la vie d'une famille

et pour ceux qui vivent seuls, sa compagnie est extrêmement importante. Un chien est affectueux, loyal et désireux de faire plaisir. Il permet de libérer des tensions et du stress de la vie trépidante que nous menons aujourd'hui.

Malgré sa vie bien remplie, la reine Elizabeth II passe régulièrement du temps en compagnie de ses compagnons canins.

Le comportement des chiens

LES CHIENS SONT, PAR NATURE, des animaux de meute. Ils ont donc l'instinct pour partager la vie des autres, une mentalité qu'ils ont héritée des loups. Animal social dès sa naissance, le chiot fait partie de sa propre « meute » composée de ses frères et sœurs ainsi que de la mère qui en est le leader. C'est elle qui fournit nourriture, chaleur, sécurité et qui assure la discipline dans le groupe.

L'APPRENTISSAGE DU CHIOT

DÈS QUE LES YEUX des chiots s'ouvrent et qu'ils commencent à se déplacer, ils apprennent à jouer, à la fois ensemble et avec leur mère qui leur apprend à se comporter socialement. Cela leur sera utile dans la vie, car une grande part de la force d'un chien dépend de sa capacité à réagir et à communiquer avec ses congénères. Ces premières semaines sont très importantes car, à ce stade, le chiot est très impressionnable.

S'il est transféré jeune dans un environnement différent, il considérera facilement sa famille humaine comme la nouvelle meute dont il fait partie intégrante. Un chien peut communiquer et se socialiser non seulement avec les autres chiens, mais également avec les hommes. L'un des humains de la famille devient le leader naturel. Généralement, il s'agira de la personne qui le nourrit, le sort et qui joue également le rôle de la mère dans l'enseignement des règles de la vie.

L'INSTINCT DE LA MEUTE

UNE FOIS ADULTE, et s'il en a l'occasion et le caractère, le chien peut à son tour devenir le leader. C'est pourquoi le contrôle humain et une discipline ferme sont vitaux pendant ces mois de formation.

Un chien seul, privé de compagnon humain ou canin, montre très facilement des tendances destructrices. Il ne faut donc jamais le laisser seul toute la journée.

En haut, à droite
Les chiens du même foyer peuvent devenir des compagnons dévoués l'un à l'autre et s'ennuyer en l'absence de leur ami.

À droite
Les chiots apprennent à jouer avec leurs frères et sœurs. S'ils sont transférés dans un nouvel environnement lorsqu'ils sont encore jeunes, ils continueront à jouer avec leurs nouveaux maîtres.

Lorsque plusieurs chiens vivent dans le même foyer, ils décideront entre eux qui sera le chien dominant. La hiérarchie peut changer suivant les circonstances et au fur et à mesure que le temps passe.

Quel que soit son rang, il est dans la nature du chien de protéger la meute et son territoire. Il exprime donc cette obligation en aboyant après les étrangers pour avertir la meute et le foyer d'un danger potentiel. Il est aussi naturel qu'un chien souhaite protéger les gens, meubles, jouets et même les autres animaux domestiques de la famille à laquelle il est très attaché. C'est une raison supplémentaire qui justifie l'importance de la discipline pour éviter que la situation devienne incontrôlable. Un chien non dressé qui protège ce qu'il considère comme sa propriété peut être gênant, voire dangereux. Une gestion intelligente du chien est donc extrêmement importante.

Les chiens forment leurs propres petites meutes à l'intérieur des meutes. On l'observe fréquemment chez les chiens retournés à l'état sauvage et parias

qui se regroupent, partant chaque jour seuls pour explorer les environs. Parfois ces meutes forment leur propres groupes de chasse et finissent par quitter la meute principale pour en constituer une à leur tour. En effet, dans le monde canin, les chiens laissent chaque meute atteindre une certaine taille, au-delà de laquelle elle se divise afin que la population se disperse sur une zone plus grande, améliorant ainsi la capacité de survie de chaque groupe.

LA COMMUNAUTÉ CANINE

UN COMPORTEMENT SOCIAL composé à la fois d'un esprit coopératif et de compétition est nécessaire dans n'importe quelle communauté canine équilibrée. Si plusieurs chiens vivent dans une famille, ils passent la plupart de leur temps les uns près des autres. Ils font tout en même temps, hurlant ensemble dès que l'un d'entre eux commence, composant ainsi un véritable opéra pour les amoureux de la race canine. De même, lorsqu'un chien aboie, les autres le rejoindront probablement. Cela ne veut pas dire pour autant que certains chiens ne choisiront pas de se mettre à part, soit parce qu'ils préfèrent se comporter ainsi, soit parce qu'ils sont des membres relativement nouveaux et qu'ils n'ont pas encore accepté leur rang.

Lors de la chasse en meute, la complémentarité du comportement de chaque membre porte ses fruits, certains pourchassant la proie, d'autres cernant l'animal pour lui couper sa retraite, rendant ainsi la chasse très efficace. La capacité à chasser ainsi est très importante lorsque la proie est plus grande ou plus forte que les membres de la meute.

LA COMPAGNIE DES AUTRES CHIENS

LA COMPAGNIE DES AUTRES est importante dans la vie d'un chiot, mais ce besoin persiste tout au long de sa vie d'adulte et certains chiens manifestent un désarroi évident lorsqu'ils sont privés de la compagnie d'autres chiens. C'est flagrant lorsqu'un chien est séparé de sa meute. Si un chien venant d'un chenil est emmené dans une maison, il y sera souvent plus heureux en compagnie d'autres chiens. La mort d'un partenaire canin plus âgé, laissant seul le chien survivant, provoque un autre motif de désarroi de ce dernier qui souffre clairement de cette perte. Il est souvent plus prudent d'introduire un autre chien dans le foyer.

Cette page
Les chiens sont des animaux de meute et sont donc généralement plus heureux s'ils peuvent partager leur environnement avec au moins un chien.

Les chiens et le monde

EN PLUS DE LEUR INTERACTION avec les autres chiens et les êtres humains, les chiens sont également experts dans l'art de nouer des relations remarquables avec les autres animaux. Il faut évidemment faire très attention en introduisant un nouvel animal dans un environnement dans lequel d'autres sont déjà bien installés, car une hiérarchie aura déjà été instaurée et le nouveau venu pourra être considéré comme un intrus. Il y a bien sûr des exceptions, dans le cas de deux chiens mâles par exemple (surtout s'ils sont tous deux utilisés comme étalons) ; si cette introduction est faite lentement et qu'elle est gérée intelligemment par le maître, la vie redevient rapidement normale et de nouvelles amitiés se créent.

LE MEILLEUR AMI DU CHIEN

À droite
Les chiens nouent souvent de fortes relations avec les autres animaux, que ce soit des poussins ou des agneaux.

Ci-dessous
Buddy, un berger allemand, guidait son ami aveugle dans les rues de Boston et ramenait le journal pour son maître.

IL EXISTE PLUSIEURS CAS d'associations solides entre les chiens et d'autres animaux, souvent de manière surprenante.
Par exemple, les chats et les chiens, bien qu'ils soient ennemis héréditaires de réputation, s'entendent souvent très bien, même s'il est fréquent qu'un chien qui tolère le chat de la famille chasse tout autre félin intrus. Alors que la plupart des chiens chasseront le lapin dès qu'ils le peuvent, d'autres sont plus disposés envers eux. On pourrait donner l'exemple de ce colley qui ramenait à la maison le lapin de la famille lorsqu'il avait décidé qu'il était temps d'aller se coucher.
Ce même chien s'accommodait très bien de la présence dans la maison d'un mainate et du lapin.

LES CHIENS ET LA SOLIDARITÉ

DE NOS JOURS, les histoires d'amitié entre les chiens et les animaux sont considérées comme normales et habituelles, mais au début du XXᵉ siècle, on s'en étonnait et les journaux regorgeaient d'histoires attendrissantes. À Washington, par exemple, on voyait régulièrement un berger allemand guider dans les rues son ami canin à moitié aveugle. Un autre berger allemand portait un intérêt tout paternel à un terrier d'Écosse qu'il emmenait régulièrement en promenade, au bout d'une laisse. Pendant la guerre, on vit un chien gratter seize heures dans les décombres d'une maison bombardée, libérant enfin son ami fox-terrier.

On peut citer cette autre histoire d'un colley attaché à sa niche par une chaîne très courte. Par une nuit particulièrement froide et pluvieuse, on retrouva le chien à l'extérieur de la niche tandis qu'à l'intérieur, confortablement installé, se trouvait une femelle et sa portée de cinq chiots.

LES CHIENS ET LES MOUTONS

DUKE ÉTAIT UN CHIEN sans pedigree, mais réputé pour son exceptionnelle intelligence qui s'exprimait de multiples manières. Il avait, par exemple, l'habitude de mener le cheval de sa maîtresse par les rênes dans un champ voisin et de l'y entraîner. Remarquablement dressé pour nourrir au biberon les agneaux lors de la période d'agnelage, un border collie aidait beaucoup son maître qui, à cette période n'avait vraiment pas de temps à perdre. Le chien avait appris à tenir l'agneau avec sa patte. Comme le

savent ceux qui ont nourri un agneau, celui-ci fait vite confiance à la main qui le nourrit. Dans un refuge de Cincinnati, aux États-Unis, un chien avait été dressé à nourrir les chats malades, heureux de rendre service.

N'oublions pas les nombreux cas de chiens élevant les chiots d'un autre, souvent même d'une autre race. Cette situation se présente souvent lorsque la femelle meurt pendant la mise à bas ou si elle met bas une portée particulièrement nombreuse ou qu'elle n'a pas assez de lait. Plus intéressant, citons les cas de chiens élevant des portées d'autres animaux, comme cette chienne nourrissant six petits cochons.

LES CHIENS ET LA MUSIQUE

LES RELATIONS DU CHIEN et de l'homme sont bien connues, mais il existe d'autres liens fort intéressants qui valent la peine d'être cités. Bien que l'on croie communément que la majorité des chiens détestent la musique, c'est une théorie qui s'est révélée fausse à maintes reprises. Au Japon on découvrit un chien qui avait un net penchant pour chanter accompagné d'un harmonica, tandis qu'ailleurs, un boxer qui, dit-on, « jouait du piano », devenait irritable et de mauvaise humeur s'il était séparé de cet instrument. Cela constituait un vrai problème lorsqu'il devait voyager avec son maître, mais ce dernier le consolait en lui présentant un harmonica, facile à transporter.

Toujours dans le domaine musical, un caniche, appelé Bobo appréciait les soirées musicales. Il s'absorbait dans l'écoute de Sibélius, mais s'endormait sur du Bach.

L'organiste de la cathédrale d'Hereford, en Grande-Bretagne, ami de Sir Edward Elgar, avait un bulldog, nommé Dan, qui assistait à toutes les répétitions du chœur dans la cathédrale et grondait lorsque les choristes chantaient faux. Sir Elgar appréciait particulièrement Dan et dans une note

de la variation n° XI de *Enigma Variations*, il expliqua que les premières mesures lui avaient été suggérées par le chien. La première mesure représentait Dan tombant dans la rivière Wye, tandis que dans les mesures deux et trois, il nageait pour remonter le courant et trouver un endroit où accoster. La deuxième moitié de la mesure cinq figurait son aboiement joyeux signalant son arrivée.

Ci-dessous et ci-dessus
Beaucoup de chiens répondent de manière favorable à la musique ; certains assurent l'accompagnement vocal, tandis que d'autres ont même appris à « jouer » d'un instrument, comme le piano ou l'harmonica.

Le chien, un assistant précieux

LES CHIENS SONT DE merveilleux compagnons et s'ils sont bien traités, n'ayant pas conscience des barrières de classe, ils sont totalement loyaux et attentifs à leur maître. Combien de paires d'oreilles canines écoutent tous les jours les histoires que leurs maîtres seraient incapables de raconter à un être humain ? Le chien peut ne pas en avoir compris le sens, mais il aura écouté intensément, déchargeant ainsi son maître d'un lourd fardeau. Il est très agréable de caresser un chien et cela constitue une expérience très satisfaisante pour les deux parties concernées. On sait également que ce geste réduit la pression artérielle et ralentit les battements du cœur.

À droite
Les propriétaires des chiens appartenant à l'association « PAT dogs » partagent leurs animaux domestiques avec des personnes âgés dans les hôpitaux ou les maisons de retraite.

À droite et ci-contre
Un chien peut non seulement être un compagnon, mais aussi fournir une aide pratique aux personnes âgées, aveugles ou handicapés.

DE FIDÈLES COMPAGNONS

LES PERSONNES QUI VIVENT seules, soit par choix, soit parce que les circonstances de la vie les y obligent, tirent souvent un grand plaisir de la compagnie d'un chien. Il est plus agréable de regarder une émission de télévision ou de lire un livre avec un chien à ses côtés ou à ses pieds, que seul. Avoir un chien dans la maison donne au maître des occasions d'avoir des activités. La présence d'un chien facilite souvent les premiers contacts avec les autres. Beaucoup de gens qui n'ont aucune raison de se parler finissent par se lier d'amitié grâce à leur chien.

Lorsque l'on a un chien, il faut également lui faire faire de l'exercice. Il est très agréable de jouer, ne serait-ce qu'autour de la maison, avec son chien. Il est nettement plus satisfaisant de marcher avec son chien à ses côtés, que seul. Le chien apprécie évidemment une promenade longue ou intéressante et, bien sûr, sa santé et son tonus musculaire, ainsi que ceux de son propriétaire en sont améliorés.

LES CHIENS GUIDES D'AVEUGLES

LES CHIENS SONT DES COMPAGNONS merveilleux, intuitifs et faciles à éduquer. Tout au long de l'histoire, ils ont donc été mis à contribution à de nombreuses occasions pour aider les autres de multiples manières. Personne ne peut oublier l'aide qu'ils apportent aux aveugles. Des écoles de formation des chiens guides d'aveugles existent en France depuis 1952 et en Grande-Bretagne depuis 1930. Elles se sont multipliées au fil du temps dans tout le pays. Les chiots y sont hébergés, socialisés et dressés jusqu'à ce qu'ils soient prêts à réaliser la tâche à laquelle ils sont destinés et à initier ce qui deviendra le plus souvent un lien à vie entre eux

et leur maître aveugle ou malvoyant. La formation se déroule en quatre mois, répartis en plusieurs périodes. En France, le premier centre de chiens guides a été créé à Roubaix, par Paul Corteville. La Fédération nationale des clubs et écoles de chiens guides d'aveugles a, quant à elle, était créée en 1972. Un chien guide rend sans aucun doute la vie plus facile et plus agréable pour les malvoyants. De plus, les chiens semblent apprécier leur rôle, ce qui rend ainsi la relation encore plus satisfaisante. Il existe beaucoup de centres de chiens guides, des associations et des mouvements de par le monde ainsi que des organisations dans les hémisphères nord et sud. Tous réalisent un travail très apprécié.

Il existe également en Grande-Bretagne, aux États-Unis et en Hollande des centres de formation des chiens d'assistance aux personnes déficientes auditives). Cette expérience est encore au stade de projet en France. Les chiens sont dressés pour assister leur maître de manière pratique. Par exemple, ils apprendront à lui signaler la sonnerie du téléphone. Ils peuvent attirer l'attention de leur maître sur beaucoup d'autres sons de la maison : la sonnette de la porte, l'alarme ou même un bébé qui pleure. Pour cela, le chien réalisera une action décidée au préalable, par exemple tirer sur la jambe de son pantalon puis mener la personne au son.

L'AIDE AUX HANDICAPÉS

L'ANECAH (Association nationale pour l'éducation des chiens d'assistance pour handicapés) a été créée en 1989 en France pour former des chiens qui aideront dans leur vie quotidienne les personnes atteintes d'un handicap moteur nécessitant l'utilisation d'un fauteuil roulant. Tout comme les chiens guides et les chiens pour malentendants, les chiens pour handicapés sont dressés et attribués à chaque individu. Le chien apprendra à vivre le style de vie de la personne et réalisera une tâche des plus utiles.

Lors des concours de chiens, il est vraiment merveilleux de voir les handicapés montrer leurs chiens avec autant de talent et de compétence que les personnes valides. Cela constitue un autre lien important entre le chien et son maître.

Il existe également des chiens de thérapie (*Pets as therapy* ou PAT) que leurs maîtres choisissent d'envoyer dans les hôpitaux, les centres de long séjour, les maisons de retraite ou de repos pour aider les malades ou les retraités. Les chiens thérapeutes sont pour le moment surtout présents en Grande-Bretagne, en Amérique du Nord ou en Suisse.

Certains chiens pour handicapés chargent et déchargent la machine à laver de leur maître, une action que la plupart d'entre nous réalisent sans se poser de question, mais qui est une prouesse impossible pour beaucoup de gens.

Les chiens au travail

DEPUIS QUE LES CHIENS partagent la vie des hommes, ils y ont toujours joué un grand rôle. Même si leurs fonctions ont suivi l'évolution des modes de vie humains, la plupart ont peu changé et se sont juste adaptées aux circonstances actuelles. Aujourd'hui comme hier, beaucoup de fermiers sont assistés de chiens pour la garde des troupeaux.

DES FONCTIONS TRÈS VARIÉES

NOUS SAVONS QUE LE CHIEN est depuis longtemps utilisé comme garde. De nos jours, la situation est quelque peu différente, puisque ce rôle s'est encore développé : en effet, les chiens ne sont pas seulement utilisés dans les domaines de la sécurité, mais aussi dans la police, certains étant dressés comme chiens renifleurs car leur odorat peut être mis à profit dans la détection des drogues et autres marchandises illicites. Une exposition canine réputée est sans aucun doute la Cruft's, qui se tient tous les ans au mois de mars, à Birmingham, en Grande-Bretagne. Chaque année, on peut y admirer les plus beaux chiens de Grande-Bretagne. La Cruft's abrite des expositions plus spécifiques où l'on peut voir des chiens pour aveugles et malentendants, mais aussi des chiens de chasse parfaitement dressés. Plus surprenant, il existe une démonstration régulière de chiens de berger au travail avec des canards où l'on peut admirer les talents des chiens pour empêcher les errements des volatiles.

En haut, à droite
Les chiens jouent un grand rôle dans la police et le domaine de la sécurité.

Ci-dessus
Ce tableau très vivant d'une chasse au lapin est extrait du Livre de la chasse de Gaston Phébus *(XVe siècle).*

On peut aussi y voir une exposition consacrée aux terriers, au cours de laquelle ces derniers courent après un leurre à des vitesses incroyables, révélant leur caractère extraordinaire. L'excellente exposition de chiens policiers montre bien les relations qui les unissent à leurs maîtres. Elle reconstitue certaines opérations policières. On peut y voir des chiens travailler alors que les tirs font rage autour d'eux.

DES MÉTIERS POUR LES CHIENS

L'ALLEMAGNE A ÉTÉ le premier pays à utiliser largement des chiens pendant la guerre mais la Grande-Bretagne et les États-Unis l'ont rapidement suivie. Nos amis canins ont été d'une grande aide pour acheminer des messages de l'autre côté des lignes ennemies et transporter des munitions et des blessés, canins ou humains, en tirant des charrettes conçues à cet effet. L'utilisation de ces véhicules a été abolie depuis longtemps, mais ce mode de transport est toujours dans les mémoires et a été très utilisé, surtout en Europe continentale.

Dans les pays aux climats très froids, ils tiraient des traîneaux et servaient occasionnellement de pitance aux hommes, perdus au fin fond de ces régions arctiques, qui eurent ainsi la vie sauve. Les chiens sont dotés de talents de sauveteurs qui sont très souvent mis à profit dans diverses situations dramatiques. Une fois encore, nous

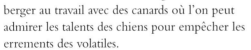

régions où la vie était difficile, par exemple à l'intérieur des terres australiennes, où la chasse aux kangourous a été entreprise avec succès. Certaines races ont été aussi utilisées efficacement contre de dangereux prédateurs, comme le lion et le loup. Bien que la chasse au loup ait dépassé ses objectifs, provoquant l'extinction de cet animal, personne n'a jamais contesté l'utilisation du chien dans ce cas.

En Amérique, le meilleur chien pour chasser le coyote était à moitié chien courant d'Écosse et à moitié lévrier.

pouvons remercier nos amis les chiens pour toutes ces vies humaines qu'ils ont contribué et contribuent encore à sauver.

L'INSTINCT DE CHASSEUR

NOUS VERRONS LES MEUTES DE CHASSE par la suite, mais sachez que beaucoup de chiens chassent seuls. Bien que cette activité soit désapprouvée par beaucoup, les chiens de chasse ont souvent été nécessaires afin de fournir de la nourriture à leurs maîtres. Cette activité était très répandue dans les

LA CHASSE AUX ANIMAUX NUISIBLES

LES CHIENS ONT AUSSI été utilisés pour chasser les animaux nuisibles qui auraient sinon provoqué des dommages beaucoup plus importants. La plupart des terriers sont réputés pour leurs talents de ratiers. Les rats sont moins un problème aujourd'hui, en grande partie grâce à la science moderne, mais il importe toujours de tenter de diminuer leur population.

En Amérique, les chiens étaient employés pour chasser le raton laveur, ce qui devait être fait la nuit car les ratons laveurs sont des animaux nocturnes. Il fallait plusieurs années pour dresser correctement les chiens à attraper leurs proies. Les sangliers, visons et autres animaux sauvages ont bien sûr été pourchassés par les chiens. Au fil des ans, la situation a évolué et, malheureusement, on ne peut s'empêcher de penser que ce qui était autrefois un travail réalisé dans des buts plus que légitimes est devenu aujourd'hui un sport, provoquant l'extinction ou au mieux le sérieux déclin de nombreuses espèces sauvages. Il faut quand même dire que le chien n'a aucune mauvaise intention lorsqu'il travaille : il ne fait que ce qu'on lui ordonne de faire et dans beaucoup de cas, le travail pour lequel il a été dressé devient instinctif au fil des ans.

En haut et ci-dessus
Les bons chiens de chasse sont appréciés dans toutes civilisations et époques. La tapisserie de Bayeux montre les hommes de Harold emmenant leurs meilleurs chiens en Normandie. Sur l'autre illustration, un chasseur de lions pose fièrement avec ses deux chiens.

À gauche
Les fox terriers étaient utilisés pour débarrasser terres et bâtiments des rats.

Recherche et sauvetage

LES CHIENS QUI SAUVENT des vies humaines lors de catastrophes évoquent probablement les images les plus fortes. Au fil du temps, leurs tâches se sont diversifiées et de plus en plus de races différentes sont utilisées pour le sauvetage. Tous ces chiens sont dignes de respect.

LE SAINT-BERNARD

Ci-dessous et à droite
Les saint-bernard sont
la race la plus connue
des chiens de sauvetage
et sont toujours représentés
portant un tonneau
contenant de la nourriture
et un cordial.

L'HOSPICE DE SAINT-BERNARD a été fondé en 962 avant J.-C, au col du Grand-Saint-Bernard, dans les Alpes, à l'est du mont Blanc. Il était habité par des moines appartenant à l'ordre de Saint-Augustin. Ces moines avaient pour tâche de prêter assistance aux voyageurs en détresse qui étaient nombreux puisqu'à cette époque, il fallait traverser à pied le dangereux col du Grand-Saint-Bernard pour se rendre de Suisse en Italie. Les moines découvrirent un jour que leurs chiens arrivaient à détecter des victimes enterrées sous des amoncellements épais de neige, ce qui les aidait dans leurs

recherches. Certains chiens travaillaient même seuls et lorsqu'ils trouvaient un voyageur épuisé dans les cols déserts, ils se couchaient sur lui pour lui transmettre leur chaleur et aboyaient et hurlaient jusqu'à ce que les secours arrivent.

Au début des activités de l'hospice, les chiens étaient différents de ceux que nous connaissons aujourd'hui ; ils étaient à poil ras, leur poitrail était exceptionnellement large et leur tête était énorme. Au début du XIXe siècle, les moines réalisèrent que leur cheptel commençait à décliner. Ils introduisirent donc du sang neuf en les croisant avec des femelles terre-neuve à poil long.

Dès leur plus jeune âge, les saint-bernard étaient dressés à l'aide de mannequins destinés à leur enseigner les premiers secours. Ils portaient des colliers à pointes pour les protéger des loups et transportaient autour de leur cou un petit tonneau contenant de la nourriture et un cordial. Beaucoup de moines pensaient que les saint-bernard pouvaient prévoir le danger car, à de nombreuses occasions, ces chiens les avaient

effectivement prévenus de ne pas emprunter le trajet normal pour rentrer au monastère. Les moines découvrirent par la suite que s'ils n'avaient pas suivi leurs avertissements, ils auraient été ensevelis sous une avalanche.

LES CHIENS DE SAUVETAGE EN MONTAGNE

ENCORE AUJOURD'HUI, beaucoup d'organisations de sauvetage en montagne emploient des chiens pour les aider car ils peuvent se rendre sans problème sur des terrains difficiles d'accès pour l'homme et inaccessibles aux véhicules. De plus, leur odorat développé et leur capacité à creuser sous la neige constituent des atouts incomparables pour le sauvetage en montagne.

LES TERRE-NEUVE

LES TERRE-NEUVE sont aussi connus pour leur travail courageux. Nombre d'histoires mettent en scène ces chiens. Comme le saint-bernard, le terre-neuve semble avoir un sixième sens pour les dangers imminents. Très persévérant, voire têtu,

À gauche
*Un chien de sauvetage
et un dresseur coréen
s'entraînent dans
des ruines à la recherche
de signes indiquant
la présence
d'un être humain.*

Malgré sa grande
taille et son
lourd pelage, le terre-
neuve est capable de
nager de manière
exceptionnelle bien
grâce à ses pieds palmés
très bien adaptés.

il renonce rarement. Le terre-neuve a toujours semblé prendre plaisir à sauver les hommes de la noyade et, à plusieurs reprises, a permis de sauver des équipages entiers en établissant une liaison entre le navire en train de couler et les secours. Les situations étaient souvent si dangereuses que les canots de sauvetage étaient inutilisables. Les terre-neuve ont également sauvé des vies animales. Un terre-neuve et un canari, très en vogue parmi les marins en mer Méditerranée se trouvaient tous deux sur un bateau. Voyant le canari s'échapper de sa cage, le chien sauta à la mer, le saisit dans sa gueule et revint en nageant. L'oiseau était effrayé mais indemne, prouvant la délicatesse avec laquelle un si grand chien peut tenir une si petite chose, même en nageant.

LA POLICE ET LA SÉCURITÉ

AUJOURD'HUI, LA RECHERCHE et le sauvetage constituent des missions importantes des services de police et de sécurité de par le monde. L'intérêt de ce travail allant croissant, le dressage et le partage de l'information ont beaucoup évolué.

Les chiens ont souvent plusieurs utilisations, car ils ont été aussi dressés pour rechercher stupéfiants, armes, munitions et explosifs. L'emploi des chiens de sauvetage est donc plus étendu et varié que dans le passé. Ils agissent dans d'autres secteurs et l'armée, la marine, l'aviation, ainsi que les douanes de nombreux pays font appel aux chiens renifleurs, comme on les appelle souvent. On en voit donc beaucoup dans les ports maritimes et les aéroports.

D'autres chiens, particulièrement en Amérique du Nord – la méthode se développe en Europe –, sont dressés à la recherche des hydrocarbures. Utilisés lors d'incendies, ils détectent la présence des produits utilisés par les pyromanes, permettant notamment ainsi une lutte plus efficace contre le feu.

Certaines races sont plus fréquemment utilisées pour ces missions, parmi lesquelles les bergers allemands, les retrievers du Labrador, les springers anglais, les retrievers golden, les chiens d'eau irlandais et les braques allemands à poil court. Ceux-là et d'autres ont prouvé leur grande valeur de multiples manières.

Ci-dessus
*Malgré leur taille
impressionnante, les saint-
bernard sont des chiens
gentils et intelligents qui
font des sauveteurs parfaits.*

À gauche
*Les saint-bernard sont
dressés pour le sauvetage
dès leur plus jeune âge.*

Les chiens de piste

NOMBREUSES SONT les histoires mettant en scène des chiens poursuivant un évadé, tentant de passer une frontière ou ayant commis un crime. L'utilisation de chiens dans la traque d'humains découle d'une vraie nécessité. En effet, dans beaucoup de pays, les pillards travaillaient en bandes, s'emparant de tout ce qui pouvait leur tomber sous la main. Afin d'y remédier, on décida de faire appel à des chiens de piste.

LES SAINT-HUBERT, PREMIERS PISTEURS

LES DEUX PREMIERS CHIENS de saint-hubert noirs « uniques de par leur courage, leur souffle et leur vitesse » furent rapportés par des pèlerins revenus de Terre sainte. Il existait d'autres chiens du même nom plus grands et complètement blancs, ainsi qu'un chien similaire de couleur rouge grisâtre.

Il est probable que les saint-hubert actuels proviennent du mélange de ces variétés. Cette race fut améliorée par les moines de l'abbaye de Saint-Hubert (patron des chasseurs) dans les Ardennes, à partir du IXᵉ siècle, puis introduite en Grande-Bretagne. Les chiens y devinrent célèbres sous le nom de bloodhound. Il est possible que l'ancêtre du saint-hubert remonte à une période plus ancienne, puisque, même avant l'ère chrétienne, des limiers avaient été importés de « Bretagne » en Gaule, cette « Bretagne » étant probablement la Bretagne française.

À droite
Cette fine équipe a trouvé l'odeur de la piste et attend simplement l'ordre du maître.

Ci-dessous
Les saint-hubert peuvent s'enorgueillir d'avoir des ancêtres très anciens, datant probablement d'avant la conquête normande.

Henri VIII d'Angleterre utilisa des saint-hubert pendant les guerres contre les Français, tandis que sous le règne de la reine Elizabeth I, 800 saint-hubert aidèrent apparemment à mater la rébellion irlandaise. Plus tard, les saint-hubert créèrent la terreur chez les voleurs de bétail et les braconniers puisqu'ils étaient utilisés dans les grands domaines pour traquer les intrus.

LES SAINT-HUBERT AU SERVICE DE L'HOMME

En 1805, une association britannique pour la lutte contre les criminels fit l'acquisition d'un saint-hubert qui fut dressé afin de détecter les voleurs de moutons. Afin de faire la preuve des talents du chien, un test public fut organisé. Le « criminel » se trouvait parmi la grande foule qui se rassembla. Le chien s'échappa et courut jusqu'à l'arbre dans lequel l'homme s'était réfugié, soit à 24,15 km du point de départ du test.

Le cuban bloodhound qui ressemble plus au mastiff et au bulldog qu'au saint-hubert était utilisé en Jamaïque et dans les domaines américains pour retrouver les esclaves en fuite. Il avait la corpulence du mastiff, le courage du bulldog, l'odorat du saint-hubert et l'agilité du lévrier et était réputé à la fois pour sa sagacité et sa férocité.

L'utilisation du saint-hubert dans la poursuite des braconniers et des criminels engendra beaucoup de préjugés envers ce chien. À la fin du XIXᵉ siècle, les habitants de certains villages pensaient que les saint-hubert allaient les attaquer et dévorer leurs enfants. Les propriétaires devaient donc constamment faire attention car les villageois

l'histoire de ce chien ayant retrouvé la piste d'un criminel malgré sa complexité, et amenant la police dans une gare où l'assassin était monté dans le train. Les saint-hubert étaient également utiles pour pister les voleurs de poulaillers, pyromanes ou braconniers : les chiens poursuivaient les coupables jusque chez eux. Un saint-hubert, appartenant à un grand propriétaire foncier, poursuivit un gang de braconniers sur 14 km, aidé par son maître qui l'avait mis sur la piste avant que le soleil et le vent n'aient effacé l'odeur des criminels. Les chiens travaillaient surtout à l'aube et aux premières heures de la soirée, car c'est à ce moment que l'odeur est la plus nette.

apeurés essayaient de donner de la viande empoisonnée aux animaux. L'opinion publique était contre leur utilisation par la police.

DES CHIENS POUR ARRÊTER LES CRIMINELS

AVANT LA PREMIÈRE GUERRE MONDIALE, le lieutenant-colonel E.H. Richardson, dresseur de chien renommé, possédait un grand nombre de saint-hubert. Il était parfois appelé pour que ses chiens aident la police. Plus d'un assassin fut appréhendé de cette manière. On raconte souvent

DES PISTEURS REDOUTABLES

LES CHIENS AINSI UTILISÉS étaient rarement féroces, ne montrant aucune mauvaise intention envers leurs proies. Pourtant, le seul nom de saint-hubert, évoquant terreur et superstition, constituait un puissant moyen de dissuasion. Les hurlements à vous glacer le sang – signe que le chien avait découvert une piste intéressante – effrayaient les gens poursuivis.

Mais les saint-hubert pouvaient aussi être dangereux. Les ancêtres de ces chiens remontent, semble-t-il, aux cuban bloodhounds et ont été délibérément croisés avec des variétés des plus sauvages afin de mieux retrouver les esclaves en fuite. Au début du XXᵉ siècle, des chiens de chasse un peu plus légers, mais très semblables étaient utilisés en Amérique pour retrouver les prisonniers évadés.

D'autres races sont également utilisées pour le pistage.

À gauche et en bas, à gauche
Les saint-hubert sont fréquemment utilisés pour retrouver des criminels et des braconniers. Leur endurance et leur obstination leur assurent un niveau élevé de réussite.

Des saint-hubert bien dressés ne se laissent pas distraire de leur piste et font de leur mieux pour la retrouver, même s'il faut rattraper l'odeur après avoir traversé une rivière.

En bas
Les saint-hubert font des compagnons intelligents et affectueux, mais acceptent mal le dressage d'obéissance.

Les chiens policiers

AU DÉBUT DU XXe SIÈCLE, plusieurs pays commencèrent à s'intéresser au dressage des chiens afin d'aider la police. La Belgique faisait partie des pays les plus actifs dans ce domaine. Les chiens les plus réputés étaient de race colley et un certain nombre de colleys belges furent envoyés en Amérique pour former le noyau dur d'une équipe de chiens auxiliaires de la police, tandis que d'autres étaient envoyés en Chine et au Japon.

LES CHIENS PLONGEURS

EN 1900, À PARIS, le préfet Lépine constitua la première équipe cynophile de « chiens plongeurs ». Elle était rattachée à la brigade fluviale et utilisée sur les quais de la Seine. Ces chiens qui assuraient la sécurité des piétons la nuit étaient dressés pour poursuivre les criminels et pour secourir les personnes qui tombaient ou se jetaient dans la Seine. Les chiens de la brigade cynophile étaient surtout des retrievers ou issus de croisement entre des terre-neuve et des leonberg. Ils étaient logés dans les quartiers spéciaux de la police situés quai de Tournelle.

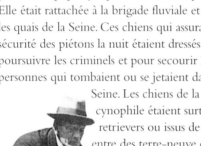

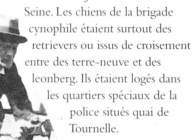

En haut
La police moderne utilise des chiens dans plusieurs types de tâches, s'étendant de la recherche des criminels à la protection et au secours des personnes.

Au centre et à droite
Les chiens doivent être dressés afin de pouvoir faire face à toutes sortes de situations qui peuvent aller de l'arrestation d'un cambrioleur à sa poursuite, même s'il vous menace d'un revolver !

Dans les autres pays d'Europe, les chiens étaient utilisés aux frontières pour détecter et capturer les contrebandiers. Malheureusement, ceux-ci avaient trouvé un bon moyen d'éviter les chiens policiers : ils envoyaient leurs propres chiens transporter des marchandise illicites la nuit, au-delà les frontières.

LES PREMIERS CHIENS POLICIERS

AU DÉBUT DU XXe SIÈCLE, la police britannique utilisait des chiens pour la détection et la défense. Les chiens devaient être très vifs, montrer de la sagacité et du self-control, tout en étant capables d'aider leurs maîtres. Par ailleurs, ils ne devaient surtout pas être féroces. Dans les premiers temps, il y eut beaucoup d'opposition à l'introduction de ce que l'on appelait le berger allemand, une race allemande utilisée avec succès sur sa terre natale. Cette opposition était en partie due à son pays d'origine et parce que ce chien était surnommé le « chien-loup allemand ». La police allemande préférait disposer d'un chien capable d'attaquer franchement, car contrairement à d'autres pays, les lois ne considéraient pas une personne innocente avant d'avoir prouvé sa culpabilité. Et en effet, on y voyait souvent des chiens attaquer d'une façon qui n'aurait pas été tolérée ailleurs.

En Grande-Bretagne, à la campagne ou dans les villes, les chiens étaient utilisés sur les traces des cambrioleurs et des petits voleurs. Les airedales terriers, retrievers, border collies et chiens issus de croisement de ces races étaient couramment utilisés pour ce type de travail. Ils n'avaient pas besoin de dressage élaboré et présentaient une aptitude naturelle à ces tâches.

LE DRESSAGE D'UN CHIEN POLICIER

IL Y AVAIT UNE DIFFÉRENCE entre la procédure de dressage des chiens qui devaient travailler en ville et ceux destinés à la campagne. En ville, ils aidaient à disperser les personnes indésirables qui élisaient domicile dans les parcs publics la nuit et attiraient l'attention de la police sur tout événement inhabituel : des voleurs stationnés derrières le rideau de fer abaissé d'une bijouterie ou des personnes suspectes rôdant dans les rues. Le chien était dressé pour marcher devant son maître jusqu'à la rue suivante. Il devait alors revenir vers lui s'il voyait quelque chose de bizarre. Les chiens étaient aussi dressés pour rapporter tout élément potentiellement dangereux, comme des fusils, dagues, couteaux, et objets en verre. Cela préparait ensuite aux exercices de différenciation, au cours desquels le chien devait choisir certains éléments appartenant à une personne particulière.

Le dressage impliquait l'apprentissage d'une multitude de compétences, par exemple apprendre à évaluer la hauteur pour pouvoir sauter au-dessus des portes pour suivre une trace. Pour cela, le chien devait apprendre à suivre des odeurs spécifiques, en se basant sur une empreinte ou un vêtement. Puis, il y avait le cours de comportement dans lequel on apprenait au chien à ne jamais mordre une personne immobile, mais à la retenir et à l'empêcher de s'échapper. Il fallait une année de travail spécialisé pour réaliser un dressage complet. Ceux qui ne suivaient que le cours d'obéissance pouvaient terminer en trois mois. Plusieurs clubs furent créés afin de dresser les chiens à l'obéissance. Ils étaient le plus souvent fréquentés par des amateurs qui voulaient dresser leurs propres chiens pour leur utilisation personnelle. Ces organisations ne devaient cependant pas inciter les amateurs à aller au-delà du dressage à l'obéissance et de l'odorat : en effet, il n'était pas conseillé de dresser complètement un chien sauf s'il devait être enrôlé dans la police.

Au fil du temps, on s'est habitué à voir des chiens policiers et leur valeur a été reconnue. Les chiens bien dressés agissent rarement de manière imprécise. Des compétences acquises au début du siècle furent modifiées pour s'adapter aux modes de vie actuels. Les types de crimes que les chiens peuvent maintenant traiter sont plus variés qu'autrefois. Le chien est aussi utilisé pour la protection et le sauvetage, ces tâches faisant à présent partie intégrante du travail de la police et des services associés.

En haut et ci-contre
Le dressage peut inclure l'attaque d'un criminel suspect sans le blesser ou encore l'apprentissage du feu. Le dressage doit être très intensif et prendra beaucoup de temps.

Les chiens de troupeau

LES CHIENS AIDENT DEPUIS longtemps les conducteurs de troupeaux et les bergers, mais seuls les animaux adaptés physiquement à ce travail ont survécu. Ils devaient souvent pouvoir vivre dans un climat austère et être donc dotés d'un pelage résistant à l'humidité et au froid.

LES CHIENS DE TROUPEAU EUROPÉENS

EN BELGIQUE, LES ÉLEVAGES de moutons étaient très bien gérés car il y avait beaucoup de chiens qui s'occupaient des moutons. Tous avaient l'oreille fine et, selon certaines descriptions, évoquaient le loup de par leur apparence physique. Selon la croyance populaire, les loups s'étaient effectivement croisés avec les femelles qui s'occupaient des moutons dans les prés. En Hollande, les chiens de berger ressemblaient à leurs cousins belges, mais ils avaient été sélectionnés, bien que moins soigneusement divisés en plusieurs types en fonction de leur robe.

En France, les premiers chiens de berger appartenaient déjà aux races que nous connaissons aujourd'hui : le briard et le berger de Beauce. Le briard ou, chien de berger de Brie, gardait les troupeaux du Bassin parisien dès le début du XIXe siècle. C'est un animal puissant au caractère équilibré et méfiant à l'égard des étrangers, ce qui le rend apte à surveiller un troupeau. Le berger de Beauce surveillait lui aussi les troupeaux de la région parisienne. C'est un chien à la fois sage et hardi qui a besoin d'une éducation stricte. Il fut tour à tour chien de troupeau, chien de garde et de défense, chien pisteur, mais on est encore aujourd'hui fidèle à sa fonction première de chien de troupeau.

En Italie, c'est le berger de la Maremme et des Abruzzes qui gardait les troupeaux. Ce chien est mentionné dès le 1er siècle avant notre ère par l'érudit latin Varron.

Ci-dessous

Dans tous les pays du monde, les bergers utilisent des chiens pour les aider à s'occuper de leurs troupeaux. Ce sont toujours des animaux prudents et intelligents.

À droite

Berger hongrois avec ses chiens dans les années 1930 : ces chiens devaient pouvoir survivre dans des conditions difficiles et un climat extrême.

si, comme pour toutes les races de chiens élevés pour travailler avec le bétail, un dressage strict et approfondi est nécessaire. Les chiens doivent avoir beaucoup de travail car des animaux qui s'ennuient peuvent se mettre à chasser les moutons. Depuis leur apparition en 1973, les concours de chiens de berger sont devenus de plus en plus populaires. Ce sont des épreuves pratiques destinées à la fois aux chiens et aux bergers : ce n'est donc pas qu'une compétition pour le plaisir.

Le bobtail était tout d'abord un chien de troupeau de grande taille à la fois courageux et docile. Bien que plus massif que les autres races de bergers de Grande-Bretagne, le bobtail peut courir en bondissant sur de longues distances. Cette race est à présent plus aisément associée aux concours ou à la vie familiale.

LES KELPIES AUSTRALIENS

L'AUSTRALIE, AVEC SES GRANDS TROUPEAUX de moutons, développa le kelpie qui, en apparence, ressemblait à un croisement entre le colley et le dingo, mais qui descendait plus probablement de chiens provenant d'Écosse. Cette race a toujours été réputée pour sa grande intelligence et sa grande conscience professionnelle : on disait que si on enlevait ce chien à son travail, il se lamentait et dépérissait. Avec un bon kelpie, un gardien de troupeau pouvait en un seul jour rassembler des moutons

égarés sur des centaines d'hectares, ce qui, en principe, aurait nécessité quatre ou cinq hommes pendant au moins une semaine. Aujourd'hui, il est toujours assez courant de voir des kelpies marcher sur le dos des moutons dans un enclos pour en extraire un petit groupe. C'est une race très appréciée, à juste titre d'ailleurs, et qui travaille souvent seule.

En Allemagne, les meilleurs chiens de berger étaient ceux qui avaient encore du sang de loup dans leurs veines. Ils étaient sélectionnés très soigneusement, non seulement pour travailler avec les moutons, mais aussi pour concourir dans les expositions. Beaucoup de chiens de berger étaient plus ou moins du type spitz, ce qui est le cas des chiens de troupeau au Danemark, en Norvège et en Suède. Dans ces pays nordiques, il était assez difficile de distinguer les chiens de berger des autres races, comme les chiens d'élan et le samoyède.

C'est en Russie que l'on trouvait les plus gros chiens de berger européens : ils pouvaient mesurer jusqu'à 79 cm au garrot ! Les bergers de Russie méridionale étaient aussi forts que grands car ils devaient protéger les troupeaux des loups.

En Grande-Bretagne, les chiens de berger sont généralement plus petits et moins agressifs que les autres chiens du reste de l'Europe. Cela s'explique en grande partie par le fait qu'ils n'eurent pas besoin de se battre avec des loups et autres prédateurs dangereux. Les races ont été assez lentes à se développer car les chiens ont été croisés afin de produire le chien le plus adapté à ce travail.

Actuellement, le border collie est le chien de berger le plus connu en Grande-Bretagne, même

En Australie, le bouvier australien travaille de la même manière que les corgies. Cette race est également connue sous le nom de heeler.

À gauche
Les concours de chiens de berger sont un loisir très répandu en Grande-Bretagne, mais ce sont avant tout des épreuves pratiques pour le fermier et ses chiens. Il en existe également dans d'autres pays d'Europe.

Ci-dessous
Un kelpie australien montant sur le dos des moutons afin d'atteindre ceux demandés par le fermier.

Les chiens d'arrêt

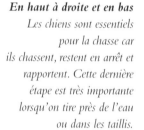

AVANT LA PARUTION DU LIVRE de Walter Scott *L'Antiquaire*, en 1816, peu de livres avaient traité de la chasse. En 1789, un écrivain avait quand même déclaré qu'il n'existait que trois races de chiens capables de recevoir des instructions et d'être dressés pour la chasse : le pointer à poil doux, l'épagneul et le pointer à poil dur, décrit comme ayant des poils longs et bouclés, autrement dit, une race mélangée ayant du sang de chien d'eau et d'épagneul.

En haut à droite et en bas
Les chiens sont essentiels pour la chasse car ils chassent, restent en arrêt et rapportent. Cette dernière étape est très importante lorsqu'on tire près de l'eau ou dans les taillis.

LES AUTRES CHIENS D'ARRÊT

CELA VOUS SURPRENDRA PEUT-ÊTRE, mais il s'est passé un certain temps avant que les chiens d'arrêt ne soient répartis en races spécifiques, en partie parce que leurs noms étaient souvent illogiques. De plus, les chien étaient sélectionnés en fonction de leurs capacités et ne se conformaient pas forcément à un standard de race portant un nom précis. De nos jours, heureusement, nous baptisons les chiens de manière plus logique que par le passé. Mais au début du XIXᵉ siècle, les pointers, les setters et les retrievers étaient tous des épagneuls...

LES CONDITIONS CHANGENT, LES CHIENS AUSSI

LES RACES DE CHIENS se sont modifiées avec les méthodes d'agriculture. Les champs de blé étaient souvent fauchés à la main, mais au XXᵉ siècle, la moissonneuse fit son apparition, laissant des chaumes de quelques centimètres de haut, au lieu des grandes meules habituelles. Il fallait donc rabattre les perdrix et un chien capable de trouver les oiseaux tombés dans des buissons ou hors de vue, alors qu'auparavant, il n'avait qu'à les récupérer dans les champs.

Le passage du pointer au setter fut long car on ne comprenait pas que les conditions sur le terrain étaient en train de changer.

LE RETRIEVER

LE RETRIEVER ÉTAIT CONSIDÉRÉ comme le roi des chiens de chasse, sans la lourdeur du pointer ni la soumission des setters ou des épagneuls. Bien dressé, un retriever fait souvent preuve d'une sagacité réfléchie. Mais à ses débuts, il était difficile de définir vraiment un retriever : « Sans aucun doute, un chien rendu nécessaire par l'accroissement du gibier de plus en plus sauvage qui provoque plus fréquemment des blessures, ainsi que par le déclin (en ce qui

concerne leur utilité à la chasse) des pointers et des setters. » Les propriétaires de ces derniers n'ont certainement pas été d'accord avec cette affirmation...

Les pointers étaient effectivement moins recherchés à cette époque, mais certains appréciaient la beauté et le port du pointer au travail. « Il arrive dans le champ. Au centre du pré, le vent est en sa faveur. Il s'immobilise dans un nuage de poussière, et debout, telle une statue, il se tient comme un danseur, ses orteils touchant à peine le sol et tout son corps frémissant. » Il est vrai que la vue d'un pointer au travail est l'un des plus grands plaisirs de la chasse, que ce soit dans la lande ou dans les champs.

LE SETTER

LE NOM « SETTER » est le vieux mot anglais correspondant à *sitter* (assis). Ces chiens étaient souvent appelés « épagneuls ». Ils étaient généralement répartis en deux tailles : le plus grand chien restait assis pendant qu'un filet était déployé sur la compagnie de perdrix et le plus petit chien devait trouver et lever le gibier. Ce n'est que récemment que les setters et les épagneuls ont été divisés en races différentes.

LES CHIENS D'ARRÊT AU TRAVAIL

AUJOURD'HUI ENCORE, LES CHIENS D'ARRÊT et leur travail sont environnés d'un certain mystère. Il existe toujours des chasses à l'ancienne organisées par l'aristocratie terrienne, mais beaucoup de petits fermiers et d'ouvriers agricoles possèdent des chiens d'arrêt dont ils se servent aussi pour la chasse.

La chasse peut être divisée en trois étapes : trouver la proie et indiquer sa position au chasseur,

On dit que les chiens d'arrêt héritent du talent de leurs parents. Les jeunes chiots provenant d'un bon cheptel ont donc généralement une longueur d'avance sur les autres.

lever le gibier et le rapporter une fois que le chasseur a tiré. Il existe maintenant des races qui chassent, se figent en arrêt et rapportent. Mais les pointers et les setters, qui sont des chiens calmes et qui ne troubleront pas le gibier, sont souvent employés pour la première étape, notamment quand on chasse en rase campagne.

Des chiens plus robustes, plus courts sur pattes, sont nécessaires pour chasser le gibier à couvert, une tâche souvent attribuée aux épagneuls, mais également à beaucoup d'autres races, comme les retriever, braques allemands, braques de Weimar et braques hongrois. Bien que les épagneuls et d'autres chiens d'arrêt sachent rapporter, traditionnellement il s'agit du domaine des retrievers, capables de réaliser ce travail avec vitesse, précision et douceur nécessaires. Quel que soit le chien utilisé, il convient qu'il soit – comme son maître, d'ailleurs – dans une excellente condition physique.

En haut
Un springer spaniel rapportant un faisan. Il est important que le chien maîtrise sa morsure, afin de ne pas abîmer l'oiseau.

Ci-dessus à gauche
Le setter anglais n'est plus utilisé comme chien d'arrêt en Grande-Bretagne, malgré son odorat remarquable.

Ci-dessus à droite
Le setter gordon est le seul chien d'arrêt d'origine écossaise. Il est très doué pour la chasse aux oiseaux.

Les meutes de chiens courants

Q UE L'ON SOIT D'ACCORD OU NON, on ne peut nier que la chasse avec des meutes de chiens fait partie de l'histoire canine. Ce serait donc une erreur d'exclure cet aspect de ce livre.

LA CHASSE À COURRE

LA CHASSE ÉTAIT CONSIDÉRÉE comme le sport des rois et la chasse à courre était tout particulièrement associée aux cours médiévales. Dans beaucoup de forêts françaises, tuer un cerf autrement qu'avec une meute était considéré comme une hérésie et la race des chiens français étaient spécialement

dressés pour ce sport. En France, la chasse au cerf était restreinte aux forêts du Nord et du Nord-Est, ainsi qu'à certaines parties de la Bourgogne. Dans les autres régions, la proie des meutes était le chevreuil, le sanglier, le renard et le lièvre. Au début du XXᵉ siècle, les dernières forêts à cerfs françaises, qui étaient autrefois des domaine royaux, devinrent la propriété de l'État et furent louées au plus offrant pour des périodes de neuf ans. Les meutes appartenant au duc de Lorge, dont l'une était considérée comme la meilleure de France, chassaient à Fontainebleau le chevreuil et le cerf alternativement. La tradition française favorisait la chasse en ligne et la persévérance ; l'allure et la vitesse n'étaient pas considérées comme des qualités importantes et donc pas recherchées chez les chiens.

LES CHIENS COURANTS FRANÇAIS ET ALLEMANDS

IL EXISTE UN GRAND NOMBRE de races de chien courants français. Certaines sont de grande taille, comme le grand bleu de Gascogne, tandis que d'autres sont de taille relativement petite. Certaines races sont à poil long et d'autres à poil court. Il y a donc une grande variété et chaque race est spécialisée dans une tâche précise. Le briquet griffon vendéen est, par nature, destiné à la poursuite, mais il travaille également souvent dans l'eau et poursuit le cerf et le sanglier. Le griffon nivernais, quant à lui, lui ressemble beaucoup et est depuis longtemps utilisé pour le travail en forêt.

En Allemagne, près de Hanovre, le chien rouge du Hanovre était utilisé pour poursuivre les cerfs blessés et il était réputé pour son flair. Dotés de membres musclés, d'un pas élastique et affichant une expression énergique, les meilleurs chiens de la race étaient considérés comme de magnifiques représentants du chien de chasse continental.

Ci-dessus
La chasse à courre avec des chiens existe depuis des centaines d'années, comme le montre cette illustration datant du XVᵉ siècle.

À droite
Une scène de chasse typique du XIXᵉ siècle. Les cavaliers, les chevaux et les chiens se rafraîchissent.

car il était utilisé non seulement pour chasser l'élan et l'ours, mais aussi le coq de bruyère. Le chien d'élan était réputé non seulement pour son intelligence, son courage, et son endurance, mais également pour son odorat car il pouvait sentir un élan ou un ours à cinq kilomètres.

LES CHIENS COURANTS BRITANNIQUES

LES MEUTES DE FOXHOUNDS ANGLAIS sont beaucoup plus connues en Grande-Bretagne qu'ailleurs, mais maintenant menacées de disparition. Ces chiens qui respectent une saison de chasse stricte furent probablement importés de France par les Normands et utilisés pour la chasse au cerf. Pendant la saison de chasse, ces meutes pouvaient chasser deux ou trois fois par semaine,

À gauche

Comme son nom l'indique, le chien de loutre était initialement utilisé pour chasser les loutres. Son sous-poil est épais et isolant et donc imperméable à l'eau froide. Il est à présent utilisé pour d'autres travaux.

Les meutes les plus célèbres de chiens courants français chassaient dans les environs de Paris, par exemple dans les forêts de Rambouillet, Chantilly et Fontainebleau.

LES CHIENS COURANTS RUSSES

EN RUSSIE, le tsar et les grands-ducs possédaient de grandes meute de chiens russes, appelés également *Gontschaga Sobaka*, une lignée exceptionnelle et aristocratique. On disait que de loin, ces chiens ressemblaient aux loups car leurs membres postérieurs étaient bien plus bas que leurs membres antérieurs. Mais cette caractéristique n'est pas toujours bien représentée dans les illustrations. Leur tête également ressemblait à celle d'un loup, large entre les oreilles et se terminant en un museau fin. La couleur contribuait probablement à cette ressemblance avec le loup puisque leur robe était soit grisée, soit noire marquée de feu. Le collier ou le bout de la queue étaient souvent blancs.

Parmi les chiens russes, on peut également citer le medelan ou chien d'ours qui était plus massif que le précédent. La chasse à l'ours était très répandue, non seulement en Russie, mais également en Norvège où, lors de la dernière moitié du XIXᵉ siècle, le nombre d'ours a largement diminué dans les forêts scandinaves. Mais le chien d'ours norvégien, un animal très intelligent, doté d'un odorat impressionnant, était toujours dressé comme chasseur. Pour la chasse, ces chiens étaient généralement équipés d'un harnais en cuir et d'une laisse. Un chien bien dressé de type spitz était capable de mener sûrement et silencieusement le chasseur jusqu'au gibier. Les races de chiens d'ours étaient très variées en taille. On peut entre autres citer le chien d'élan, que l'on appelle parfois le pointer scandinave,

avec quinze ou vingt couples à chaque fois.

Le beagle est toujours utilisé en Grande-Bretagne et en Europe pour la chasse au lièvre, tandis qu'aux États-Unis, il est utilisé pour la chasse au lapin. À l'exception d'une partie des XVIIᵉ et XVIIIᵉ siècles où la chasse au renard était très répandue, le beagle est resté populaire pendant des centaines d'années. On trouvait également d'impressionnantes meutes de chiens de loutre qui étaient réputés à la fois pour leur flair et leurs aboiements...

Ci-dessus

Chaque meute locale possède un grand nombre de foxhounds. Quinze à vingt couples environ sont sélectionnés pour chaque chasse.

À gauche

Le chien de loutre n'est pas un bon animal de compagnie car, lorsqu'il est sur une piste, il devient sourd à toute commande.

Les expositions canines

DEPUIS LONGTEMPS, des événements étaient organisés qui pouvaient être décrits comme des expositions canines. Mais les chiens n'y constituaient qu'une attraction accessoire. Elles ne ressemblaient en rien aux expositions modernes. Mais certaines expositions du XVIIIe siècle ressemblaient déjà à ce que nous connaissons aujourd'hui.

LES PREMIÈRES EXPOSITIONS CANINES

C'EST EN ANGLETERRE que fut organisée la première exposition de chiens, pendant l'été 1776, principalement pour donner un prétexte aux chasseurs de se rassembler hors saison. Un peu plus tard au XVIIIe siècle, des expositions agricoles inaugurèrent des sections consacrées aux chiens qui devenaient très populaires chez les citadins. On pense qu'environ 25 % des foyers possédaient alors un chien et les attitudes vis-à-vis des combats brutaux de chiens se modifièrent.

En 1834, toujours en Angleterre, une exposition consacrée aux « épagneuls de neuf livres » eut lieu.

À droite
Les premières expositions canines eurent lieu dans des pubs. Il est donc peu surprenant qu'elles aient été exclusivement masculines.

Ci-dessous
En 1862, les expositions canines étaient si populaires que l'exposition de Londres attira 803 visiteurs.

Le vainqueur y gagnait un pot à crème en argent. Cette exposition se tenait dans un pub, car c'est dans les cafés que les expositions canines ont vraiment commencé, remplaçant les combats de chiens qui s'y étaient auparavant tenus.

À l'époque, les expositions canines n'étaient pas officielles et étaient organisées par des amateurs qui avaient dû renoncer aux combats de chiens et de taureaux, désormais interdits. La première véritable exposition canine organisée et encadrée eut donc lieu en 1859 à Newcastle.

LES EXPOSITIONS SE POPULARISENT

EN FRANCE, avant la création de la Société centrale canine à Paris, en 1882, le sport canin existait mais n'était pas officiellement coordonné. La SCC organisa la première exposition canine dans les jardins d'acclimatation, au bois de Boulogne, en 1863. Mille chiens étaient inscrits et seulement 850 furent acceptés par la commission d'admission. Le président du comité d'organisation précisa : « Ce n'était pas un spectacle de curiosité, encore moins un marché qu'on se proposait d'ouvrir. On voulait, sous un point de vue autant scientifique que pratique, réunir une collection de chiens aussi complète que possible, afin de distinguer les races pures, utiles, ou d'agrément, et les croisements bons à conserver. Faire, en un mot, une étude et une révision générale de l'espèce. De là, le titre d'Universelle, donné à cette Exposition. » À l'époque, les amateurs de chiens étaient à peu près tous indifférents à l'élevage des chiens de race pure.

L'objectif de la SCC était donc d'encourager la reconstitution des vieilles races françaises et d'introduire et acclimater les meilleures races étrangères.

Des clubs canins se formèrent. La règle y était parfois que tout participant devait amener son chien, soit pour l'exposer, soit pour le vendre, ce qui garantissait ainsi « la qualité du spectacle ». Les participants étaient toujours des hommes, mais ils commençaient à venir de toutes les couches de la société. Si quelques femmes se firent remarquer par la suite dans des expositions canines, il est à noter que lors de la création du Kennel Club, en 1873, la plus ancienne institution anglaise consacrée

Le hall d'exposition prévu pour la manifestation ne pouvait officiellement contenir que 600 chiens, mais ils étaient en réalité 1 214. Les chiens d'agrément étaient cantonnés dans une nouvelle aile couverte d'un toit en verre, ce qui rendit, tout au long de la journée, la chaleur insupportable. Le premier jour, la chaleur fut telle qu'elle provoqua la déshydratation d'un certain nombre de chiens qui fut aggravée par l'absence d'eau.

Avant la création du Kennel Club en Angleterre ou de la SCC en France, les expositions canines donnaient lieu à de multiples fraudes. En effet, aucun organisme officiel ne donnait de directives et la définition des races était imprécise, variant d'une région à une autre. La situation cessa d'être confuse lorsque les sociétés canines organisèrent le recensement et le classement des différentes races de chiens.

aux chiens de race, seuls les hommes pouvaient être membres. Les femmes durent attendre 1979 pour y être admises.

En Grande-Bretagne, une exposition pompeusement appelée la « première grande exposition canine internationale » accueillit 1 678 visiteurs en 1863 et environ 2 000 chiens.

DÉBUTS DIFFICILES

LA MÊME ANNÉE que la première grande exposition, une manifestation de moindre importance se tint à Chelsea, un quartier de Londres. Malheureusement, l'organisateur fut « submergé par les difficultés de la tâche qu'il avait entreprise ». Il avait pensait qu'il serait facile de rassembler un certain nombre de chiens qu'une foule de spectateurs viendrait admirer. Il avait cependant sous-estimé un grand nombre de points importants. Par exemple, il n'y avait aucun point d'eau pour les chiens qui durent affronter des conditions terribles. Les chiens présentés étaient trop nombreux et séparés les uns des autres seulement par une maigre clôture en fil de fer.

En haut

Vers 1850, les femmes firent leur apparition dans les expositions, mais elles étaient encore minoritaires.

En haut à gauche

Avec la popularité grandissante des expositions, les standards commencèrent à s'améliorer et des références furent introduites.

À gauche et en bas

Ce n'est qu'en 1873, avec la formation du Kennel Club, qu'une classification correcte fut mise en place.

Le Kennel Club et l'exposition Cruft

IL ÉTAIT TRÈS DIFFICILE DE TROUVER des chiens pour les expositions et la confusion régnait parmi les chiens étrangers, dont certains n'avaient pas de numéro. Contrairement aux règles actuelles, chaque chien avait une étiquette attachée à son collier portant le nom et l'adresse de son propriétaire, pour que le juge n'ait aucun doute sur ce dernier.

une réforme, mais leurs politiques n'étaient pas harmonisées et l'aspect financier constituait un vrai problème. Shirley, un homme qui avait commencé à exposer des chiens en 1870, participait à l'organisation d'expositions, il admettait qu'il y avait un problème et il décida de s'y attaquer en formant un organisme permanent, le futur Kennel Club. En avril 1873, un petit groupe se réunit et décida d'organiser un peu plus tard dans l'année la première exposition du Kennel Club au Crystal Palace de Londres : il y eut 975 visiteurs.

LE KENNEL CLUB, LA PLUS ANCIENNE INSTITUTION

LA PREMIÈRE RÉUNION GÉNÉRALE du Kennel Club eut lieu à Birmingham, au centre de l'Angleterre, en décembre 1874, l'année où le Kennel Club publia son premier *stud-book*, rassemblant les pedigrees de 4 027 chiens classés en 40 races et variétés différentes. Le Kennel Club était récent, mais ses membres audacieux, et en 1880, ils publièrent un texte indiquant que tous les chiens participant aux concours adhérents, devaient être enregistrés au Kennel Club. Cette initiative fut bien évidemment mal acceptée par beaucoup. Le Kennel Club s'érigea comme organisme dirigeant : par exemple, il prélevait des impôts sur les chiens concourant aux expositions. Depuis, le monde des expositions canines britanniques n'a jamais fait machine arrière.

Certains émirent des objections, en particulier, la Birmingham Dog Show Society, dont le comité avait beaucoup d'influence. En 1885, deux de ses délégués furent autorisés à siéger au comité du Kennel Club, et après une bataille acharnée, un accord à l'amiable fut trouvé.

Le Kennel Club avait rendu populaire les expositions canines

Ci-dessus
Au début du XXe siècle, les femmes participaient dans les expositions canines.

À droite
En 1874, le Kennel Club publia son premier stud-book avec 40 différentes races enregistrées.

LA CLASSIFICATION PAR CATÉGORIES

BIEN QUE les expositions des années 1860 présentèrent beaucoup de spécimens de grande qualité, on reconnut à la fin de la décennie que beaucoup de pratiques indésirables avaient encore cours. Plusieurs clubs locaux essayèrent de mettre en place

qui se tenaient à présent non plus dans des bars et les pubs, mais dans des endroits à la mode. Les adhérents du Kennel Club pouvaient obtenir des pedigrees pour les chiens inscrits sur des registres permanents. Le Club avait aussi un rôle de cour d'appel pour régler les problèmes et les désaccords. On a souvent dit que le Kennel Club avait fait pour les chiens ce que le Jockey club a fait pour les chevaux.

LES PARTICIPANTS AUX EXPOSITIONS CANINES

CE N'EST QU'À LA FIN DU XIXe siècle et grâce à l'intervention du Kennel Club que le monde des expositions canines connut une certaine respectabilité. Jusque-là, la majorité des admirateurs des chiens était loin d'être l'élite de la société. Au fil des ans, de plus en plus des personnes éminentes participèrent et apportèrent leur soutien aux expositions canines : même la reine Victoria y exposa ! Le prince de Galles, qui devait devenir plus tard le roi Édouard VII, était un éleveur actif et un exposant occasionnel. Il devint d'ailleurs le protecteur du Kennel Club en 1875. Sa femme, la reine Alexandra, participait très activement en exposant de nombreux chiens : des barzoï, basset hound, chow chow, skye terriers, épagneuls japonais et carlins. Le couple royal visitait donc régulièrement les expositions, non seulement pour la forme, mais parce qu'ils aimaient sincèrement admirer de beaux chiens.

La duchesse de Newcastle fit beaucoup pour élever le niveau des expositions canines en les plaçant sous sa protection. La comtesse

d'Aberdeeen, quant à elle, était la protectrice de la Ladies Kennel Association. Les expositions canines avaient alors certainement rassemblé toutes les classes de la société, et plus d'un juge disait qu'il devait souvent juger un chien issu des

meilleurs chenils en compétition avec un animal appartenant à un propriétaire de la classe ouvrière. Une anecdote révèle que les classes privilégiées bénéficiaient parfois de certaines faveurs : la reine Victoria souhaitant exposer trois spitz nains d'une couleur inhabituelle pour l'Angleterre, une classe fut créée spécialement pour l'occasion et deux des chiens reçurent conjointement le premier prix. Au siècle dernier, les expositions canines devinrent un instrument d'égalité sociale.

Ci-dessus
Petit à petit, les expositions canines s'éloignèrent de leurs origines ouvrières et reçurent l'approbation royale.

Ci-dessous
Un juge examine la classe du lévrier écossais.

LA CRÉATION DE CRUFT

À QUATORZE ANS, Charles Cruft s'ennuyait pendant ses études et savait qu'il ne voulait absolument pas rejoindre la bijouterie paternelle. Il postula donc chez M. James Spratt, le célèbre fabricant de biscuits pour chiens. Charles Cruft fut engagé comme assistant dans la boutique de M. Spratt et devint vite l'un de ses premiers voyageurs de commerce. Ce travail lui permettait

Ci-dessus
Charles Cruft eut la prémonition que si les expositions canines étaient mieux organisées, elles amélioreraient la qualité du cheptel.

À droite
Charles Cruft travaillait étroitement avec le Kennel Club ; les classes et le nombre de participants augmentèrent nettement à la fois aux expositions du Kennel Club et à celles de Cruft.

de rencontrer des propriétaires de chiens, en Grande-Bretagne ou à l'étranger. Rapidement, Charles Cruft devint le bras droit de James Spratt. Il avait construit de solides liens avec les propriétaires de chasses ainsi qu'avec les gardes-chasses et il fut nommé responsable au sein de la compagnie de la section expositions, Spratt étant devenue une très grande entreprise.

CRUFT QUITTE SPRATT

CHARLES CRUFT AVAIT COMPRIS que si les expositions étaient correctement organisées, elles amélioreraient la qualité du cheptel et encourageraient les gens à avoir des animaux de meilleure extraction. Il avait aussi compris que l'organisation devait être amélioré. Charles Cruft était déjà bien connu dans le monde des chiens et en 1878, il fut nommé responsable de la grande exposition de Paris. Cette expérience des expositions canines continentales devait le mettre en bonne place, quand, plus tard, des chiens étrangers furent présentés dans ses expositions et que des juges étrangers furent employés. Une fois parti de chez Spratt, il n'oublia jamais sa dette envers cette entreprise avec laquelle il conserva toujours des relations cordiales. Les chiens des expositions Cruft étaient d'ailleurs souvent nourris et soignés par le personnel de Spratt.

LA PREMIÈRE EXPOSITION DE CRUFT

EN 1886, CHARLES CRUFT annonça la première grande exposition de terriers, à Westminster. Avec 57 classes, l'exposition attira 600 participants, dont la plupart étaient inscrits au Kennel Club. Ce succès, grâce à de nombreux articles dans *The Times*, attira l'attention du public. Il fut aussi nommé secrétaire de plusieurs autres expositions ; mais l'année suivante, son intérêt se porta encore sur une exposition de terriers, qui se tint toujours à Westminster. La cohérence et l'efficacité des organisateurs contribuèrent grandement au succès de l'exposition qui vit l'apparition de 75 classes, même si moins de chiens y participèrent.

Bien que le chemin de fer fût à cette époque peu apprécié, des compagnies ferroviaires annoncèrent qu'elles avaient conclu des accords pour transporter les chiens à cette exposition. En effet, Cruft avait compris que les chiens devaient pouvoir être facilement transportés sur les lieux des expositions. L'exposition de terriers de 1888 est d'ailleurs célèbre car les étiquettes ne correspondaient pas aux chiens, ce qui provoqua une grande pagaille qui justifia un nouveau système de numérotation.

Lors de la dernière exposition qui se tint au Royal Aquarium en 1889, le nombre de classes augmenta fortement et passa à 164. Il y eut plus de participants et de récompenses spéciales. La coupe de plus grande valeur récompensa le

meilleur dandie dinmont terrier. L'exposition Cruft avait le vent en poupe et l'année suivante, elle accueillit plus de 1 500 participants et les prix à gagner représentaient environ 1 500 livres sterling. L'exposition s'appelait toujours « The Great Terrier Show », mais il était de plus en plus évident que c'était en réalité l'exposition de Cruft.

DES PRIX ET DES CLASSES EN NOMBRE !

LES PRIX ÉTAIENT DE plus en plus somptueux, comme ce chenil en cuivre datant de la période de la reine Anne offert au meilleur terrier du Yorkshire. Les gagnants des coupes par équipe remportèrent chacun une médaille d'or pour commémorer leur victoire. Mais malgré le prestige de cet événement annuel, après l'exposition de 1890, plusieurs critiques s'élevèrent arguant que la quantité de chiens était plus remarquable que la qualité. Il y avait en effet beaucoup de classes très étranges, la plus bizarre étant peut-être celle du « plus beau chien empaillé » ou « du plus beau chien en bois » ou « en porcelaine », etc. Parmi les

concurrents de cette classe inhabituelle, on trouvait deux carlins en terre cuite, une statuette en marbre d'un épagneul et deux chiens empaillés.

UN ÉVÉNEMENT ANNUEL

EN 1891, L'EXPOSITION DEVINT « Cruft's Greatest Dog Show », et pour la première fois toutes les races étaient en compétition : il y avait environ 2 000 chiens et 2 500 participants ; et 20 juges officiaient sur 12 rings. Les participations de la reine Victoria et du prince Albert ajoutèrent au prestige de l'exposition. À l'exception des années 1918-1920, le Royal Agricultural Hall demeura le lieu d'accueil de l'exposition jusqu'en 1939. À la fin du XIXᵉ siècle, le nombre de participants était supérieur à 3 000. Le soutien royal perdura, non seulement du fait de la royauté britannique, mais aussi grâce à de grands noms étrangers, comme le prince Constantin d'Oldenbourg, le grand-duc Nicolas de Russie, et même le tsar lui-même qui y présenta ses barzoï.

Ci-dessus
La grande exposition canine de Cruft de 1891 était ouverte à toutes les races et attira plus de 2 000 chiens.

À gauche
Cruft démarra dans les expositions avec des terriers, qui provoquèrent encore l'intérêt alors que le nombre de catégories augmentait.

159

L'EXPOSITION CRUFT AU XXᵉ SIÈCLE

AU XXᵉ SIÈCLE, l'administration des expositions Cruft s'organisa et Charles Cruft lui-même en devint le secrétaire général et le directeur. Jusque dans les années 1930, la réglementation de l'exposition changea peu, si ce n'est qu'elle s'ouvrit aux chiens venant de n'importe quelle partie du globe. Mais seuls les membres de la Cruft's International Dog Show Society qui avaient payé leur cotisation annuelle pouvaient concourir pour les trophées et les prix spéciaux.

En haut
Dans les années 1930,
du matériel canin apparut
régulièrement dans
les expositions de Cruft.

Ci-dessus
Un diplôme de Cruft
datant du début du XXᵉ
siècle, que son propriétaire
chérira pour longtemps.

LA PREMIÈRE GUERRE MONDIALE

CHAQUE CHIEN EXPOSÉ était nourri et soigné sans frais supplémentaire. Du matériel canin était régulièrement montré dans les expositions. C'est d'ailleurs à cette époque qu'apparurent beaucoup de stands commerciaux que l'on peut encore voir aujourd'hui. On pouvait également y admirer des chariots, des chenils, des litières, des vêtements pour chiens et autres éléments utiles.

Pendant la Première Guerre mondiale, Cruft avait compris qu'il devait conserver l'intérêt du public. En 1915, eut donc lieu une exposition de héros canins. Il y avait également des classes de chiens de l'armée et de la marine. L'exposition s'arrêta temporairement en 1917, mais elle revint en 1921 attirant un nombre encourageant de participants et bénéficiant toujours du soutien royal.

En 1922, l'épagneul nain continental papillon fut l'attraction principale de l'exposition et le lévrier afghan attira également beaucoup l'attention. En 1925, Miss Hardingham devint l'assistante de Charles Cruft et c'est elle qui fut nommée secrétaire générale de l'exposition à la mort de Cruft, 17 ans plus tard.

L'EXPOSITION DU JUBILÉ

EN 1936, ALORS QUE L'EXPOSITION approchait de son jubilé d'or, le nombre de participants augmenta encore un peu plus, et le nombre de races enregistrées totalisa 80. Il y avait de plus en plus d'intérêt pour les chiens étrangers et les juges étrangers se retrouvaient très souvent au milieu du ring. Le nombre de participants pour ce jubilé atteint le chiffre phénoménal de 10 650, dont 4 388 chiens. Il y avait 898 retriever du Labrador, 766 cockers, 226 retriever golden et 296 cairn terrier. Les bergers allemands étaient déjà populaires avec 255 concurrents. Mais le chien qui les dépassait tous cette année-là était le chow chow Ch Choonam Hung Kwong qui gagna le premier prix de l'exposition.

LE KENNEL CLUB L'EMPORTE

PENDANT PLUSIEURS ANNÉES, le nom de Cruft avait été synonyme d'expositions canines qui étaient financièrement un grand succès, à une époque où il était possible de faire du profit personnel à partir des expositions, ce qui n'est plus autorisé par le English Kennel Club. Charles Cruft mourut en 1939 et trois ans plus tard, sa femme décida qu'elle voulait plus s'occuper de cette exposition, mais souhaitait que le nom en soit perpétué. Elle demanda donc au Kennel Club de prendre en charge l'organisation. La Deuxième Guerre mondiale éclata, mais en octobre 1948, la première exposition Cruft organisée par le Kennel Club eut lieu à l'Olympia de Londres, avec 92 races prévues. Cette exposition connut une réussite immédiate à la fois auprès des exposants et du public. Depuis cette date, le succès ne s'est jamais démenti.

Depuis 1891, le catalogue de l'exposition comprend un bref descriptif de chaque race accompagné d'une photographie ou d'une gravure, une tradition qui perdure encore aujourd'hui et qui permet aux visiteurs de distinguer les différentes races. En 1959, les coûts de fonctionnement de l'exposition entraînèrent l'augmentation du prix de participation, à la grande déception de beaucoup. Malgré cela, on inscrivit un nouveau record du monde de participation avec 13 211 concurrents. À ce moment-là, le Kennel Club avait interdit les chiens monorchides (dont un seul testicule est en place) et cryptorchides (aucun testicule n'est en place) suite au résultat d'une étude qui révélait qu'environ 10 % des concurrents étaient cryptorchides. C'est la seule restriction qui ait touché les participants de cette exposition. En 1965, le comité décida de restreindre la taille de l'exposition, tout d'abord en interdisant les chiots de moins de huit mois. Cela ne provoqua malheureusement qu'une petite réduction du nombre de participants. On décida alors de n'accepter que les chiens qui avaient gagné un prix l'année précédente. Depuis lors, les critères de qualification pour l'exposition Cruft sont devenus de plus en plus exigeants.

UN NOUVEAU LIEU

L'OLYMPIA ÉTAIT DE PLUS en plus considéré comme un endroit étriqué et lugubre. Malgré cela, l'exposition y demeura quelques années. En 1974, les couleurs rouge et or de l'exposition furent abandonnées au profit de nuances de vert clair et de vert foncé.

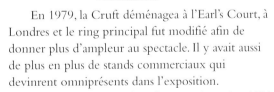

En 1979, la Cruft déménagea à l'Earl's Court, à Londres et le ring principal fut modifié afin de donner plus d'ampleur au spectacle. Il y avait aussi de plus en plus de stands commerciaux qui devinrent omniprésents dans l'exposition.

L'exposition resta à l'Earl's Court jusqu'en 1990 et, pour son centenaire, déménagea l'année suivante au National Exhibition Center de Birmingham. Aujourd'hui, l'exposition dure quatre jours et il faut de plus en plus de place pour l'accueillir. La majorité des participants et des visiteurs s'accorde à présent pour dire que le déménagement était justifié.

En haut
En 1936, l'année du jubilé de Cruft, c'est un chow-chow qui gagna le premier prix.

Au centre
La première exposition Cruft organisée par le Kennel Club eut lieu à l'Olympia, à Londres.

À gauche
En 1998, c'est un terrier airedale qui gagna le premier prix de la Cruft.

Les expositions canines actuelles

En France, la principale manifestation est l'Exposition de championnat internationale organisée par la Société centrale canine, qui se tient tous les ans au mois de juin. Des chiens de différentes races sont examinés et jugés par des examinateurs confirmés, reconnus par la SCC, sur leur morphologie ou leurs qualités de travail. Il existe plusieurs catégories de manifestations canines : les concours de conformité au standard, qui sont nationaux ou internationaux, et les concours spéciaux de dressage, de travail et d'aptitude pour les chiens de garde, de défense ou d'utilité. Il existe par ailleurs des expositions locales, nationales ou internationales organisées par les sociétés régionales canines, sous le contrôle de la SCC.

L'ORGANISATION DES EXPOSITIONS

SEULS LES CHIENS de race bien entendu peuvent participer aux expositions officielles. S'il existe quelques concours pour les bâtards et les corniauds, ceux-ci ne sont pas patronnés par la SCC.

Les juges chargés de départager les chiens présentés en concours comparent chaque animal à la définition du standard de la race qui a été établi par les grandes associations d'éleveurs. À l'issue du concours, un chien très proche du standard de la race sera qualifié d'excellent, un chien présentant quelques défauts mineurs par rapport au standard sera déclaré très bon, un chien présentant quelques défauts acceptables sera bon et un chien conforme au standard de la race mais sans qualités

Ci-dessus et à droite
La compétition aux expositions de championnat est toujours féroce. Gagner le B.I.S (Meilleur de l'exposition) provoque toujours une grande émotion et une immense joie.

exceptionnelles sera qualifié de suffisant. Quant au terme disqualifié, il est utilisé pour un chien qui ne correspond pas au standard de la race.

DIFFÉRENTS NIVEAUX DE COMPÉTITION

EN CHAMPIONNAT, la compétition est très difficile et les chiens qui gagnent régulièrement sont de très grande qualité. Les expositions de championnats constituent une occasion de se qualifier pour Cruft. Pour les championnats de standard, les chiens sont présentés dans différentes classes, en fonction de leur âge, de leurs aptitudes particulières ou des certificats qu'ils ont déjà reçus. Par ailleurs, les mâles et les femelles sont jugés séparément. On trouve la classe débutants, pour les chiens trop jeunes pour avoir déjà été confirmés ; la classe jeune, pour les chiens de 1 à 2 ans ; la classe ouverte, pour tous les chiens confirmés même s'ils sont jeunes ; la classe travail, ouverte à tous les chiens de travail et la classe champion, réservée aux chiens qui ont déjà obtenu un certificat d'aptitude à la conformité de la race.

En Grande-Bretagne, il existe d'autres distinctions telles que les Challenge Certificates (CC) qui comptent pour le titre de champion ou le Junior Warrant. Pour devenir champion, un chien doit avoir gagné trois Challenge Certificates décernés par différents juges. Il est nécessaire de battre plusieurs champions pour gagner ce titre. Aux expositions de conformité britanniques,

les chiens d'arrêt concourent pour le titre de « Show Champion » qui leur est indispensable pour espérer gagner le titre de champion.

Les expositions Open sont moins formelles et les droits d'entrée y sont moins élevés. Elles permettent cependant aux jeunes chiens de gagner quelques points pour l'obtention ultérieure d'un Junior Warrant.

PRÉSENTER UN CHIEN À UN CONCOURS

LES TARIFS D'ENTRÉE dans les grandes expositions sont assez élevés et, comme les exposants peuvent

À gauche
L'attitude des chiens et de leurs maîtres sur cette photo prise lors d'une exposition à Rotterdam contraste avec celle que l'on rencontre généralement lors des expositions canines en Grande-Bretagne.

Ci-dessous, à gauche
Un juge prenant des notes sous les regards anxieux des maîtres du chien.

venir de loin, la participation d'un chien à un championnat peut coûter très cher à son propriétaire.

La race du chien que l'on présente est bien sûr importante car plus une race est répandue, plus les concurrents sont nombreux et plus il est difficile de gagner. En participant à des concours, les chiens de race peuvent obtenir des titres qui confirment leurs aptitudes et figureront, pour la plupart, sur leur pedigree. Cependant, il faut savoir que faire participer son chien à des expositions demande un investissement important en temps et en travail. Il faut considérer cette activité comme une passion et n'espérer aucune compensation financière.

Outre la conformité au standard de la race, décrivant la morphologie et le tempérament, la présentation générale du chien est un facteur très important. Le vainqueur d'un concours sera toujours un chien extrêmement bien soigné.

Ci-dessus
Le cocker américain élu « Meilleur de l'exposition » à Rotterdam.

Les compétitions aujourd'hui

Les participants doivent être inscrits à l'avance dans toutes les expositions, qu'elles soient de championnat ou de moindre importance. Il existe cependant des manifestations canines, notamment en Grande-Bretagne, où l'on peut inscrire son chien le jour même. Ces manifestations, nommées *exemption shows*, sont organisées par des sociétés canines non reconnue ou des clubs d'entraînement. Elles sont le plus souvent organisées dans le cadre d'œuvres de bienfaisance mais doivent dans tous les cas obtenir l'autorisation du Kennel Club.

COMPÉTITIONS INFORMELLES

LES CHAMPIONS ET AUTRES chiens qui ont gagné des récompenses de haut niveau lors d'expositions plus formelles ne peuvent pas participer à la compétition. Les *exemption shows* représentent un événement agréable pour des exposants moins sérieux : elles proposent un nombre limité de classes de pedigree mélangées et plusieurs classes amusantes comme celle de « la queue la plus remuante » ou de « l'expression la plus sympathique », ainsi que certaines auxquelles peuvent même se joindre les propriétaires, telles que celle du « meilleur couple à six pattes » ou du « déguisement ». Malgré le faible prix d'entrée, il y a souvent en jeu des récompenses de valeur, afin d'attirer plus de participants et recueillir plus d'argent pour l'œuvre de bienfaisance pour laquelle les fonds sont récoltés.

Les juges officiant dans ces expositions n'ont pas tous la même expérience. Certains peuvent avoir une pratique limitée du monde canin, mais si l'exposition est organisée pour une bonne cause, il arrive également que des juges célèbres viennent sur le ring. Les jugements sont donc variés, mais des exposants utilisent ces expositions comme entraînement pour leurs jeunes chiens. Si vous emmenez des chiots à des *exemption shows*, n'oubliez pas que l'âge minimum de participation est de six mois et que tous les chiens de l'exposition ne sont pas bien dressés ou sont parfois mal surveillés : faites donc bien attention à vos jeunes « espoirs » afin de ne pas les faire exclure de l'exposition.

LES COURS D'ENTRAÎNEMENT AUX EXPOSITIONS

BEAUCOUP DE VAINQUEURS d'expositions n'ont jamais emmenés leurs chiens à des cours d'entraînement. Pourtant, surtout si l'on est novice, ces cours constituent une occasion idéale à la fois pour le maître et pour le chien d'apprendre à se comporter dans une exposition. Ce type de cours ne doit cependant pas être confondu avec un cours d'obéissance, car il est spécifiquement destiné à éduquer les chiens à participer à des expositions. Un chien doit apprendre à se tenir.

En haut, à droite
Les exemption shows sont destinées aux exposants moins sérieux. Dans la classe Novelty, on trouve celle du déguisement. Et voici les gagnants du Premier Prix !

À droite
Les exemption shows comportent certaines classes de pedigree mélangées, mais sont bien moins formelles que les expositions de championnat.

La qualité de ces cours pouvant grandement varier, l'idéal est d'en trouver un près de chez soi, bien géré et dont l'expérience dans les expositions canines est avérée. Lors de la première visite, il est conseillé de s'asseoir près du ring, en tant qu'observateur, afin d'évaluer si la situation semble ou non favorable. Dans le cas d'un jeune chien, cette séance lui permettra de s'habituer à ce nouvel environnement.

Dans ce genre de cours, le maître et le chien apprendront les bases de ce que l'on attend d'eux sur un ring d'exposition. Un chien de petite taille y apprendra à se tenir sur une table afin d'être évalué par un juge. Il est important qu'un chien sache rester calme et se mettre en valeur afin d'apparaître à son avantage. Les chiens de plus grande taille apprendront à rester tranquillement au sol. En résumé, la manière d'exposer un chien sur un ring dépendra beaucoup de sa race. La plupart des chiens sont présentés de profil lorsqu'ils sont debout, mais quelques races, comme le bulldog, doivent tourner la tête vers le juge. Chez certaines races, la queue doit être tenue en l'air ou à un certain angle, parfois alignée avec leur dos, comme c'est le cas pour certaines races de chiens d'arrêt.

Le juge inspectera les dents de la majorité des races, souvent pour vérifier leur nombre et leur emplacement. Chez quelques races, on jugera aussi la couleur de la langue, des gencives, des lèvres, et du palais. Il est donc essentiel que le chien tolère une inspection approfondie et que son tempérament soit égal car les chiens ayant mauvais caractère peuvent être exclus du ring et disqualifiés.

Sur cette page
Le caractère informel des exemption shows encourage les maîtres à montrer leurs chiens et plus tard à concourir dans des expositions plus sérieuses.

LE JUGEMENT

LES COURS D'ENTRAÎNEMENT AUX expositions ont généralement lieu dans des endroits assez réduits : il n'y a donc pas la place d'y installer un ring comme dans une vraie exposition. Mais vous pourrez toujours faire bouger votre chien au rythme qui convient à sa race. Il est important d'apprendre à vous déplacer correctement afin que le juge voit votre chien à son avantage. Un défaut anatomique sera encore plus apparent lorsque le chien sera en mouvement, mais il pourra être atténué si le chien se déplace à une vitesse adaptée.

Dans une exposition, le juge demande généralement aux exposants de se déplacer sur le ring avec leur chien afin d'obtenir une impression générale. Dans le cas des chiens plus jeunes, cela leur donne l'occasion de mettre un pied sur le ring. Puis, chaque chien est examiné individuellement, soit sur une table, soit sur le sol, en fonction de sa race. Le chien devra ensuite aller sur un triangle, en restant à la gauche de la personne qui le tient. Puis, on lui demandera peut-être d'aller et venir au centre du ring ou de se déplacer dans un arc pour qu'il revienne à sa place initiale le long du ring. Lorsque le ring est petit, le juge peut demander à ce que le chien se dirige deux fois vers le centre du ring. La première fois, il évaluera le mouvement d'allée et venue puis il examinera le mouvement du chien de profil. Un exposant ne doit jamais se placer entre le chien et le juge. Il peut donc être nécessaire de déplacer le chien vers la droite, une technique qui peut être apprise dans les cours d'entraînement aux expositions.

LE VAINQUEUR

LORSQUE TOUS LES CHIENS ont été examinés individuellement, le juge procède à une dernière sélection dans une classe particulièrement étendue, en y sélectionnant si possible quelques individus avant d'établir son classement final. Puis, les gagnants de chaque classe concourent les uns contre les autres dans l'ordre sélectionné par le juge. Dans les expositions mettant des groupes en compétition, le meilleur de chaque race du groupe concourra contre les autres, puis le « Meilleur de l'exposition » sera sélectionné dans le groupe des vainqueurs.

Que l'on perde ou que l'on gagne, un bon esprit sportif est nécessaire puisqu'après tout, le juge est maître de sa décision. Il est vrai qu'un autre jour, avec un autre juge, la décision aurait pu être différente. Mais comme on le dit souvent dans les expositions canines : « Que l'on ait ou non gagné le meilleur prix, à la fin de la journée, c'est toujours le meilleur chien que l'on ramène chez soi ».

Ci-dessus
Les cours d'entraînement aux expositions permettent aux propriétaires de chiens d'apprendre des astuces, par exemple, porter du rouge lors de l'exposition pour mettre en valeur le pelage blanc du chien.

À droite
Les grandes expositions peuvent être intimidantes si vous n'avez pas passé du temps avec votre chien à vous entraîner pour une exposition et que vous n'avez pas participé à de plus petites compétitions.

VOCABULAIRE DES EXPOSITIONS

LES JUGES ET LES EXPERTS utilisent un vocabulaire particulier qu'il est utile de connaître.

Statique : position dans laquelle on présente le chien, différente selon les races. Observez les autres exposants et placez votre chien de la même façon. Il est souvent utile que quelqu'un appelle le chien hors du ring afin qu'il ait l'air éveillé et reste immobile. Pour les petites races, il peut être présenté en statique sur une table.

Ring : endroit clos dans lequel le juge observe les chiens en statique et aux allures.

Bien dans le type ou **manque de type** : tête conforme ou non aux critères de race.

Tête préférée plus sèche ou **plus ciselée** : sous-tissus cutanés trop épais.

Joues chargées : muscles zygomatiques saillants.

DCC : dentition complète en ciseau.

DCT : dentition complète en tenailles.

Bonne sortie d'encolure : encolure bien dégagée des épaules et suffisamment longue.

Poitrine bien descendue ou **du coffre** : poitrine suffisamment profonde.

Dos mou ou **ensellé** : ligne du dos pas assez rectiligne.

Manque d'air sous le ventre : chien trop trapu.

Avant-main : membres antérieurs depuis l'épaule jusqu'au pied.

Arrière-main : membres postérieurs de la hanche jusqu'au pied.

Serre à l'arrière : aux allures, postérieurs trop proches.

Pied de chat : pied rond aux doigts cambrés.

Pied de lièvre : le pied est allongé.

Doit se finir ou **doit s'éclater** : construction encore juvénile.

Mouvement préféré plus profond : doit couvrir plus de terrain à chaque foulée.

Qualificatif : en France, il y en a 5 : Excellent, Très bon, Bon, Assez Bon, Insuffisant. Le juge les donne en fonction de la morphologie, de la forme, de ses allures, de sa présentation mais aussi de sa soumission lors de l'examen.

ABRÉVIATIONS COURANTES

En France

CACS : Certificat d'aptitude à la conformité au standard.

CACIB : Certificat d'aptitude au championnat international de beauté

RCACS : Réserve de CACS.

RCACIB : Réserve du CACIB.

TAN : Tests d'aptitude naturelle.

RIC : Règlements de concours International ou champion de RIC.

En Grande-Bretagne :

CC : Challenge Certificate (sans équivalent en France).

RCC : Reserve Challenge Certificate (sans équivalent).

BOB : Best of Breed ou Meilleur de race.

RBOB : Reserve Best of Breed ou 2ᵉ meilleur de sa race.

BOS : Best of Sex ou Meilleur mâle ou femelle.

BP : Best Puppy ou Meilleur chiot.

BPIB : Best Puppy in Breed ou Meilleur chiot de sa race.

BPIS : Best Puppy in Show ou Meilleur chiot de l'exposition.

BIS : Best in Show ou Meilleur de l'exposition.

RBIS : Reserve Best in Show ou 2ᵉ meilleur de l'exposition.

En haut

Le chien et son conducteur doivent être en forme pour participer aux compétitions d'agility.

À gauche

Les compétitions d'obéissance sont satisfaisantes lorsque l'on y participe et constituent un spectacle impressionnant.

En bas

Les chiens adorent l'entraînement d'agility et c'est une bonne occasion de développer leur collaboration avec leur maître.

DES COMPÉTITIONS MULTIPLES

SI VOUS AVEZ UN CHIEN, vous pouvez participer à nombre de compétitions. Pour certaines, il faut être aussi en forme que le chien ! Il existe également des expositions auxquelles peuvent participer des exposants handicapés.

Dans de nombreux pays, les enfants et les adolescents peuvent bien sûr participer aux expositions canines, comme les adultes. Pour les jeunes de 6 à 18 ans, des cours sont organisés pendant les expositions basés sur les capacités de présentation du chien plutôt que sur sa qualité. Répartis en deux catégories d'âge, les juniors peuvent bien s'amuser et relever un sérieux défi. Chaque année, ceux qui se sont qualifiés participent aux demi-finales et aux finales, le gagnant pouvant concourir contre les jeunes vainqueurs d'autres pays.

L'AGILITY

LES COMPÉTITIONS D'AGILITY SONT très amusantes, à la fois pour les chiens et les humains qui y participent et pour les spectateurs. Cette compétition, homologuée en France depuis 1988, est devenue très populaire ces dernières années mais les chiens et leurs propriétaires doivent tous deux être en forme. Les conducteurs courent avec leurs chiens qui doivent sauter au-dessus de haies, à travers des cerceaux, passer dans des tunnels, au-dessus de balançoires, etc. Ce sport se pratique bien entendu sans laisse ni collier. Des fautes sont comptabilisées pour toutes les erreurs, que ce soit une mauvaise route empruntée ou un chien sautant d'une table avant le départ. Chaque circuit est également chronométré. Même les petits chiens peuvent maintenant participer aux compétition de « mini-agility » ce qui revient à concourir avec une version réduite des obstacles.

L'entraînement aux épreuves d'agility est également très amusant : le chien et son maître adorent ça. La compétition à un niveau élevé est très difficile, mais avant d'en arriver là, on peut quand même bien s'amuser.

En haut
Les cours de « Junior Handling » permettent aux jeunes de 6 à 18 ans de participer à des expositions.

Ci-dessus
Ce terrier tibétain apprécie manifestement de participer aux compétitions d'agility.

À droite
Dérivant du dressage, le travail en musique, pratiqué en Grande-Bretagne et en Suisse, demande une grande concentration, à la fois de la part du chien et de son conducteur et une grande complicité entre eux.

LE FLYBALL

C'EST LE DERNIER-NÉ des sports canins. Les premières démonstrations eurent lieu dans les années 1960 dans les pays anglo-saxons. Le flyball fait appel à la capacité du chien de passer des obstacles et à son aptitude à rattraper une balle. Il permet au chien et à son maître de montrer leur complicité, de se dépenser et de concourir dans une compétition moins formelle que les expositions ou les championnats. Le chien effectue seul un parcours rectiligne comportant une série de haies qu'il doit sauter. Arrivé devant une boîte, il doit appuyer sur une pédale. Ce geste déclenche l'éjection d'une balle que le chien doit attraper au vol si possible et la rapporter à son maître en sautant à nouveau les haies. La taille du chien a peu d'importance et certains petits chiens se montrent très habiles. Peu pratiqué actuellement en France, il donne lieu dans certains pays à des concours en équipes.

ÉPREUVES D'OBÉISSANCE

IL EXISTE BEAUCOUP de compétitions d'obéissance de différents niveaux. Certaines expositions canines, en proposent ainsi que les cours d'entraînement aux expositions. Les chiens y sont dressés à marcher au pied en laisse et sans laisse avec muselière, à s'asseoir, à se coucher, à tenir un objet en gueule et à se déplacer sans le laisser tomber, et enfin à aller prendre un objet et à le rapporter. Le chien peut également être dressé à changer de position lorsqu'on le lui demande, y compris à distance avant qu'il ne soit rappelé au pied. Même si l'on n'a aucune intention d'aller très loin dans ce genre de compétition, des cours d'obéissance de base sont particulièrement utiles pour les propriétaires qui souhaitent avoir des animaux de compagnie bien dressés et non des chiens d'exposition.

ÉPREUVES DE DRESSAGE

LE CHIEN PEUT PARTICIPER à des compétitions de sauts en hauteur et en longueur et de grimpers de palissade. Le jeune chien commencera par sauter de petites haies naturelles, puis progressivement le chien apprendra à sauter de plus en plus haut. Certains chiens particulièrement performants peuvent sauter jusqu'à 1,40 m. En longueur, le chien peut après quelques mois d'entraînement sauter jusqu'à 4,50 m.

L'apprentissage du grimper ne doit être effectué que lorsque le chien a appris le saut en hauteur et en longueur.

ÉPREUVES DE TRAVAIL

CES ÉPREUVES permettent de confirmer à la fois les aptitudes naturelles des chiens et leur dressage.

Les concours de chiens de berger exigent des chiens une très grande obéissance. C'est un des concours les plus difficiles.

Les épreuves de field trial sont réservées aux chiens de chasse de race, qui dans un temps limité doivent démontrer leurs qualités de chasseur.

D'autres épreuves de travail sont réservées à des races spécifiques, comme les retriever, les chiens courants de petite vénerie, les terriers et les teckels.

En haut et ci-dessus
Le dressage à l'obéissance demande du temps et de la patience. Il peut être fait dans son propre intérêt ou pour dresser des chiens d'aveugle.

À gauche
Il existe un certain nombre d'outils et d'instruments aidant au dressage. Celui-ci est destiné à apprendre à rapporter.

Classifier les chiens

DEPUIS PLUSIEURS DÉCENNIES, on a vu apparaître différentes théories concernant les animaux dont le chien serait le plus proche descendant. Plusieurs auteurs respectés ont d'ailleurs changé d'avis à ce sujet au fil des ans. À présent, il semble y avoir des preuves irréfutables que notre ami canin descend directement du loup.

LE LOUP

COMME LES CHIENS, les loups sont de tailles très différentes. Le plus grand est le loup d'Amérique du Nord, venu d'Eurasie. Le loup gris européen, bien qu'il existe toujours en Europe centrale et orientale, dans la péninsule ibérique et en Scandinavie, a aujourd'hui été éliminé par l'homme dans la plus grande partie de l'Europe occidentale. Parmi les sous-espèces plus petites, on trouve le loup rouge qui est petit, léger et ne pèse qu'entre 15 et 30 kg. On considère que même cette espèce est en voie d'extinction à l'état sauvage. Son sang semble pourtant couler dans les veines d'autres animaux similaires qui existent encore, par exemple le coyote.

À droite
Certains pensent que le dingo descend du Phu Quoc d'Asie orientale.

Ci-dessous
Les chiens parias sont une race naturelle et non des bâtards, mais peu sont domestiqués ; ils forment des meutes et survivent principalement comme charognards.

En 1996, 672 chiens de 103 races prirent part à la Great North Dog Walk, grand événement canin en Grande Bretagne.

LE LOUP MEXICAIN

LE PETIT LOUP MEXICAIN existe toujours dans la région montagneuse du centre du Mexique et le loup asiatique ou arabe, probablement père de nombreux chiens asiatiques et européens, est toujours très répandu en Asie. Cet animal sociable aux grandes capacités d'adaptation habitait probablement dans les régions du monde où le chien est apparu.

AUTRES LOUPS

IL EXISTAIT D'AUTRES SOUS-ESPÈCES fascinantes de loups qui ont maintenant disparu. Le loup Kenai d'Alaska pesait environ 45 kg et était très proche du loup gris, tandis que le loup blanc de Terre-Neuve, également proche du loup gris, disparut malheureusement au début du XXe siècle, comme ce fut le cas du petit loup japonais.

La plus grande exposition de chiens se tint à Birmingham en 1991 : elle reçut 22 993 chiens.

LE COYOTE

LE COYOTE EST UN AUTRE canidé sauvage très proche du chien, moins sociable que le loup, bien qu'il vive en meute afin de défendre son territoire et sa nourriture. Peuplant à présent le Mexique et l'Alaska ainsi que la côte Pacifique du centre du Mexique à la Nouvelle-Angleterre, le coyote s'est déplacé à la fois vers le nord et l'est, tandis que la population de loups aux Etats-Unis était décimée par les humains.

Comme le chacal, le coyote est capable de se reproduire avec des loups et avec des chiens domestiques. Bien que, d'aspect, il ressemble au chien, ses habitudes sont plus éloignées de celles du chien domestique que ne le sont celles du loup.

LA FAMILLE DES RENARDS

DE PAR LE MONDE, on trouve beaucoup de chiens sauvages qui sont encore moins proches de nos compagnons canins que le loup, le coyote et le chacal. C'est le cas des animaux de la famille des renards, du loup à crinière, du dhole et du chien sauvage africain. Le pelage de ce dernier est décoré d'un motif inhabituel et il est réputé pour ses talents de chasseur.

LE DINGO

SELON CERTAINES THÉORIES, les dingos sont les descendants des chiens Phu Quoc d'Asie orientale, et ont été apportés en Australie par des marins. Bien que les hommes n'aient pas survécu, les animaux résistèrent. Beaucoup de dingos furent donc élevés par des familles aborigènes. Ils ont développé un goût immodéré pour tuer et chassent de petits marsupiaux, des moutons, des poulets et autres animaux du bétail domestique. Beaucoup pensent d'ailleurs que ce canidé cruel et peu apprécié est largement responsable de l'extinction du loup de Tasmanie.

Tandis que certains considèrent que le dingo est arrivé en Australie il y a 9 000 ans, une autre théorie affirme qu'il était autrefois domestiqué et qu'il est depuis devenu sauvage. Mais ceux qui ont essayé de le dresser maintiennent que cette théorie est impossible car il est extrêmement difficile à dresser. Néanmoins, il ne fait aucun doute que les relations entre le dingo et l'aborigène d'Australie ont toujours été très étroites, ce dont chacun d'entre eux a pu profiter.

On ne peut pas nier qu'il existe des gens capables de dresser des dingos et des loups et vivent avec eux sans rencontrer de problème majeur. Cela dit, il est très important que quiconque participent

à ce genre d'expérience soit conscient que, malgré leurs ressemblances avec les chiens, ces animaux ont des comportements très différents et que certains individus sont mieux disposés envers les humains que d'autres.

LES CHIENS PARIAS

Bien qu'ils ne soient pas considérés comme totalement sauvages, les chiens parias n'entrent dans aucune catégorie de cet ouvrage et méritent donc d'être mentionnés ici. Les parias, également appelés chiens Pi, se trouvent largement en Asie et en Afrique du Nord, vivant en meute, principalement comme charognards et restant strictement dans les frontières de leurs propres territoires ; ils constituent un groupe bien défini de race restée relativement pure. Tous les chiens errants du monde ne sont pas des parias, mais le vrai paria n'est certainement pas un simple bâtard comme beaucoup le prétendent. Certains ont pourtant été apprivoisés par l'homme et vivent plus étroitement dans la communauté humaine. Après deux ou trois générations, ils naissent apprivoisés.

Ci-dessus

Le dingo n'est pas très aimé par les fermiers car il tue leur bétail. Cependant, les aborigènes australiens ont souvent noué des relations étroites avec eux, chacun y trouvant son intérêt.

On pense maintenant que les dingos descendent des chiens Phu Quoc.

Pedigree et standards

POUR OBTENIR un pedigree, un chien doit présenter les critères constituant le standard de sa race. Il est ensuite inscrit définitivement dans le Livre d'origine française tenu par la Société centrale canine.

Ci-contre
Chaque race a son propre standard officiel, décidé par le club de race et approuvé par le corps exécutif.

Ci-dessous
Le basset hound provient d'Angleterre mais il est également très populaire aux Etats-Unis.

des races. Le chien issu de parents de pure race reçoit d'emblée un certificat de naissance. Il est ainsi inscrit, de manière provisoire, au Livre des origines françaises. Le LOF, créé par la SCC en 1885 est un registre qui recense les chiens de pure race sous forme d'arbre généalogique, permettant de connaître l'ascendance et la descendance de chaque chien.

Puis, pour obtenir son pedigree et être définitivement inscrit dans le Livre des origines françaises, le chien âgé de plus d'un an doit subir un examen appelé confirmation. Le plus souvent organisée lors de concours, la confirmation juge de la conformité d'un chien aux caractéristiques morphologiques et comportementales de sa race. Cette étape, propre à la cynologie française, témoigne de l'aptitude du chien a être, à son tour, reproducteur potentiel.

De plus, tous les chiens, qu'ils soient de race ou non, doivent posséder une carte de tatouage, délivrée par la SCC, qui leur permet d'être suivi tout au long de leur existence. Le fichier national canin centralise alors l'ensemble des chiens tatoués. Il représente une aide inestimable dans la protection animale.

LES AUTRES ORGANISATIONS
LA FÉDÉRATION cynologique internationale, basée à Thuin, en Belgique, a pour mission de promouvoir l'élevage et l'utilisation des chiens de race, de patronner et d'harmoniser les expositions internationales, de fournir les standards des races qu'elle reconnaît dans le monde et de veiller au bon niveau des juges. Elle a également adopté un règlement international de l'élevage visant à légaliser et à moraliser les pratiques dans les pays affiliés.

Parallèlement à la FCI, œuvrent trois organismes : le Kennel Club au Royaume-Uni, l'American Kennel Club aux États-Unis et le Canadian Kennel Club au Canada.

LA SOCIÉTÉ CENTRALE CANINE
LA SOCIÉTÉ CENTRALE CANINE, fondée en France en 1882, a pour mission de préserver et de garantir les spécificités des races.

Appuyée par les pouvoirs publics, elle informe et patronne les expositions, les manifestations et les concours canins.

Obtenir un pedigree implique un certain nombre de démarches exigées par la SCC, garantes de la pérennité

LES STANDARDS DE RACE
CHAQUE RACE possède un standard, établi par les commissions de la SCC et décrit dans un document officiel : le standard des races. Il mentionne l'origine de la race, les variétés

admises, l'apparence générale et les défauts éliminatoires. C'est sur ce standard que s'appuient les juges pour décider de la confirmation d'un chien.

Ce sont les clubs de races qui, en accord avec la SCC, établissent les orientations des standards et forment, en partie, les juges et les experts confirmateurs. Chaque club, qui ne s'occupe que d'une race, est seul habilité à modifier le contenu du standard.

Les efforts de ces instances doivent, bien entendu, aller de pair avec le sérieux et la qualité des différents élevages. Un chien de race, comme tout être vivant, a besoin d'un cadre et de soins adaptés à ses besoins lors de sa venue au monde.

Les différentes races sont réparties selon des groupes définis par la FCI. À noter que les organisations nationales qui ne sont pas affiliées à la FCI reconnaissent des groupes légèrement différents.

Pour quiconque souhaite acquérir un animal, choisir un chien de race se révèle souvent avantageux. Les sélections soigneusement effectuées par la SCC garantissent, dans une mesure non négligeable, l'apparence, le caractère et la santé du chien. Il est donc possible, pour le futur propriétaire, de planifier les besoins de l'animal en nourriture, espace et soins, et ce, bien qu'il existe de nombreuses différences entre chiens d'une même race. Pour les plus passionnés, l'obtention du pedigree ouvre également l'accès aux concours et aux expositions.

REPRODUCTION SÉLECTIVE

C'est dès le XIXᵉ siècle, avec l'essor de la cynophilie, que l'on voit s'intensifier la création de nouveaux types morphologiques à partir de races préexistantes. Les individus qui n'étaient, à l'origine, qu'une variété, forment

donc une race à part entière, bénéficiant ainsi d'un enrichissement génétique. L'intérêt porté au croisement va grandissant depuis ces dernières années. En cinquante ans, la Fédération cynologique internationale a ainsi vu tripler le nombre des races officiellement reconnues. Ce phénomène peut notamment s'expliquer par un engouement accru pour l'espèce canine ainsi que par une définition de plus en plus précise des besoins de chacun. Les modes de vie changent, les disciplines se diversifient. Ainsi, de nombreuses nouvelles races sont en passe d'être reconnues, comme le kiy leo, lhassa apso croisé avec un bichon.

Ci-dessus

Il existe trois variétés de teckels : le teckel standard, le teckel nain et le teckel de chasse au lapin.

En haut à gauche

Ce chien, croisement entre un mastiff et un mâtin napolitain ne correspond à aucun standard de race.

Au centre à gauche

Un lhassa apso a été croisé avec un caniche pour créer une jolie race, en passe d'être reconnue.

Chiens bâtards et corniauds

IL EXISTE DEUX TYPES de chiens qui ne sont pas issus de croisements entre individus de pure race : le chien bâtard et le corniaud. Le premier est le produit d'un accouplement entre deux chiens de races différentes ou d'un chien de race et d'un autre d'origine indéterminée. Le second a une provenance impossible à connaître. Les chiens bâtards et les corniauds représentent 60 % de la population canine française.

À droite
Certains pays organisent des concours de déguisement ou de doggy-dance, qui consiste à faire danser son chien en musique.

CHOISIR UN CHIOT

LORSQUE VOUS CHOISISSEZ un chiot bâtard ou corniaud, l'un des principaux problèmes est que vous ne savez pas vraiment à quoi vous attendre une fois qu'il sera adulte. Un petite boule de poil deviendra peut-être un animal très fort, plus gros que prévu et qui ne conviendra peut-être pas à votre mode de vie. Fiez-vous donc à la taille de ses pattes : les gros chiens ont généralement des pattes plus grandes lorsqu'ils sont jeunes.

Si vous ne connaissez pas son ascendance, il est également difficile d'évaluer son tempérament. Si vous connaissez ses parents, cela peut constituer un indicateur de son tempérament. Mais n'oubliez pas que des caractéristiques, bonnes ou mauvaises, peuvent sauter plusieurs générations.

LES CHIENS DE REFUGE

SI VOUS CHOISISSEZ d'adopter un chien, qu'il soit bâtard, corniaud ou de pure race, trouvé à la SPA ou dans une association du même genre, vous vous exposez à un certain risque et à pas mal d'anxiété. Toutes les associations qui s'occupent des chiens abandonnés ou perdus essaient d'en savoir le plus possible sur leur passé

Un pelage dense recouvrant le ventre des chiots laisse présager un pelage épais une fois adulte.

et sur les circonstances qui les ont amenés chez eux, mais ce n'est pas toujours possible. De plus, les propriétaires qui souhaitent se séparer de leur animal ne sont pas toujours honnêtes sur leurs motivations. Bien sûr, cela s'applique aussi aux chiens à pedigree à la recherche d'un nouveau foyer. C'est pourquoi il est important d'en savoir le plus possible sur l'environnement dans lequel l'animal a vécu. Bien que les nouveaux propriétaires souhaitent souvent prendre contact avec l'ancien maître du chien, sachez que, dans la plupart des cas, la règle est de ne jamais donner d'adresse.

la transmission des caractères
aux génération suivantes. Quelques
tentatives sont toutefois couronnées
de succès.

L'exemple le plus réussi est peut-être
celui du terrier Jack Russel. Ce pasteur
anglais du XIXᵉ siècle réussit à développer
une race à partir d'anciens terriers à poil
dur pour obtenir un chien capable
de chasser le renard, le lapin ou le sanglier.
C'est la popularité de ce terrier qui
l'a conduit à être reconnu
par la FCI en 1990. Au fil
du temps, le terrier Jack Russel
s'est subdivisé en deux
variétés, l'une de grande ou
moyenne taille, l'autre de plus
petite taille. Cette seconde
variété est désormais reconnue
en tant que race à part entière
par la FCI sous le nom
de terrier révérend Russel.

Le lurcher, quant à lui, est
encore en passe d'être reconnu
bien qu'il jouisse d'une extrême
popularité en Grande-Bretagne. Croisé entre chiens
de type colley et lévrier, il présente des aptitudes très
appréciées des chasseurs. Il en va de même en France
pour l'épagneul de Saint-Usuge, race très ancienne
dont un standard existait déjà en 1936.

C'est ainsi que la frontière entre chien bâtard et
chien de race se révèle parfois subtile, surtout lorsqu'il
s'agit de critères internationaux, la FCI et le Kennel
Club, par exemple, ne reconnaissant pas toujours
les mêmes races.

Entre bâtards, corniauds et chiens de race,
subsiste toutefois un point commun, celui
de mériter attention, soins et amour.

Les chiens traitaient
souvent les
malades en les léchant ;
en cas de guérison, le
malade faisait des
offrandes au chien.

CONCOURIR
SANS PEDIGREE
BIEN QU'ILS NE PUISSENT
concourir dans la plupart des
compétitions, les chiens bâtards
peuvent pratiquer l'agility avec
leur maître. Certains pays, comme
l'Angleterre, organisent des
concours de déguisement ou de
doggy-dance, qui consiste à faire
danser son chien en musique.
Une multitudes d'autres activités
sont laissées à l'imagination
de chaque pays.

DU BÂTARD
AU CHIEN DE RACE
PARMI LA MULTITUDE des particularités
que peuvent combiner les chiens bâtards
et les corniauds, apparaissent souvent des qualités
physiques, des aptitudes ou des caractères
remarquables. C'est ainsi que naît parfois
la volonté de pérenniser ces distinctions par
le biais de la reproduction. Cette diversité
génétique est toutefois extrêmement difficile
à contrôler car il est impossible de garantir

En haut
*Le terrier du révérend
Jack Russel est issu
de croisements avec
d'anciennes races de
terriers. Il est maintenant
reconnu par la FCI et
par la SCC.*

En haut, à gauche
*Le lurcher provient
d'un croisement, mais,
puisque les résultats ne
sont pas standardisés,
il n'est pas reconnu
comme race officielle.*

À gauche
*Un bâtard peut être
tout aussi attachant
qu'un chien
à pedigree.*

Les anciennes races de chiens

LORSQU'ON CHERCHE DANS les archives de la race canine, on y trouve beaucoup de races qui n'existent plus, bien que le sang de ces chiens disparus coule certainement dans les veines de beaucoup de nos compagnons canins actuels.

FAIRE REVIVRE DES RACES

IL ARRIVE QUE DES races que l'on pensait éteintes, ou sur le point de l'être, soient ressuscitées par des personnes qui œuvrent pour leur survie. Cela implique toujours l'introduction d'autres races sélectionnées dans un programme soigneusement planifié et cela peut prendre des générations avant que les éleveurs aient l'impression d'avoir atteint leur objectif. Dans certains cas, ces efforts à long terme se sont révélés payants, dans d'autres moins, et la race qui en a résulté n'était pas le reflet absolument fidèle de l'original.

À droite
Ce jeune chiot alco a peut-être été utilisé comme chien d'agrément.

Ci-dessous
Le chien à lièvre indien vivait en Amérique du Nord et chassait à vue comme un lévrier de course.

The Hare-Indian Dog. (Youatt.)

LE CHIEN ALCO

LE CHIEN ALCO FUT pendant longtemps connu uniquement grâce à un dessin qui le baptisait du nom de Michua Canens. Histoire de compliquer un peu plus les choses, il s'appelait également Yzicinte potzotli.

Considéré par certains comme une race de chiens de berger, il avait une petite tête, un petit cou et un corps assez massif. Il était généralement de couleur blanche et jaune, mais dans son *Histoire naturelle*, Buffon le décrit plutôt comme blanc et noir, avec des pépins. C'était certainement un chien de compagnie plutôt préféré des femmes. On disait également qu'il retournait parfois à l'état sauvage.

Un spécimen fut importé du Mexique en Grande-Bretagne. À sa mort, il fut empaillé et exposé dans un salon de curiosités mexicaines à Londres. Bien qu'il fut considéré comme « sauvage » à son arrivée en Angleterre, beaucoup le considéraient comme un chiot terre-neuve, même si la relation entre ces deux races n'est pas très évidente... Selon Buffon, ce chien était petit avec une assez grosse tête, un occiput allongé, un museau bien développé, des oreilles pendantes et un poil doux sur tout le corps. Il était de couleur entièrement blanche, à l'exception d'une grande tache noire qui lui recouvrait chaque oreille, une partie de son front et de sa joue, avec une marque fauve au-dessus de chaque œil et une autre marque noire sur la croupe ; la queue était assez longue, bien en bannière et blanche.

LES CHIENS DES INDIENS

LES INDIENS D'AMÉRIQUE vivaient en étroite relation avec leurs chiens qui montaient la garde, les protégeaient et pouvaient également leur servir de nourriture.

On a pu recenser le chien voyageur des Indiens, également connu sous le nom de techici du Mexique, animal allongé, à l'air massif et doté de « la gueule, la queue et des couleurs du terrier ». Son poil était plus doux que la plupart des terriers, court sans être laineux. Ses oreilles étaient écourtées et ses pattes étaient raisonnablement courtes par rapport à la longueur de son corps, mais pas arquées.

En Amérique du Nord, existait également le chien des Indiens d'Amérique du Nord. Classée dans la catégorie des chiens de garde, c'était une race indigène qui était probablement plus

sauvage que vraiment domestiquée. Ces chiens étaient décrits comme étant de la taille d'un épagneul, de sang non mélangé, et hostiles à l'homme blanc. Leur tête formait un triangle équilatéral partant de la truffe jusqu'au bout des oreilles. La couleur de leur robe ressemblait à celle du loup. Ce chien avait un aspect féroce, mais on disait qu'il ne hurlait ou n'aboyait jamais.

Le chien à lièvre indien, quant à lui, habitait aux États-Unis, dans les régions du fleuve Mackenzie et des Grands Lacs. Il y chassait à vue l'orignal et le renne, parfois aidé de son odorat. Sa forme laisse à penser qu'il aurait été aujourd'hui inclus dans le groupe des chiens de berger. Mais sa tête et la longueur de son museau effilé incita les premières autorités canines à le placer dans la section des chiens domestiques chassant à vue et tuant leurs proies pour l'homme.

De plus, la largeur de son poitrail, ses flancs un peu relevés et ses membres musclés faisaient de lui un chien rapide. Bien qu'il soit de constitution légère et pas vraiment destiné à attraper un animal de grande taille, la longueur de ses doigts et la largeur de ses palmures lui permettaient de courir dans la neige sans s'y enfoncer. Capable de vaincre facilement sa proie, il aboyait jusqu'à l'arrivée des chasseurs. Son pelage était blanc avec des taches grises ou marron et ses oreilles dressées étaient larges à leur base et pointues à leur extrémité, lui conférant un air vif et intelligent. Le chien représenté ici était l'un des trois spécimens du Zoological Gardens, à Londres. Malheureusement, le manque d'exercice causa leur perte. Dans leur pays natal, ces chiens avaient bon caractère et étaient faciles à gérer. Ils avaient beaucoup de valeur pour les Indiens qui vivaient presque entièrement du produit de leur chasse.

En haut
Le chien voyageur des Indiens avait des pattes courtes et une gueule de terrier.

Ci-dessous
Toujours en partie sauvage, le chien des Indiens a peut-être été utilisé comme chien de garde.

177

poil très fourni, laineux, dense et fin, ressemblant à de la fourrure et qui, tissé, servait à la confection de vêtements. On pensait au XIX⁰ siècle que cette race aurait été particulièrement utile si elle avait été introduite chez les paysans norvégiens ou écossais.

LES RACES AYANT SURVÉCU

IL EXISTE également des races très anciennes qui, du fait d'un isolement géographique, ont survécu jusqu'à nos jours sans modification génétique flagrante. L'exemple le plus frappant est celui du basenji.

Ci-contre
Les chiens courants sont utilisés depuis très longtemps pour chasser le daim et le sanglier.

Ci-dessous
Le talbot semble avoir été le résultat d'un croisement entre le old-northern et le old-southern hound.

LE CHIEN ASIATIQUE NOOTKA

EN ALLANT PLUS AU NORD, au début du XIX⁰ siècle, on trouve des références au chien asiatique nootka qui semble avoir été un ancêtre du husky sibérien et du terre-neuve. Le nootka était un grand chien docile doté d'oreilles pointues et dressées. Il pouvait être blanc, marron et noir. Cette race était surtout impressionnante par son

Cette race est l'une des plus anciennes du monde. Son berceau se situe sur le continent africain, au Congo, et les autochtones en faisaient souvent présent aux pharaons dont il était devenu le fidèle compagnon. Toutefois, le basenji, que l'on connaissait grâce aux statues mortuaires retrouvées dans les tombes des pharaons, était estimé disparu. Ce n'est qu'au début du siècle que l'on découvrit qu'il avait survécu, intact, à l'épreuve du temps. Très propre, il se toilette comme un chat et ne dégage aucune odeur. Il fut importé en Angleterre en 1930 puis en France en 1966. Son club de race, créé en 1991, connaît un succès grandissant.

LES CHIENS COURANTS

LE TALBOT, race anglaise aujourd'hui disparue, prend place dans le patrimoine britannique grâce aux enseignes des pubs anglais sur lesquelles il figure. Ce chien ressemblait beaucoup au saint-hubert et ne différait que légèrement de ce que l'on appelait alors les old-southern et old-northern hounds. Tous avaient un aboiement sonore et étaient de grande taille. On retrouve également le talbot sur les armoiries de plusieurs familles nobles anglaises et allemandes.

Le chien courant grec est d'origine grecque très ancienne. Rapportés d'Égypte par les Phéniciens, cette race, qui s'est peu répandue en dehors de la Grèce, est quasiment éteinte aujourd'hui. Sa robe est de couleur noire et feu et ses poils sont denses, ras et un peu durs. Ce chien de chasse savait traquer tous les gibiers seul ou en petite meute.

De même pour le chien courant serbe qui, selon la légende, a également été introduit en Europe par les Phéniciens vers 1000 avant J.-C. En passe de disparaître, ce chien possède une robe rousse et noire au poil court, touffu et luisant.

LE TURNSPIT

EN 1861, LE PETIT TURNSPIT, un chien très travailleur, était considéré comme presque éteint. Les turnspit étaient tous un peu différents et ne constituaient pas réellement une race dans le vrai sens du terme. Tous avaient des pattes courtes et un corps relativement long. Ils étaient dressés pour entrer dans les roues qui faisaient tourner les broches dans les cuisines. En général, leurs pattes étaient tordues, leurs oreilles pendantes et leur queue bouclée. Ces chiens travaillaient généralement par deux. Le Pays de Galles et l'Allemagne furent les derniers pays où on en vit.

LES CHIENS TRUFFIERS

UN CHIEN TRUFFIER arriva, semble-t-il, en Grande-Bretagne au milieu du XVIIᵉ siècle, amené par un Espagnol qui avait fait fortune dans son pays natal en vendant les truffes que son chien trouvait. Les fermiers utilisaient habituellement des cochons pour sentir les truffes, mais le chien truffier avait un odorat très développé. Il ne fut jamais officiellement reconnu en Angleterre, mais fut légitimé en France et en Scandinavie sous le nom de truffier. Il fut exposé aux Botanical Gardens de Londres.

Les truffes sont des champignons qui se trouvent juste sous la surface du sol et un bon chien peut en trouver au moins 45 kg par semaine. Les chiens truffiers ressemblaient quelque peu aux caniches et pesaient entre 7 et 11,5 kg. Leur gueule était noire et ils avaient des marques sur la lèvre inférieure. Ils étaient surtout blancs ou noirs ou

combinaient ces deux couleurs. Si les chiens noirs travaillaient la nuit, on leur faisait porter du blanc afin de les repérer.

En France, les chiens truffiers sont toujours très utilisés et parmi les races employées pour ce travail, on peut citer le chien d'eau romagnol, l'un des plus anciens chiens truffiers d'origine italienne.

À gauche
Le southern hound était de couleur pie et avait un excellent odorat.

Ci-dessous
L'étrange petit turnspit est malheureusement aujourd'hui éteint.

En bas
Le chien truffier arriva d'Espagne au milieu du XVIIᵉ siècle.

Bien sûr, beaucoup d'autres écrivains célèbres ont traité ce sujet et beaucoup d'œuvres ont été publiées au XIXᵉ siècle (la plupart d'entre elles l'ont été ultérieurement). Afin de donner au lecteur une indication la plus claire possible des opinions en cours dans la première moitié de ce siècle, les classifications suivantes sont extraites de *Naturalist's Library*, de W. H. Lizars, publié en 1840. Les dessins originaux sont également présentés.

LES ÉPAGNEULS

PEU DE CHOSES ont été dites sur le king Charles spaniel, si ce n'est que c'était une belle race. Il était généralement noir et blanc et on suppose qu'il était parent avec le cocker, qui était un peu plus court que le king Charles spaniel.

LES CHIENS DU XIXᵉ SIÈCLE

AU DÉBUT DU XIXᵉ SIÈCLE, plusieurs décennies avant la formation de la Société centrale canine, beaucoup de chiens furent regroupés en races. Dans certains cas, les noms étaient très obscurs et il n'a pas toujours été possible de trouver ne serait-ce qu'un dessin illustrant la description écrite. Heureusement, l'*Histoire naturelle* de Buffon, publié à la fin du XIXᵉ siècle, donne un excellent aperçu des races de l'époque. Beaucoup d'entre elles nous sont encore familières aujourd'hui, mais certaines se sont développées et ont été divisées en plusieurs races différentes. D'autres ne ressemblent plus que vaguement aux races que nous connaissons aujourd'hui.

Les classifications de l'époque, beaucoup moins complexes qu'aujourd'hui, regroupaient des races qui sont devenues bien distinctes avec le temps. Ainsi, le chien courant, le braque et le basset ne représentaient qu'une seule et même race. Pour Buffon, le chien de berger constituait la souche première. Importée dans les différentes régions du monde, elle aurait subi des modifications génétiques en fonction des conditions climatiques et environnementales. Buffon a également introduit la notion de « chien métis », puis « double » et « triple métis » en fonction de leur degré de croisement avec le chien de berger.

LES SETTERS ET LES CHIENS D'EAU

LE SETTER ÉTAIT REMARQUABLE pour son pelage long et soyeux. On le considérait généralement comme le descendant d'une race d'épagneuls de grande taille provenant de la péninsule ibérique. On disait que la tête de ce chien révélait un développement remarquable de son cerveau. L'intelligence du setter, son affection et sa docilité étaient inégalées. Les setter étaient vendus en Irlande à un prix élevé. Parmi les couleurs les plus anciennes, on trouvait des robes noisette foncée et blanches, ou rousses. En Angleterre, les setters étaient essentiellement blancs, avec des marques soit noires, soit marron.

Le springer, tel qu'il était décrit en 1840, était assez différent de la race que nous connaissons sous ce nom aujourd'hui. Décrit comme plus petit que le setter, il était « de forme élégante et d'aspect joyeux ». Malgré l'illustration qui montre un poil essentiellement roux, ce chien était généralement blanc avec des taches rousses et un nez et un palais noirs.

En haut
Les foxhounds étaient classifiés comme race canine distincte en 1840.

En bas
Les springers anglais étaient des chiens de chasse et de gibier très répandus.

Ci-contre

Le setter était considéré comme un épagneul de grande taille ; ces chiens avaient la réputation d'être de bons chiens de gibier et étaient vendus à des prix très élevés.

Ci-dessous

Considérés comme de très beaux chiens, les king Charles spaniel avaient déjà des marques blanches et noires dans les années 1840.

À cette époque, le chien d'eau était aussi appelé « barbet du Continent » et parfois « caniche ». Le setter était décrit comme ayant un développement cérébral remarquable pour un chien, mais le chien d'eau était réputé pour avoir un cerveau plus développé que tout autre canidé. Cette race était intelligente et attachée à son maître. Elle était célèbre pour sa persévérance lorsqu'il s'agissait de retrouver des objets perdus. On racontait l'histoire de ce chien dont le propriétaire avait fait tomber une pièce en or. Le chien insista tellement pour chercher la pièce qu'il refusa toute nourriture jusqu'à ce qu'il l'eut retrouvée.

Les pattes du chien d'eau ou du caniche étaient courtes et son poil long et bouclé était noir, blanc ou parfois fauve. Il mesurait entre 46 et 51 cm. Apparemment, cette race existait en Allemagne, en France, en Espagne et aux Pays-Bas. Il semble qu'un chien d'eau « au poil plus grossier et rêche » ait été très répandu chez les classes moyennes britanniques. On le trouvait également chez les pêcheurs et les chasseurs professionnels de gibier d'eau. Il vivait parfois à Londres et dans les environs, mais il était surtout utilisé à la campagne, pour la chasse.

THE SPRINGER.

POODLE   BULL DOG

LES CHIENS-LOUPS

LE CHIEN DU SAINT-BERNARD

était classé comme chien-loup, tout comme les chiens esquimaux, les terre-neuve et les chiens de berger. Le saint-bernard, dont la population était peu nombreuse, avait une tête et des oreilles identiques à celles de l'épagneul d'eau. Il était surtout blanc, avec des taches noires ou fauves, mais certains avaient des marques grises, marron et noires ; ces chiens avaient le poils ras et court. On pensait qu'ils descendaient soit du mâtin français, soit du chien danois.

Les chiens du Saint-Bernard étaient dressés pour rechercher les voyageurs égarés auxquels ils apportaient des paniers de nourriture et du vin. On raconte l'histoire de ce chien prénommé Bass que le facteur local mettait à contribution pour transporter le sac de courrier de maison en maison. Un jour, le postier tomba malade, un autre le remplaça et n'autorisa pas Bass à s'occuper du sac car il ne connaissait pas la relation de travail qui liait son collègue à ce chien. L'histoire raconte

À droite

Le caniche avait de courtes pattes et était également connu sous le nom de chien d'eau ; les bouledogues étaient de taille moyenne et étaient remarqués pour leur force.

Ci-dessous

Le chien du Saint-Bernard ne ressemblait pas beaucoup à la race actuelle ; son poil était plus court et plus blanc.

qu'apparemment, le chien mit l'une de ses grandes pattes sur chaque épaule du postier qui tomba sur le dos. S'emparant tranquillement du sac, Bass continua son chemin, le sac dans la gueule pour faire sa tournée.

Le terre-neuve était une autre race puissante de grande taille. Il était considéré comme un beau chien et était alors relativement courant en Grande-Bretagne. On dit qu'il avait été partiellement croisé avec d'autres chiens et qu'il différait donc quelque peu de la race indigène d'Amérique. Généralement, le terre-neuve était blanc, taché de noir et certains étaient immenses. En 1840, on pensait que le cheptel original était plus petit.

De nombreuses anecdotes illustrent les capacités du terre neuve à se déplacer dans l'eau et il est célèbre pour ses prouesses aquatiques. Cette disposition de la race facilita son dressage lorsque le chien était utilisé sur le terrain. On estimait que dans les années 1830, il y avait au moins 2 000 chiens à Terre-Neuve.

Ils étaient largement laissés à eux-mêmes pendant la saison de pêche, après quoi, ils étaient surtout utilisés pour transporter du bois, du poisson et d'autres marchandises sur de longues distances. Un bon chien était tout à fait capable de seconder son maître pendant les mois d'hiver.

Au début du XIXᵉ siècle, plusieurs chiens esquimaux arrivèrent en Angleterre, ramenés par une expédition arctique. Beaucoup d'entre eux étaient noirs et blancs ou blancs ternes, bien que ceux trouvés sur la côte du Labrador étaient souvent marron et blancs. L'illustration montre ici un chien dont le maître habitait à Edimbourg. On raconte que cet animal fit preuve d'une extrême fidélité à son maître lorsque ce dernier glissa dans un ravin. Le chien l'attrapa aussitôt par son manteau et l'aida à remonter. Cette race de chien esquimau ressemblait au renard par sa ruse : le chien répandait sa viande autour de lui et faisait croire aux rats qu'il dormait. Alors qu'ils s'approchaient de la viande, le chien leur sautait dessus et réussissait toujours à les attraper.

En ce qui concerne son intelligence, le chien de berger n'était pas considéré comme inférieur au terre-neuve mais, au contraire, comme plutôt supérieur à cette race car il se soumettait plus volontiers aux longues séances de dressage. En Écosse, son poil était de couleurs plus mélangées que celles des chiens en Angleterre, mais dans ces deux pays, il était assez long et dur. Le chien de berger atteignait rarement 61 cm de haut, mais il était musclé et avait un nez long et relativement pointu.

lutter avec un lion en cage. De taille moyenne, le bouledogue tel qu'il était au XIXᵉ siècle était fort et souple. Avec leur mâchoire inférieure recouvrant leur mâchoire supérieure et

LES BOULEDOGUES

L'OUVRAGE *Naturalist's library* rapporte une description peu flatteuse des bouledogues datant des Romains : « Avec leurs lèvres horribles et pendantes, ils ressemblent à des monstres. » L'auteur, en 1840, note que l'animal décrit ici était d'une race assez petite mais capable de

leurs yeux souvent rougeâtres, les animaux de cette race présentait un aspect féroce. On avait même vu un jour un bouledogue réussir à mettre à terre un bison, même si le résultat du combat avait finalement tourné à la défaveur du chien…

À gauche

Le terre-neuve original, une race puissante, était noir et non blanc, au contraire de son équivalent européen.

Ci-dessous, à gauche

Les chiens d'esquimaux furent introduits en Angleterre par une expédition arctique au début du XIXᵉ siècle.

LES LÉVRIERS

MÊME EN 1840, le greyhound était une race bien connue, mais elle faisait l'objet de peu d'écrits. On disait seulement que ce chien était « sans rival dans la nature pour sa vitesse, sa beauté, son intelligence, et sa docilité ». Que de compliments !

Le lévrier écossais que l'on nomme aussi deerhound était considéré comme ayant des capacités intellectuelles

En haut
Chien courant très rapide, au caractère doux, le greyhound était le chien préféré des chasseurs.

À droite
Le skye terrierr était de couleur pâle et parfois même blanc.

plus élevées que le barzoï, en partie parce qu'il avait été croisé avec un staghound. Le lévrier irlandais était au départ identique au lévrier écossais. Selon certains, jusqu'à ce que les Danois arrivent sur les côtes irlandaises, il n'existait pas en Irlande sous cette forme. Étrangement, aucune race de ce type n'était connue en Scandinavie.

La première couleur de ce chien était beige ou ocre pâle. On pense que l'ancienne race, proche du lévrier écossais, avait été croisée avec le chien danois ce qui a accru sa stature. En 1840, aucun spécimen de lévrier irlandais n'était identique en structure ou en couleur. Le mastiff, le staghound ou le chien de saint-hubert ont peut-être été croisés avec les premiers lévriers. Ces chiens étaient très nombreux en Europe occidentale et le déclin des loups en Irlande est dû, en partie, au travail de cette race.

LES TERRIERS

CONSIDÉRÉ COMME indigène de Grande-Bretagne, aucun chien ne portait sa tête aussi haut et aussi fièrement que le terrier. Il exprimait ainsi son énergie et sa vitalité. Il existait deux variétés de ce chien, même si on ne sait pas si leur apparition est accidentelle ou due à un acte volontaire.

La première variété était à poil doux, ronde et plutôt élégante, généralement noire avec des taches feu au-dessus des yeux, sur le ventre et les autres extrémités. Parfois, ces terriers étaient également blancs. Leur museau était pointu, leurs yeux brillants et vivants, leurs oreilles pointues ou généralement retournées, tandis que la queue était portée haut et plutôt recourbée.

La deuxième variété considérée comme « plus originale », était généralement appelée « terrier écossais » ou « à poil dur ». On leur donnait également parfois le nom de « terriers de l'île de Skye ». Leur museau était plus court et plus développé, leurs membres plus forts et leur poil plus dur et dense. Le terrier écossais était de couleur sable clair ou ocre, parfois blanche.

Les pattes de ces deux variétés n'étaient en aucun cas arquées, comme celles des turnspit, et leur dos n'étaient pas aussi longs. En Allemagne, un terrier de grande taille à poil dur était utilisé pour lever les bêtes les plus féroces de la forêt. Ces chiens étaient très audacieux et lançaient des clameurs bruyantes lorsqu'ils atteignaient leur objectif. Ils étaient généralement de couleur gris-marron, comme les loups, avec un peu de blanc autour du cou et du poitrail et une queue bien panachée, recourbée.

En Angleterre, des terriers avaient été croisés avec des chiens de berger ou de troupeau. Parmi ces derniers, il y avait surtout les bull-terriers, ainsi appelés à cause de leur ascendance. Ils étaient décrits de manière peu flatteuse comme « la race la plus sauvage et la plus déterminée ». Ils étaient généralement utilisés dans les combats de chiens.

LES DALMATIENS ET LES BOARHOUNDS

LA RAISON DE LA PRÉSENCE du dalmatien dans cette section consacrée aux chiens courants est due à la structure générale de cette race. Bien qu'il ait été considéré comme un très beau chien en aucun cas

inférieur aux vraies races de chiens courants, malgré
son élégance et la beauté de ses marques, il manquait
néanmoins d'odorat et n'avait pas la sagacité
des autres chiens courants. Il était donc confiné
aux étables où il tenait compagnie aux chevaux.
À part un dessin de ce chien en 1840, la *Naturalist's
library* montrait également un chien qui venait
d'Inde, décrit comme doté « d'oreilles petites
et à moitié rabattues et ressemblant à un lévrier ».
On pense que la race connue en Grande-Bretagne
dans les années 1840 descendait peut-être
de ce chien.

MASTIFF OF THIBIT.

comme chiens de régiment. L'un d'eux fut
présenté au roi de Naples et on racontait
que c'était le plus grand chien du monde :
122 cm au garrot ! Ces chiens étaient
apparemment un peu plus petits que les poneys
Shetland. Leur tête ressemblait à celle du grand
chien danois (appelé maintenant dogue
allemand).

Ci-dessus
*Les terriers étaient
traditionnellement utilisés
comme ratiers.*

À gauche
*Les dogues du Tibet
arrivèrent en Europe dans
les années 1840.*

Ci-contre
*Les german boarhounds
étaient considérés comme
les plus gros chiens
du monde lorsqu'on les vit
pour la première fois
en Europe.*

Ci-dessous
*Un terrier écossais traque
un blaireau.*

Le chien suliot, connu aussi
sous le nom de german
boarhound (« boarhound »
étant probablement
la déformation du mot
allemand « baerhund »),
était l'une des plus grandes
races connues dans les années
1840, et on pense qu'il
remonte probablement
au molosse antique. Il était
féroce, grossier d'aspect
et au pelage rude. Ses oreilles
étaient écourtées et sa queue
était toujours rêche avec
les poils en désordre.
Ces chiens étaient de couleur fauve, avec
du marron ou du noir sur le dos, les épaules
et autour des oreilles, bien que ces couleurs
ne correspondent pas du tout à celles qui
apparaissent sur les illustrations.
Pendant les guerres entre l'Autriche
et la Turquie, des soldats musulmans utilisèrent
beaucoup de ces chiens pour garder
leurs avant-postes et beaucoup furent capturés
au cours de la campagne et gardés par
des officiers, voire adoptés par l'armée impériale

Les chiens populaires en Grande-
Bretagne au début du XIXᵉ siècle étaient
manifestement très variés
et même à cette époque,
il y avait des chiens
pour tous les goûts,
comme
aujourd'hui.

Les chiens les plus populaires

LA SOCIÉTÉ CENTRALE CANINE reconnaît plus de 300 races, élevées en France. Répartie selon des groupes nettement définis, chacune d'entre elles possède son histoire propre et ses particulariés.

LES RACES RECONNUES

DEPUIS SA CRÉATION à la fin du XIXe siècle, la Société centrale canine a progressivement reconnu plus de 300 races. Certaines sont donc très anciennes et tombent parfois en désuétude, comme le bouvier des Ardennes qui a quasiment disparu en France. D'autres sont plus récentes et connaissent un engouement

Ci-dessus
Un braque
allemand à poil
court sur
le terrain.

Ci-dessus
et à droite
Un griffon
bruxellois
et un élégant
lévrier
afghan.

qui peut être spectaculaire. L'american staffordshire terrier en est un bon exemple puisque, introduite au Livre des orgines française en 1987 seulement, la race est désormais très populaire en France. Il existe également des races de plus en plus répandues qui sont en passe d'être reconnues par la SCC.

LA CLASSIFICATION

CES RACES sont bien entendu réparties selon un mode de classification bien précis, adopté par les quatre-vingts pays affiliés à la Fédération cynologique internationale. Il existe ainsi dix groupes, correspondant chacun à un type morphologique précis : le premier comprend les chiens de berger et les bouviers ; le deuxième, les chiens de type pinscher, schnauzer, molossoïdes et bouviers suisses; le troisième comporte tous les terriers et le quatrième, les teckels ; le cinquième regroupe les chiens de type spitz et primitif ; le sixième, les chiens courants ; le septième, les chiens d'arrêt ; le huitième, les chiens rapporteurs de gibier et les chiens d'eau ; le neuvième les chiens de compagnie et le dixième, enfin, les lévriers et les races apparentées.

En haut
Le chien à crête
dorsale de Rhodésie
était initialement
utilisé pour la chasse
au lion.

Ci-dessus
Le chien de montagne
des Pyrénées a un
pelage blanc.

À gauche
Principal chien de
chasse en Allemagne,
le rottweiler est très
populaire dans
le monde entier.

Il est à noter que cette classification n'est pas adoptée par les institutions qui ne sont pas affiliées à la FCI. Le Kennel Club, par exemple, compte seulement six groupes de race.

LES RACES ET LEUR UTILISATION

AU QUOTIDIEN, toutefois, ce n'est pas le type morphologique du chien qui importe réellement, mais bien l'utilisation que l'on peut en faire.

Ainsi, dans le dixième groupe, on trouvera le lévrier irlandais, bon chien de chasse, et le petit lévrier italien, qui fera plutôt un excellent chien de compagnie. De même, le cinquième groupe comprend le malamute de l'Alaska, chien de travail hors pair, et le chien finnois de Laponie, utilisé comme chien de berger.

Dans cette première partie, seront donc présentées les races de chien les plus communes, classées en fonction de leur utilisation.

Les chiens de chasse

BIEN QUE LES CHIENS aient été depuis longtemps utilisés pour la chasse, c'est la mutation de cette activité en véritable sport qui a entraîné le développement de races spécifiques. Il s'agit de localiser le gibier avant qu'il ne s'enfuie et, une fois trouvé et abattu, de le ramasser et de le rapporter.

Ci-dessus
Ce cocker américain rapporte à son maître un oiseau qui fait quasiment la même taille que lui.

À droite
Le clumber est un chien massif à qui l'on préfère souvent des chiens de chasse plus rapides.

Ci-dessous
Le braque allemand à poil court est un chien vif et athlétique, très apprécié par les chasseurs.

LOCALISER LE GIBIER

TOUTES LES RACES regroupées ici ont été développées pour aider le chasseur. Certaines peuvent tout faire, tandis que d'autres se sont vu attribuer des tâches spécifiques à réaliser sur le terrain. Certains chiens localisent le gibier, d'autres le lèvent afin que le chasseur puisse le tirer. Enfin, d'autres le rapportent.

Ce sont principalement les pointers et les setters qui localisent le gibier. Ils travaillent devant les chasseurs, indiquant son emplacement exact. Les pointers se tiennent de manière rigide, en prenant souvent leur célèbre pose : l'arrêt, patte levée à mi-hauteur et queue tendue bien droite. Les setters ont tendance à se coucher lorsqu'ils trouvent du gibier. Les épagneuls déplacent les proies, soit en levant les oiseaux, soit en forçant le gibier à courir, mais ils ne font jamais sortir la cible de la portée des fusils.

En général, ce sont les chiens les plus grands et les plus forts qui rapportent le gibier une fois qu'il a été tué. Ces chiens ont un excellent odorat et sont capables de localiser le gibier tué. Ils regardent les oiseaux tomber et vont les ramasser seuls. Ils peuvent se frayer un chemin rapidement sur un terrain difficile et dans les buissons.

Certains sont capables de réaliser toutes les tâches, et d'autres sont spécialisés, comme le chien d'eau irlandais qui a été développé tout spécialement pour être utilisé dans les lacs et les estuaires. Pour cela, son poil a évolué afin de le protéger de l'eau et du froid. Les propriétaires de chiens d'arrêt sont généralement très fiers de leurs animaux. Ces races ont été dressées pendant des années pour obéir aux commandes. Ce sont aussi de merveilleux compagnons.

La vue d'un setter irlandais au travail, son poil roux baigné de soleil, est certainement l'une des plus plaisantes lors d'une partie de chasse. Et que dire de la pose élégante du pointer au travail ! Le poil, sa couleur, sa longueur, sa texture et le soin qu'il nécessite varient considérablement, mais tous les chiens d'arrêt savent maîtriser leurs mâchoires et leur tempérament est des plus fiables. Aucun chien de

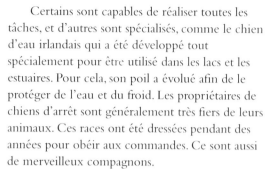

ce groupe n'est exceptionnellement grand, et aucun n'est petit. Le cocker américain et le cocker classique sont en bas de l'échelle des tailles. Certains chiens sont bien bâtis et travaillent plus lentement, tandis que d'autres sont souples et capables d'aller vite. Chaque chien répertorié ici a sa méthode de travail propre. Aujourd'hui, beaucoup d'entre eux sont utilisés pour les expositions. Un grand nombre de ces chiens est également utilisé comme animal de compagnie. De toutes les races de chiens de chasse, c'est le retriever du Labrador qui est le plus répandu, avec des effectifs qui excèdent largement la première race la plus populaire, le caniche.

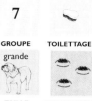

7	
GROUPE	**TOILETTAGE**
grande	
TAILLE	**ALIMENTATION**

EN BREF

NOM	Braque italien
AUTRE NOM	Bracco italiano
CLASSIFICATION	FCI : groupe 7
COULEURS DE ROBE	Blanc, blanc avec des taches orange, ambre ou marron, tacheté ou moucheté

Braque italien

TAILLE : 56 à 67 cm

l'ancien mastiff asiatique et le chien courant italien, ou remonter au chien de saint-hubert. Sa lignée descend des chiens courants et des chiens d'arrêt car il existait une pratique consistant à croiser ces deux types de races afin de produire un chien plus résistant, capable d'arrêter.

Le braque italien est puissant, musclé et allongé. Sa tête est longue, anguleuse, avec une protubérance occipitale prononcée. Ses yeux ovales intelligents sont ambre. D'allure crâne, il est docile, avec un poil fin, serré, court et luisant. Son poids varie de 25 à 40 kg.

À LA MODE DANS l'Italie de la Renaissance, utilisé pour poursuivre, arrêter et rapporter, le braque italien vient du Piémont et de Lombardie. Il peut résulter d'un croisement entre

Le braque italien est un beau chien arrivé en Grande-Bretagne à la fin du XIIe siècle. Il est très peu présent en France.

7	
GROUPE	**TOILETTAGE**
moyenne	
TAILLE	**ALIMENTATION**

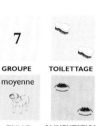

EN BREF

NOM	Épagneul breton
AUTRE NOM	Brittany, brittany spaniel
CLASSIFICATION	FCI : groupe 7

Épagneul breton

TAILLE : 47 à 50 cm

MONTRÉ POUR LA PREMIÈRE FOIS à l'exposition de Paris en 1900, l'épagneul breton existait déjà en Europe depuis plusieurs siècles. C'est une race qui chasse, arrête et rapporte. Bien qu'il soit relativement léger, il est tout à fait capable de transporter un lièvre ou un faisan. C'est un excellent coureur et il est également à l'aise dans l'eau. Bien qu'il soit classé comme épagneul, il travaille comme un setter ou un pointer. Ses ancêtres

venaient probablement d'Espagne. Très travailleur, il est compact, plein d'énergie, intelligent, affectueux et toujours prêt à faire plaisir. Ses yeux marron ou marron foncé sont en harmonie avec sa robe qui peut être rouannée (poils colorés mélangés de blanc), blanche et orange, blanche et marron ; blanche et noire ou tricolore (blanche, noire et feu). Sa taille idéale se situe entre 47 et 50 cm et son poids idéal entre 15 et 18 kg. C'est l'une des races les plus répandues en France.

Cette race est issue d'un croisement d'abord accidentel. L'élevage a ensuite été pratiqué volontairement au XIXe siècle.

À gauche
L'épagneul breton serait le chien français le plus répandu au monde. Il est, par exemple, l'un des premiers chiens d'arrêt aux États-Unis.

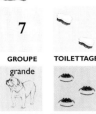

7

GROUPE — grande

TOILETTAGE

TAILLE — ALIMENTATION

Setter anglais

TAILLE : 61 à 68 cm

EN BREF	
NOM	Setter anglais
CLASSIFICATION	FCI : groupe 7
COULEURS DE ROBE	Noir et blanc, orange et blanc, citron et blanc, marron et blanc ou tricolore : noir, blanc et feu ou marron

Les setters anglais furent importés en France en 1879. Avec l'épagneul breton, il est le plus connu et le plus utilisé des chiens d'arrêt.

À droite
Le setter anglais est facile à dresser et réagit rapidement sur le terrain.

C'EST LE PLUS ANCIEN des chiens d'arrêt anglais et bien que son histoire remonte à presque 500 ans, les exemplaires modernes de cette race furent très influencés par Edward Laverack qui acheta deux setters anglais purs en 1825 et commença son programme de reproduction. Un peu plus tard au XIXᵉ siècle, son cheptel fut croisé avec un cheptel de setters de chasse.

Mesurant entre 61 et 68 cm et pesant entre 25 et 30 kg, le setter anglais a une ligne pure. Il est élégant à la fois dans son apparence et dans son mouvement. Très actif et avec un fort sens du gibier, ce chien est très amical et a très bon caractère. Sa robe longue et soyeuse peut présenter plusieurs combinaisons intéressantes de couleur : noir et blanc (blue belton), orange et

blanc (orange belton), citron et blanc (lemon belton), marron et blanc (liver belton), ou tricolore, c'est-à-dire noir, blanc et feu ou marron.

7

GROUPE — grande

TOILETTAGE

TAILLE — ALIMENTATION

Chien d'arrêt allemand à poil long

TAILLE : 60 à 66 cm

EN BREF	
NOM	Chien d'arrêt allemand à poil long
CLASSIFICATION	FCI : groupe 7
COULEURS DE ROBE	Marron, marron et blanc, marron et rouan, couleurs voisines du rouan

Le standard de race original fut défini en Allemagne en 1879 et réactualisé en 1902.

LE CHIEN D'ARRÊT ALLEMAND à poil long a été développé au XIXᵉ siècle pour produire un chien courant à poil long avec une plus grande diversité 'aptitudes. Les races utilisées dans sa composition étaient des chiens courants espagnols, des setters irlandais et écossais, de petits terre-neuve et des épagneuls français. C'est essentiellement un chien de travail, qui peut chasser toute la journée, mais il fait aussi un bon compagnon et un bon chien de garde. Obéissant, il s'adapte facilement à toutes les situations.

Ce chien fort et musclé mesure entre 60 et 66 cm de haut et pèse environ 30 kg. Son museau et son crâne lui donnent une apparence aristocratique et sont de longueur égale. Ses yeux sont du marron le plus foncé possible. Son poil est léger, doux ou légèrement ondulé avec un bon sous-poil et des pattes frangées. Il est de couleur marron, de différentes nuances de rouan, ou marron avec du blanc ou du rouan. Malgré ses nombreuses qualités, il reste peu répandu en France et en Allemagne.

En bref

NOM	Braque allemand à poil court
AUTRE NOM	Deutscher kurzhaariger vorstehhund
CLASSIFICATION	FCI : groupe 7

Braque allemand à poil court

TAILLE : 53 à 64 cm

7
GROUPE

TOILETTAGE

grande

TAILLE

ALIMENTATION

LES ORIGINES DE CETTE RACE remonteraient au chien courant espagnol. Ce chien de plume qui arrête, rapporte, poursuit et est également un chien de compagnie a été développé au XVIIᵉ siècle par des chasseurs allemands. Ces derniers croisèrent des chiens de saint-hubert, des foxhounds et plus tard des pointers anglais.

Ce chien à la ligne gracieuse est noble, calme, rapide, puissant et endurant. Son odorat est efficace et est couplé à une grande persévérance dans la recherche. Il sait faire preuve d'initiative pour trouver le gibier. Excellent sur le terrain et bon travailleur, ce chien loyal et docile mesure entre 53 et 64 cm et pèse entre 27 et 32 kg. Sa robe présente des combinaisons variées de marron, blanc et noir, avec des marques et des mouchetures. Son poil est court, plat et rêche au toucher.

En France, le Club de race a été créé en 1958. C'est le chien d'arrêt le plus utilisé au monde.

À gauche
Le braque allemand à poil court est aussi bon sur terre que dans l'eau. Il est aussi gentil, affectueux et de caractère égal.

En bref

NOM	Braque allemand à poil dur
AUTRE NOM	Deutscher drahthaariger vorstehhund
CLASSIFICATION	FCI : groupe 7
COULEURS DE ROBE	Marron et blanc, noir et blanc

Braque allemand à poil dur

TAILLE : 62 à 66 cm

7
GROUPE

TOILETTAGE

grande

TAILLE

ALIMENTATION

LE BRAQUE ALLEMAND à poil dur est un chien extrêmement polyvalent, qualité qu'il tient de ses nombreux ancêtres, tels que le braque allemand à poil court, le caniche, le griffon d'arrêt et l'airedale terrier. Son poil de couverture est épais mais n'excède pas 3,8 cm. Son sous-poil est dense. Bien que le poil ne doive pas cacher la forme du corps, il doit être suffisamment long pour donner une bonne protection car ce chien excelle à la fois sur le terrain et dans l'eau.

Il mesure entre 62 et 66 cm et entre 56 et 62 cm pour les femelles. Il pèse entre 28 et 35 kg. Le braque allemand à poil dur est un chien stylé aux lignes énergiques. Il est intelligent, capable et plein de noblesse. Il est courageux et sans crainte. C'est un chien gentil au caractère égal. Il faut toutefois lui donner une éducation ferme car il peut parfois se montrer obstiné.

Grâce à ses aptitudes, le braque allemand à poil dur est rapidement devenu, en Allemagne, le plus confirmé des chiens de chasse.

À gauche
Reconnu comme race en 1870, le braque allemand à poil dur est un travailleur courageux et un bon chien de compagnie.

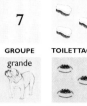

7

GROUPE — TOILETTAGE

grande

TAILLE — ALIMENTATION

Setter gordon

TAILLE : 62 à 66 cm

○○○○○○○○○○○○○○○○○○○○○○○○○○○

EN BREF

NOM	Setter gordon
CLASSIFICATION	FCI : groupe 7
COULEURS DE ROBE	Noir de charbon avec des marques feu

I l existait des setters noir et feu depuis longtemps, mais le setter gordon que nous connaissons aujourd'hui s'est développé au XVIIᵉ siècle.

Ci-contre
Le setter gordon était
autrefois appelé
« épagneul noir et feu ».
Il date de 1726.

É LEVÉ À Gordon Castle en Écosse, le setter gordon fut le premier chien d'arrêt écossais officiellement reconnu. Parmi ses ancêtres, on trouve le chien de saint-hubert, le colley et d'autres setters, peut-être même l'épagneul. C'est le plus lourd et le plus lent des setters, mais il est conçu pour travailler toute la journée. Les premières importations en France ont été effectuées dès 1860. En 1923, l'association Réunion des amateurs du Setter Gordon fut créée. Il est moins répandu que les autres setters.

Cette race pleine d'allant et stylée est de caractère égal. C'est un chien intelligent, empreint de noblesse. Symétrique de conformation, il est construit pour le galop et adore vivre à la campagne. Sa robe brillante est noir charbon, sans trace de rouille, mais avec des marques feu d'un rouge châtain vif ; elle sèche lentement, vu sa longueur et son poids. Il mesure entre 62 et 66 cm et pèse entre 25,5 et 29,5 kg.

7

GROUPE — TOILETTAGE

grande

TAILLE — ALIMENTATION

Braque hongrois à poil court

TAILLE : 53 à 64 cm

○○○○○○○○○○○○○○○○○○○○○○○○○○○

EN BREF

NOM	Braque hongrois à poil court
AUTRE NOM	Hungarian vizsla
CLASSIFICATION	FCI : groupe 7
COULEURS DE ROBE	Or roux

A près l'occupation soviétique en 1945, beaucoup de Hongrois s'enfuirent en Autriche en emmenant leurs chiens.

L E BRAQUE HONGROIS À POIL COURT EST le chien national des chasseurs hongrois. Le premier chien identifié comme vizsla est mentionné dans un manuscrit hongrois du XIVᵉ siècle. Cette race a pratiquement disparu entre les deux guerres mondiales mais a survécu grâce à quelques supporters dévoués.

Race d'apparence distinguée et de construction plutôt légère, le braque hongrois se déplace gracieusement, à une allure de trot rapide et à un galop soutenu. Robuste et léger, il mesure entre 53 et 64 cm et pèse entre 20 et 30 kg. C'est un chien vivant, intelligent, obéissant, sensible, très affectueux et facile à dresser. Il a été élevé pour chasser la plume et le poil, arrêtant et rapportant à la fois sur terre et dans l'eau. Sa robe éclatante, de couleur or roux est courte, droite, dense, rêche et plus soyeuse sur les oreilles. Bien que de petites taches blanches soient acceptables sur le poitrail et sur les pieds, elles ne sont pas souhaitables.

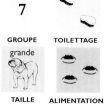

EN BREF

NOM	Braque hongrois à poil dur
AUTRE NOM	Hungarian wire-haired vizsla
CLASSIFICATION	FCI : groupe 7
COULEURS DE ROBE	Fauve

Braque hongrois à poil dur

TAILLE : 57 à 66 cm

GROUPE 7

TOILETTAGE

TAILLE grande

ALIMENTATION

LE BRAQUE HONGROIS à poil dur diffère de l'autre braque hongrois principalement par son poil et le fait que son poids n'est pas spécifié dans le standard de race. L'important est que ce chien ait une bonne ossature, sans perdre son élégance. Sa taille est également entre 53 et 64 cm. De couleur fauve, le braque hongrois à poil dur ne sera pas pénalisé par la présence de petites marques blanches sur le poitrail et sur

les pieds. Les poil sont assez ternes, ceux de la tête courts et rêches, mais plus longs sur le museau, formant une barbe. Les sourcils sont marqués et le poil des oreilles est long et fin, avec du poil court et rêche sur les membres avant. C'est un chien gentil, affectueux, sans peur et doté d'un instinct de protection. Il sera heureux au sein d'une famille. Toutefois, les braques hongrois à poil dur sont très rares en France.

Le braque hongrois à poil dur est à l'aise sur les terrains difficiles, les fourrés et les marais. Il a un excellent nez.

À gauche
Le braque hongrois à poil dur remonte aux années 1930.

EN BREF

NOM	Setter irlandais rouge et blanc
AUTRE NOM	Irish red and white setter
CLASSIFICATION	FCI : groupe 7
COULEURS DE ROBE	Blanc perle avec des plages nettes de couleur rouge

Setter irlandais rouge et blanc

TAILLE : 57 à 66 cm

GROUPE 7

TOILETTAGE

TAILLE grande

ALIMENTATION

DES DEUX RACES DE setter irlandais, le rouge et blanc est la plus ancienne. D'anciennes photos des setters montrent qu'ils étaient presque tous blancs. Certains pensent que deux races de setters irlandais ont toujours coexisté et que

le rouge était plus populaire dans le Nord de l'Irlande. À quelques exceptions près, les deux races étaient montrées ensemble lors des premières expositions canines en Irlande. Plusieurs spécimens de la race vivaient dans des chenils importants aux XVIIe et XVIIIe siècles, entre autres celui de Lord Rossmore qui donna son nom à ce chien.

Athlétique plutôt que racé, le setter rouge et blanc est fort et puissant. Aucune instruction de taille et de poids n'est donné dans le standard de race, bien qu'en Irlande, il mesure entre 57 et 66 cm et pèse entre 27 et 32 kg. Ce chien joyeux, au bon caractère, est affectueux, docile, très intelligent. C'est un bon travailleur, qui devient de plus en plus populaire, à juste titre. Sa robe à la texture fine est bien frangée.

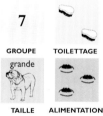

Vers la fin du XIXe siècle, le setter rouge et blanc devint si rare qu'on crut que la race était éteinte.

À gauche
Dans les années 1920, on s'efforça de redonner vie au setter irlandais rouge et blanc. Actuellement, on peut en voir un bon nombre dans les expositions canines.

193

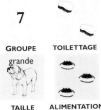

7

GROUPE TOILETTAGE

grande

TAILLE ALIMENTATION

Setter irlandais

TAILLE : 59 à 70 cm

EN BREF

NOM	Setter irlandais
AUTRE NOM	Irish setter, irish red setter
CLASSIFICATION	FCI : groupe 7
COULEURS DE ROBE	Acajou doré

Créé en 1906, le Club du Setter irlandais (Red Club) veille aux destinés de la race en France.

C'EST LE PLUS CÉLÈBRE des chiens irlandais. On pense qu'il descend des épagneuls importés de France utilisés pour la chasse au filet. Sa couleur rouge caractéristique est le résultat d'une reproduction soigneusement planifiée.

Racé, équilibré et plein de qualités, le setter irlandais est spectaculaire avec sa robe de longueur modérée et de couleur acajou doré. Ce chien est extrêmement actif et est inlassablement prêt à chasser dans n'importe quelle condition. Affectueux et démonstratif, le setter irlandais aime s'amuser et gambader. Un bon dressage et beaucoup d'exercice sont essentiels. Aucune indication de poids ou de taille n'est donnée dans le standard de race français, mais en Irlande, la taille est de 59 à 70 cm, tandis que le poids doit osciller entre 29 et 39 kg.

7

GROUPE
grande

TOILETTAGE

TAILLE ALIMENTATION

EN BREF	
NOM	Spinone
AUTRE NOM	Chien d'arrêt italien à poil dur
CLASSIFICATION	FCI : groupe 7
COULEURS DE ROBE	Blanc, blanc et orange, blanc et marron

Spinone

TAILLE : 59 à 70 cm

POUR CERTAINS, ce chien serait d'origine italienne. Pour d'autres, il viendrait de la Bresse et serait arrivé dans le Piémont, au nord de l'Italie. Ce chien d'arrêt est un travailleur courageux, qui chasse, arrête et rapporte. Il est remarqué pour son bon odorat et une maîtrise irréprochable de la préhension du gibier. Le spinone travaille bien dans les marais ou les forêts et est facile à dresser. Il est carré et son ossature est forte. Le spinone est intrépide et infatigable. C'est un chien courageux qui sait s'adapter à tous les terrains, y compris à l'eau. Il est de tempérament fidèle, intelligent, patient et affectueux ce qu'exprime son expression gentille et honnête. Son poil dur, épais, légèrement raide mesure entre 3,8 et 6 cm d'épaisseur et il est plus long et plus dur sur les sourcils.

Sa gamme de couleurs inclut le blanc, l'orange et le marron, souvent avec un aspect truité et des moucheters. Il mesure entre 59 et 70 cm et pèse entre 29 et 39 kg.

Spinone signifie épine en italien, ce qui signifie qu'il ne craint pas les fourrés. Les effectifs sont très faibles en France.

8

GROUPE
moyenne

TOILETTAGE

TAILLE ALIMENTATION

EN BREF	
NOM	Petit chien hollandais de chasse au gibier d'eau
AUTRE NOM	Kooikerhondje
CLASSIFICATION	FCI : groupe 8
COULEURS DE ROBE	Blanc avec des plages orange à rouge

Petit chien hollandais de chasse au gibier d'eau

TAILLE : 35 à 40 cm

CE CHIEN vient des Pays-Bas. Son poil de couleur rouge à orange sur fond blanc attirait les canards dans des pièges. Mais ces chiens n'étaient pas exclusivement utilisés comme leurres. La race déclina, mais fut sauvée de l'oubli presque total dans les années 1940.

Ce chien porte haut sa tête. Sa queue bien frangée au panache blanc est portée soit horizontalement, soit légèrement baissée. Le petit chien hollandais de chasse au gibier d'eau est amical, de bon caractère et alerte. Ce chien est à la fois polyvalent et adaptable, ce qui en fait un bon animal de compagnie. Il aime généralement l'eau et est un excellent nageur. Il mesure entre 35 et 40 cm de haut et pèse généralement entre 9 et 11 kg. Le poil de longueur moyenne est ondulé ou raide et une liste blanche sur la tête est souhaitable.

On pense que seuls 25 petits chiens de chasse hollandais ont survécu à la deuxième guerre mondiale. Le patrimoine génétique de cette race est donc réduit.

À gauche
Le petit chien de chasse hollandais adore l'eau. C'est un excellent nageur.

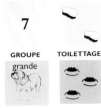

7

GROUPE   TOILETTAGE

grande

TAILLE   ALIMENTATION

Grand épagneul de Münster

TAILLE : 56 à 67 cm

EN BREF

NOM	Grand épagneul de Münster
AUTRE NOM	Münsterländer
CLASSIFICATION	FCI : groupe 7
COULEURS DE ROBE	Blanc et noir

Il existe une variété plus petite de l'épagneul de Münster qui mesure entre 50 et 56 cm.

À droite

Facile à dresser et travaillant dur, le grand épagneul de Münster fait un très bon chien d'arrêt et un compagnon obéissant.

BIEN QUE LES ANCÊTRES de l'épagneul de Münster soient aussi anciens que ceux des autres chiens d'arrêt allemands, c'est une race de chasse assez jeune. Les vingt-trois chiens blancs et noirs exposés à la première exposition organisée par le club de Münster en 1921 sont les ancêtres du chien actuel.

Ce chien d'arrêt polyvalent est alerte et énergique, avec un corps fort et musclé. Il est idéal pour le tireur vif. Son odorat est excellent et son calme en fait un chien travaillant aussi bien sur terre que dans l'eau. C'est un bon travailleur, facile à dresser. Son poil long et dense n'est ni bouclé, ni rêche. Il est doux sur la tête. Cette dernière est complètement noire avec une liste blanche. Une étoile est autorisée. Le corps est blanc ou rouan bleu avec des tâches noires, moucheté ou une combinaison de tout cela. Il mesure entre 58 et 65 cm et pèse entre 25 et 29 kg.

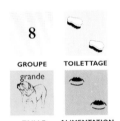

8

GROUPE   TOILETTAGE

grande

TAILLE   ALIMENTATION

Retriever de la Nouvelle-Écosse

TAILLE : 45 à 51 cm

EN BREF

NOM	Retriever de la Nouvelle-Écosse
AUTRE NOM	Nova scottia duck tolling retriever
CLASSIFICATION	FCI : groupe 8
COULEURS DE ROBE	Rouge, orange

Le retriever a été sélectionné pendant des générations pour accroître sa facilité au dressage et son intelligence.

À droite

Le retriever de la Nouvelle-Écosse est très rare en France.

NATIF DU Canada, le retriever de la Nouvelle-Écosse est une race gentille, confiante et intelligente. Il gambade et s'amuse en utilisant sa queue pour tromper le gibier d'eau qui se trouve à portée de fusil. Une fois le gibier tué, il le rapporte et, s'il est dans l'eau, il est aidé par ses pieds très palmés. Sa taille est moyenne (45-51 cm) et il pèse entre 17 et 23 kg.

C'est un chien compact, puissant et bien musclé qui est facile à dresser. Ses yeux de taille moyenne, en amande, de couleur marron à ambre ont une expression alerte. Le poil double est raide, imperméable, n'est pas difficile à brosser et peut présenter toutes les nuances de rouge ou d'orange avec des franges plus claires sous la queue. Le bout de la queue est parfois marqué de blanc, les pieds, le poitrail également, avec si possible, une liste blanche sur la tête.

○○○○○○○○○○○○○○○○○○○○○○○○○○○

EN BREF

NOM	Pointer
AUTRE NOM	Pointer anglais, english pointer
CLASSIFICATION	FCI : groupe 7
COULEURS DE ROBE	Plusieurs combinaisons possibles

Pointer

TAILLE : 61 à 69 cm

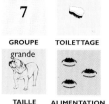

7	
GROUPE	TOILETTAGE
grande	
TAILLE	ALIMENTATION

ON PENSE que ce chien, probablement espagnol à l'origine, est devenu anglais au cours des deux ou trois derniers siècles. Le chien d'arrêt espagnol a probablement été croisé avec un français et plus tard, un foxhound. Ce croisement a ainsi amélioré à la fois sa résistance et sa conformation. La race est arrivée en Grande-Bretagne autour de 1650 et était utilisée avec des lévriers pour des courses au lièvre : le pointer trouvait le lièvre et le lévrier le chassait. Harmonieux et bien bâti, la forme générale du pointer est une série de courbes gracieuses. C'est un chien aristocratique, vif qui donne une apparence de force et de souplesse. D'un bon caractère et de disposition égale, c'est un excellent chien d'arrêt, utilisé pour chercher le gibier en avant des fusils. Son poil fin, court et dur est parfaitement lisse, raide, lustré. Sa robe peut revêtir plusieurs couleurs. Il mesure entre 61 et 69 cm et pèse entre 20 et 30 kg.

Les pointers portent haut leur tête lorsqu'ils sentent l'air et bas pour indiquer une proie.

À gauche
Le pointer était autrefois souvent utilisé pour la course au lièvre.

○○○○○○○○○○○○○○○○○○○○○○○○○

EN BREF

NOM	Retriever de la baie de Chesapeake
CLASSIFICATION	FCI : groupe 8
COULEURS DE ROBE	Herbe morte, jonc, marron

Retriever de la baie de Chesapeake

TAILLE : 53,3 à 66 cm

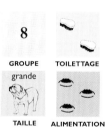

8	
GROUPE	TOILETTAGE
grande	
TAILLE	ALIMENTATION

EN 1807, UN BATEAU ANGLAIS s'échoua sur les côtes du Maryland. Deux chiots de type terre-neuve étaient nés à bord et leurs descendants furent croisés avec des retrievers à poil plat et à poil bouclé et des chiens à loutre. En 1885, cette race avait évolué et était utilisée pour rapporter des canards sauvages.

Travailleur actif, aux pieds bien palmés, son poil caractéristique est épais et assez court, avec un poil de couverture huileux et un sous-poil dense, fin et laineux. La texture du poil du Chesapeake joue un rôle important, ce chien étant employé à la chasse dans toutes sortes de conditions atmosphériques défavorables. Sa robe est de couleur herbe morte (paille à fougère), jonc (rouge doré) ou n'importe quelle nuance de marron. Il mesure entre 53,3 et 66 cm et pèse entre 25 et 34 kg. Le retriever de la baie de Chesapeake est d'apparence forte et musclée. Son intelligence et son caractère joyeux couplés à son indépendance et à son courage en font un bon compagnon et un bon gardien.

Le premier standard du retriever de la baie de Chesapeake fut rédigé en 1918. Malgré l'ancienneté de cette race, elle reste rare.

À gauche
Le retriever de la baie de Chesapeake fait un excellent chien familial.

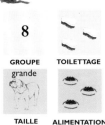

8

GROUPE
grande

TOILETTAGE

TAILLE

ALIMENTATION

Retriever
à poil bouclé

TAILLE : 53,3 à 66 cm

EN BREF

NOM	Retriever à poil bouclé
CLASSIFICATION	FCI : groupe 8
COULEURS DE ROBE	Noir, marron

En 1889, des retrievers à poil bouclé furent exportés en Nouvelle-Zélande pour y chasser les oiseaux.

LE PLUS ANCIEN DES RETRIEVERS anglais ; il serait issu d'un croisement entre le chien d'eau irlandais, le caniche et le retriever du Labrador et peut-être d'autres retrievers et pointers. Montré pour la première fois à Birmingham lors de l'exposition de 1860, la race connut son apogée comme chien de chasse à la fin du XIXᵉ siècle. Le Club de la race a été fondé en 1896 et un standard a été établi en 1913. Depuis, cette race a beaucoup décliné et ses effectifs sont presque partout très réduits.

Ce chien fort, bien campé et élégant, est doté d'un pelage caractéristique noir ou marron. Il présente une masse épaisse de poils courts, serrés et frisés à petites boucles. Le retriever à poil bouclé peut sembler réservé, mais il est courageux, amical, sûr de lui et indépendant. C'est un chien intelligent, équilibré et digne de confiance. Il a besoin de beaucoup d'exercice, mesure entre 53,3 et 66 cm et pèse entre 32 et 36 kg. Il peut marquer la chute du gibier et se souvenir de son emplacement. Il est excellent pour rapporter des canards blessés cachés dans les joncs ou dans l'eau.

À droite
Le retriever à poil bouclé est un beau chien avec une masse épaisse de poils bouclés sur tout le corps.

8

GROUPE
grande

TOILETTAGE

TAILLE

ALIMENTATION

Retriever
à poil plat

TAILLE : 56,5 à 61,5 cm

EN BREF

NOM	Retriever à poil plat
CLASSIFICATION	FCI : groupe 8
COULEURS DE ROBE	Noir, marron

Le retriever à poil plat a servi pendant la Première Guerre mondiale. Cette race a été reconnue par la FCI en 1935.

CETTE RACE EST probablement issu d'un croisement entre le terre-neuve et le retriever du Labrador, avec du sang de setter irlandais et gordon. Comme le retriever à poil bouclé, la race fut également montrée pour la première fois en 1860. Généralement utilisé par les gardes-chasses, ce travailleur infatigable et nageur naturel était utilisé comme chien de travail sur les grands terrains de chasse.

Avec sa longue tête, bien formée, son crâne plat, ses yeux intelligents marron foncé ou noisette, ce chien est intelligent et actif. Il mesure entre 56,5 et 61,5 cm et son poids doit si possible se situer entre 25 et 36 kg. Ses petites oreilles sont bien fixées, près de la tête et le poil est dense, d'une texture moyennement fine et aussi plate que possible. Il est également doué au plus haut point de l'instinct de la chasse, de gaieté et de gentillesse que démontre le battement enthousiaste de la queue.

○ ○

EN BREF

NOM	Retriever golden
CLASSIFICATION	FCI : groupe 8
COULEURS DE ROBE	Doré, crème

Retriever golden

TAILLE : 51 à 61 cm

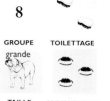

8

GROUPE   TOILETTAGE

grande

TAILLE   ALIMENTATION

AU XIXe SIÈCLE, un retriever jaune à poil ondulé fut croisé avec un chien d'eau et de cette union naquirent quatre chiots jaunes, considérés comme les ancêtres de tous les retrievers golden. Ce fut Lord Tweedmouth qui les introduisit comme race. Utilisé pour rapporter du gibier, ce chien est également capable de s'adapter à plusieurs rôles différents, y compris chien guide d'aveugle, de recherche de drogues et d'explosifs.

Son poil plat ou ondulé est bien frangé avec un sous-poil imperméable et dense. Sa couleur est de toutes les nuances d'or ou de crème, mais ni rouge, ni acajou. Cette race puissante et active mesure entre 51 et 61 cm et pèse entre 27 et 36 kg. Le retriever golden est à la fois docile et intelligent et présente un réel talent de travail. Ce chien gentil, amical et confiant est l'une des races les plus populaires dans le monde.

Initialement connu sous le nom de « retriever jaune à poil plat », ce chien prit le nom de retriever golden en 1920.

À gauche

Quasiment inconnu en France au début des années 1980, le retriever golden est maintenant un chien de compagnie de plus en plus répandu.

8

GROUPE | TOILETTAGE

grande

TAILLE | ALIMENTATION

Retriever du Labrador

TAILLE : 54 à 57 cm

EN BREF

NOM — Retriever du Labrador
CLASSIFICATION — FCI : groupe 8
COULEURS DE ROBE — Noir, jaune, marron et chocolat

Le retriever a été introduit en France dès 1896 et le Retriever Club de France fondé en 1911. C'est le plus répandu des retrievers.

À droite
Le retriever du Labrador n'est pas seulement acharné et très bon travailleur : c'est aussi un compagnon obéissant et affectueux.

ORIGINAIRE DE TERRE-NEUVE et de la côte du Greenland, le retriever du Labrador était utilisé par les pêcheurs pour tirer les filets de pêche sur la rive. Excellent chien d'eau, il est utilisé pour la chasse et la recherche de drogue ou d'explosifs. C'est également un très bon chien guide d'aveugle. Son poil est court, dense, dur au toucher et son sous-poil est imperméable.

Sa robe peut être noire, jaune, marron ou chocolat. Sa queue ressemblant à celle d'une loutre est l'une de ses autres caractéristiques.

Épaisse à la base, elle s'effile vers l'extrémité. Ce chien fortement charpenté, au corps court et large, doit idéalement mesurer entre 54 et 57 cm et peser entre 25 et 34 kg. Il lui faut de l'exercice régulier et une nourriture bien dosée pour l'empêcher de prendre trop de poids. Le retriever du Labrador a bon caractère et est très agile. Son adaptabilité, son dévouement et son intelligence en font un excellent compagnon, gentil et fiable, toujours désireux de bien faire.

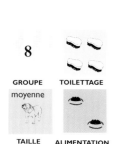

8

GROUPE | TOILETTAGE

moyenne

TAILLE | ALIMENTATION

Cocker américain

TAILLE : 33,75 à 38,75 cm

EN BREF

NOM — Cocker américain
AUTRE NOM — Épagneul cocker américain
CLASSIFICATION — FCI : groupe 8
COULEURS DE ROBE — Plusieurs combinaisons possibles

Ce chien fut introduit aux États-Unis en 1882 où les éleveurs voulaient obtenir un chien de compagnie de petite taille à robe superbe.

À droite
Le poil du cocker américain a besoin d'une attention constante pour rester en bon état.

AUX ÉTATS-UNIS, le cocker anglais s'est développé en variétés différentes. Le cocker américain est plus petit, son arrière-train est plus court et sa tête est différente. Sa robe est plus longue. La différence croissante entre ces deux races a entraîné leur séparation dans les années 1940.

Le standard de la race décrit ce chien comme ayant un aspect robuste. La tête, aux lignes pures, est finement ciselée. Il est puissant, ses pattes sont fortement charpentées. C'est un chien compact et solide. Son poil soyeux ne doit pas être trop abondant et ne pas masquer les lignes du chien ni être gênant. Malgré cela, les chiens montrés dans les expositions ont beaucoup de poils qui nécessitent une grande attention. Plusieurs couleurs sont décrites dans le standard et sa taille idéale est comprise entre 33,75 et 38,75 cm. Son poids est compris entre 24 et 28 kg.

EN BREF

NOM	Clumber
CLASSIFICATION	FCI : groupe 8
COULEURS DE ROBE	Blanc avec des marques citron, marques oranges autorisées

Clumber

TAILLE : 48 à 51 cm

8

GROUPE moyenne

TOILETTAGE

TAILLE   ALIMENTATION

CE CHIEN EST PLUTÔT DIFFÉRENT des autres épagneuls et son histoire est assez peu claire. Il est probable qu'il est originaire d'Europe et qu'il a été obtenu par croisement d'une ancienne race d'épagneul alpin avec des chiens de saint-hubert ou des bassets.

L'apparence générale du clumber dénote une grande puissance, ce chien étant fortement charpenté et bien équilibré. Stoïque, au grand cœur, très intelligent et très déterminé, c'est un travailleur silencieux avec un excellent nez. Plus réservé que les autres épagneuls, il n'a pas tendance à l'agressivité et son tempérament est calme, fiable, gentil et plein de noblesse. Son poil abondant est soyeux et raide. Un corps totalement blanc est préférable, avec des marques jaunes, bien que l'orange soit aussi autorisé. C'est un chien lourd et son poids idéal est de 36 kg pour les mâles et de 29,5 kg pour les femelles.

Au XVIIIe siècle, le duc de Noailles en aurait offert un couple au duc de Newcastle résidant à Clumber Park, près de Nottingham. Il reste très rare en France.

À gauche
L'expression pensive du clumber reflète sa nature calme et pleine de noblesse.

EN BREF

NOM	Cocker anglais
AUTRE NOM	Cocker spaniel, épagneul cocker anglais
CLASSIFICATION	FCI : groupe 8
COULEURS DE ROBE	Nombreuses couleurs possibles

Cocker anglais

TAILLE : 38 à 41 cm

8

GROUPE moyenne

TOILETTAGE

TAILLE   ALIMENTATION

NÉ EN ESPAGNE au XIVe siècle, le cocker est l'une des plus anciennes races d'épagneuls. Utilisé pour chasser la caille, la perdrix et la bécasse (*woodcock*), dont il tire son nom. Accepté par l'English Kennel Club en 1892, le Cocker Spaniel Club fut fondé en 1902.

Le cocker est très populaire grâce à son tempérament gentil et affectueux. Il est exubérant et plein de vie.

Compact et robuste, ce chien est de nature joyeuse et sa queue est constamment frétillante. Ses yeux grand ouverts expriment intelligence et gentillesse. Ses oreilles sont longues, attachées bas et décrites comme « lobulaires ». Le cocker est typiquement grouillant dans son action, en particulier lorsqu'il suit une piste, sans craindre les fourrés épais. Sa robe soyeuse et plate existe en plusieurs couleurs ; il mesure entre 38 et 41 cm et pèse entre 12,75 et 14,5 kg.

Race populaire (la plus connue et la plus répandue des épagneuls), elle est surtout considérée comme un modèle de chien de compagnie.

8

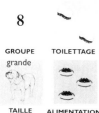

GROUPE
grande

TOILETTAGE

TAILLE

ALIMENTATION

Springer anglais

TAILLE : 51 cm

EN BREF

NOM	Springer anglais
CLASSIFICATION	FCI : groupe 8
COULEURS DE ROBE	Marron et blanc, noir et blanc

Cette race a été reconnue en 1902. Devenu le chien de chasse le plus populaire de Grande-Bretagne, sa présence en France est récente.

À droite

Le springer anglais a une nature chaleureuse et amicale. Il fait un bon travailleur et un compagnon obéissant.

CHIEN TRADITIONNEL du tireur, beaucoup considèrent que le springer anglais est à l'origine de tous les épagneuls, à l'exception du clumber. Le standard de la race indique clairement que cette race est d'une origine pure et ancienne.

Chien de chasse polyvalent, il était utilisé pour trouver et faire partir le gibier destiné au filet, au faucon ou au lévrier. Aujourd'hui, sa fonction est de trouver, de lever et de rapporter le gibier. Chien harmonieux, joyeux, actif et puissant, le springer anglais a besoin d'exercice régulier pour maintenir sa ligne et se préserver de l'ennui. Ce chien est de caractère joyeux et amical, il est amène et fiable. Son poil droit, imperméable avec des franges moyennes est marron et blanc, noir et blanc ou l'une de ces deux couleurs avec des marques feu. Sa taille est d'environ 51 cm et son poids est de 22 à 24 kg.

EN BREF

NOM	Field spaniel
CLASSIFICATION	FCI : groupe 8
COULEURS DE ROBE	Noir, marron, rouan

Field spaniel

TAILLE : 45 cm

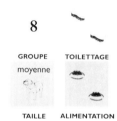

8

GROUPE moyenne   TOILETTAGE

TAILLE   ALIMENTATION

À LA FIN DU XIXᵉ SIÈCLE, les chasseurs, qui avaient besoin d'un épagneul plus lourd que le cocker et plus léger que le sussex spaniel, croisèrent ces deux races. La race devint d'abord trop basse et trop longue, ne convenant donc pas au travail qu'on lui destinait. Les excès de reproduction furent abandonnés et dans les dernières décennies, un chien plus adapté a finalement été produit.

Construit pour l'activité et l'endurance, le field spaniel est idéal pour la chasse ou comme compagnon à la campagne. Il n'est pas fait pour la vie en ville. Il est docile, sensible et indépendant. Sa tête et son crâne donnent une impression de noblesse et de caractère. Ses yeux en amandes très ouverts ont de lourdes paupières et sont peu sujets à la conjonctivite. Ils lui donnent une expression grave et douce. La robe noire, marron ou rouan est longue, plate, brillante et soyeuse. Il mesure environ 45 cm et pèse entre 18 et 25 kg.

Initialement, les field spaniels étaient divisés selon leurs couleurs ; les noirs, plus nombreux, étaient appelés « black spaniels ».

À gauche
Le field spaniel avait
presque disparu à
la fin de la deuxième
guerre mondiale.
En France, ses effectifs
sont faibles.

EN BREF

NOM	Chien d'eau irlandais
CLASSIFICATION	FCI : groupe 8
COULEURS DE ROBE	Marron foncé noir avec une nuance pourpre

Chien d'eau irlandais

TAILLE : 51 à 58 cm

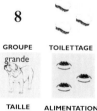

8

GROUPE grande   TOILETTAGE

TAILLE   ALIMENTATION

L'ORIGINE PRÉCISE DE CETTE RACE reste obscure. Il est possible que le chien d'eau irlandais se soit développé à partir de chiens persans parvenus en Irlande via l'Espagne. La première attestation trouvée en Irlande et concernant des chiens d'eau chassant à la sauvagine date de l'an 1600.

C'est le membre le plus grand de la famille des épagneuls (entre 51 et 58 cm). C'est un animal fortement charpenté, intelligent et bien d'aplomb. C'est un chien de chasse endurant, polyvalent utilisé dans tous les types de chasses. Il pèse généralement entre 20 et 30 kg. Bien qu'il soit réservé, le chien d'eau irlandais a un sens de l'humour sympathique, un caractère stable et un tempérament affectueux. Sa robe marron noir foncé à la nuance un peu pourpre est dense, avec des bouclettes crépues, serrées et épaisses. Elle est naturellement huileuse et demande un entretien soigneux.

Au cours de la seconde moitié du XIXᵉ siècle, cette race a été reconnue et les descendants de ces chiens ont obtenu de grands succès aux expositions canines.

À gauche
La robe du chien
d'eau irlandais est
naturellement huileuse.
Les boucles de son
toupet forment une
pointe entre les yeux.

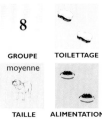

8

GROUPE
moyenne

TOILETTAGE

TAILLE

ALIMENTATION

Sussex spaniel

TAILLE : 38 à 41 cm

EN BREF

NOM	Sussex spaniel
CLASSIFICATION	FCI : groupe 8
COULEURS DE ROBE	Foie doré

Le sussex spaniel fit sa première apparition en concours lors du salon de Crystal Palace, à Londres, en 1862.

LE SUSSEX SPANIEL fut créé à la fin du XVIIIe siècle en tant que rapporteur destiné aux épais sous-bois des grands domaines de chasse. Plus lent que les autres épagneuls, il a tendance à aboyer lorsqu'il flaire le gibier, caractéristique relativement inhabituelle pour un chien de chasse.

Avec son large front et ses sourcils froncés, ce chien d'allure massive et robuste présente une prédisposition au travail. Actif et énergique, il se déplace avec un dandinement caractéristique. Les oreilles, épaisses, relativement larges et en forme de lobe, sont attachées juste au-dessus du niveau des yeux. Son regard noisette est à la fois doux et déterminé. D'un caractère aimable, c'est un chien idéal pour une famille installée à la campagne. La robe, de couleur foie doré et au poil abondant et plat, est doublée d'un sous-poil offrant une bonne protection aux intempéries. Le dos est long, large et bien musclé. Le chien mesure de 38 à 41 cm et pèse environ 23 kg.

EN BREF

NOM	Chien d'eau espagnol
AUTRES NOMS	Pero de agua español
CLASSIFICATION	FCI : groupe 8
COULEURS DE ROBE	Blanc, châtaigne, blanc et châtaigne

Chien d'eau espagnol

TAILLE : 38 à 50 cm

8

GROUPE
moyenne

TOILETTAGE

TAILLE

ALIMENTATION

L'appellation « chien d'eau » est très usitée en Cantabria, où cette race a l'occasion de mettre en valeur ses talents de nageur.

À droite
Bien que le chien d'eau espagnol soit d'un naturel obéissant et docile, il lui arrive de perdre patience avec les enfants.

LE CHIEN D'EAU ESPAGNOL est assez rare en dehors de son pays d'origine. En Espagne, il est principalement utilisé comme chien de berger (moutons, chèvres ou vaches), mais aussi pour rapporter des canards ou encore pour ramener du poisson échappé des filets, ses pattes palmées lui permettant de plonger sous l'eau. Les premières références à un ancien chien d'eau espagnol remontent au Xe siècle et la race serait originaire d'Andalousie.

C'est un chien de taille très variable, allant de 38 à 50 cm et de 12 à 20 kg. Il possède un poil laineux et frisé, qui devient long et cordé si on le laisse pousser. Il peut être tondu, à condition de conserver la même longueur sur l'ensemble du corps. Il est de couleur noire,

châtaigne, blanche ou en partie blanche, mais jamais tricolore. Le chien d'eau espagnol est un animal loyal, obéissant et d'humeur égale.

EN BREF

NOM — Springer gallois
CLASSIFICATION — FCI : groupe 8
COULEURS DE ROBE — Fauve roux vif et blanc

Springer gallois

TAILLE : 46 à 48 cm

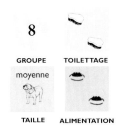

8
GROUPE — TOILETTAGE
moyenne
TAILLE — ALIMENTATION

Travailleur loyal et résistant, il se situe physiquement entre le springer anglais et le cocker : il mesure 46 à 48 cm, avec un corps légèrement plus léger que le springer anglais, et il pèse généralement 16 à 20 kg.

Courageux et inépuisable, c'est un chien rapide, actif et plein d'entrain. La queue, bien attachée, n'est jamais portée au-dessus du niveau du dos et est traditionnellement écourtée. Puissant, enjoué et plein d'enthousiasme, le springer gallois est doué d'un caractère aimable. La robe présente un poil épais, droit ou plat, de texture soyeuse, et toujours fauve roux vif et blanc.

Les oreilles du springer gallois, relativement petites et rétrécies à leur extrémité, sont dites « en feuille de vigne ».

À gauche
Le springer gallois est un chien très actif qui réclame un maître énergique et enthousiaste.

UTILISÉ AU PAYS DE GALLES comme chien de chasse depuis plusieurs siècles, le springer gallois est considéré comme une race à part entière, très ancienne et très pure.

7
GROUPE — TOILETTAGE
grande
TAILLE — ALIMENTATION

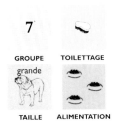

Braque de Weimar

TAILLE : 56 à 69 cm

EN BREF

NOM — Braque de Weimar
CLASSIFICATION — FCI : groupe 7
COULEURS DE ROBE — Gris argenté, gris souris, chevreuil

AINSI NOMMÉ en raison de sa popularité à la cour de Weimar, ce chien a aussi été baptisé « fantôme gris » pour sa robe gris argenté. C'était à l'origine un chien de grande vénerie, vraisemblablement issu de la même ascendance que de nombreux autres chiens de chasse allemands. Avec le déclin de la chasse au gros gibier, il fut utilisé pour la chasse au gibier d'eau et pour la quête en milieu aquatique. Bon chien de compagnie, le braque de Weimar est avant tout un chasseur, un chien d'arrêt

et un rapporteur. Il existe deux types de robe, la plus répandue à poil ras, très court et très serré, l'autre à poil long de 2,5 à 5 cm sur le corps, encore plus long sur le cou, la poitrine et le ventre, avec la queue et l'arrière des membres touffus. Les yeux sont ambre ou bleu-gris. C'est l'un des plus grands chiens de chasse, avec 56 à 69 cm, et son poids est généralement compris entre 32 et 39 kg. Le braque de Weimar est un chien amical, protecteur et obéissant, mais c'est aussi un excellent chien de garde qui n'a peur de rien.

Le braque de Weimar descend du chien qui composait les meutes du roi de France au Moyen Âge.

À gauche
Le braque de Weimar séduit par la couleur de sa robe et de ses yeux.

Les chiens de chasse (suite)

Ci-dessus
Aussi grand soit-il, le lévrier irlandais est un chien doux et patient.

À droite
Le saluki est originaire du Moyen-Orient, où ses qualités de chasseur étaient jadis tenues en haute estime.

Ci-dessous
Le teckel à poil ras est un animal indépendant, intelligent et à l'expression éveillée.

LA GRANDE FAMILLE DES CHIENS DE CHASSE comprend quelques-unes des races les plus anciennes du monde. Longtemps, l'homme a pratiqué la chasse à des fins alimentaires ou pour se divertir. Puis il a découvert le chien, qui lui a apporté une aide précieuse. Bon nombre de chiens représentés sur les tombes des pharaons et autres objets d'art égyptien sont manifestement des chiens de chasse.

LA POURSUITE DU GIBIER

MALGRÉ TOUS LES AVANTAGES de l'arc, il fallait poursuivre le gibier en rase campagne. Cette tâche réclamait vitesse et endurance, qualités auxquelles certaines races devinrent particulièrement adaptés.

Mais il ne fallait pas le même type de chien dans les régions boisées que dans les marais ou dans la jungle. De nouvelles races furent alors créées pour suivre le gibier à la trace sur les terrains accidentés. Certaines races furent développées pour attraper et tuer leur prise, d'autres pour acculer le gibier et donner de la voix afin d'attirer l'attention du chasseur, tandis que les races plus petites pénètrent dans le terrier pour déloger leur proie.

Les chiens de chasse présentent une si grande variété de taille, de rapidité et de force que certains se contentent de proies de la taille d'un lapin, tandis que d'autres s'attaquent à des bêtes aussi féroces ou importantes que le loup, le sanglier et l'élan, voire le léopard et le lion. Certains, tel le chien de loutre, sont capables de flairer une proie dans l'eau et l'on ne compte plus les récits de chiens de saint-hubert qui auraient suivi une piste plusieurs jours après le passage du gibier.

Bien que les chiens de chasse aient été depuis longtemps sélectionnés pour leurs capacités de chasse à vue ou au flair, les plus beaux ont parfois été considérés comme des « accessoires de mode », souvent à leur détriment. Heureusement, cette époque semble révolue. Si bon nombre font aujourd'hui office de chiens de compagnie, leurs maîtres n'oublieront pas que ces chiens ont conservé les instincts de leurs ancêtres et qu'ils les garderont encore longtemps.

Parmi les races de chiens de chasse, beaucoup travaillent traditionnellement en meute, même si les chasseurs ont de moins en moins recours à celles-ci. Les chiens chassant à vue participent souvent à la chasse au lièvre et le groupe des chiens courants est très prisé lors des concours de beauté, certaines races n'ayant que très peu changé au fil des siècles.

Les chiens de chasse présentent une étonnante variété de robes, allant du teckel à poil ras jusqu'à la longue fourrure du lévrier afghan. La palette de couleurs n'est pas moins spectaculaire. Chez certaines races, toutes les couleurs sont acceptées, tandis que d'autres sont limitées à des couleurs et des motifs bien particuliers, mais ce sont les animaux tricolores qui sont les plus marquants. Signalons également la grande diversité de poids, le teckel nain ne dépassant pas 5 kg alors que le basset, d'une morphologie analogue, est beaucoup plus lourd. Parmi les variétés à longues jambes, ce sont le barzoï, le lévrier écossais et le lévrier irlandais qui sont les plus grands, mais chaque race a ses fervents adeptes.

EN BREF

NOM	Lévrier afghan
AUTRES NOMS	Afghan hound, tazi, lévrier de Kaboul, barukzy
CLASSIFICATION	FCI : groupe 10
COULEURS DE ROBE	Toutes les couleurs sont admises

Lévrier afghan

TAILLE : 63 à 74 cm

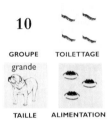

10
GROUPE TOILETTAGE

grande

TAILLE ALIMENTATION

PARMI LES chiens de chasse, le lévrier afghan est l'un des plus prestigieux. Avec une hauteur de 63 à 74 cm, ce magnifique chien à poils longs est originaire d'Afghanistan. Son regard ténébreux qui vous transperce lui confère un air distant et plein de dignité. Alliant vitesse, puissance et grande noblesse dans ses déplacements, le lévrier afghan dégage également une impression de force. Sa robe aux longs poils, certes magnifique, réclame beaucoup de soins et son tempérament très oriental n'est pas toujours facile à contrôler. Typique de la race, la queue se termine souvent en anneau. Autre caractéristique intéressante :

un manteau de poil plus court et plus serré. Les courses de lévriers afghans constituent un sport spectaculaire et très recherché.

Les Afghans considèrent ce lévrier comme supérieur à tout autre chien. Il a autant de valeur qu'un cheval ou qu'un faucon.

À gauche
Nerveux et difficile à dresser, le lévrier afghan a pourtant ses inconditionnels.

EN BREF

NOM	Basenji
AUTRES NOMS	Terrier du Congo
CLASSIFICATION	FCI : groupe 5
COULEURS DE ROBE	Noir et blanc, fauve et blanc

Basenji

TAILLE : 40 à 43 cm

5
GROUPE TOILETTAGE

moyenne

TAILLE ALIMENTATION

LE BASENJI EST D'ORIGINE très ancienne : on le trouve déjà représenté sur les tombes des Égyptiens de l'Antiquité. Plus récemment, il fut utilisé au Congo comme chien de meute pour rabattre le gibier dans les filets, ce qui lui valait une grande popularité. Il n'aboie pas mais émet un son qui tient du gloussement et du « jodl » tyrolien.

D'une taille moyenne avec 40 à 43 cm, c'est un chien au corps bien proportionné. Son crâne plissé lui donne un air interrogateur. Le poil est court et soyeux, et la queue s'enroule sur le dos. Serein et amical, il ne sent jamais mauvais et se toilette soigneusement, ce qui en fait un bon chien de compagnie. Il existe une étonnante variété de couleurs : noir et blanc, fauve et blanc, noir, feu et blanc avec masque et marques feu, noir, ou feu et blanc. Le blanc se limite le plus souvent à la poitrine, au bout de la queue et aux pieds.

Présenté pour la première fois en Europe en 1937, le basenji fut surnommé « chien du bush africain ».

À gauche
Contrairement à la plupart des races, le basenji ne connaît qu'un cycle sexuel par an au lieu de deux. En cela, il s'apparente plus au loup qu'au chien.

 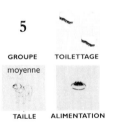

6

GROUPE   TOILETTAGE

moyenne

TAILLE   ALIMENTATION

Basset hound

TAILLE : 33 à 38 cm

○ ○

EN BREF

NOM	Basset hound
CLASSIFICATION	FCI : groupe 6
COULEURS DE ROBE	Tricolore, blanc et fauve, toutes
	couleurs de chiens courants acceptées

L e basset hound peut flairer un gibier plusieurs heures après son passage.

À droite
Comme son nom l'indique, le basset est une race d'origine anglaise, bien qu'elle soit aujourd'hui très répandue à travers le monde.

R ÉPUTÉ POUR SON CORPS allongé, sa peau lâche et ses longues oreilles attachées bas, le basset hound ne mesure que 33 à 38 cm, mais c'est un chien relativement massif puisqu'il pèse entre 18 et 27 kg. Les yeux, en losange et à peine

enfoncés, laissent apparaître un peu de conjonctive rouge au-dessus de la paupière inférieure, regard qui exprime une nature calme et sérieuse. Descendant d'une vieille race, le basset hound est un chien courant qui chasse au flair, en meute ; il est réputé pour ses qualités d'endurance. Bien qu'il aime évoluer dans les terrains humides et boueux, le basset hound possède une robe au poil court et lisse, donc facile à nettoyer. L'aboiement est profond et mélodieux. Affectueux, calme et jamais agressif, c'est toutefois un chien tenace.

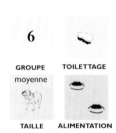

6

GROUPE   TOILETTAGE

moyenne

TAILLE   ALIMENTATION

Basset bleu de Gascogne

TAILLE : 34 à 42 cm

○ ○

EN BREF

NOM	Basset bleu de Gascogne
AUTRES NOMS	Blue gascony basset
CLASSIFICATION	FCI : groupe 6
COULEURS DE ROBE	Noir, noir moucheté de blanc et feu

C e basset fut créé pour obtenir un bleu de Gascogne aux pattes plus courtes, et donc moins rapide.

À droite
Le basset bleu de Gascogne est non seulement un excellent chien de chasse, mais aussi un compagnon obéissant.

L E BASSET BLEU DE GASCOGNE est un descendant du bleu de Gascogne, race créée au Moyen Âge. Sa voix puissante et son odorat très fin en font un chasseur remarquable en toutes circonstances, y compris par fortes gelées. Intelligent à défaut d'être très

rapide, il a tendance à traîner, chaque chien de la meute souhaitant lui-même flairer la piste. Le plus réservé des bassets, il présente un corps solide, mais sans lourdeur excessive. Haut de 34 à 42 cm, il pèse entre 16 et 18 kg. Les yeux brun foncé dégagent une expression triste et douce. Les oreilles, implantées bas, sont au moins aussi longues que le museau. La robe est mouchetée, souvent ornée d'un manteau noir et avec des marques feu en certains endroits.

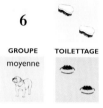

Basset fauve de Bretagne

TAILLE : 32 à 38 cm

6

GROUPE TOILETTAGE
moyenne

TAILLE ALIMENTATION

EN BREF

NOM	Basset fauve de Bretagne
AUTRES NOMS	Fawn brittany basset
CLASSIFICATION	FCI : groupe 6
COULEURS DE ROBE	Toutes couleurs de chiens courants autres que foie acceptées

AVEC SA ROBE À POILS TRÈS DURS, le basset fauve de Bretagne est un chien au caractère vif et amical, un excellent chasseur de petit gibier. On l'utilisait traditionnellement par meute de quatre, mais il chasse aujourd'hui seul ou par deux. La robe, au poil dur, sec et plutôt court, est généralement de couleur froment doré ou fauve. Haut de 32 à 38 cm, l'animal pèse entre 16 et 18 kg.

Pas aussi bas sur pattes que le basset hound, le basset fauve de Bretagne est un chien énergique et très actif. Parmi ses qualités, il faut citer son nez fin, son courage et son caractère vif, amical et docile. Les oreilles, attachées finement au niveau de la ligne de l'œil, sont presque aussi longues que le nez. La truffe, noire de préférence, est acceptée de couleur moins foncée sur les animaux à robe plus claire.

Comptant parmi les plus petits des chiens courants français, le basset fauve de Bretagne se rencontre rarement en dehors de l'Hexagone.

À gauche
Le basset fauve de Bretagne a besoin de beaucoup d'exercice ; il est particulièrement efficace en pays de fourrés.

Chien de rouge de Bavière

TAILLE : 50,5 à 51,5 cm

6

GROUPE TOILETTAGE
grande

TAILLE ALIMENTATION

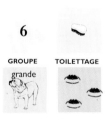

EN BREF

NOM	Chien de rouge de Bavière
AUTRES NOMS	Bayrischer Gebirgsschweisshund
CLASSIFICATION	FCI : groupe 6
COULEURS DE ROBE	Fauve, rouge, bringé de rouge ou de noir

LE CHIEN DE ROUGE DE BAVIÈRE demeure à ce jour très rare en dehors de son pays d'origine. Il fut créé par le croisement du chien de rouge du Hanovre et du chien courant bavarois en vue d'obtenir une race adaptée à la chasse des chevreuils blessés. Élevé principalement par les forestiers d'Allemagne et des Républiques tchèque et slovaque, il est souvent utilisé pour retrouver une piste qui a été perdue par un autre chien courant au nez moins fin.

La face arbore un masque, les oreilles sont longues et pendantes. Le poil, court, est de couleur fauve, rouge, bringé de rouge ou de noir. Haut de 50,5 à 51,5 cm, le chien de rouge de Bavière pèse entre 25 et 35 kg.

Le chien de rouge de Bavière possède des pieds larges et forts, avec des ongles extrêmement durs et des coussinets très épais.

À gauche
Malgré son air calme, le chien de rouge de Bavière est un limier d'une efficacité redoutable.

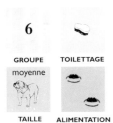

6

GROUPE
moyenne
TAILLE

TOILETTAGE

ALIMENTATION

Beagle

TAILLE : 35 à 40 cm

EN BREF

NOM	Beagle
CLASSIFICATION	FCI : groupe 6
COULEURS DE ROBE	Toutes couleurs de chiens courants
	autres que foie acceptées

La reine Elisabeth Iᵉ d'Angleterre possédait une meute de beagles « de poche » qui, selon la légende, mesuraient tous moins de 25 cm.

À droite
Noire à la naissance, la truffe du beagle devient généralement brun-rose à l'âge adulte.

LE BEAGLE EST UNE RACE britannique. Bien que ses origines soient obscures, on sait qu'il a été créé à partir du foxhound afin d'obtenir une race plus petite et mieux adaptée à la chasse à pied aux côtés de son maître. Mentionné par les grands auteurs dès le XIVᵉ siècle, le beagle était également l'un des chiens préférés des monarques.

De ce chien à la structure solide et ramassée se dégage une impression de gaieté. Il chasse au flair, principalement le lièvre. Actif et intrépide, il fait preuve d'endurance et de détermination. Les yeux, brun foncé ou noisette, sont relativement grands. C'est un chien intelligent et au tempérament stable et amical. Il mesure 30 à 45 cm et pèse généralement 8 à 14 kg. La robe, au poil court et serré formant une barrière étanche, peut être de toute couleur acceptée chez les chiens courants.

6

GROUPE
grande
TAILLE

TOILETTAGE

ALIMENTATION

Chien de saint-hubert

TAILLE : 58 à 69 cm

EN BREF

NOM	Chien de saint-hubert
AUTRES NOMS	Saint-hubert, bloodhound
CLASSIFICATION	FCI : groupe 6
COULEURS DE ROBE	Noir et feu, foie et feu (rouge et feu),
	rouge

À droite
Le chien de saint-hubert descend d'une vieille race de chiens courants.

Le chien de saint-hubert fut importé en Angleterre par Guillaume le Conquérant en 1066. Il a failli disparaître pendant la Seconde Guerre mondiale.

FIN LIMIER ET CHIEN POLICIER par excellence, le chien de saint-hubert est capable de suivre une piste humaine sur n'importe quel terrain pendant plusieurs heures. Malgré sa stature imposante, c'est un animal réservé, sensible, affectueux et dénué de toute agressivité. Il descendrait des saint-hubert et talbot français du XIᵉ siècle.

Le chien de saint-hubert est un animal très puissant, mesurant entre 58 et 69 cm

et d'un poids pouvant atteindre 50 kg. La peau du crâne retombe en formant d'importantes rides. Les oreilles, fines et douces, sont longues et tombantes.

La queue, longue et effilée, est portée en faucille au-dessus de ligne du dos. Le chien de saint-hubert évoque dignité, solennité, sagesse et puissance. Magnifique représentant des chiens de vénerie, il émet un aboiement d'une profondeur étonnante.

EN BREF

NOM	Barzoï
AUTRES NOMS	Lévrier russe
CLASSIFICATION	FCI : groupe 10
COULEURS DE ROBE	Toutes les couleurs sont admises

Barzoï

TAILLE : 68 à 74 cm

10
GROUPE   TOILETTAGE

grande
TAILLE   ALIMENTATION

RÉPUTÉ POUR SA RAPIDITÉ et sa grâce, le barzoï fut créé par l'aristocratie russe, qui l'utilisa dans un premier temps pour la chasse au loup. Il fut importé en Europe occidentale durant la seconde moitié du XIXᵉ siècle, et il devint rapidement l'un des compagnons préférés des grandes familles, qui firent beaucoup pour asseoir sa renommée.

Courageux et loyal, ce chien utilisé pour la chasse au lièvre possède un caractère sensible, éveillé et distant. Sa robe soyeuse, au poil plus long chez le mâle que chez la femelle, nécessite un toilettage permanent. La taille minimum est de 68 cm pour la femelle et 74 cm pour le mâle ; le poids

ne dépasse pas 48 kg. Le dos, généralement anguleux, forme un arc élégant. Un barzoï en bonne santé réclame beaucoup d'exercice.

Le terme *barzoï* est un mot russe qui veut dire « lévrier », et qui désigne plus généralement tous les chiens chassant à vue.

À gauche
Le barzoï n'est plus utilisé pour la chasse. Les croisements en ont fait un chien de compagnie doux et obéissant.

EN BREF

NOM	Lévrier écossais
CLASSIFICATION	FCI : groupe 10
COULEURS DE ROBE	Gris-bleu foncé, gris, bringé, sable, rouge sable, fauve rouge à points noirs

Lévrier écossais

TAILLE : 71 à 76 cm

10
GROUPE   TOILETTAGE

grande
TAILLE   ALIMENTATION

ÉGALEMENT CONNU SOUS le nom de deerhound, le lévrier écossais est une race ancienne jadis utilisée pour chasser le daim dans les Highlands. Son allure est noble et malgré son attitude parfois indolente, on l'imagine aisément terrassant un cerf, car c'est un chien à la fois rapide, endurant et puissant.

Avec une hauteur comprise entre 71 et 76 cm et un poids pouvant atteindre 45,5 kg, ce n'est pas un chien d'appartement malgré son caractère docile. La robe, au poil épais, serré, hirsute et rude au toucher, ne réclame que peu de toilettage. Bien qu'une large palette de couleurs soit acceptée, la plupart des chiens sont de couleur sombre.

Jadis, les seigneurs écossais se réservaient l'utilisation des lévriers écossais afin de limiter le braconnage.

À gauche
L'effondrement du système de clans et la déforestation se soldèrent par un rapide déclin du lévrier écossais dans son pays d'origine.

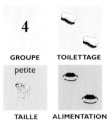

4

GROUPE | TOILETTAGE

petite

TAILLE | ALIMENTATION

Teckels

TAILLE : 30 à 35 cm

EN BREF

NOM	Teckel
AUTRES NOMS	Dachshund
CLASSIFICATION	FCI : groupe 4
COULEURS DE ROBE	Toutes les couleurs sont admises, robes régulièrement tachetées

En Allemagne, on classe les teckels en fonction de leur tour de poitrine pour leur aptitude à pénétrer dans tel ou tel type de terrier.

ON COMPTE GÉNÉRALEMENT trois variétés de teckels : le teckel standard, le teckel nain et le teckel de chasse au lapin ; et trois types de robes, à poil ras, à poil long et à poil dur. Bien qu'il existe de légères différences entre les variétés, toutes obéissent aux mêmes normes. Les teckels constituent à eux seuls le quatrième groupe de la FCI et de la SCC.

Le nom allemand, *dachshund*, signifie « chien de blaireau » et la race fut vraisemblablement créée pour chasser le blaireau. Cependant, le teckel sait aussi chasser d'autres animaux au terrier. C'est également un bon chien de sang, doué pour la recherche de gibier blessé, mais aussi pour lever le gibier tapi dans les fourrés. Signalons que les Français le connaissent principalement en tant que chien de compagnie, mais qu'on continue de l'utiliser comme chien de chasse en Allemagne et en Grande-Bretagne.

Le teckel est un chien allongé, bas sur pattes et au corps musclé. Gourmand, il prend facilement du poids si l'on ne surveille pas son alimentation. Le port de tête fier et le regard intelligent dénotent un caractère courageux, voire intrépide. L'éducation du teckel réclame au départ une certaine fermeté car il fait preuve d'indépendance, mais on parvient à le faire obéir. Toutes les couleurs sont acceptées, à l'exception du blanc, que l'on ne tolère que sous la forme d'une petite tache sur la poitrine.

5

GROUPE | TOILETTAGE

grande

TAILLE | ALIMENTATION

Chien d'élan norvégien

TAILLE : 49 à 52 cm

EN BREF

NOM	Chien d'élan norvégien
AUTRES NOMS	Elkhound, norsk elghund
CLASSIFICATION	FCI : groupe 5

CE SUPERBE CHIEN fut créé par les chasseurs norvégiens pour traquer l'élan. Habitué aux très basses températures, c'est un robuste représentant de la famille des spitz, au tempérament intrépide et énergique. Endurance, agilité et courage comptent parmi ses qualités.

Haut de 49 à 52 cm et pesant jusqu'à 23 kg, le chien d'élan norvégien présente une silhouette à la fois ramassée et bien charpentée. Il a tendance à prendre du poids lorsqu'il manque d'exercice, mais il s'accommode du rôle de chien de compagnie, quel que soit le mode de vie de sa famille d'accueil. C'est un chien affectueux et intelligent, parfait avec les enfants même s'il lui arrive de se faire un peu trop entendre. Sa double robe, au poil serré, abondant et imperméable, est relativement facile à toiletter. Le cou est entouré d'une épaisse collerette.

On a retrouvé des squelettes d'animaux présumés être des chiens d'élan norvégien datant de 5 000 av. J.-C.

EN BREF

NOM	Spitz finlandais
AUTRES NOMS	Finnish spitz, suomenpystykorva
CLASSIFICATION	FCI : groupe 5
COULEURS DE ROBE	Fauve roux, rouge doré

Spitz finlandais

TAILLE : 39 à 50 cm

5

GROUPE   TOILETTAGE

moyenne

TAILLE   ALIMENTATION

Le spitz finlandais est le chien national de la Finlande. Le standard international le concernant fut rédigé dès 1812.

MEMBRE DE LA FAMILLE des spitz, ce chien se reconnaît à sa couleur fauve. Il possède également une double robe, le sous-poil étant de couleur plus claire, ce qui accentue l'éclat de la robe. Descendant du laïka russo-européen, c'est cependant en Finlande qu'il fut créé, principalement pour la chasse au gibier à plumes. Bien qu'il ne mesure que 39 à 50 cm et qu'il ne pèse pas plus de 14 à 16 kg, il lui arrive de s'attaquer à des proies beaucoup plus grosses que lui, telles que des ours ou des élans.

Compagnon vif, affectueux et actif, le spitz finlandais donne souvent de la voix (comme tous les spitz). Capable de résister

à tous les climats, il aime aussi vivre en intérieur. Le sous-poil est court, doux et serré, tandis que le poil de couverture est plus long et rigide sur les épaules, notamment chez le mâle.

À gauche
Excellent chien de garde, le spitz finlandais possède un aboiement très puissant, qui constitue également un avantage à la chasse.

EN BREF

NOM	Foxhound
AUTRES NOMS	English foxhound, foxhound anglais
CLASSIFICATION	FCI : groupe 6
COULEURS DE ROBE	Toutes couleurs et marques reconnues

Foxhound

TAILLE : 58 à 64 cm

6

GROUPE   TOILETTAGE

grande

TAILLE   ALIMENTATION

En 1880, on recensait en Angleterre 140 meutes de foxhounds, chacune composée de 50 couples en moyenne.

L'HISTOIRE DU FOXHOUND est étroitement liée à celle de la chasse et les écrits des grands veneurs anglais permettent de retracer l'existence de ce chien sur plusieurs siècles.

Le foxhound chasse en meute et peut passer facilement une journée entière sur le terrain. Il est capable de sauter les obstacles et de s'enfoncer dans les fourrés épais.

Aujourd'hui, on le rencontre plus fréquemment par petits

groupes sur les rings d'exposition. Avec son corps élancé, c'est un chien puissant, endurant, résistant et doué d'une aptitude naturelle à la chasse. Affectueux et peu agressif, il possède une expression sympathique. Sa taille est comprise entre 58 et 64 cm, et il pèse 25 à 34 kg. Le poil est court et imperméable. Les yeux noisette ou bruns sont doux et vif. Les oreilles, pendantes, sont implantées haut et plaquées contre la tête. Le museau est carré et droit.

À gauche
Utilisé principalement pour la chasse au renard, le foxhound est aussi un gardien vigilant et à l'aboiement dissuasif.

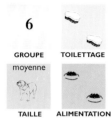

6

GROUPE — moyenne — TAILLE

TOILETTAGE — ALIMENTATION

Grand basset griffon vendéen

TAILLE : 39 à 43 cm

○○○○○○○○○○○○○○○○○○○○○○○○○○

EN BREF

NOM	Grand basset griffon vendéen
AUTRES NOMS	Large basset griffon vendéen
CLASSIFICATION	FCI : groupe 6
COULEURS DE ROBE	Blanc et sable, orange, tricolore, poil de lièvre

Depuis un siècle, la famille Desamy élève le grand basset griffon vendéen à La-Chaise-le-Vicomte.

À droite
Le grand basset griffon vendéen demeure assez rare en dehors de nos frontières.

LE GRAND basset griffon vendéen est extrêmement répandu en France, son pays d'origine, et c'est d'ailleurs l'un des meilleurs chiens courants français. Avec une taille de 39 à 43 cm, cet excellent chasseur de lapins et de lièvres est plus haut sur pattes que la plupart des bassets. Doté d'un fort caractère, parfois têtu, c'est néanmoins un chien heureux, joyeux, attentionné, peu enclin à s'exciter et plein de bonne volonté en dépit de ses velléités d'indépendance. On dit parfois qu'il a hérité du tempérament réputé obstiné et farouchement indépendant de ses maîtres vendéens !

Chien intelligent et à l'allure noble, le grand basset griffon vendéen possède une robe au poil rude et pas trop long, plat, ni soyeux ni laineux. Les franges ne doivent pas être trop abondantes. Les oreilles, également couvertes de longs poils et tournées en dedans, atteignent au moins le bout du nez.

6

GROUPE — grande — TAILLE

TOILETTAGE — ALIMENTATION

Grand bleu de Gascogne

TAILLE : 60 à 70 cm

○○○○○○○○○○○○○○○○○○○○○○○○○○

EN BREF

NOM	Grand bleu de Gascogne
AUTRES NOMS	Large blue gascony hound
CLASSIFICATION	FCI : groupe 6
COULEURS DE ROBE	Taches noires sur fond blanc truité de noir, d'où l'impression de bleu

À droite
Ce chien n'est pas rapide, mais fait preuve d'une endurance remarquable lorsqu'il flaire une piste.

Il y a un siècle encore, les grands bleus de Gascogne étaient noirs. Aujourd'hui, ses couleurs donnent une impression de bleu.

LE GRAND BLEU DE GASCOGNE est l'un des plus grands chiens courants français. Très ancien, il serait issu de chiens de course introduits en France par des marchants phéniciens. Utilisé en tant que pisteur, il est doté d'un odorat remarquable et d'une voix puissante.

Doux et gentil, il possède une tête forte et allongée qui lui donne fière allure, tandis que les yeux expriment la confiance teintée d'une certaine tristesse. Les oreilles, fines et attachées bas, atteignent au moins le bout du nez et sont papillotées. La robe présente un poil lisse et imperméable, aux couleurs intéressantes, avec deux taches feu qui semblent former une deuxième paire d'yeux. La taille varie entre 60 et 70 cm, et le poids entre 32 et 35 kg.

Greyhound

TAILLE : 68 à 76 cm

EN BREF

NOM	Greyhound
CLASSIFICATION	FCI : groupe 10
COULEURS DE ROBE	Noir, blanc, roux, fauve, fauve roux, bringé, parfois nuancé de blanc

10

GROUPE TOILETTAGE

grande

TAILLE ALIMENTATION

MENTIONNÉ DANS LE RÈGLEMENT forestier rédigé en 1016 par Canut, roi d'Angleterre, le greyhound aurait été importé par les Celtes. Il semble cependant plus probable qu'il soit originaire du Moyen-Orient, comme en attestent de nombreux dessins de chiens retrouvés sur les tombes des Égyptiens qui vécurent il y a 4000 ans. Doux et affectueux, c'est un chien courant qui chasse à vue et qui a été spécialement sélectionné pour la chasse au lièvre, ce qui impose une certaine prudence aux possesseurs de chats ou de chiens de petite taille. Le greyhound participe également à des courses, pour lesquelles on choisit généralement les spécimens plus petits que ceux que l'on voit dans les rings, ces derniers atteignant 68 à 76 cm et pesant entre 27 et 32 kg. Facile à toiletter, il fait un compagnon idéal et aime les enfants.

Les meilleurs greyhounds engagés dans les courses de lévriers atteignent la vitesse de 60 km/h.

À gauche
Le greyhound a certes besoin d'exercice quotidien, mais pas autant qu'on pourrait le penser.

Chien courant de Hamilton

TAILLE : 53 à 57 cm

EN BREF

NOM	Chien courant de Hamilton
AUTRES NOMS	Hamiltonstövare
CLASSIFICATION	FCI : groupe 6
COULEURS DE ROBE	Noir, brun et blanc

6

GROUPE TOILETTAGE

grande

TAILLE ALIMENTATION

CHIEN COURANT le plus répandu en Suède, le chien courant de Hamilton est issu de croisements entre le foxhound anglais et plusieurs chiens de vénerie allemands. C'est un chien puissant et racé à la robe noire, brune et blanche, la proportion de ces trois couleurs étant précisément définie par le standard de la race. Résistant et endurant, sa taille idéale est de 57 cm pour le mâle et 53 cm pour la femelle, tandis que le poids varie entre 23 et 27 kg.

Mieux adapté à la campagne qu'à la ville en raison de son penchant pour la chasse, le « hamilton » passe beaucoup de temps sur le terrain et n'est jamais pressé de rentrer. D'humeur égale, c'est un gai compagnon et un véritable ami. Le poil, bien que court et doux, est touffu entre les coussinets et devient très épais en hiver.

Créée en 1886, la race tire son nom du comte Hamilton, fondateur du Swedish Kennel Club.

À gauche
Ce chien élégant gagnerait à être connu en dehors de son pays d'origine, la Suède.

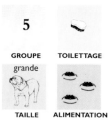

5

GROUPE — grande
TOILETTAGE

TAILLE — ALIMENTATION

Chien de garenne des Baléares

TAILLE : 56 à 74 cm

EN BREF	
NOM	Chien de garenne des Baléares
AUTRES NOMS	Podenco ibicenco, lévrier d'Ibiza
CLASSIFICATION	FCI : groupe 5
COULEURS DE ROBE	Blanc, châtaigne, fauve rouge, toutes combinaisons acceptées

REPRÉSENTÉ SUR les tombes et les poteries des Égyptiens de l'Antiquité, le chien de garenne des Baléares tire son nom d'une île qui fut envahie par les Carthaginois au VIᵉ siècle av. J.-C. À leur départ un siècle plus tard, ils avaient légué à l'île leur chien de chasse, ancêtre de la race actuelle. Il semble que ce chien ait aussi vécu sur l'île de Formentera depuis environ 5 000 ans.

Fidèle à son maître, le chien de garenne des Baléares est capable d'effectuer des bonds prodigieux et c'est un spécialiste de l'évasion.

Le chien de garenne des Baléares mit plusieurs décennies à s'implanter car il avait tendance à développer la maladie de Carré.

Il convient donc de le traiter avec bon sens, respect, mais également fermeté.

Caractérisé par de grandes oreilles dressées et hautement mobiles, c'est un grand chien puisque sa taille varie de 56 à 74 cm et son poids de 19 à 25 kg. Il existe deux types de robes : à poil lisse et à poil dur. Le rein n'est pas aussi arqué que chez la plupart des lévriers ; en effet, un écart de 7 à 8 cm sépare la base de la cage thoracique et le coude.

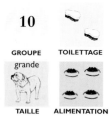

10

GROUPE — grande
TOILETTAGE

TAILLE — ALIMENTATION

Lévrier irlandais

TAILLE : 81 à 86 cm

EN BREF	
NOM	Lévrier irlandais
CLASSIFICATION	FCI : groupe 10
COULEURS DE ROBE	Gris, bringé, blanc pur, fauve, froment, gris acier

ADMIRÉ DEPUIS L'ÉPOQUE de l'invasion romaine, l'ancêtre de l'actuel lévrier irlandais fut utilisé pendant des siècles pour la chasse au loup, au sanglier et à l'élan. Dès le XVIIᵉ siècle cependant, la race était en voie d'extinction et elle fut recréée au milieu du XIXᵉ siècle par le capitaine Graham.

En dépit de sa force et de sa taille impressionnantes, le lévrier irlandais est un chien doux et amical. Extrêmement puissant, énergique, rapide et courageux, il est capable de couvrir de grandes distances sans avoir l'air de se presser.

Le lévrier irlandais possède une longue queue, légèrement recourbée, portée bas et avec extrémité en crochet.

La taille moyenne varie entre 81 et 86 cm et le poids atteint 55 kg. Un régime alimentaire de grande qualité est essentiel à son développement, et il a besoin de beaucoup d'espace et de pas mal d'exercice.

EN BREF

NOM	Chien norvégien de macareux
AUTRES NOMS	Norsk lundehund
CLASSIFICATION	FCI : groupe 5
COULEURS DE ROBE	Sable à fauve roux

Chien norvégien de macareux

TAILLE : 32 à 38 cm

5

GROUPE — moyenne
TOILETTAGE
TAILLE
ALIMENTATION

AUJOURD'HUI chien de compagnie, il servait autrefois à chasser le macareux. Cette race de type spitz au corps rectangulaire et à la charpente légère est l'une des plus rares du monde. Plusieurs caractéristiques le distinguent des autres chiens : il est capable de rabattre ses oreilles pour se protéger et possède des ergots doubles sur les antérieurs Ses pattes avant peuvent réaliser une rotation de 180 ° et le cou est doublement articulé.

Toujours très éveillé, énergique et actif, le chien norvégien de macareux n'est cependant ni nerveux ni agressif. Le poil, rêche en surface, est aplati contre le corps, tandis que le sous-poil est plus doux. L'animal pèse 6 à 7 kg et mesure 32 à 38 cm. Bien que le développement de cette race très particulière se soit heurté à des problèmes génétiques dans d'autres pays d'Europe, elle demeure très présente dans son pays d'origine, la Norvège.

Le chien norvégien de macareux est originaire de Norvège septentrionale, où il fut utilisé pendant des siècles pour la chasse aux macareux ; ce n'est qu'en 1943 qu'il fut officiellement reconnu.

*À gauche
Le physique étonnant du chien norvégien de macareux lui permet d'escalader les falaises à la recherche des nids de macareux.*

EN BREF

NOM	Chien de loutre
CLASSIFICATION	FCI : groupe 6
COULEURS DE ROBE	Toutes les couleurs de chiens courants sont admises

Chien de loutre

TAILLE : 60 à 67 cm

6

GROUPE — grande
TOILETTAGE
TAILLE
ALIMENTATION

LES PREMIERS ÉCRITS retraçant la présence de ce chien créé pour chasser la loutre datent de l'Angleterre du XIVe siècle. Il est décrit comme un animal hirsute, croisé de chien courant et de terrier.

C'est un chien grand et puissant, capable de passer des heures dans l'eau, mais aussi de chasser le gibier. Il possède une double robe très épaisse et de larges pieds palmés. D'humeur égale et affectueux, il s'exprime par un hurlement puissant. Son maître doit être actif, et pas trop attaché à la propreté de sa maison ! Le chien de loutre mesure 60 à 67 cm et son poids est extrêmement variable, allant de 30 à 55 kg. La pigmentation de la peau doit être en harmonie avec la couleur de robe et c'est l'une des rares races chez qui l'on accepte une truffe légèrement papillonnée.

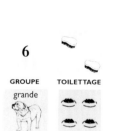

Au début du XXe siècle, l'Angleterre comptait plus d'une vingtaine de meutes de chiens chasseurs de loutres.

*À gauche
Le sous-poil épais et étanche du chien de loutre lui permet de s'aventurer dans les eaux les plus glacées.*

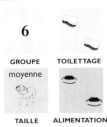

6

GROUPE
moyenne

TOILETTAGE

TAILLE   ALIMENTATION

Petit basset griffon vendéen

TAILLE : 33 à 38 cm

```
○○○○○○○○○○○○○○○○○○○○○○○○○○○○○○
           EN BREF
NOM                Petit basset griffon vendéen
AUTRES NOMS        Small basset griffon vendéen
CLASSIFICATION     FCI : groupe 6
COULEURS DE ROBE   Blanc et sable, orange, grisonnant
```

L petit basset griffon vendéen, ou PBGV en abrégé, préfère un climat frais ou tempéré aux fortes chaleurs.

À droite
Le plus populaire de tous les griffons vendéens, le petit basset est un chien de compagnie éveillé et sympathique.

L E PETIT BASSET GRIFFON VENDÉEN est un animal court sur pattes, au poil rude. Vigoureux et actif, ce chien courant résiste aisément à une journée de chasse et donne souvent de la voix. Ses grands yeux foncés lui donnent un air amical et intelligent ; on ne doit pas voir la conjonctive rouge sous la paupière inférieure.

Malgré son caractère indépendant, ce chien expansif obéit très bien aux ordres. Ses longs sourcils ainsi que sa barbe et sa moustache qui ramassent toutes les saletés lorsqu'il renifle par terre, lui donnent une allure comique. La taille est comprise entre 33 et 38 cm, et le poids entre 14 et 18 kg. C'est un choix idéal pour une famille à la recherche d'un chien de compagnie plein d'entrain.

5

GROUPE
grande

TOILETTAGE

TAILLE   ALIMENTATION

Chien du pharaon

TAILLE : 53 à 56 cm

```
○○○○○○○○○○○○○○○○○○○○○○○○○○○○○○
           EN BREF
NOM                Chien du pharaon
CLASSIFICATION     FCI : groupe 5
COULEURS DE ROBE   Fauve à feu, avec certaines marques
                   blanches autorisées
```

À droite
Ce chien fut introduit à Malte il y a 2 000 ans par des marchands phéniciens.

O trouve parfois sur la poitrine une « étoile » blanche. Le bout de la queue blanc est un attribut très recherché.

B IEN QUE DES CHIENS ressemblant au chien du pharaon figurent dans l'art égyptien, il semble que ce chien ait été importé à Malte il y a environ 2 000 ans par des marchands phéniciens, et l'île est aujourd'hui considérée comme le lieu d'origine de la race.

Le chien du pharaon chasse à la fois au flair et à vue. Il se distingue par ses oreilles à port érigé, ses yeux couleur d'ambre et son expression douce et intelligente. La robe est de couleur fauve à feu, avec certaines marques blanches autorisées, et la truffe est de couleur chair, en harmonie avec le poil. La taille idéale est de 53 cm pour la femelle, contre 56 cm pour le mâle, et l'animal pèse en moyenne 25 kg. Le chien du pharaon est un chien gracieux et puissant, qui se déplace avec souplesse et rapidité. Amical et joueur, il a besoin d'affection et de beaucoup d'exercice.

Chien à crête dorsale de Rhodésie

TAILLE : 61 à 67 cm

6

GROUPE   TOILETTAGE

grande

TAILLE   ALIMENTATION

○ ○

EN BREF

NOM	Chien à crête dorsale de Rhodésie
AUTRES NOMS	Ridgeback, lion dog
CLASSIFICATION	FCI : groupe 6
COULEURS DE ROBE	Froment clair à froment rouge

LE CHIEN À CRÊTE DORSALE DE RHODÉSIE est le descendant d'un animal utilisé depuis le XVe siècle dans le sud de l'Afrique, par les Hottentots. Ces chasseurs de gros gibier le surnommaient chien-lion, car il servait à la capture des lions de Rhodésie (l'actuel Zimbabwe). Le chien ne s'attaquait pas directement au lion, mais le harcelait jusqu'à l'arrivée des chasseurs. Aujourd'hui, le chien à crête dorsale de Rhodésie est utilisé comme chien de garde et il est considéré comme le chien national de l'Afrique du Sud.

Avec une hauteur de 61 à 67 cm et un poids pouvant atteindre 39 kg, c'est un chien solide, musclé et actif, associant remarquable endurance et une certaine rapidité. Il se distingue par une crête de poils poussant en épis linéaire sur le dos.

Le standard du chien à crête dorsale de Rhodésie fut établi en Afrique du Sud en 1922. Depuis, seuls quelques changements mineurs ont été apportés.

À gauche
Le chien à crête dorsale de Rhodésie est un bon chien de famille. Loyal, il ne tolère aucune menace de la part d'étrangers.

Saluki

TAILLE : 58 à 71 cm

10

GROUPE   TOILETTAGE

grande

TAILLE   ALIMENTATION

○ ○

EN BREF

NOM	Saluki
AUTRES NOMS	Lévrier persan
CLASSIFICATION	FCI : groupe 10
COULEURS DE ROBE	Toutes les couleurs sont admises

RÉPUTÉ ÊTRE LA RACE DE CHIEN de chasse la plus vieille du monde, le saluki est connu en terre arabe depuis 5000 av. J.-C. De tout temps considéré comme un bien précieux, il a fait l'objet de plus d'attention que tout autre chien en raison de ses grandes qualités de chasseur et de son élégance, et c'est ce statut particulier qui a assuré la pureté de la lignée.

Utilisé avec le faucon pour chasser à vue le lièvre ou la gazelle, le saluki fait preuve d'une rapidité et d'une endurance

remarquables. C'est un chien gracieux et symétrique, dont les yeux perçants évoquent la dignité. La robe, lisse et soyeuse, forme des franges, bien qu'il existe également une variété à poils courts. Le mâle mesure 58 à 71 cm, tandis que la femelle est plus petite, et le poids varie entre 14 et 25 kg. Le saluki n'est généralement ni nerveux ni agressif, mais c'est un chien sensible qui a peur des étrangers, et sa personnalité n'est guère adaptée à une vie de famille agitée.

Dans les épreuves de la FCI, le saluki est divisé en deux catégories : à poil long ou à franges ; et à poil court.

À gauche
Le saluki était jadis utilisé par les Bédouins pour la chasse à la gazelle, souvent avec des faucons.

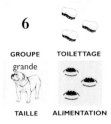

6

GROUPE
grande

TOILETTAGE

TAILLE

ALIMENTATION

Chien courant italien

TAILLE : 48 à 59 cm

EN BREF	
NOM	Chien courant italien
AUTRES NOMS	Segugio italiano
CLASSIFICATION	FCI : groupe 6
COULEURS DE ROBE	Noir et feu, rouge à froment

En Italie, le chien courant italien est utilisé pour débusquer le sanglier. Devenu relativement rare, il a ensuite été dressé pour la chasse au lièvre.

A UTRE RACE DONT LES ORIGINES remontent à l'Égypte ancienne, le chien courant italien a été croisé avec le mastiff afin d'accroître sa corpulence. Avec ses longues pattes dignes d'un chien chassant à vue, et sa tête qui rappelle les chiens chassant au flair, cette race était estimée durant la Renaissance italienne. Doué d'un nez exceptionnel, ce chien s'intéresse non seulement à la capture, mais aussi aux pièces tuées.

Il existe deux variétés de robe : à poil rêche et dense ; et à poil lisse, épais et brillant.

La taille, intermédiaire, est comprise entre 48 et 59 cm, tandis que le poids varie de façon assez importante, de 18 à 28 kg. Le chien courant italien est un chien doux, affectueux et d'humeur égale, aussi bon en chien de travail qu'en chien de compagnie. Sa robe réclame un minimum de toilettage.

À droite
Le chien courant italien commence tout juste à se répandre en dehors de son pays d'origine.

10

GROUPE
grande

TOILETTAGE

TAILLE

ALIMENTATION

Sloughi

TAILLE : 60 à 70 cm

EN BREF	
NOM	Sloughi
AUTRES NOMS	Lévrier arabe
CLASSIFICATION	FCI : groupe 10
COULEURS DE ROBE	Sable à fauve, avec ou sans masque noir
	autres couleurs parfois acceptées

À droite
La cage thoracique du sloughi trahit une grande capacité pulmonaire, idéale pour la chasse à la gazelle ou au lièvre.

Bien que le sloughi existe depuis le Moyen Âge, la race ne fit son apparition en Europe qu'au début des années 1970.

O RIGINAIRE des déserts et des montagnes d'Afrique du Nord, le sloughi serait le chien représenté sur la tombe de Toutankhamon. Parfaitement adapté à la chasse au lièvre, à la gazelle et à l'antilope, c'est un chien sec et musclé. On distingue le sloughi du désert et le sloughi des montagnes. Le premier est plus mince, léger, gracieux et élégant que le second, à la charpente plus ramassée et aux os plus épais.

Ce chien s'attache très tôt à son maître et à sa famille, et il n'accorde que difficilement sa loyauté à quelqu'un d'autre au cours de sa vie. Il est craintif à l'égard des étrangers. Le poil est ras et fin, et il existe plusieurs couleurs de robe, avec ou sans masque noir ; seules les combinaisons de couleurs ne sont pas acceptées. La taille idéale est de 60 à 70 cm, tandis que le poids varie généralement entre 20 et 27 kg.

EN BREF

NOM	Whippet
CLASSIFICATION	FCI : groupe 10
COULEURS DE ROBE	Toutes les couleurs unies ou mélangées
	sont admises

Whippet

TAILLE : 44 à 51 cm

10

GROUPE
moyenne

TOILETTAGE

TAILLE

ALIMENTATION

LE PLUS PETIT des chiens courants utilisés à l'origine pour la chasse au lièvre, le whippet d'aujourd'hui est issu de croisements effectués dans l'Angleterre du XIX⁰ siècle entre des greyhounds sélectionnés pour leur vitesse et leur puissance, et des terriers choisis pour leur taille et leur ténacité. Notons cependant que les courses remontent à une date antérieure, et que leur popularité s'est désormais étendue au-delà des frontières britanniques, notamment en France.

D'un format modeste (44 à 51 cm, 12,5 à 14 kg), le whippet constitue une étonnante association de puissance, de force musculaire, d'élégance et de grâce. Il est créé spécifiquement pour la vitesse, mais cela ne doit pas transparaître exagérément. La robe à poil ras ne réclame que peu d'entretien. Doux, affectueux et d'humeur égale, le whippet est un compagnon idéal. Sa peau, très fine, est sensible au froid et se marque facilement de cicatrices.

À proportions égales, le whippet est le plus rapide des lévriers, plus véloce que le greyhound.

À droite
Facile à vivre et à éduquer, le whippet est un excellent chien de compagnie aussi bien qu'un chien de course.

Les chiens de troupeau

SONT RÉUNIS ICI LES CHIENS qui, depuis des siècles, aident les hommes dans la conduite et la garde des troupeaux. Les races sont de taille très variable, possèdent leur propre personnalité et différents atouts. Toutefois, ces chiens ont pour dénominateur commun d'avoir le « sens du bétail ». Beaucoup sont également adaptés à la vie en famille ou font de très bons chiens de garde.

LES RACES ADAPTÉES

LES CHIENS DE TROUPEAU sont très variés. Le welsh corgi, comme d'autres chiens, est renommé pour conduire le troupeau en mordant bas, tandis que les races plus imposantes, tels le chien de montagne des Pyrénées et le chien de berger d'Anatolie, savent protéger les bergers et leurs troupeaux des prédateurs. Certaines races de ce groupe sont utilisées pour mener les rennes en troupeau sous les climats nordiques, alors que le samoyède associe deux fonctions : celle de chien de traîneau et de gardien de troupeau.

Les fermiers du Pays de Galles et d'Écosse affirment qu'un bon border collie vaut plusieurs hommes entraînés. De même, sur les vastes terres australiennes, les chiens fournissent des services inestimables. Le berger allemand a été l'une des premières races employées en temps de guerre et il illustre parfaitement les résultats spectaculaires que l'on peut obtenir avec un bon entraînement ; bon nombre de chiens de bergers font preuve d'une grande adresse dans les travaux de dressage, ainsi que dans les épreuves modernes d'agility.

LES CARACTÉRISTIQUES DES CHIENS DE TROUPEAU

POUR CES RACES travaillant par tous les temps, une robe fonctionnelle et protectrice est essentielle. Ainsi, la plupart de ces chiens possèdent un sous-poil qui les protège contre les éléments. Le puli et le komondor ont des fourrures particulières qui forment des mèches, tandis que le berger de Bergame est recouvert de touffes emmêlées, grasses au toucher.

La plus petite race des chiens de berger est le berger des Shetland, un chien très à la mode, doté d'une fourrure abondante et luxueuse, de couleur variée. Il arrive même que les deux yeux soient de couleurs différentes. Le colley barbu est une autre race à poil long, même si son pelage est très différent de celui du berger des Shetland. De son côté, le chien de berger d'Anatolie possède un poil court mais très dense ; c'est un animal imposant, qui pèse souvent plus de 45 kg.

La personnalité des chiens de troupeau est très variable. Il faudra donc en tenir compte avant de choisir l'animal destiné à partager votre foyer. Gardez également à l'esprit que les chiens de travail sont habitués à mener une vie active et qu'ils ont besoin d'être occupés. Enfin, bien que beaucoup de races soient très à la mode et aient énormément évolué au cours du siècle dernier, n'oublions pas que la plupart ont été créées pour effectuer un travail et que, dans l'idéal, elles devraient encore être capables de l'accomplir.

En haut
Le colley à poil court est loin d'être aussi répandu que le colley à poil long.

Ci-dessus
Le colley à poil long est souvent associé à Lassie, grande vedette du petit écran.

À droite
Le border collie est un excellent chien de troupeau, endurant et intelligent.

EN BREF

RACE	Chien de berger d'Anatolie
AUTRES NOMS	Coban köpegi, karabash.
	Chien de garde turc
CLASSIFICATION	FCI : groupe 2
COULEURS DE ROBE	Toutes les couleurs sont admises

Chien de berger d'Anatolie

TAILLE : 71 à 81 cm

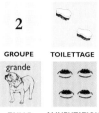

2

GROUPE   TOILETTAGE

grande

TAILLE   ALIMENTATION

DESCENDANT D'ANCIENNES races de mastiffs et de chiens de berger de Moyen-Orient, le chien de berger d'Anatolie est également appelé chien de garde turc. Vieux de 3 000 ans et habitué aux conditions climatiques extrêmes (aussi bien en ce qui concerne le chaud que le froid), ce fidèle gardien de troupeaux est tenu en très haute estime par les bergers turcs.

Imposant, puissant mais sans lourdeur, le chien de berger d'Anatolie mesure de 71 à 81 cm et pèse de 41 à 64 kg. Endurant et rapide, c'est un chien travailleur ; il est doté d'une tête large et lourde et d'un pelage court mais dense. Toutes les couleurs de robe sont acceptées, à condition qu'elles soient primaires, de sable à fauve,

avec un masque et les oreilles noirs. Bien qu'on puisse lui reprocher une certaine indépendance, c'est un chien intelligent, fier et sûr de lui, calme et courageux.

Le chien de berger d'Anatolie a été introduit en France dans les années 1980 ; depuis, le nombre de ses amateurs a connu une progression constante.

À gauche
Le chien de berger d'Anatolie est un excellent gardien, mais il convient de le dresser avec soin pour lui apprendre à vivre en société.

EN BREF

RACE	Bouvier australien
AUTRES NOMS	Australian cattle dog, heeler
CLASSIFICATION	FCI : groupe 1
COULEUR DE ROBE	Bleu ou truité de rouge

Bouvier australien

TAILLE : 43 à 51 cm

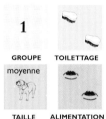

1

GROUPE   TOILETTAGE

moyenne

TAILLE   ALIMENTATION

le bétail : il se tapit derrière lui et lui mordille le talon (*heel*). Grâce à une sélection rigoureuse, le bouvier australien a été développé en croisant plusieurs races dont le dingo, le kelpie, le bull-terrier et le dalmatien.

Ramassé et symétrique, c'est un animal solide et puissant. Sa masse musculaire lui confère agilité, force et endurance. En plus de son travail auprès des troupeaux, il protège aussi le gardien et sa propriété. C'est une race vive, intelligente et vigilante, naturellement méfiante envers les étrangers mais docile et qui répond au dressage. Ce chien courageux et digne de confiance est dévoué à son travail. Il mesure de 43 à 51 cm et pèse généralement 16 à 20 kg. Sa fourrure est lisse avec un sous-poil dense. La robe est généralement bleue, mouchetée ou tachetée de bleue, ou encore avec des marques de feu.

CETTE RACE EST TRÈS APPRÉCIÉE en Australie pour la conduite et le contrôle du bétail dans tous les environnements. L'appellation « heeler » vient de la technique qu'il emploie avec

Le bouvier australien a de nombreux ancêtres, mais la race est restée pure depuis le milieu des années 1890.

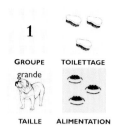

1

GROUPE — TOILETTAGE
grande

TAILLE — ALIMENTATION

Berger australien

TAILLE : 46 à 58 cm

EN BREF

NOM	Berger australien
AUTRE NOM	Australian shepherd
CLASSIFICATION	FCI : groupe 1
COULEURS DE ROBE	Bleu merle, noir, rouge merle

Le berger australien est en fait une race américaine, dont le standard fut rédigé aux États-Unis dans les années 1950.

À droite
Le berger australien a très bien su s'adapter aux travaux de recherche et de sauvetage, ainsi qu'à la vie de famille.

À LA FIN DU XIXᵉ SIÈCLE, des bergers basques émigrèrent en Australie, emportant leurs chiens avec eux. Plus tard, ils partirent pour les Amériques, une fois encore avec leurs fidèles compagnons. C'est à partir de ces chiens que cette race a vu le jour aux États-Unis. Elle reste très rare en Europe.

Le berger australien est un chien intelligent avec de forts instincts de meneur et de gardien ; endurant, loyal, attentif, vif, souple et agile, il est capable de changer

instantanément de vitesse et de direction. D'humeur égale, de premier abord réservé, il ne doit être ni timide ni agressif. Son pelage de longueur moyenne va du raide à l'ondulé et son sous-poil lui permet de résister aux intempéries. Sa robe affiche des couleurs spectaculaires : bleu, bleu merle, noir, rouge merle, avec ou sans taches feu. Le blanc n'est admis que dans des zones très précises. Ce chien mesure 46 à 58 cm et son poids varie considérablement : de 16 à 35 kg.

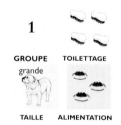

1

GROUPE — TOILETTAGE
grande

TAILLE — ALIMENTATION

Colley barbu

TAILLE : 51 à 56 cm

EN BREF

NOM	Colley barbu
AUTRE NOM	Bearded collie
CLASSIFICATION	FCI : groupe 1
COULEURS DE ROBE	Gris ardoise, fauve rougeâtre, noir, bleu, gris, marron ou sable

À droite
Enjoué, amical mais sujet à l'ennui, le colley barbu réclame un maître qui dispose de temps et d'énergie

Jusqu'à son retour en grâce en 1944, le colley barbu n'était plus utilisé comme chien de berger et avait quasiment disparu.

CETTE race était jadis utilisée pour la conduite des troupeaux dans les collines écossaises. On retrouve les premières traces écrites de sa présence vers le XVIᵉ siècle. Ils descendraient de bergers polonais qui furent jadis abandonnés sur les côtes écossaises et qui accouplèrent avec différentes races locales de chiens de berger.

Chien de berger belge

TAILLE : 56 à 66 cm

EN BREF

NOM	Berger belge
AUTRES NOMS	Chien de berger belge : laekenois, tervueren, grœnendæl, malinois
CLASSIFICATION	FCI : groupe 1

1 GROUPE · **TOILETTAGE**
grande TAILLE · **ALIMENTATION**

IL EXISTE QUATRE VARIÉTÉS de bergers belges : le grœnendæl, le laekenois, le malinois et le tervueren. Ces chiens se différencient par la couleur, la longueur et la texture de leur pelage. Leurs noms sont ceux des villes dont ils sont originaires. Bien que la race remonte au Moyen Âge, il fallut attendre 1891 pour qu'un professeur de l'École vétérinaire de Belgique établît les standards des différents types, créant ainsi des divisions. Ces quatre types forment une seule race.

Les bergers belges mesurent 56 à 66 cm de haut et pèsent de 27,5 à 28,5 kg. Ce sont des chiens intelligents, robustes et peu agressifs, bien qu'ils fassent de très bons gardiens. Certains peuvent même être très affectueux.

La Belgique reconnaissait à l'origine huit différents standards officiels pour le berger belge ; le nombre de variétés fut plus tard ramené à quatre.

Berger de Bergame

TAILLE : 54 à 62 cm

EN BREF

NOM	Berger de Bergame
AUTRES NOMS	Chien de berger bergamasque, cane da pastore bergamasco
CLASSIFICATION	FCI : groupe 1
COULEURS DE ROBE	Gris uniforme ou avec des taches grises

1 GROUPE · **TOILETTAGE**
grande TAILLE · **ALIMENTATION**

LE BERGER DE BERGAME est originaire du Nord de l'Italie. De taille moyenne, ce chien de berger d'origine ancienne mesure 54 à 62 cm de haut et pèse entre 26 et 38 kg. C'est un gardien vigilant à l'instinct protecteur très développé. Intelligent, prudent et patient, il réclame un maître faisant preuve de bon sens et de fermeté. En règle générale, le berger de Bergame préfère vivre à la campagne plutôt qu'à la ville.

Cette race au profil carré est caractérisée par sa robe à la fois épaisse et longue, rêche au toucher sur le devant du corps mais plus douce sur la tête et les membres. La fourrure, grasse au toucher, a tendance à former des mèches ou des amas de mèches qui partent de la ligne dorsale.

Toutefois, ces mèches se distinguent de celles du puli ou du komondor. Le poil est gris uni ou parsemé de petites taches dégradées de gris à noir.

Les auteurs romains relatent l'existence d'un chien de berger idéal, agile et assez courageux pour repousser le loup. Il pourrait s'agir du berger de Bergame.

À droite
Le berger de Bergame peut également être noir, isabelle ou fauve clair.

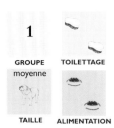

1

GROUPE
moyenne

TOILETTAGE

TAILLE

ALIMENTATION

Border collie

TAILLE : jusqu'à 53 cm

○○○○○○○○○○○○○○○○○○○○○○○○○

EN BREF

NOM	Border collie
CLASSIFICATION	FCI : groupe 1
COULEURS DE ROBE	Généralement pie mais toutes
	les couleurs sont admises,
	le blanc ne doit pas dominer

L e border collie compte parmi les meilleurs chiens de berger du monde ; cela fait plusieurs siècles qu'il est utilisé pour la conduite des troupeaux.

À droite
Le border collie réclame fermeté et stimulation constante. Il a tendance à devenir nerveux lorsqu'il s'ennuie.

*L*E NOM DE BORDER COLLIE n'est utilisé que depuis 1915. Cet animal est mieux connu comme chien de travail que comme chien d'exposition. Des concours de chiens de bergers sont organisés depuis 1873, mais la race y est relativement une nouvelle venue. Le border collie servait à l'origine à conduire les troupeaux de moutons.

Enthousiaste, réceptif, intelligent et alerte, le border collie doit travailler pour être heureux ; il réclame stimulation mentale et physique. Son élégante silhouette associe grâce et équilibre, avec assez de corpulence pour donner une impression d'endurance. La taille idéale de ce chien est de 53 cm (la femelle est un peu plus petite) et le poids varie de 14 à 22 kg. Il existe deux sortes de pelages : modérément long ou lisse ; tous deux ont une fourrure douce et un sous-poil dense et résistant aux intempéries. Les yeux sont noirs, sauf chez les « merle » où un œil, voire les deux yeux, peuvent être en partie ou entièrement bleus.

1

GROUPE
grande

TOILETTAGE

TAILLE

ALIMENTATION

Briard

TAILLE : 56 à 68 cm

○○○○○○○○○○○○○○○○○○○○○○○○○

EN BREF

NOM	Briard
AUTRE NOM	Berger de Brie
CLASSIFICATION	FCI : groupe 1
COULEURS DE ROBE	Fauve, bringé, noir, gris ardoise

Ci-dessous
Le pelage long et ondulé du berger de Brie exige un entretien régulier.

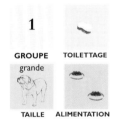

*D*ESCENDANT D'UNE ANCIENNE race de chien de berger originaire de la Brie, le briard était d'abord utilisé pour conduire et garder les moutons, mais il a aussi servi de bête de somme dans l'armée.

D'apparence solide, mais aussi souple et musclé, ce chien n'est ni peureux, ni agressif. Enjoué et intelligent, le briard est un bon gardien. Il mesure 56 à 68 cm, et pèse entre 33,5 et 34,5 kg. Ses postérieurs doivent comporter des doubles ergots implantés bas. Sa longue robe demande de l'entretien. Le poil est flexueux, long et sec, avec un sous-poil fin. Les poils de la tête forment une moustache, une barbe et des sourcils. La robe peut être entièrement noire, parsemée de quelques poils blancs, de différentes nuances de fauve (de préférence foncées), ou encore gris ardoise.

*D*urant la Première Guerre mondiale, la Croix-Rouge fit appel au briard, qui fut ensuite introduit aux États-Unis par les soldats américains démobilisés.

EN BREF

NOM	Colley à poil long
AUTRES NOMS	Berger d'Écosse, collie
CLASSIFICATION	FCI : groupe 1
COULEURS DE ROBE	Zibeline, tricolore ou bleu merle

Colley
à poil long

TAILLE : 51 à 61 cm

1
GROUPE   TOILETTAGE
grande
TAILLE   ALIMENTATION

PLUSIEURS RACES DIFFÉRENTES semblent avoir été utilisées pour donner le jour au colley ; seul le pelage différencie le colley à poil long du colley à poil court. On pense que ce chien est le descendant d'animaux amenés en Écosse par les Romains vers 50 av. J.-C. qui se seraient accouplés à des chiens de la région. Le colley à poil long d'aujourd'hui est une version raffinée du colley de travail des bergers écossais.

Amical et impassible, le colley à poil long est un chien d'une grande dignité et d'une grande beauté. Sa structure physique exprime force et vitalité, tout en restant raffinée. La robe est très dense, avec un poil raide et rude au toucher, et un sous-poil doux et duveteux. Les trois couleurs acceptées sont zibeline, tricolore et bleu merle. Ce chien mesure 51 à 61 cm, et pèse entre 18 et 30 kg.

L'actuel berger d'Écosse à poil long a de plus longues pattes que ses ancêtres du même nom.

À gauche
La tête du colley à poil long, très importante, doit être en harmonie avec la taille du chien.

EN BREF

NOM	Colley à poil court
AUTRE NOM	Berger d'Écosse, collie
CLASSIFICATION	FCI : groupe 1
COULEURS DE ROBE	Zibeline, tricolore, bleu merle

Colley
à poil court

TAILLE : 51 à 61 cm

1
GROUPE   TOILETTAGE
grande
TAILLE   ALIMENTATION

MOINS POPULAIRE QUE son homologue à poil long, le colley à poil ras est intelligent, alerte et actif ; la principale différence se trouve dans la robe, car il présente la même gaieté et le même caractère affectueux que le colley à poil long. Par le passé, on les considérait comme deux variétés d'une même race, mais ce sont aujourd'hui deux races distinctes.

La tête est très importante. Vue de face ou de profil, elle apparaît longue et mince. L'extrémité du museau est arrondie et émoussée, mais jamais carrée. Les oreilles sont assez grandes et un peu plus larges à la base. Repliées au repos, elles reviennent en avant, à demi levées quand le chien est en éveil. Les couleurs de robe sont les mêmes que pour la race à poil long, mais le merle y est plus fréquent. Ce chien mesure généralement 51 à 61 cm de haut et pèse entre 18 et 29,5 kg.

Officiellement, l'histoire de la race remonte à 1873 ; le colley à poil court aurait du sang de greyhound.

À gauche
Le pelage du colley à poil ras est court, plat et dur. Sa robe est rude au toucher, avec un sous-poil très dense.

2

GROUPE TOILETTAGE

grande

TAILLE ALIMENTATION

Chien de la Serra Estrela

TAILLE : 62 à 72 cm

L e chien
de la Serra Estrela
a un aboiement
puissant et peut faire
des bonds
impressionnants.

À droite
Très apprécié
au Portugal, le chien
de la Serra Estrela est
encore peu connu
en dehors de son pays
d'origine.

L E CHIEN DE LA SERRA ESTRELA compte parmi les plus anciennes races de la péninsule ibérique. Originaire du centre du Portugal, il a des liens de parenté avec de nombreux autres chiens de troupeaux du monde entier.

Ce chien solide et bien charpenté, de type mastiff, dégage une impression de force et d'énergie ; c'est un animal actif et endurant. Gardien intrépide, loyal et affectueux envers ses maîtres, il se montre indifférent envers les

autres personnes. Intelligent et vigilant, il sait se faire respecter. Il existe deux types de robes, une longue et une courte. Le poil long, épais et dur, ressemble au poil de chèvre, avec un sous-poil de couleur plus claire. Le poil est épais et sa longueur varie selon les parties du corps. La taille est de 62 à 72 cm, avec une tolérance de 4 cm de plus ; le poids varie considérablement, de 30 à 50 kg.

EN BREF	
NOM	Chien de la Serra Estrela
AUTRE NOM	Cão da serra da Estrela
CLASSIFICATION	FCI : groupe 2
COULEURS DE ROBE	Fauve, louvet, jaune, unicolores ou panachées

---

5

GROUPE TOILETTAGE

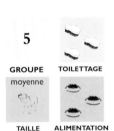

moyenne

TAILLE ALIMENTATION

Chien finnois de Laponie

TAILLE : 41 à 52 cm

P ar rapport
à sa taille, le chien
finnois de Laponie est
doté d'un appétit
féroce. Élevé par
les Lapons, c'est
un chien de troupeaux
de rennes.

R ÉPANDU DANS LE NORD de la Scandinavie et la république de Carélie (Russie), le chien finnois de Laponie est utilisé sous le rude climat finlandais pour conduire et regrouper les troupeaux. Ce chien de type spitz apprécie les activités familiales et plus particulièrement celles qui se déroulent en plein air.

Robuste, il est intelligent, courageux, calme et fidèle, tout en ayant gardé son caractère de gardien de troupeau. C'est à la fois un bon compagnon et un bon gardien. Le chien finnois de Laponie mesure 41 à 52 cm et pèse 20 à 21 kg. Il est doté d'une robe très fournie, au poil long et rêche et au sous-poil doux et épais. Toutes les couleurs sont autorisées, mais la couleur principale doit dominer. Des marques de couleurs différentes peuvent figurer sur la tête, le cou, le poitrail, les pattes et le bout de la queue.

EN BREF	
NOM	Chien finnois de Laponie
AUTRES NOMS	Lapphound, lapinkoïra
CLASSIFICATION	FCI : groupe 5
COULEURS DE ROBE	Gris-noir avec des nuances, fauve avec des taches

```
○○○○○○○○○○○○○○○○○○○○○○○○○○○
```

EN BREF

NOM	Berger allemand
AUTRE NOM	Deutscher Schäferhund
CLASSIFICATION	FCI : groupe 1
COULEURS DE ROBE	Noir avec des marques brun rouge, brunes ou jaune, noir et gris uniforme

Berger allemand

TAILLE : 57,5 à 62,5 cm

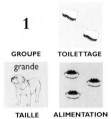

1

GROUPE TOILETTAGE

grande

TAILLE ALIMENTATION

CETTE RACE TRÈS CONNUE a de nombreux amateurs dans le monde entier. Développé en Allemagne à partir de chiens de berger et de chiens de fermes très anciens, le berger allemand est un animal aux usages multiples. Longtemps utilisé comme chien de guerre, il a ensuite été recruté au sein des forces de police et de sécurité ; il est également employé en tant que chien guide, chien de garde, chien renifleur et chien de sauvetage. Enfin, il fait merveille dans tous les travaux de dressage.

Relativement long par rapport à sa hauteur, le berger allemand mesure, dans l'idéal, entre 57,5 et 62,5 cm. Ces proportions, associées à la position des pattes antérieures et postérieures, lui assurent une foulée longue et de l'endurance. Son poids va de 24 à 43 kg. Attentif, alerte et résistant, c'est un animal d'humeur égale, loyal, sûr de lui, courageux et accommodant ; il n'est jamais agressif ou timide. Pour les concours, la robe doit être rude, dense et plaquée, avec un sous-poil épais.

Pendant la Première Guerre mondiale, l'armée allemande comptait 48 000 bergers allemands, qui étaient pour la plupart confisqués à leurs propriétaires.

À gauche
Le berger allemand réclame une grande fermeté et beaucoup d'exercice.

```
○○○○○○○○○○○○○○○○○○○○○○○○○○
```

EN BREF

NOM	Hovawart
CLASSIFICATION	FCI : groupe 2
COULEURS DE ROBE	Fauve, noir, noir et feu avec des marques fauves

Hovawart

TAILLE : 58 à 70 cm

2

GROUPE TOILETTAGE

grande

TAILLE ALIMENTATION

AUTREFOIS CONNU SOUS le nom de hofwart, le hovawart est mentionné dans des écrits du Moyen Âge comme étant un chien de garde efficace. Des éleveurs allemands ont recréé la race par le croisement de chiens de ferme de la Hartz, de la Forêt-Noire et d'autres régions montagneuses, et l'on pense que des hovawarts de type ancien auraient survécu dans les zones rurales et agricoles isolées.

Avec une taille imposante de 58 à 70 cm et un poids comparativement bas (de 25 à 40 kg), le hovawart est un animal robuste, capable de travailler par n'importe quel temps. Il est vigilant, agile, rapide, digne et sûr de lui. Dévoué, il est joueur et intelligent. Il cherche parfois à s'imposer face aux autres chiens. Sa robe à poils longs (10 à 22,5 cm en moyenne) peut avoir une base blonde s'éclaircissant vers l'extrémité ou fauve, noire ou noire et feu avec des marques fauves.

Officiellement reconnu par le Club canin allemand dans les années 1930, le hovawart reste peu courant en dehors de son pays d'origine.

À gauche
Le hovawart est un compagnon agréable mais réservé. Il lui arrive de mordre lorsqu'il est effrayé.

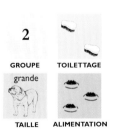

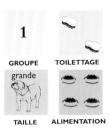

1

GROUPE   TOILETTAGE

grande

TAILLE   ALIMENTATION

Kuvasz

TAILLE : 66 à 75 cm

EN BREF

NOM	Kuvasz
CLASSIFICATION	FCI : groupe 1
COULEURS DE ROBE	Blanc pur

Le kuvasz fut mentionné pour la première fois au XVIIᵉ siècle, mais on estime qu'il serait arrivé en Hongrie cinq siècles plus tôt.

À droite
Le nom kuvasz vient du turc kavas*, qui signifie garde armé.*

LE KUVASZ EST UNE ancienne race de chiens de berger, arrivée en Hongrie au Moyen Âge avec des bergers nomades turcs, qui s'en servaient pour protéger leurs bêtes. Aujourd'hui, le kuvasz protège les personnes et garde les propriétés. Ce chien puissant réclame fermeté et bon sens, car

il n'apprécie ni la faiblesse ni l'injustice.

Grand et solide, le kuvasz mesure 66 à 75 cm et pèse entre 30 et 52 kg ; d'une allure puissante et noble, il est bien équilibré. Ce n'est pas un chien corpulent, mais plutôt un chien musclé. Hardi, courageux et sans peur, il est protecteur envers ses maîtres. Dévoué, doux et patient, il se méfie des étrangers. Sa double robe est légèrement ondulée, avec un poil de couverture moyennement rêche et un sous-poil fin et laineux. La robe est blanc pur, tandis que la peau est fortement pigmentée avec des plaques gris ardoise. Les yeux bruns en amande sont légèrement bridés ; le tour des yeux, les lèvres et la voûte du palais sont gris ardoise.

1

GROUPE   TOILETTAGE

moyenne

TAILLE   ALIMENTATION

Puli

TAILLE : 37 à 44 cm

EN BREF

NOM	Puli
AUTRE NOM	Berger hongrois
CLASSIFICATION	FCI : groupe 1
COULEURS DE ROBE	Uni : noir, gris et blanc

La fourrure très particulière du puli, avec ses poils cordés, le protège de la pluie. Même ses yeux sont protégés.

LE PLUS CONNU DE toutes les races hongroises, le puli serait arrivé d'Asie au IXᵉ siècle. Capable de travailler par un froid intense, c'est un chien qui conduit les troupeaux de moutons.

Robuste et musclé quoique doté d'une ossature fine, le puli

a une forme générale carrée qui rappelle celle du terrier du Tibet, dont il est un lointain parent.

Ce chien vif et agile est extrêmement intelligent. Il se méfie des étrangers, sans toutefois se montrer nerveux ni faire preuve d'agressivité s'il n'est pas provoqué. Il mesure 37 à 44 cm de haut et pèse entre 10 et 15 kg.

L'une de ses caractéristiques les plus marquantes est sa robe. Dans des proportions adéquates, le poil de couverture et le sous-poil du puli adulte forment naturellement des cordes ; il n'en va pas de même chez le jeune chien. La robe est noire, noir rouille, blanche, ou de différentes nuances de gris et d'abricot.

```
○○○○○○○○○○○○○○○○○○○○○○○
          EN BREF

NOM                Komondor
CLASSIFICATION     FCI : groupe 1
COULEURS DE ROBE   Blanc
```

Komondor

TAILLE : 60 à 80 cm

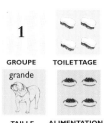

1	
GROUPE	TOILETTAGE
grande	
TAILLE	ALIMENTATION

AUTRE RACE HONGROISE, plus imposante que le puli, le komondor descend lui aussi de chiens venus d'Orient, les ovtcharka, qui accompagnèrent les nomades magyars dans leurs déplacements vers l'Ouest. Le komondor excelle dans les travaux de surveillance des troupeaux. Chien de garde perspicace et fort, il doit être traité avec respect et il est indispensable de bien le connaître avant de décider d'en adopter un. Il peut avoir un comportement assez distant.

Méfiant envers les étrangers, réputé pour sa taille imposante et son attitude courageuse, le komondor est un chien fidèle et dévoué. Musclé et doté d'une ossature forte, il mesure en moyenne 60 à 80 cm et son poids varie entre 36 et 61 kg. Son poil de couverture long et rêche, et son sous-poil plus doux ont tendance à former des mèches qui donnent à sa robe un aspect cordé. La robe du chiot est douce et duveteuse et il faut attendre jusqu'à deux ans avant que les mèches soient entièrement formées.

Le komondor est connu en Hongrie depuis plus de 1000 ans ; il fut mentionné sous ce nom pour la première fois en 1544.

À gauche
La robe du komondor réclame un entretien régulier pour l'empêcher de feutrer.

```
○○○○○○○○○○○○○○○○○○○○○○○○
          EN BREF

NOM                Lancashire heeler
CLASSIFICATION     Race en cours de reconnaissance
                   par la FCI
COULEURS DE ROBE   Noir et fauve
```

Lancashire heeler

TAILLE : 25 à 30 cm

aucun	
GROUPE	TOILETTAGE
petite	
TAILLE	ALIMENTATION

L'HISTOIRE DU LANCASHIRE HEELER est quelque peu obscure, mais on pense qu'il serait issu du croisement fortuit de welsh corgi, qui conduisaient les troupeaux du Pays de Galles jusqu'à la région d'Ormskirk, avec des terriers de Manchester.

Ce travailleur bas sur pattes, fort et actif, sait s'occuper du bétail, mais possède aussi des instincts de terrier pour la chasse au lapin et au rat. Gai et affectueux, le heeler ne demande qu'à faire plaisir et apprécie la compagnie des enfants. Malgré sa petite taille (environ 25 à 30 cm) et son poids plume (3 à 6 kg), il déploie une grande énergie et demande à être maintenu occupé. La longueur de la robe varie légèrement selon les saisons : le poil, brillant et court en été, devient plus long et forme une sorte de crinière en hiver. Il est noir avec des marques d'un feu profond. Cette race est en cours de reconnaissance par la FCI.

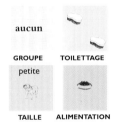

Bien que le lancashire heeler existe depuis longtemps dans cette région du Royaume-Uni, la race actuelle fut recréée dans les années 1960.

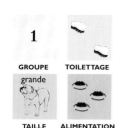

1

GROUPE   TOILETTAGE

grande

TAILLE   ALIMENTATION

Berger de Maremme et des Abruzzes

TAILLE : 60 à 73 cm

L e berger de Maremme est le plus connu des chiens de berger italiens. C'est lui qui aurait vaincu la bête du Gévaudan.

EN BREF	
NOM	Berger de Maremme et des Abruzzes
AUTRE NOM	Cane da pastore Maremmano-Abruzzese
CLASSIFICATION	FCI : groupe 1
COULEURS DE ROBE	Blanc

L E BERGER DE MAREMME et des Abruzzes doit son nom aux herbages du sud de la Toscane, où il était jadis utilisé pour protéger les moutons des ours, des loups et aussi des voleurs, ainsi que pour garder les propriétés. Son origine est incertaine, mais cette race pourrait descendre des chiens de travail blancs des Magyars.

Ce chien majestueux mesure 60 à 73 cm et pèse entre 30 et 45 kg. Il est agile, robuste et imposant, avec une expression réfléchie. La tête, de forme conique, semble grande par rapport à la taille du corps ; les mâchoires sont puissantes, tout comme le front. Ce chien distingué est vif, intelligent et courageux, mais peu agressif. Sa robe est entièrement blanche, bien qu'une nuance d'ivoire ou de fauve pâle soit admise. Le poil est long, abondant et relativement rêche au toucher.

5

GROUPE   TOILETTAGE

moyenne

TAILLE   ALIMENTATION

Buhund norvégien

TAILLE : 45 cm

À droite
Le buhund norvégien a une tête mince et pointue. Ses yeux foncés ont des paupières elles aussi foncées.

C ompagnon des chasseurs, le buhund norvégien tirait jadis les traîneaux. En effet, malgré sa taille moyenne, il est extrêmement puissant.

EN BREF	
NOM	Buhund norvégien
AUTRE NOM	Norsk buhund
CLASSIFICATION	FCI : groupe 5
COULEURS DE ROBE	Froment ou noir unicolore

P RÉSENT UNIQUEMENT en Norvège pendant des milliers d'années, le buhund était traditionnellement employé comme chien de ferme. *Buhund* signifie « chien trouvé sur la propriété » et il est vrai que cette race adore travailler. Le buhund est un gardien vigilant et un conducteur de troupeaux efficace.

Race à ossature légère, avec des oreilles droites, pointues et mobiles, le buhund porte sa queue couchée sur le rein. Sa taille est de 45 cm (un peu moins pour la femelle) et il pèse 24 à 26 kg. La robe est de couleur froment ou noir. Quelques petites marques symétriques blanches ou noires sont acceptées. Le poil de couverture est serré et dur au toucher bien que lisse, tandis que le sous-poil est doux et laineux. Les yeux marron ont une expression intrépide conforme au caractère énergique, brave et courageux de cette race.

EN BREF

NOM	Bobtail
AUTRE NOM	Berger anglais ancestral
CLASSIFICATION	FCI : groupe 1
COULEURS DE ROBE	Gris, grisonné, bleu

Bobtail

TAILLE : 56 à 61 cm

L'HISTOIRE DU BOBTAIL n'est vieille que de quelques siècles. Bien qu'il descende vraisemblablement de chiens de berger européens, il est aujourd'hui considéré comme une race originaire de Grande-Bretagne, probablement développée dans le sud-ouest de l'Angleterre en tant que chien de berger. Réputé pour son endurance, le bobtail amble de façon très particulière au pas comme au trot.

Robuste et à l'allure carrée, c'est un chien harmonieux, musclé et à l'expression intelligente. Intrépide, fidèle et digne de confiance, il est obéissant et d'humeur égale. Le poil de couverture, abondant et rude, couvre un sous-poil imperméable ; le pelage réclame donc des toilettages longs et réguliers. La robe peut être de toutes les nuances de gris, grisonné ou bleu, avec ou sans « chaussettes » blanches. La femelle mesure au moins 56 cm, et le mâle au moins 61 cm, tandis que le poids idéal se situe aux environs de 29,5 à 30,5 kg.

Répandu, le bobtail fut peint par Gainsborough en 1771. Aujourd'hui il est toujours aussi apprécié, notamment grâce à sa présence dans les campagnes publicitaires.

À gauche
Malgré sa taille et sa force, le bobtail est très doux, en particulier avec les enfants.

EN BREF

NOM	Chien de berger polonais de plaine
AUTRES NOMS	Berger de vallée polonais, nizinny, polski owczarek nizinny
CLASSIFICATION	FCI : groupe 1
COULEURS DE ROBE	Toutes couleurs sont admises

Chien de berger polonais de plaine

TAILLE : 40 à 52 cm

ARRIVÉ EN FRANCE en 1980, le chien de berger polonais de plaine a vu sa popularité croître rapidement. Connu comme chien de travail depuis le XVIᵉ siècle, il descend des chiens de berger polonais à poil long et du puli.

Haut de 40 à 52 cm et pesant environ 14 à 16 kg, c'est un animal fort et musclé. Vigilant, intelligent, vif et perspicace, le chien de berger polonais de plaine est facile à dresser en tant que chien de garde ; son caractère éveillé et équilibré en fait un chien vif mais qui reste maître de lui-même. Son éducation doit rester ferme.

Son corps est couvert d'un pelage long, dense et hirsute de couleurs différentes. Le poil de couverture est rêche au toucher mais le sous-poil est doux. La tête, de taille moyenne, est bien proportionnée par rapport au corps, avec une profusion de poils sur le front, les joues et le menton, ce qui la fait paraître plus grosse qu'elle ne l'est. La queue, courte de nature, est parfois coupée.

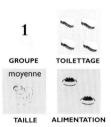

Pendant la Seconde Guerre mondiale, ce chien fut proche de l'extinction ; heureusement, son avenir est aujourd'hui assuré.

À gauche
En Pologne, aujourd'hui, le chien de berger polonais de plaine est surtout devenu un animal de compagnie.

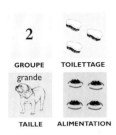

2
GROUPE

TOILETTAGE

grande

TAILLE

ALIMENTATION

Chien de montagne des Pyrénées

TAILLE : 65 à 70 cm

EN BREF	
NOM	Chien de montagne des Pyrénées
CLASSIFICATION	FCI : groupe 2
COULEURS DE ROBE	Blanc avec ou sans poil de blaireau, tâches fauve pâle ou gris-loup

Pendant la Seconde Guerre mondiale, le chien de montagne des Pyrénées fut utilisé par la Résistance pour transporter des messages et des colis.

À droite
Du fait de sa taille, le chien de montagne des Pyrénées est mal adapté à la vie citadine.

DANS LES PYRÉNÉES, ce chien est considéré comme le gardien et le protecteur naturel des bergers et de leurs troupeaux contre les loups et autres prédateurs. En France, des chiens de ce type sont connus depuis bien avant l'ère chrétienne. Louis XIV le surnommait « chien royal de France ». Plus récemment, il connut la célébrité grâce au feuilleton Belle et Sébastien.

Sa grande taille, sa charpente et sa puissance dégagent une impression de force. Le mâle mesure au moins 70 cm, et la femelle 65 cm (mais ces valeurs sont souvent très largement dépassées), pour un poids minimum de 50 kg et 40 kg respectivement. Avec sa belle robe fournie et sa tête forte mais sans

lourdeur, le chien de montagne des Pyrénées est élégant. Sa robe peut être entièrement blanche ou principalement blanche avec des marques blaireau, gris loup ou fauve pâle. C'est un animal au tempérament tranquille et sûr de lui.

1
GROUPE

TOILETTAGE

moyenne

TAILLE

ALIMENTATION

Berger des Pyrénées

TAILLE : 38 à 48 cm

EN BREF	
NOM	Berger des Pyrénées
CLASSIFICATION	FCI : groupe 1
COULEURS DE ROBE	Plusieurs couleurs sont admises

Le standard de race du berger des Pyrénées, race développée dans les régions rurales, ne fut rédigé qu'en 1926.

CHIEN DE BERGER de petite taille mais énergique, il a été sélectionné pour conduire les grands troupeaux de moutons dans les zones rurales. Doté d'un fort instinct de meneur,

le berger des Pyrénées est intelligent, plein d'énergie et très endurant. Éveillé et vif, il est important de lui apprendre à vivre en société dès les premières semaines de sa vie pour lui permettre de s'adapter à toutes les situations.

Sa robe peut être de plusieurs nuances de fauve, de gris clair ou foncé (souvent avec du blanc), de bleu merle, de bleu ardoise, de bringé, de noir ou de noir et blanc. Il existe deux types de robes : à poil long, avec des poils qui couvrent les pattes jusqu'aux pieds ; à face rase, avec des poils courts et une frange sur les pattes antérieures. Le poil est rêche au toucher, dense et quasiment plat ou légèrement ondulé. Le chien mesure 38 à 48 cm et pèse entre 8 kg et 15 kg.

EN BREF

NOM	Samoyède
AUTRE NOM	Samoiedskaïa sobaka
CLASSIFICATION	FCI : groupe 5
COULEURS DE ROBE	Blanc pur, blanc et biscuit ou crème

Samoyède

TAILLE : 53 à 60 cm

5
GROUPE · TOILETTAGE
grande
TAILLE · ALIMENTATION

Le poil de couverture, épais et serré, a des reflets argentés à son extrémité ; il nécessite un entretien régulier. Le samoyède mesure 53 à 60 cm et pèse entre 23 et 30 kg.

C E CHIEN DE TYPE SPITZ ne passe pas inaperçu. Utilisé pendant des siècles comme chien de traîneau et de berger, il fut d'abord introduit au Royaume-Uni vers 1900 par des négociants en fourrure. À l'époque, le samoyède était noir ou blanc et des chiens des deux couleurs furent utilisés lors des premières expéditions polaires.

Robuste, actif et gracieux, le samoyède fait preuve d'endurance. Intelligent, éveillé, toujours en action et affectueux, il présente un « sourire » caractéristique. La robe est d'un blanc pur, avec quelques nuances occasionnelles de biscuit ou de crème.

Le samoyède doit son nom à une tribu nomade de Sibérie, aux côtés de qui il a voyagé pendant plusieurs siècles.

À gauche
Le samoyède possède une double robe, avec un poil de couverture rêche au toucher et imperméable, et un sous-poil doux et très dense.

EN BREF

NOM	Berger des Shetland
AUTRES NOMS	Shetland sheepdog, shetland
CLASSIFICATION	FCI : groupe 1
COULEURS DE ROBE	Zibeline, tricolore ou bleu merle

Berger des Shetland

TAILLE : 35,5 à 37 cm

1
GROUPE · TOILETTAGE
moyenne
TAILLE · ALIMENTATION

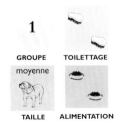

L E BERGER DES SHETLAND doit son nom à sa région d'origine. Il fut officiellement reconnu par le Kennel Club en 1919. Copie en miniature du colley à poil long, il doit sa ressemblance au colley à une sélection rigoureuse. Ce chien de travail de petite taille et au poil long est d'une grande beauté, avec une silhouette très symétrique et extrêmement bien proportionnée. La robe est abondante, avec une crinière et un jabot. Elle affiche des couleurs d'une grande beauté : doré pâle à acajou-sable profond, zibeline, tricolore, bleu merle, noir et blanc, ou noir et feu. La taille idéale varie entre 35,5 cm et 37 cm et le poids, étonnamment, entre 6 à 7 kg. C'est un chien éveillé, doux et intelligent, affectueux et réceptif à ses maîtres, tout en se montrant réservé mais jamais nerveux vis-à-vis des étrangers. Des sorties quotidiennes sont nécessaires.

À gauche
Aujourd'hui, le berger des Shetland est désormais un animal de compagnie particulièrement apprécié au Royaume-Uni et au Japon.

L a petite taille du berger des Shetland est parfaitement adaptée aux conditions climatiques de sa région d'origine, qui abrite aussi des poneys et des moutons nains.

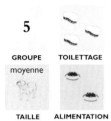

5

GROUPE — TOILETTAGE

moyenne

TAILLE — ALIMENTATION

Chien suédois de Laponie

TAILLE : 43 à 48 cm

L e squelette d'un chien vieux de 7 000 ans a été retrouvé en Norvège ; il ressemblerait à celui du chien suédois de Laponie.

À droite
Malgré toutes ses qualités, le chien suédois de Laponie ne se rencontre que très rarement en dehors de son pays d'origine.

EN BREF	
NOM	Chien suédois de Laponie
AUTRE NOM	Svensk lapphund
CLASSIFICATION	FCI : groupe 5
COULEURS DE ROBE	Noire ou marron, unicolore ou pie

L ES LAPONS UTILISAIENT JADIS le chien suédois de Laponie, race très ancienne, pour garder leurs propriétés, conduire leurs troupeaux et protéger les rennes des prédateurs. Dans les années 1960, le club canin suédois mit en œuvre un programme de reproduction destiné à améliorer les capacités de travail de cette race, dont on ne trouve que peu de représentants hors de Suède.

Parfait représentant du spitz, avec sa forme rectangulaire et sa taille moyenne, il mesure 43 cm (femelle) et 48 cm (mâle), et pèse entre 19,5 kg et 20,5 kg. Intelligent, facile à dresser et patient, le chien suédois de Laponie est gentil, amical et dévoué, tout en étant vivant et éveillé. Sa robe est imperméable, avec des poils raides qui forment un collier autour du cou. Elle peut être noire ou marron, unicolore ou pie. Les couleurs unies sont plus recherchées, mais quelques petites marques blanches sur la poitrine, les pieds et le bout de la queue sont acceptées.

5

GROUPE — TOILETTAGE

petite

TAILLE — ALIMENTATION

Spitz des Visigoths

TAILLE : 31 à 35 cm

EN BREF	
NOM	Spitz des Visigoths
AUTRES NOMS	Västgötaspets, vallhund suédois, chien des Goths
CLASSIFICATION	FCI : groupe 5
COULEURS DE ROBE	Plusieurs couleurs sont admises

P roche de l'extinction dans les années 1930, la race fut relancée au cours de la décennie suivante, principalement grâce aux efforts du comte Bjorn von Rosen.

D EPUIS LONGTEMPS DÉJÀ, le spitz des Visigoths est utilisé en Suède pour ses qualités de gardien et de conducteur de troupeaux. Il pourrait être un lointain parent du welsh corgi, rapporté en Scandinavie par les Vikings qui s'étaient auparavant installés dans le Pembrokeshire.

Ce chien de ferme à tout faire excelle dans la garde et la conduite des troupeaux et dans l'élimination des rongeurs. Solidement charpenté, avec un corps assez long, il mesure 31 cm à 35 cm et pèse entre 11 kg et 15 kg. Son poil, de longueur moyenne, est rêche, serré et épais ; le sous-poil est abondant, doux et laineux. Il peut être gris acier, brun gris, sable gris ou sable roux, avec des poils plus foncés sur le dos, le cou et les flancs. Le spitz des Visigoths présente souvent un tempérament distant mais reste protecteur, vif et gai. Son aspect et son expression trahissent son caractère vigilant, éveillé et énergique.

Welsh corgi cardigan

TAILLE : 30 cm

EN BREF

NOM	Welsh corgi cardigan
CLASSIFICATION	FCI : groupe 1
COULEURS DE ROBE	Toutes les couleurs sont admises mais le blanc ne doit pas dominer

1
GROUPE — TOILETTAGE
petite
TAILLE — ALIMENTATION

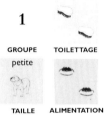

LE CARDIGAN SEMBLERAIT être la race la plus ancienne des deux welsh corgi. C'est aussi l'une des plus anciennes races de Grande-Bretagne et les fermiers gallois l'utilisent depuis des siècles pour conduire leurs troupeaux. D'ailleurs, *corgi* signifie « chien » en gallois.

Il fallut attendre les années 1930 pour que les deux variétés de corgi soient séparées. Le cardigan possède une queue et un plus grand nombre de couleurs de robe est autorisé (mais le blanc ne doit jamais dominer). Avec son corps allongé, c'est un chien robuste, mobile et endurant. Sa queue, comme celle du renard, est modérément longue et portée dans le prolongement du corps. Vigilant, actif, intelligent et constant, il n'est ni timide ni agressif. Il mesure idéalement 30 cm au garrot et pèse entre 11 et 17 kg. Sa robe est courte ou moyenne, d'une texture rêche et imperméable, avec un bon sous-poil.

L'histoire du welsh corgi cardigan demeure une énigme. Certains pensent qu'il est arrivé en Grande-bretagne il y a environ 3 000 ans !

À gauche
Ce chien dynamique n'hésite pas à mordre. Il n'est pas conseillé dans les familles avec enfants, mais fait un excellent gardien.

Welsh corgi pembroke

TAILLE : 25,5 à 30,5 cm

EN BREF

NOM	Welsh corgi pembroke
CLASSIFICATION	FCI : groupe 1
COULEURS DE ROBE	Rouge, fauve charbonné, fauve noir et feu

1
GROUPE — TOILETTAGE
petite
TAILLE — ALIMENTATION

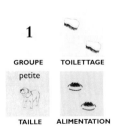

ORIGINAIRE DU PEMBROKESHIRE, au Pays de Galles, cette race aurait été apportée en Grande-Bretagne par des tisserands flamands vers 1100, bien que certaines sources affirment qu'il serait arrivé en 920. Les pembroke se sont croisés avec les cardigan, avant d'être séparés en 1934.

Assez endurant pour faire face à une journée de travail à la ferme, et pour mordiller comme il se doit le jarret du bétail, c'est un chien farceur et heureux de vivre. Court sur pattes, le pembroke dégage une impression de solidité et d'énergie concentrées dans un petit volume. Vigilant, actif et courageux, il a un tempérament amical et joyeux. La tête ressemble à celle d'un renard, la queue est courte et la robe est de couleur rouge, sable, fauve ou noire et feu, avec ou sans marques blanches. Le poil est de longueur moyenne, avec un sous-poil raide et dense. Le pembroke mesure environ 25,5 cm à 30,5 cm et pèse entre 10 kg et 12 kg.

Le welsh corgi pembroke est l'un des chiens préférés de la reine Elisabeth II, qui en possède plusieurs.

À gauche
Bien qu'il ait moins tendance à mordre que le cardigan, le pembroke n'est pas non plus un compagnon idéal pour les jeunes enfants.

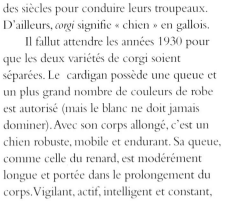

Les terriers

D E FAÇON GÉNÉRALE, les chiens classés
dans la catégorie des terriers sont
des chasseurs d'animaux nuisibles.
Pour la Fédération cynologique internationale
et la Société centrale canine, les terriers
constituent un groupe à eux seuls et sont répartis
en quatre sections : les terriers de grande et
moyenne taille ; les terriers de petite taille ; les
terriers de type bull ; les terriers d'agrément.
Inutile de préciser que les plus grands des terriers
d'aujourd'hui auraient quelques difficultés à chasser
sous terre dans le véritable sens du terme.

Ci-dessus
Le terrier du Norfolk compte
parmi les chiens les plus
petits de ce groupe, mais
sa ténacité est sans limites.

À droite
Traditionnellement,
le terrier froment irlandais
est un chien de ferme.

Ci-dessous
Ce terrier gallois
a remporté le premier prix
au célèbre concours
de Cruft's en 1998.

CROISEMENTS SÉLECTIFS

Les croisements ont permis de créer
des types très différents, influencés dans
une certaine mesure par les exigences
des expositions. À une certaine
époque, en raison de la topographie
du Royaume-Uni et du manque
de développement des réseaux

de communication, on a vu se développer des types
de terriers spécifiques à différentes régions ; ce fut
le cas en Irlande et dans les îles au large de la côte
écossaise, ainsi que dans certaines régions périurbaines
très localisées.

Ces races avaient des objectifs différents.
Certaines étaient utilisées par les ouvriers qui
s'amusaient à chasser les rats autour des bâtiments
industriels ; d'autres travaillaient conjointement avec
des meutes de chiens courants pour faire sortir le
renard de son terrier ou le contenir jusqu'à l'arrivée
des chasseurs ; d'autres encore servaient à chasser la
loutre ou le blaireau. Certains terriers furent croisés
avec des bulldog pour donner le jour à des chiens de
combat, sport aujourd'hui décrié mais très populaire
dans le Royaume-Uni du XVIIIᵉ siècle.

Avec l'évolution des textes juridiques, certains
sports et passe-temps sont heureusement devenus
illégaux, mais les races qui leur étaient destinées ont
gardé des amateurs. Cependant, lors des expositions,
il y a désormais moins d'inscriptions de terriers que
de races appartenant aux autres groupes, quoique
certains fassent preuve
de très grandes qualités.

L'airedale terrier est
sans conteste le plus grand
des terriers, et le terrier
froment irlandais
y tient une place à part
pour sa robe. La plupart
des terriers sont de petite
ou moyenne taille. Leur
toilettage réclame souvent
beaucoup d'attention et les
services d'un professionnel
seront probablement de
mise, à moins d'apprendre
comment mener à bien
cette tâche spécialisée.
Seules exceptions à la règle
du toilettage : le bull-
terrier et le bull-terrier
du staffordshire, qui ont
le poil court et lisse. Comme dans bien des groupes,
les couleurs de robe varient considérablement, allant
du blanc au noir en passant par tous les mariages
de couleurs.

En règle générale, les terriers affichent une forte
personnalité et une grande confiance en eux.
Ils ne cherchent pas le conflit, mais répondent
facilement à la provocation. Leur maître doit toujours
garder cela à l'esprit et agir en conséquence.

Airedale terrier

TAILLE : 56 à 61 cm

EN BREF	
NOM	Airedale terrier
AUTRE NOM	Airedale
CLASSIFICATION	FCI : groupe 3
COULEURS DE ROBE	Noir ou grisonné et feu

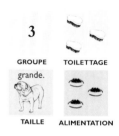

3
GROUPE   TOILETTAGE
grande.
TAILLE   ALIMENTATION

ORIGINAIRE DU YORKSHIRE, l'airedale terrier est le plus grand terrier, ce qui lui vaut le surnom de « roi des terriers ». Musclé, vif, expansif et amical, l'airedale terrier est un bon compagnon pour toute la famille, aussi à l'aise en ville qu'à la campagne.

Avec ses petits yeux foncés, son air enthousiaste et sa rapidité, l'airedale terrier semble perpétuellement dans l'attente d'un événement. Toujours aux aguets, il est peu agressif mais c'est un animal courageux. Sa queue, attachée haut, est portée gaiement. Il mesure 56 à 61 cm et pèse environ 20 à 23 kg. La robe, au poil dur, dense et rêche, n'est pas assez longue pour paraître hirsute ; elle est double et nécessite un toilettage par épilation. Imperméable, elle se renouvelle deux fois par an. Le manteau, le haut du cou et la queue sont noirs, toutes les autres parties sont feu.

Les premiers airedale terriers furent réunis lors du Airedale Agricultural Society Show, qui se déroula dans le Yorkshire en 1879.

À gauche
L'airedale terrier est également très habile dans les travaux en milieu aquatique. Il est moins populaire qu'autrefois.

Terrier australien

TAILLE : 25 cm

EN BREF	
NOM	Terrier australien
AUTRE NOM	Australian terrier
CLASSIFICATION	FCI : groupe 3
COULEURS DE ROBE	bleu, sable clair ou rouge

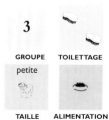

3
GROUPE   TOILETTAGE
petite
TAILLE   ALIMENTATION

CROISÉ DE PLUSIEURS RACES de terriers, le terrier australien est un chien bas et robuste, relativement long par rapport à sa taille (environ 25 cm). Il pèse généralement 5 à 6 kg. Son poil rude est laissé naturel et forme une collerette qui, ajoutée à des yeux foncés et vifs, lui confère une apparence de « dur à cuire ». Le sous-poil est court et doux au toucher. Pour ce qui est des robes bleues et grises, la préférence va aux couleurs profondes et bien réparties, et toutes les couleurs ont une huppe plus claire. Les oreilles sont petites, droites, pointues et attachées haut sur le crâne, comme il se doit pour un chien de travail. Affectueux et sociable, le terrier australien est obéissant et ne demande qu'à faire plaisir, ce qui en fait un bon compagnon, adapté aussi bien à la campagne qu'à la vie citadine. Il est peu agressif, mais se défend avec courage lorsqu'il est attaqué.

Introduit au Royaume-Uni en 1903, ce terrier d'ascendance britannique est le premier à ne pas être né dans ce pays.

À gauche
Présenté en Australie en 1899, le terrier australien est un bon chasseur de rats, doté d'une vision perçante et de réflexes.

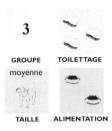

3

GROUPE — moyenne

TOILETTAGE

TAILLE — ALIMENTATION

Bedlington terrier

TAILLE : 41 cm

○○○○○○○○○○○○○○○○○○○○○○○○
EN BREF
NOM	Bedlington terrier
CLASSIFICATION	FCI : groupe 3
COULEURS DE ROBE	Bleu, marron ou sable, avec ou sans feu

Le bedlington terrier doit son nom à un village minier de la région du Northumberland. Il était employé pour dératiser les mines.

MALGRÉ SON PETIT air d'agneau, le bedlington a bel et bien un caractère de terrier. À l'origine, il était utilisé dans le nord de la Grande-Bretagne pour attraper les lapins. Le bedlington ne cherche pas la bagarre, mais il possède un tempérament fougueux, une assurance sans bornes, et se défend courageusement lorsqu'il est provoqué.

Haut d'environ 41 cm, il pèse 8 à 10 kg. Au repos, il dégage une impression de douceur, avec de petits yeux vifs et bien enfoncés, triangulaires dans l'idéal. Les bedlington terriers à robe bleue ont les yeux foncés ; les bleu et feu ont les yeux plus clairs aux reflets ambrés ; et ceux de couleur foie et sable ont les yeux

noisette. Le bedlington terrier est un chien intelligent, gentil et affectueux. Sa robe est épaisse et cotonneuse, avec du volume, mais le poil ne doit pas être rêche. Le crâne est étroit et surmonté par une huppe soyeuse, presque blanche.

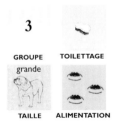

3

GROUPE — grande

TOILETTAGE

TAILLE — ALIMENTATION

Bull-terrier

TAILLE : 53 à 56 cm

○○○○○○○○○○○○○○○○○○○○○○○○
EN BREF
NOM	Bull-terrier
AUTRE NOM	English bull terrier
CLASSIFICATION	FCI : groupe 3
COULEURS DE ROBE	Blanc, bringé, noir, rouge, fauve

SURNOMMÉ le « gladiateur de la gent canine », le bull-terrier est plein d'ardeur et de courage, mais il fait preuve d'un caractère égal et accepte de se soumettre à la discipline. Créée en Angleterre à la fin du XIXᵉ siècle, la race est issue du croisement d'anciens chiens de combat à sang de bulldog, de plusieurs terriers (dont le white english terrier aujourd'hui disparu), ainsi que de dalmatien.

Robuste, musclé et doté d'une tête en forme de ballon de rugby (de face), le bull-terrier exige un maître ferme et attentif. Pourtant, c'est un chien amical et affectueux, y compris avec les enfants. Il ne doit jamais être encouragé à se battre. Le standard ne fixe aucune limite de poids ni de taille, mais l'animal doit être bien proportionné. Il mesure en général 53 à 56 cm et pèse 24 à 28 kg.

James Hinks, de Birmingham, fut le premier à définir le standard de cette race dans les années 1850. On l'utilisait dans les combats de taureau.

EN BREF	
NOM	Border terrier
CLASSIFICATION	FCI : groupe 3
COULEURS DE ROBE	Rouge, froment, grisonné et feu, bleu et feu

Border terrier

TAILLE : 25 à 28 cm

3	
GROUPE	**TOILETTAGE**
petite	
TAILLE	**ALIMENTATION**

ESSENTIELLEMENT CHIEN de travail, le border terrier est originaire de la région frontalière entre l'Angleterre et l'Écosse. Courageux et actif, il est capable de suivre un cavalier et de déterrer un renard. Le Border Terrier Club a vu le jour en 1920, année où l'English Kennel Club a reconnu la race.

La tête évoque celle de la loutre, avec des yeux foncés et une expression avenante ; les oreilles en forme de V sont relativement épaisses et tombent en avant vers les joues. Le standard ne précise pas la taille, mais le border terrier mesure en général 25 à 28 cm ; le poids varie autour de 5 kg pour les femelles et 7 kg pour les mâles.

Courageux au travail, c'est un compagnon loyal, dont l'éducation réclame cependant patience et fermeté.

Jadis spécialisé dans la chasse à la martre et au renard, le border terrier est aujourd'hui apprécié pour sa grande gentillesse.

À gauche
Le poil de couverture du border terrier est dense et rêche au toucher, avec un sous-poil épais. Sa robe demande peu d'entretien.

EN BREF	
NOM	Bull-terrier miniature
CLASSIFICATION	FCI : groupe 3
COULEURS DE ROBE	Blanc, bringé, noir, rouge, fauve, tricolore

Bull-terrier miniature

TAILLE : jusqu'à 35,5 cm

3	
GROUPE	**TOILETTAGE**
petite	
TAILLE	**ALIMENTATION**

MOINS connu que le bull-terrier, le bull-terrier miniature obéit au même standard. Seule la taille varie (moins de 35,5 cm), car l'animal doit dégager la même impression de force. Selon le règlement de la FCI, le bull-terrier et le bull-terrier miniature ne forment qu'une seule race (le premier étant appelé « standard »). Le bull-terrier miniature pèse entre 11 et 17 kg.

Les yeux sont étroits, triangulaires, en oblique et fortement enfoncés. Ils doivent être « noirs » ou très foncés, de sorte à obtenir un regard luisant et perçant. Les oreilles sont petites, minces et rapprochées et doivent être toujours dressées à la verticale. Pour les bull-terriers miniatures d'un blanc pur, une pigmentation de la peau et des marques sur la tête ne sont pas pénalisées. Pour les autres, une couleur doit dominer ; l'un dans l'autre, une robe bringée est plus recherchée.

Comme son homologue de taille standard, le bull-terrier miniature était jadis utilisé dans les combats de chiens. C'est un bon ratier.

À gauche
Le bull-terrier miniature n'apprécie pas la compagnie des jeunes enfants ; mais c'est un excellent gardien adapté à la vie citadine.

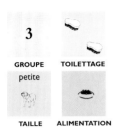

3

GROUPE — petite

TOILETTAGE

TAILLE

ALIMENTATION

Cairn terrier

TAILLE : 28 à 31 cm

EN BREF

NOM	Cairn terrier
CLASSIFICATION	FCI : groupe 3
COULEURS DE ROBE	Crème, froment, rouge, gris ou presque noir

Lorsqu'il concourut pour la première fois en 1909, le cairn terrier fut présenté sous le nom de Skye à poil court.

À droite

Le cairn terrier se plie plus facilement à la discipline que les autres terriers, mais il faut rester prudent avec les enfants.

LE CAIRN TERRIER est connu depuis longtemps dans les Highlands et les îles écossaises. Il pourrait être originaire de l'île de Skye où il chassait dans les cairns (tumulus de pierre). Véritable chien de chasse sous terre, il fut reconnu sous son nom actuel en 1910. Cette race très compétente est bien d'aplomb sur ses pattes antérieures, a le rein puissant et fait preuve d'une grande liberté de mouvements. La robe, très fournie, est imperméable, avec un poil de couverture serré et rêche et un sous-poil court et doux. Une robe bringée est acceptée mais les robes noires, blanches ou noir et feu ne sont pas admises.

Les extrémités noires, dont les oreilles et le museau, sont très caractéristiques.

Intrépide et joyeux, le cairn terrier est sûr de lui mais peu agressif. Il mesure environ 28 à 31 cm et sa taille doit être proportionnelle à son poids qui, idéalement, va de 6 à 7,5 kg.

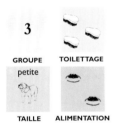

3

GROUPE — petite

TOILETTAGE

TAILLE

ALIMENTATION

Terrier tchèque

TAILLE : 28 à 35,5 cm

EN BREF

NOM	Terrier tchèque
AUTRES NOMS	Czesky terrier, terrier de Bohême
CLASSIFICATION	FCI : groupe 3
COULEURS DE ROBE	Gris bleu, marron clair

Reconnue par la FCI en 1963, cette race originaire de République tchèque vit le jour dans la région de Prague en 1949. Il reste, à ce jour, très peu répandu en France.

CE TERRIER EST L'ŒUVRE du docteur tchèque Frantisèk Horâk, qui cherchait à obtenir une race capable de chasser, mais avec les pattes courtes pour pouvoir pénétrer dans les terriers. Il est issu du sealyham terrier, du terriers écossais et probablement du dandie dinmont terrier. Très apprécié dans les Républiques tchèque et slovaque, le terrier tchèque a reçu dans les années 1980 un nouvel apport de sang de sealyham terrier, car les éleveurs estimaient qu'il s'était éloigné de la conformation d'origine.

Relativement long par rapport à sa hauteur, le terrier tchèque est robuste, court sur pattes, intrépide, résistant et débordant d'énergie. Peu agressif, il est affectueux et sympathique. Sa robe ondulée est gris bleu ou marron clair d'un brillant soyeux ; elle est tondue, à l'exception de la partie supérieure de la tête, des pattes, de la cage thoracique et du ventre. Le terrier tchèque mesure 28 à 35,5 cm et pèse idéalement 7 à 8 kg.

Dandie dinmont terrier

TAILLE : 20 à 28 cm

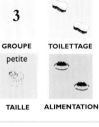

3	
GROUPE	TOILETTAGE
petite	
TAILLE	ALIMENTATION

EN BREF

NOM	Dandie dinmont terrier
CLASSIFICATION	FCI : groupe 3
COULEURS DE ROBE	Poivre, moutarde

DÉVELOPPÉE au XVIIᵉ siècle pour la chasse à la loutre et au blaireau, cette race est devenue célèbre grâce à un roman de Walter Scott, *Guy Mannering*, publié en 1814. Le premier club de race fut fondé en 1876.

Le dandie dinmont terrier est différent des autres terriers. Court sur pattes, son corps allongé évoque celui de la belette. Sa tête est recouverte de poils soyeux et ses grands yeux sont sages et intelligents. Courageux et efficace, le dandie dinmont terrier est un animal déterminé, persévérant et sensible ; c'est un bon compagnon et un bon gardien. Sa double robe imperméable nécessite de l'entretien ; le poil de couverture est dur, tandis que le sous-poil est doux et ouaté. Les couleurs de robe sont joliment appelées poivre et moutarde, termes inspirés du roman de Walter Scott. « Poivre » va de gris-bleu foncé à un gris argent clair, et « moutarde » va de fauve roux à fauve clair. La huppe est toujours plus claire. Le dandie dinmont terrier pèse entre 8 et 11 kg et mesure de 20 à 28 cm.

Le dandie dinmont terrier doit son nom à un personnage du roman de Walter Scott, *Guy Mannering*. Jadis ratier redoutable, c'est aujourd'hui un chien de compagnie.

À gauche
Le plus docile de tous les terriers, le dandie dinmont terrier est facile à vivre et peut être laissé en compagnie d'enfants.

Fox-terrier à poil lisse

TAILLE : 38,5 à 39,5 cm

3	
GROUPE	TOILETTAGE
moyenne	
TAILLE	ALIMENTATION

EN BREF

NOM	Fox-terrier à poil lisse
AUTRE NOM	Smooth fox terrier
CLASSIFICATION	FCI : groupe 3
COULEURS DE ROBE	blanc dominant, avec des marques feu, noir et feu ou noires

DÉVELOPPÉ POUR LA chasse au blaireau, que ce soit en surface ou sous terre, le fox terrier a atteint le sommet de sa popularité vers la fin du XIXᵉ siècle ; l'English Fox Terrier Club fut fondé en 1876, année de la rédaction du standard de la race. Malgré son dos court, cette race fait du bon travail. Le fox-terrier à poil lisse se révèle être un excellent chasseur.

Le fox terrier est l'un des membres les plus vifs et les plus alertes du groupe des terriers ; dynamique, d'une expression enjouée, il semble toujours prêt à l'action. Capable de s'adapter à toutes les situations, le fox-terrier se montre amical, accueillant et courageux, mais il peut toutefois se révéler

mordant avec les autres chiens. Sa robe est droite, plate et lisse, mais aussi rêche et dense. Son poids varie entre 6,8 kg et 8,2 kg et il mesure généralement de 38,5 à 39,5 cm.

Le fox-terrier était à l'origine selectionné pour la chasse à courre au renard, d'où son nom, *fox* signifiant renard en anglais.

À gauche
Le fox-terrier à poil lisse est particulièrement agile et énergique ; son dressage réclame fermeté et persévérance.

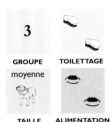

3

GROUPE
moyenne

TOILETTAGE

TAILLE   ALIMENTATION

Fox-terrier à poil dur

TAILLE : jusqu'à 39 cm

Le standard de la race n'a pas changé depuis 1876. C'est peut-être le plus célèbre des terriers.

À droite
Le fox-terrier à poil dur est plus populaire que son homologue à poil lisse, bien qu'il se révèle souvent têtu et mordant.

○ ○

EN BREF

NOM	Fox-terrier à poil dur
AUTRE NOM	Wire fox terrier
CLASSIFICATION	FCI : groupe 3
COULEURS DE ROBE	Blanc dominant, avec des marques noires, noir et feu ou feu

DE MÊME ORIGINE que le fox-terrier à poil lisse, le fox-terrier à poil dur est vif et malicieux. C'est un chien téméraire et véhément. Bien toiletté, il est élégant. Sa robe comporte un poil dense et dur, avec un sous-poil court et doux. Le poil rêche sur les mâchoires est assez long pour donner au museau une apparence de puissance. La robe doit être des couleurs mentionnées ci-dessus, les marques bringées, rouges, foie ou bleu ardoise n'étant pas admises.

Les yeux du fox-terrier à poil dur sont foncés, vifs et brillants d'intelligence ; ils doivent être le plus proche possible du cercle parfait. Les oreilles, en forme de V, retombent vers l'avant contre les joues. La taille ne doit pas dépasser 39 cm et, pour les chiens d'exposition, le poids idéal est de 8,25 kg. La femelle est légèrement plus petite et plus légère.

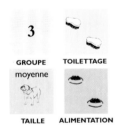

3

GROUPE
moyenne

TOILETTAGE

TAILLE   ALIMENTATION

Irish Glen of Imaal terrier

TAILLE : 35 à 36 cm

Jadis, il était utilisé pour faire tourner le mécanisme du tournebroche dans les cuisines. Il reste peu répandu en dehors d'Irlande.

○ ○

EN BREF

NOM	Irish Glen of Imaal terrier
AUTRE NOM	Glen of Imaal terrier
CLASSIFICATION	FCI : groupe 3
COULEURS DE ROBE	Bleu, bringé, froment

CETTE RACE ANCIENNE reste confinée aux magnifiques paysages de Glen d'Imaal, en Irlande. Autrefois, l'irish Glen of Imaal terrier prenait part à des combats de chiens, mais il participait également activement à la chasse au renard, au blaireau et au rat. Des générations de dur labeur ont fait de lui un chien courageux au caractère bien trempé.

Vif, agile et silencieux, ce terrier fait preuve d'une grande bravoure en cas de nécessité. Il est gentil et doux. Plus long que haut, l'irish Glen of Imaal doit mesurer au plus 35 à 36 cm et il pèse environ 15,5 à 16,5 kg. Sa robe de longueur moyenne, au poil assez dur, est doublée d'un sous-poil doux ; elle peut être tondue pour une apparence plus soignée et se décline en bleu, bringé et toutes les nuances de froment.

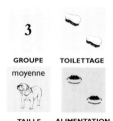

EN BREF

NOM	Terrier irlandais
AUTRE NOM	Irish terrier
CLASSIFICATION	FCI : groupe 3
COULEURS DE ROBE	Rouge, froment rouge, rouge jaune

Terrier irlandais

TAILLE : 46 à 48 cm

3

GROUPE   TOILETTAGE

moyenne

TAILLE   ALIMENTATION

É TABLI EN IRLANDE depuis le XIXᵉ siècle, le terrier irlandais est l'une des plus anciennes races de terriers. Il a été croisé avec le terrier anglais d'agrément noir et feu pour donner un certain raffinement à son corps, qui paraît étoffé mais sans lourdeur. Ce chien fait preuve d'une grande assurance et d'un mépris total du danger. Sans se soucier des conséquences, il fonce droit sur l'ennemi, ce qui lui a valu le surnom de « casse-cou ». Le terrier irlandais a le courage d'un lion et combattra jusqu'à son dernier souffle. Malgré cela, il a bon caractère, notamment avec les hommes.

Son poil dur, rêche, uni et d'aspect brisé, ne doit pas être long au point de masquer les contours du corps. Les poils de sa tête accentuent l'impression de force. Le mâle mesure 48 cm et la femelle 46 cm ; le poids varie généralement entre 11 et 12 kg.

Le terrier irlandais fut présenté pour la première fois dans son pays d'origine en 1875. Le premier club de la race fut créé en 1879.

EN BREF

NOM	Kerry blue terrier
AUTRE NOM	Irish blue terrier
CLASSIFICATION	FCI : groupe 3
COULEURS DE ROBE	Tous les bleus, extrémités noires facultatives

Kerry blue terrier

TAILLE : 46 à 47 cm

3

GROUPE   TOILETTAGE

moyenne

TAILLE   ALIMENTATION

O RIGINAIRE D'IRLANDE, cette race a d'abord porté le nom de irish blue terrier. Ses veines contiennent du sang de bedlington et de bull-terrier. La tradition irlandaise veut que cette race soit ancienne et indigène, descendant partiellement du lévrier irlandais.

En 1922, on pouvait lire que le tempérament du kerry blue terrier était « quasiment parfait, mis à part une légère tendance à anéantir les populations de chats ». Le kerry blue terrier est un gardien intrépide, un excellent compagnon et un joueur relativement discipliné. Il adore l'eau et se révèle facile à dresser. Sa robe douce, soyeuse, abondante et ondulée, demande un toilettage régulier. La véritable couleur ne se développe qu'à partir de l'âge de 18 mois. Dans l'idéal, un mâle pèse

15 à 16,8 kg et mesure 46 à 47 cm ; les femelles sont plus petites.

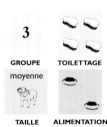

Si l'on en croit la légende, les ancêtres du kerry blue terrier auraient rejoint le rivage depuis un bateau naufragé au large de Tralee.

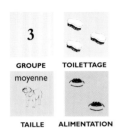

3

GROUPE

moyenne

TAILLE

TOILETTAGE

ALIMENTATION

Lakeland terrier

TAILLE : jusqu'à 37 cm

EN BREF

NOM	Lakeland terrier
CLASSIFICATION	FCI : groupe 3
COULEURS DE ROBE	Noir et feu, bleu et feu, rouge, froment grisonné rouge, foie, bleu, noir

L e lakeland terrier doit son nom à un club fondé en 1912. L'English Kennel Club reconnut cette race en 1928.

À droite
Pourtant très remarqué lors des expositions, le lakeland terrier n'est pas le plus répandu des terriers.

D ÉVELOPPÉ DANS LA région anglaise du Lake District, le lakeland terrier est l'une des plus anciennes races de terriers. Les fermiers y chassaient jadis le renard avec deux chiens courants et quelques lakeland terriers.

Robuste et rapide, c'est un chien courageux, amical, gai et sûr de lui, qui fait preuve d'une grande témérité. Intelligent et tenace, il présente une expression enthousiaste, des yeux foncés ou noisette et des oreilles assez petites en V, portées crânement. Son poil est dense, dur et imperméable avec un bon sous-poil. Un lakeland terrier tondu chez un professionnel deux fois par an gardera

une allure soignée entre deux séances. Il ne doit pas mesurer plus de 37 cm et pèse en moyenne 7,7 kg (contre 6,8 kg pour la femelle).

3

GROUPE

moyenne

TAILLE

TOILETTAGE

ALIMENTATION

Terrier de Manchester

TAILLE : 38 à 41 cm

EN BREF

NOM	Terrier de Manchester
AUTRE NOM	Manchester terrier
CLASSIFICATION	FCI : groupe 3
COULEURS DE ROBE	Noir et feu

R are en dehors de son pays d'origine, le terrier de Manchester est un ratier hors pair qui excelle dans ce domaine depuis le XIXe siècle.

À droite
Le terrier de Manchester a été utilisé dans plusieurs disciplines de field-trial.

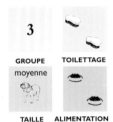

C ETTE RACE DOIT SON NOM à la ville de Manchester. Dans les années 1870, il était utilisé comme ratier et pour la chasse au lapin. Probablement croisé avec le whippet, le terrier de Manchester est un ancien terrier de chasse, mais il a le poil lisse et c'est plus un compagnon qu'un chien de travail.

La robe du terrier de Manchester est noir de jais et acajou intense. C'est un chien à la fois élégant, robuste et charpenté. Les yeux sont petits, foncés, brillants et en amande. Les oreilles, en V, sont portées bien au-dessus du niveau de la tête et retombent au-dessus des yeux. Plein d'allant, alerte, gai et sportif, il fait preuve de discernement et de dévotion ; c'est un ami fidèle, adapté aussi bien à la ville qu'à la campagne. Il mesure 38 à 41 cm et pèse entre 5 et 10 kg.

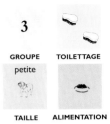

Terrier du Norfolk

TAILLE : 25 à 26 cm

EN BREF

NOM	Terrier du Norfolk
AUTRE NOM	Norfolk terrier
CLASSIFICATION	FCI : groupe 3
COULEURS DE ROBE	Noir et feu, grisonné ou rouge

EMPLOYÉS DEPUIs le XIXᵉ siècle dans la chasse au renard et au blaireau, et aussi pour éliminer rats et lapins, le terrier du Norfolk et de Norwich sont très similaires. Les terriers du Norfolk était autrefois appelé « Norwich » et fut même reconnu sous ce nom en 1932. En 1964, l'English Kennel Club différencia les deux espèces, leurs standards distinguant quelques nuances subtiles, en particulier au niveau des oreilles. Celles du Norfolk, en V, retombent vers l'avant contre la joue, légèrement arrondies vers l'extrémité.

Vif et intrépide, le terrier du Norfolk compte parmi les plus petits terriers. Le standard le qualifie de « démon » pour sa taille, idéalement comprise entre 25 et 26 cm. Le poids varie entre 5 et 5,5 kg. Compact et robuste, c'est un chien bas sur pattes, mais bien charpenté et avec une bonne ossature.

Parmi ses ancêtres, le terrier du Norfolk compte des cairn terriers roux, des irish Glen of Imaal terriers et des dandie dinmonts terriers.

À gauche
Le poil dur en « fil de fer » du terrier du Norfolk est plus long et plus ébouriffé sur le cou et les épaules que celui de Norwich.

Terrier de Norwich

TAILLE : jusqu'à 25 cm

EN BREF

NOM	Terrier de Norwich
AUTRE NOM	Norwich terrier
CLASSIFICATION	FCI : groupe 3
COULEURS DE ROBE	Noir et feu, grisonné, marques blanches indésirables

L'HISTOIRE DU terrier de Norwich est étroitement liée à celle du norfolk terrier. Comme son demi-frère, c'est un animal adorable, très actif et de constitution robuste. Les standards de ces deux races joyeuses et intrépides admettent les cicatrices glorieuses.

Les lèvres sont serrées, les mâchoires sont fortes avec des dents assez grandes et également fortes. Les oreilles, assez écartées, sont portées droites sur

le sommet du crâne. Les yeux sont petits, foncés, expressifs, brillants et intelligents. La robe, rêche, dure et près du corps, est dotée d'un sous-poil épais et forme une sorte de collerette autour du visage. Les couleurs, la taille et le poids sont identiques à ceux du terrier du Norfolk. Chez ces deux races, les marques blanches sont considérées comme indésirables.

Les amateurs d'architecture savent que le terrier de Norwich a les oreilles bien droites, comme la flèche de la cathédrale de cette cité.

À gauche
Le terrier de Norwich est le plus petit des terriers, mais il déborde d'énergie. Il s'entend très bien avec les adolescents.

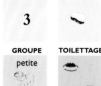

3

GROUPE   TOILETTAGE

petite

TAILLE   ALIMENTATION

Terrier révérend Russel

TAILLE : 35 cm

⬤⬤⬤⬤⬤⬤⬤⬤⬤⬤⬤⬤⬤⬤⬤⬤⬤⬤⬤⬤⬤⬤⬤

EN BREF

NOM	Terrier révérend Russel
CLASSIFICATION	FCI : groupe 3
COULEURS DE ROBE	Blanc, blanc avec des marques feu, citron ou noires

La queue du terrier révérend Russel est coupée juste assez longue pour pouvoir la saisir.

À droite
Une grande longueur de pattes est l'une des caractéristiques du terrier révérend Russell.

JACK RUSSELL ÉTAIT un révérend passionné de chasse qui vivait dans le Devon. Il développa ce terrier, qui tient du fox terrier à poil dur, mais avec des pattes assez longues pour suivre les chevaux lors d'une partie de chasse, et assez petit pour pénétrer dans les terriers des renards. Intelligent, il a besoin d'avoir l'esprit occupé en permanence. Lorsqu'on le laisse seul dans une maison, il est capable de tout détruire.

Tenace, actif et agile, le terrier révérend Russel est bâti pour la vitesse et l'endurance. La peau doit être épaisse et souple. La robe est entièrement blanche ou avec des marques feu, citron ou noires, de préférence à la tête ou à la naissance de la queue. Le poil, lisse ou dur, est rêche, serré et dense. Le mâle doit mesurer 35 cm, contre 33 cm pour la femelle ; le poids varie entre 5 et 8 kg.

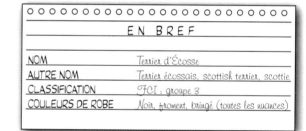

3

GROUPE   TOILETTAGE

petite

TAILLE   ALIMENTATION

Terrier d'Écosse

TAILLE : 25 à 28 cm

⬤⬤⬤⬤⬤⬤⬤⬤⬤⬤⬤⬤⬤⬤⬤⬤⬤⬤⬤⬤⬤⬤⬤

EN BREF

NOM	Terrier d'Écosse
AUTRE NOM	Terrier écossais, scottish terrier, scottie
CLASSIFICATION	FCI : groupe 3
COULEURS DE ROBE	Noir, froment, bringé (toutes les nuances)

Le Scottish Terrier Club vit le jour en 1882, mais le standard du terrier d'Écosse ne fut rédigé qu'en 1897.

JUSQU'AU MILIEU du XIXᵉ siècle, « scottish terrier » était, en Écosse, le nom générique de tous les chiens qui poursuivaient les renards jusque dans leur repaire.

Actif et agile malgré sa stature ramassée et courte sur pattes, le « scottie » (surnom donné à cette race) est un animal courageux et très intelligent. Loyal, fidèle, digne, indépendant et réservé, il est téméraire mais peu agressif. Son poil double, près du corps et imperméable, demande une attention régulière ; le poil de couverture est rêche, dense et en « fil de fer ». La taille du terrier d'Écosse varie entre 25,4 et 28 cm et son poids va de 8,6 à 10,4 kg.

Le crâne étant assez allongé, il peut être relativement large tout en conservant une apparence étroite. Les yeux, marron foncé, sont en amande et abrités derrière des sourcils, qui contribuent à la vivacité du regard.

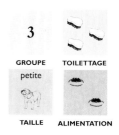

Sealyham terrier

TAILLE : jusqu'à 31 cm

EN BREF

NOM	Sealyham terrier
CLASSIFICATION	FCI : groupe 3
COULEURS DE ROBE	Blanc, blanc avec des marques citron, brunes, bleues ou blaireau pie sur la tête et les oreilles

LE NOM DU SEALYHAM terrier lui vient d'une ville du Pays de Galles d'où il est originaire. En effet, il fut créé entre 1850 et 1891 par un capitaine de Sealyham qui avait décidé de promouvoir un terrier idéal. Pour cela, il croisa plusieurs races de terriers et le welsh corgi, créant un chien capable de poursuivre le renard et le blaireau jusque dans leurs terriers.

La silhouette du sealyham terrier est plutôt rectangulaire, ce qui lui donne une impression de solidité dans un petit volume. Robuste, courageux et tenace, le sealyham terrier est vif et téméraire, tout en sachant se montrer amical. La robe a besoin d'être épilée et tondue. Le sous-poil est imperméable, tandis que

le poil de couverture est long, dur et rêche. Il est toujours blanc, mais certaines marques de couleur sont acceptées sur la tête et les oreilles. Ce terrier doit mesurer au plus 31 cm et peser entre 8,2 et 9 kg.

Le sealyham terrier fut présenté pour la première fois à une exposition en 1903 à Haverford. Son standard fut établi en 1905.

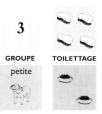

Skye terrier

TAILLE : 25 à 26 cm

EN BREF

NOM	Skye terrier
CLASSIFICATION	FCI : groupe 3
COULEURS DE ROBE	Noir, gris clair ou foncé, fauve, crème, extrémités noires

SITUÉE AU NORD-OUEST de la côte écossaise, l'île de Skye est considérée comme la terre d'origine de ce terrier, qui compte parmi les plus anciennes races de terriers. En effet, il est connu depuis quatre siècles. Il était jadis employé à poursuivre les renards et blaireaux, mais aussi à chasser la loutre et la belette.

Idéalement, le mâle doit mesurer 25 à 26 cm, les femelles étant légèrement plus petites. Le skye terrier est deux fois plus long que haut.

En fait depuis l'extrémité de son museau à celle de sa queue, il doit mesurer 103 cm. Il pèse 8,5 à 10,5 kg. Il n'a qu'un seul maître et déteste les étrangers, sans toutefois se montrer vicieux.

Les pattes, le corps et les mâchoires sont robustes ; les oreilles peuvent être droites ou tombantes. Les couleurs sont variées et la double robe à poil long et dur réclame un entretien régulier.

En 1858, un skye terrier du nom de Greyfriars Bobby devint célèbre pour avoir monté la garde 14 ans sur la tombe de son maître, avant de mourir.

À gauche
Le skye terrier n'a qu'un seul maître ; il est donc à déconseiller dans les familles avec enfants.

249

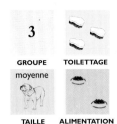

3

GROUPE
moyenne

TAILLE

TOILETTAGE

ALIMENTATION

Terrier froment irlandais

TAILLE : 46 à 49 cm

EN BREF	
NOM	Terrier froment irlandais
AUTRES NOMS	Irish soft-coated wheaten terrier
CLASSIFICATION	FCI : groupe 3
COULEURS DE ROBE	Nuances du froment clair ou roux doré

Selon une théorie, le terrier froment irlandais serait le père du kerry blue terrier et du terrier irlandais.

À droite
Comme son nom l'indique, le terrier froment irlandais est doté d'une robe douce et soyeuse au toucher.

ÉLEVÉ DEPUIS PLUS de 200 ans comme chien de ferme dans le comté de Munster en Irlande, le terrier froment irlandais fut officiellement reconnu par le Kennel Club irlandais en 1937. De plus en plus populaire en Europe, il est robuste, solide et possède un instinct de chasseur fortement développé.

Sa robe douce et soyeuse, dont la couleur évoque les blés mûrs, est ondulée ou retombe en boucles

lâches. Le poil est abondant, surtout sur la tête et les pattes. Il ne doit pas être tondu, mais demande un toilettage soigneux. De taille moyenne, il mesure 46 à 49 cm et pèse entre 16 et 20,5 kg ; les femelles sont un peu plus petites. C'est un compagnon charmant, affectueux et intelligent. D'humeur égale, il déborde d'humour et de confiance en lui.

3

GROUPE
moyenne

TAILLE

TOILETTAGE

ALIMENTATION

Bull terrier du Staffordshire

TAILLE : 35,5 à 40,5 cm

EN BREF	
NOM	Bull terrier du Staffordshire
CLASSIFICATION	FCI : groupe 3
COULEURS DE ROBE	Rouge, fauve, blanc, bleu, bringé, bringé et blanc

Cette race vieille de deux siècles compte parmi les plus prisées de Grande-Bretagne et commence à être bien connue sur le continent.

LE BULL TERRIER DU STAFFORDSHIRE est le produit du croisement du bulldog et du terrier, associant le caractère des deux races. À l'origine, ce chien était destiné aux combats d'ours et de taureau, qui furent interdits en Angleterre en 1835. Il poursuivit donc sa carrière dans les combats de chiens, jusqu'à ce que ces derniers fussent également prohibés.

Courageux et tenace, c'est un animal intrépide qui doit être canalisé lorsqu'il est en compagnie d'autres chiens. Musclé et agile, il est très fort pour sa taille. Intelligent, il sait aussi se montrer affectueux, surtout avec les enfants. Son poil, lisse et court, peut être de plusieurs couleurs, excepté noir, feu et foie. La taille, comprise entre 35,5 et 40,5 cm, doit être proportionnelle au poids, qui va de 11 à 17 kg.

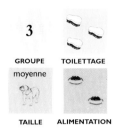

Terrier gallois

TAILLE : jusqu'à 39 cm

```
○○○○○○○○○○○○○○○○○○○○○○○○○○
         EN BREF
NOM                Terrier gallois
AUTRE NOM          Welsh terrier
CLASSIFICATION     FCI : groupe 3
COULEURS DE ROBE   De préférence noir et feu mais aussi
                   noir ou grisonné et feu
```

3 GROUPE — TOILETTAGE — moyenne TAILLE — ALIMENTATION

DESCENDANT D'UN terrier à poil dur aujourd'hui disparu (le black and tan), le terrier gallois était jadis utilisé au Pays de Galles pour la chasse au renard, au blaireau et à la loutre. Il pourrait avoir des origines communes avec le lakeland terrier, c'est-à-dire antérieures à l'invasion romaine en Angleterre. Doté d'un caractère gai et vif, c'est un chien affectueux, obéissant, facile à contrôler et parfaitement habitué à la vie en famille.

D'apparence solide, bien équilibré, élégant et ramassé, le welsh terrier possède un poil de couverture dur et rêche, très serré et abondant, qui demande une tonte régulière. La robe noire et feu reste la plus recherchée, mais le terrier gallois peut aussi être noir ou grisonné et feu ; des traces noires sur les orteils et du noir sous le jarret ne sont pas admis. La taille ne doit pas dépasser 39 cm et le poids varie peu, de 9 à 9,5 kg.

Originaire du nord du Pays de Galles, le terrier gallois fait penser à un airedale en miniature.

À gauche
D'une nature intrépide et amicale, le terrier gallois est un bon compagnon, mais c'est aussi un excellent chasseur de rats.

West highland white terrier

TAILLE : 28 cm

```
○○○○○○○○○○○○○○○○○○○○○○○○○○
         EN BREF
NOM                West highland white terrier
CLASSIFICATION     FCI : groupe 3
COULEURS DE ROBE   Blanc
```

3 GROUPE — TOILETTAGE — petite TAILLE — ALIMENTATION

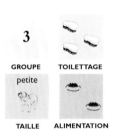

AFFECTUEUSEMENT SURNOMMÉ « westie », le west highland white terrier est l'un des terriers les plus populaires. Il serait originaire d'Argyll, en Écosse. La race aurait été développée dans les années 1880 à partir de cairn terriers blancs ou crème (seules les couleurs les plus claires ayant été retenues). Tout comme le terrier irlandais, le « westie » est connu pour ses nombreuses apparitions dans la publicité.

Sûr de lui, ce petit chien endurant, actif et courageux a un air fripon avec ses yeux sombres, ses petites oreilles droites et sa queue bien relevée. Éveillé et autonome, le west highland white terrier est un compagnon amical et charmant. Sa double robe à poil blanc exige une attention régulière ; le poil de couverture est long, tandis que le sous-poil, court et doux, ressemble à de la fourrure. Ce chien mesure environ 28 cm et pèse habituellement 7 à 10 kg.

La couleur de robe du west highland white terrier a été sélectionnée pour être visible de loin dans la lande écossaise.

À gauche
Jadis utilisé pour la chasse, le westie aime encore poursuivre les chats, les lapins et autres animaux de petite taille.

Les petits chiens

D**EPUIS PLUSIEURS SIÈCLES**, nombre de races ont fait l'objet de croisements spécifiques dans un souci de miniaturisation. Jadis les petits chiens faisaient office de chiens de compagnie pour la noblesse. Toutefois, il ne faut pas oublier que la majorité d'entre eux étaient issus de races de plus grande taille.

UNE HISTOIRE DOCUMENTÉE

À travers l'histoire, on trouve beaucoup de représentations de petits chiens. Dans bien des cas, ils figurent sur des tableaux, installés dans le giron de leur maîtresse. À l'instar du célèbre carlin peint par Hogarth en 1745, ces œuvres révèlent que certaines races ont très peu évolué depuis plusieurs siècles.

Les auteurs d'autrefois semblaient ne pas apprécier les petites races autant que les chiens imposants, associés à la chasse. Pourtant, les petites races, bien que de taille réduite, possèdent un caractère intact. En fait, il est même amusant de voir un animal minuscule prendre à partie un chien beaucoup plus gros que lui ; bien sûr, le maître devra faire très attention, car un accident est vite arrivé.

Des écrits anciens transmis par les civilisations d'Extrême-Orient nous donnent une idée des races de chiens originaires de cette région du monde. Plusieurs d'entre elles furent amenées en Europe à mesure que le commerce se développait. Aujourd'hui encore, cette région occupe une place importante dans l'élevage de petits chiens, et même le papillon est probablement d'origine orientale malgré son nom bien français.

Peu de chiens de ce groupe sont considérés autrement que comme animaux de compagnie, mais bon nombre ont été développés en taille réduite à partir de races qui avaient « leur raison d'être ». Les petits chiens ont longtemps été considérés comme des chiens pour dames, mais les temps et les points de vue changent. Désormais, bon nombre de messieurs les apprécient autant que leur épouse.

De tous les chiens de petite taille, le chihuahua est le plus minuscule et le cavalier king Charles spaniel le plus grand, mais tous sont suffisamment petits pour se lover dans un coin du salon ou sur les genoux de leur maître. Pour ce qui est de la robe, le choix est des plus vastes. Par exemple, le chien chinois à crête n'a quasiment pas de poil, tandis que le bichon maltais et le terrier du Yorkshire ont de longues robes qui réclament plusieurs heures de toilettage avant d'être présentables dans les expositions.

En règle générale, les chiens de petite taille débordent d'énergie et de personnalité. De l'affenpinscher à l'expression simiesque, jusqu'au griffon bruxellois à l'air guilleret, ce sont des animaux amusants qui illuminent le quotidien de leur maître.

Ci-dessus
L'affenpinscher est un animal énergique, plein d'entrain et de caractère.

Au centre
Terrier du Yorkshire parfaitement toiletté, vainqueur d'un premier prix à l'exposition de Crufts.

Ci-contre
Les ancêtres du pékinois remontent à la dynastie Tang (618 à 907).

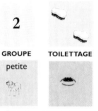

2 GROUPE   TOILETTAGE

petite

TAILLE   ALIMENTATION

EN BREF

RACE	Affenpinscher
AUTRE NOM	Griffon singe
CLASSIFICATION	FCI : groupe 2
COULEURS DE ROBE	Noir, nuances grises tolérées

Affenpinscher

TAILLE : 24 à 28 cm

ORIGINAIRE D'ALLEMAGNE, l'affenpinscher est l'une des races de petite taille les plus anciennes. Vif et espiègle, il est parfois surnommé le « diable noir ». Son air malicieux et simiesque, son caractère gai et son assurance lui confèrent un tempérament agréable. L'affenpinscher est loyal, méfiant à l'égard des étrangers et téméraire envers des agresseurs. Même s'il ne mesure que 24 à 28 cm et ne pèse que 7 à 8 kg, il n'est pas fragile.

Sa robe non taillée et rêche, est noire. Le poil est court et dense sur certaines parties du corps, et hirsute ailleurs. Des marques à nuances blaireau sont admises sur la tête et les oreilles. Les poils sur la tête rayonnent, encadrant les yeux sombres

et pétillants ainsi que le museau et le menton. Cette race s'adapte aussi bien à la ville qu'à la campagne.

Le préfixe allemand *affe* signifie « singe ». En effet, son apparence peut faire penser à un singe. Le stantard de la race évoque sa « face d'apparence simiesque ».

Ci-contre
Cet attachant pinscher n'est pas sans rappeler le singe.

EN BREF

RACE	Australian silky terrier
AUTRE NOM	Terrier de soie, terrier australien
	à poil soyeux
CLASSIFICATION	FCI : groupe 3
COULEURS DE ROBE	Bleu et feu, gris-bleu et feu ou crème

Australian silky terrier

TAILLE : 23 cm

3 GROUPE   TOILETTAGE

petite

TAILLE   ALIMENTATION

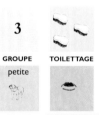

COMME SON nom l'indique, ce chien est originaire d'Australie. Il est issu du terrier australien et du terrier du Yorkshire, deux races dont il a gardé de nombreuses qualités. Même s'il est classé dans le groupe des petits chiens, l'australian silky terrier est suffisamment charpenté pour être capable de chasser de petits rongeurs.

Enthousiaste, éveillé et actif, il possède également les qualités qu'on attend d'un terrier : affection,

rapidité et réceptivité. Ses yeux doivent être petits, ronds et aussi foncés que possible, lui donnant un air vif et intelligent. Les oreilles, en forme de V et attachées haut sur le crâne, sont droites et dépourvues de longs poils. Le chien mesure 23 cm et pèse environ 4 kg. Sa longue robe lisse et brillante est assez facile à entretenir avec quelques minutes de brossage quotidien, en terminant par une raie pour une apparence plus soignée.

Avant la Seconde Guerre mondiale, l'australian silky terrier était quasiment inconnu hors de son pays.

Au centre
L'australian silky terrier doit toujours avoir les ongles et la truffe noirs.

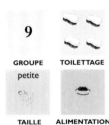

9	
GROUPE	TOILETTAGE
petite	
TAILLE	ALIMENTATION

Bichon à poil frisé

TAILLE : 23 à 28 cm

○○○○○○○○○○○○○○○○○○○○○○○○

EN BREF

RACE	Bichon à poil frisé
CLASSIFICATION	FCI : groupe 9
COULEURS DE ROBE	Blanc

Chez le bichon à poil frisé, le chiot a la truffe rose. Elle devient ensuite noire lorsque le chien a atteint l'âge adulte.

D'UN BLANC PUR très « glamour », le bichon à poil frisé est originaire du Bassin méditerranéen, où il est connu depuis le Moyen Âge. Heureux et vif, c'est un animal

affectueux et intrépide, qui aime être le centre d'attention et constitue un membre de la famille à part entière.

Ses yeux foncés lui donnent un regard éveillé et très expressif. La truffe est noire, douce et luisante, tandis que la robe accentue l'impression de rondeur de la tête. Le poil nécessite un entretien régulier pour maintenir une robe douce et tire-bouchonnée. Le bichon à poil frisé n'a pas à être tondu ; pour les expositions, on se borne à dégager légèrement les pieds et le museau. Il mesure 23 à 28 cm et pèse entre 3 et 6 kg. Une pigmentation noire sous la fourrure blanche est exigée ; des marques crème ou abricot sont acceptées jusqu'à l'âge de 18 mois.

Ci-contre
Le bichon à poil frisé est un excellent compagnon pour toute la famille.

9	
GROUPE	TOILETTAGE
petite	
TAILLE	ALIMENTATION

Bichon bolonais

TAILLE : 25,5 à 30,5 cm

○○○○○○○○○○○○○○○○○○○○○○○○

EN BREF

RACE	Bichon bolonais
AUTRE NOM	Bolognese
CLASSIFICATION	FCI : groupe 9
COULEURS DE ROBE	Blanc pur, sans marque

Au sujet des bichons bolonais, Blondus (1388-1463) écrivit : « Les reines leur donnent de petites portions de leur propre repas dans des vases dorés. »

LE BICHON BOLONAIS est probablement originaire du sud de l'Italie, même s'il porte un nom associé à une ville du Nord. Cette race, mentionnée dès le XIIIe siècle, devint la coqueluche de l'aristocratie à la Renaissance.

Adaptée aux climats chauds, sa longue fourrure en flocons blancs n'a pas de sous-poil et recouvre entièrement la tête et le corps sans former de boucles. Les yeux sont grands et bien ouverts,

les paupières et les lèvres sont pigmentées. Les yeux, les ongles et la truffe sont noirs. Les pieds sont de forme ovale et même les coussinets sont noirs, en harmonie avec les autres parties pigmentées. C'est un chien intelligent et très attaché à son maître, tout en étant d'un tempérament assez réservé. Il mesure 25,5 à 30,5 cm et pèse entre 3 et 4 kg environ.

Au centre
Bien qu'il ait probablement vu le jour en Italie, le bichon bolonais n'y est aujourd'hui plus très répandu.

Cavalier king Charles spaniel

TAILLE : 31 à 33 cm

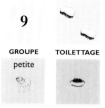

EN BREF	
RACE	Cavalier king Charles spaniel
CLASSIFICATION	FCI : groupe 9
COULEURS DE ROBE	Noir et feu, ruby (unicolore fauve roux), blenheim (châtaigne et blanc), tricolore

9
GROUPE
petite

TOILETTAGE

TAILLE   ALIMENTATION

LE CAVALIER KING CHARLES SPANIEL est vieux de plusieurs siècles, mais il fallut attendre 1928 pour qu'il soit différencié du king Charles spaniel, plus petit et au museau retroussé. L'un des attraits de la race réside dans le grand nombre de couleurs : noir et feu, ruby (unicolore fauve roux), blenheim (châtaigne et blanc), tricolore (noir, blanc et feu). La robe est longue et soyeuse, sans boucles mais avec des franges abondantes ; elle ne doit absolument pas être taillée. Totalement intrépide, ce petit épagneul fait preuve d'un tempérament gai, amical et très peu agressif, à la fois sportif et affectueux. C'est donc un excellent compagnon, qui témoigne de son bonheur en remuant sans cesse la queue. Doux avec les enfants, il ne réclame pas de soins particuliers. Il pèse 5,4 à 8,1 kg et mesure généralement 31 à 33 cm.

Cette race n'a été officiellement reconnue qu'en 1945. Malgré son « jeune âge », elle compte parmi les races les plus répandues en Europe.

Au centre
La popularité de cette race a débouché sur des croisements consanguins, d'où une tendance actuelle aux problèmes cardiaques.

Chihuahua

TAILLE : 15 à 23 cm

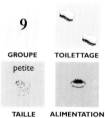

EN BREF	
RACE	Chihuahua
CLASSIFICATION	FCI : groupe 9
COULEURS DE ROBE	Toutes couleurs ou combinaisons de couleurs acceptées

9
GROUPE
petite

TOILETTAGE

TAILLE   ALIMENTATION

LE CHIHUAHUA TIENT son nom d'une ville et d'un État du Mexique. Connu comme le chien de race le plus petit du monde, son poids idéal varie entre 1 et 1,8 kg et il ne doit jamais dépasser 2,7 kg.

Bien qu'il soit petit, délicat et ramassé, c'est un chien éveillé, gai, intelligent et plein d'entrain, ni brusque ni timide. Le chihuahua a une tête bien ronde en forme de pomme et une expression impertinente, avec de grands yeux ronds et de grandes oreilles dressées, normalement inclinées à 45°. Il existe deux variétés de robes (à poil court et à poil long), toutes deux faciles à garder propre et à entretenir. Pas particulièrement recommandé dans les familles avec jeunes enfants, le chihuahua est un chien de manchon heureux qui n'hésite pas à annoncer l'arrivée d'étrangers.

Chez les anciennes tribus toltèques, le chihuahua était un symbole religieux ; c'est le plus petit chien du monde.

Au centre
À l'origine, le chihuahua était plus grand et plus robuste ; aujourd'hui c'est sa petite taille qui fait sa renommée.

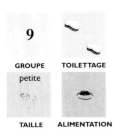

9

GROUPE   **TOILETTAGE**

petite

TAILLE   **ALIMENTATION**

Chien chinois à crête

TAILLE : 23 à 30 cm

Certains spécialistes pensent que ce chien ne serait pas originaire de Chine, mais plutôt de Turquie ou d'Éthiopie. Il n'en garde pas moins son nom.

EN BREF	
RACE	Chien chinois à crête
AUTRE NOM	Chien nu chinois
CLASSIFICATION	FCI : groupe 9
COULEURS DE ROBE	Toutes couleurs ou combinaisons de couleurs acceptées

Connu dès la dynastie Han, le chien chinois à crête est une race très particulière dont il existe deux variétés : une nue et une duvetée. La variété nue est chaude au toucher et ne doit pas avoir de poil, mis à part une crête sur la tête, une frange sur les deux derniers tiers de la queue et des « chaussettes » sur les pieds. La variété duvetée possède un voile doux composé de poils longs. Quelle que soit sa variété, le chien chinois à crête est très propre et ne dégage aucune odeur. On distingue deux aspects : les chiens à ossature fine et ceux à ossature et à corpulence plus lourdes.

Doté d'un bon caractère, le chien chinois à crête est actif et gracieux. Sa taille varie de 23 à 30 cm et son poids ne doit pas dépasser 5,5 kg. Pour la variété nue, on applique habituellement une crème hydratante sur la peau afin de maintenir sa souplesse.

9

GROUPE   **TOILETTAGE**

petite

TAILLE   **ALIMENTATION**

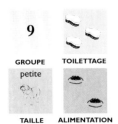

Coton de Tuléar

TAILLE : 25 à 32 cm

EN BREF	
RACE	Coton de Tuléar
CLASSIFICATION	FCI : groupe 9
COULEURS DE ROBE	Blanc ou noir et blanc

Apparenté aux bichons français et au bichon bolonais, le coton de Tuléar serait vraisemblablement arrivé aux îles Mascareignes avec les soldats français, avant d'être élevé à la Réunion. Il y a une vingtaine d'années de cela, il fut réintroduit en Europe et aux États-Unis, où peu de gens connaissaient son existence, bien qu'il fût élevé pendant plusieurs siècles par les riches familles de Tuléar, dans le sud de Madagascar.

À l'image du bichon bolonais, le coton de Tuléar a un poil simple, généralement blanc, mais un peu de citron ou de gris sur les oreilles est accepté. La robe est cotonneuse, longue, fine et légèrement ondulée ; elle demande un entretien régulier et soigneux. Gai, turbulent et intelligent, le coton de Tuléar est un chien loyal et affectueux. Il mesure 25 à 32 cm et pèse entre 5,5 et 6 kg.

Le coton de Tuléar était jadis une monnaie d'échange très appréciée à la Réunion, ce qui conduisit à son extinction.

À droite
Encore relativement rare en Europe et aux États-Unis, le coton de Tuléar mériterait d'être connu.

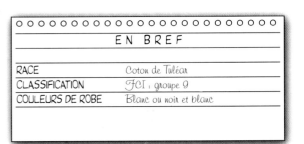

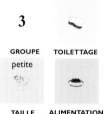

Terrier d'agrément noir et feu

TAILLE : 23 à 33 cm

○ ○

EN BREF

RACE	Terrier d'agrément noir et feu
AUTRE NOM	English toy terrier
CLASSIFICATION	FCI : groupe 3
COULEURS DE ROBE	Noir et feu

3

GROUPE   TOILETTAGE

petite

TAILLE   ALIMENTATION

L E TERRIER D'AGRÉMENT NOIR ET FEU est le descendant d'un ancien terrier, le black and tan, dont l'origine remonte au moins au XVIᵉ siècle. Élégant et bien proportionné, c'est un animal éveillé qui associe les caractéristiques des petits chiens et celles des terriers ; il s'illustrait jadis lors d'épreuves qui consistaient à tuer des rats dans une fosse.

Cette race présente un contraste de couleurs saisissant, avec un noir d'ébène et des taches de couleur châtaigne profonde en des endroits bien définis. Les oreilles aux extrémités légèrement pointues se dressent en « flamme de bougie ». La queue, épaisse à la naissance, s'effile vers la pointe. Le terrier d'agrément mesure 23 à 33 cm et son poids varie considérablement, mais il ne doit jamais dépasser 5,5 kg. Affectueux et intelligent, c'est un charmant compagnon.

A u XIXᵉ siècle, ce terrier était considéré comme un chien de ville, et ce, malgré ses ascendances.

Ci-contre
La robe à poil serré
et luisant du terrier
d'agrément noir et feu
réclame très peu
d'entretien.

Griffon bruxellois

TAILLE : 18 à 20 cm

○ ○

EN BREF

RACE	Griffon bruxellois
CLASSIFICATION	FCI : groupe 9
COULEURS DE ROBE	Roux clair, noir, noir et feu

9

GROUPE   TOILETTAGE

petite

TAILLE   ALIMENTATION

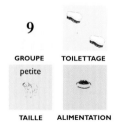

A VEC SON EXPRESSION MUTINE et simiesque, l'adorable griffon bruxellois est vif, intelligent et robuste. Son poil est dur, ébouriffé, mi-long et bien fourni. Il est roux et peut présenter un peu de noir à la moustache et au menton. Ses oreilles doivent être bien droites et toujours coupées en pointe. Il doit avoir de grands yeux noirs, bien ronds, écartés et saillants. Sa queue est relevée, coupée aux deux tiers. Mesurant de 18 à 20 cm, son poids ne devra pas dépasser 5 kg.

Ce petit chien de compagnie, toujours joyeux et expansif fait toujours le bonheur de ses propriétaires.

Les cochers de Bruxelles utilisaient jadis cette race pour éliminer les rats dans les écuries.

Ci-contre
Le griffon bruxellois
a l'air ébouriffé ;
le petit brabançon
est une variété
à poil ras.

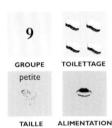

9

GROUPE   TOILETTAGE

petite

TAILLE   ALIMENTATION

Bichon havanais

TAILLE : 23 à 28 cm

EN BREF

RACE	Bichon havanais
AUTRE NOM	Havanais
CLASSIFICATION	FCI : groupe 9
COULEURS DE ROBE	Toutes couleurs et combinaisons de couleurs acceptées

Le bichon havanais aurait été introduit aux Antilles par les Espagnols. Il est la fierté nationale de Cuba.

À droite

Malgré sa beauté, le bichon havanais n'est pas très connu en dehors de Cuba, où il apparaît jusque sur les timbres.

LE BICHON HAVANAIS serait originaire du Bassin méditerranéen. Aujourd'hui considéré comme le chien national cubain, il est malheureusement rare, même dans son pays. Il est petit mais robuste, légèrement plus long que haut, avec une queue touffue portée sur le rein en forme de crosse.

Sa robe douce et soyeuse est ondulée ou légèrement bouclée ; elle ne doit pas être taillée aux ciseaux, mais doit pouvoir se développer naturellement. La robe peut être de n'importe quelle couleur ou combinaisons de couleurs. Le bichon havanais brun a la truffe et le tour des yeux marron, et les yeux légèrement plus clairs. Pour les autres couleurs, les yeux doivent être noirs et la pigmentation d'un noir profond. Ce chien amical, expansif, vif, affectueux et intelligent mesure 23 à 28 cm et pèse de 3 à 6 kg.

10

GROUPE   TOILETTAGE

petite

TAILLE   ALIMENTATION

Petit lévrier italien

TAILLE : 33 à 38 cm

EN BREF

RACE	Petit lévrier italien
AUTRE NOM	Piccolo levriero italiano
CLASSIFICATION	FCI : groupe 10
COULEURS DE ROBE	Noir, bleu, crème, fauve, rouge

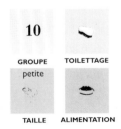

LE PETIT LÉVRIER ITALIEN est peut-être la première espèce à avoir été développée en tant que chien de manchon ; il a connu Pompéi. Ses formes font penser à un greyhound en miniature, tout en ayant des proportions plus fines. Le petit lévrier italien est un chien élégant, gracieux et rapide. Les nombreuses couleurs autorisées admettent la présence d'un peu de blanc.

Bien qu'il semble quelque peu distant, le petit lévrier italien est un animal intelligent, affectueux et vif. Malgré sa petite taille, il apprécie l'exercice. Pour donner à son poil ras et fin un aspect luisant, il suffit de lui passer chaque jour un tampon de velours ou un morceau de soie. La peau est fine et souple. Le petit lévrier italien s'installe de préférence sur un support doux et chaud. Il mesure environ 33 à 38 cm et pèse moins de 5 kg.

Très apprécié sous la Rome antique, le petit lévrier italien apparaît dans des œuvres des maîtres de la Renaissance.

EN BREF

RACE	Épagneul japonais
AUTRE NOM	Chin
CLASSIFICATION	FCI : groupe 9
COULEURS DE ROBE	Noir et blanc, rouge et blanc

Épagneul japonais

TAILLE : 21 à 25 cm

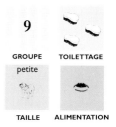

GROUPE	TOILETTAGE
9	
petite	
TAILLE	ALIMENTATION

ORIGINAIRE DE CHINE, l'épagneul japonais fut introduit au Japon comme cadeau entre les impératrices des deux pays. Il utilise ses pattes pour se nettoyer la face, à la manière d'un chat. Introduit en Europe par les Britanniques, il devint, au fil du temps, le chien préféré des dames de la bonne société, réputé pour sa gaieté, sa douceur et son bon caractère.

L'épagneul japonais a un air perpétuellement étonné, typique de sa race. La robe est longue, douce et abondante ; elle ne doit comporter ni boucles ni ondulations. Ses grands yeux noirs sont bien écartés, tout comme ses oreilles, recouvertes d'un poil long. La robe doit être blanche marquée de noir ou de rouge. L'épagneul japonais mesure habituellement 23 à 25 cm et pèse dans l'idéal entre 2 et 4 kg ; la délicatesse est recherchée.

Avec son allure digne et fière, l'épagneul japonais était autrefois le chien favori des empereurs du Japon.

Ci-contre
L'épagneul japonais a un aboiement étonnamment puissant pour sa taille ; c'est un excellent animal d'agrément.

EN BREF

RACE	King Charles spaniel
AUTRE NOM	Épagneul king Charles
CLASSIFICATION	FCI : groupe 9
COULEURS DE ROBE	Noir et feu, tricolore, blenheim

King Charles spaniel

TAILLE : 25 à 27 cm

GROUPE	TOILETTAGE
9	
petite	
TAILLE	ALIMENTATION

CETTE RACE, TRÈS PROCHE du cavalier king Charles spaniel, se décline dans les mêmes couleurs. C'était le chien préféré du roi Charles II d'Angleterre, à qui il doit son nom. Ramassé et court, le king

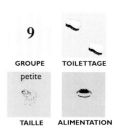

Charles spaniel a les yeux foncés, très grands et espacés. Intelligent et heureux, il possède une tête très caractéristique, la mâchoire inférieure marquant un léger prognathisme inférieur. Compagnon dévoué, il fait preuve d'un tempérament réservé, mais se révèle doux et affectueux. C'est un animal propre et calme. Sa longue robe soyeuse à poil droit (avec une légère ondulation) n'est pas particulièrement difficile à entretenir. Le poids varie entre 3,6 et 6,3 kg et la taille est habituellement de 25 à 27 cm.

La légende veut que Marie Stuart ait eu un king Charles spaniel caché sous ses jupons alors qu'elle partait pour l'échafaud.

À gauche
Doux et affectueux, ce chien doit son nom au roi Charles II d'Angleterre, qui l'appréciait particulièrement.

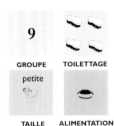

9

GROUPE TOILETTAGE

petite

TAILLE ALIMENTATION

Petit chien lion

TAILLE : 25 à 33 cm

EN BREF

RACE	Petit chien lion
AUTRE NOM	Löwchen
CLASSIFICATION	FCI : groupe 9
COULEURS DE ROBE	Toutes couleurs ou combinaisons de couleurs acceptées

C ette race est connue en France, en Espagne et en Allemagne depuis le XVᵉ siècle. Des tapisseries de cette époque montrent de petits chiens toilettés en lion.

L E PETIT CHIEN LION pourrait avoir un lien de parenté avec le bichon frisé, mais les origines de cette race demeurent obscures. L'arrière-train est traditionnellement rasé, laissant apparaître une crinière et un panache au bout de la queue, d'où le rapprochement avec le lion.

Amical, joyeux, actif, joueur, intelligent et dépourvu d'agressivité, le petit chien lion est un bon compagnon pour les enfants et un excellent animal de compagnie. Il mesure 25 à 33 cm et pèse entre 4 et 8 kg. Pour conserver

son allure léonine, son maître devra faire preuve de savoir-faire et d'attention car les poils courts sur l'avant du corps et sur les pattes ne prennent pas naturellement l'apparence recherchée.

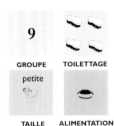

9

GROUPE TOILETTAGE

petite

TAILLE ALIMENTATION

Bichon maltais

TAILLE : jusqu'à 25,5 cm

EN BREF

RACE	Bichon maltais
CLASSIFICATION	FCI : groupe 9
COULEURS DE ROBE	Blanc pur (ivoire pâle admis)

À droite
Vif et intelligent, le bichon maltais est un petit chien plein de caractère et au tempérament joyeux.

C onnu depuis l'Antiquité, le bichon maltais a conservé une grande popularité au fil des siècles.

P ROBABLEMENT INTRODUIT à Malte par les commerçants phéniciens il y a plus de 2 000 ans, le bichon maltais semble avoir conservé sa pureté d'origine. Selon une autre théorie, la race actuelle pourrait être issue du croisement de petits épagneuls et de caniches miniatures.

Le bichon maltais est réputé pour le contraste entre sa robe blanche et ses yeux noirs à paupières noires. Le poil, long et soyeux, réclame beaucoup de soin pour conserver

une robe saine et élégante ; en effet, le poil ne tombe pas, mais il a tendance à s'emmêler facilement. Généralement, les poils du crâne son maintenus par un nœud. D'un caractère doux, le bichon maltais est un chien intelligent, éveillé et infatigable. Sa taille ne doit pas dépasser 25,5 cm et il pèse de 2 à 3 kg.

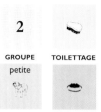

2
GROUPE   TOILETTAGE

petite

TAILLE   ALIMENTATION

```
○ ○ ○ ○ ○ ○ ○ ○ ○ ○ ○ ○ ○ ○ ○ ○ ○ ○ ○ ○ ○
        EN  BREF

RACE                 Pinscher nain
AUTRE NOM            Zwergpinscher
CLASSIFICATION       FCI : groupe 2
COULEURS DE ROBE     Noir, chocolat et feu, rouge
```

Pinscher nain

TAILLE : 25,5 à 30 cm

ROBUSTE, RAMASSÉ ET ÉLÉGANT, le pinscher nain possède une démarche très caractéristique. Originaire d'Allemagne, cette race est aujourd'hui populaire dans toute l'Europe ; elle est bien implantée en France depuis les années 1950. En allemand, pinscher signifie « terrier ». Ainsi, cet excellent compagnon a gardé ses aptitudes de ratier et il n'hésite pas à défier des chiens beaucoup plus gros que lui.

Propre, téméraire et toujours en éveil, le pinscher nain est fougueux mais sait garder son sang-froid, et est donc adapté à la vie dans une maison. Les oreilles peuvent être pliées en V ou dressées. La robe est noire ou chocolat avec des marques feu clairement délimitées, avec dans tous les cas des marques sur les orteils. Le pinscher nain peut également être unicolore, couvrant alors toutes les nuances de rouges. Il mesure de 25,5 à 30 cm et pèse habituellement de 4 à 5 kg. Traditionnellement, la queue est raccourcie.

Le pinscher nain n'est pas un dobermann en miniature. En fait, les deux races n'ont probablement aucun lien de parenté.

Ci-contre
À l'origine, le pinscher nain était utilisé pour la chasse et l'éradication des vermines.

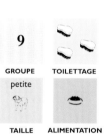

9
GROUPE   TOILETTAGE

petite

TAILLE   ALIMENTATION

```
○ ○ ○ ○ ○ ○ ○ ○ ○ ○ ○ ○ ○ ○ ○ ○ ○ ○ ○ ○ ○
        EN  BREF

RACE                 Papillon
AUTRE NOM            Épagneul nain continental
CLASSIFICATION       FCI : groupe 9
COULEURS DE ROBE     Blanc, marques de toutes les couleurs
                     sauf feu
```

Papillon

TAILLE : 20 à 28 cm

LE PAPILLON DOIT SON nom à ses grandes oreilles à poil long. Il existe une variété à oreilles tombantes, qui porte le nom d'un papillon de nuit, le phalène. Toutes deux sont connues sous le nom générique d'épagneul nain continental.

Cette race délicate, toujours en éveil, est dotée d'une expression intelligente. Les marques sur la tête doivent être symétriques et d'un motif clairement défini rappelant le corps d'un papillon. Très peu agressif, toujours sur le qui-vive, intelligent et affectueux, le papillon est un chien fascinant et charmant. Sa robe abondante est relativement facile à entretenir. Il mesure 20 à 28 cm (pour le mâle) ; avec sa collerette et sa queue bien frangée, il peut sembler plus long que haut. Il pèse généralement de 4 à 4,5 kg.

Certains affirment que le papillon serait doué de perceptions extrasensorielles ; il descendrait de l'épagneul nain espagnol.

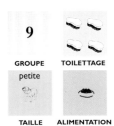

9

GROUPE   TOILETTAGE

petite

TAILLE   ALIMENTATION

Pékinois

TAILLE : 15 à 23 cm

Les soldats britanniques importèrent le pékinois en Grande-Bretagne après le pillage du Palais d'Été et la chute de Pékin en 1860.

À droite

Le pékinois n'est pas facile à dresser, mais il est parfait pour les amateurs de chiens indépendants et intelligents.

AVEC SES ORIGINES REMONTANT à la dynastie chinoise des Tang, le pékinois est un véritable aristocrate. D'une apparence quelque peu léonine, il est doté d'une expression éveillée et intelligente, ainsi que d'une personnalité intrépide et loyale. Bien que distant, il n'est ni timide ni agressif, mais il sait défendre son territoire en cas de nécessité.

Le pékinois a une grosse tête, plus large que haute. Une ossature lourde et un corps robuste caractérisent cette race. Il ne doit pas peser plus de 5 kg pour les mâles et 5,5 kg pour les femelles, et mesure généralement de 15 à 23 cm. Il se déplace lentement, avec une allure roulée des plus dignes. Sa longue robe, sa crinière abondante, ainsi que les poils sur les oreilles, les pattes, la queue et les pieds,

demandent beaucoup de soin et d'attention. Une pigmentation noire est indispensable sur le nez, les lèvres et le bord des paupières.

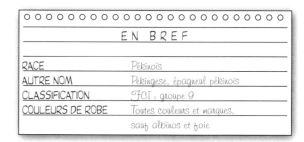

EN BREF	
RACE	Pékinois
AUTRE NOM	Pékingese, épagneul pékinois
CLASSIFICATION	FCI : groupe 9
COULEURS DE ROBE	Toutes couleurs et marques, sauf albinos et foie

5

GROUPE   TOILETTAGE

petite

TAILLE   ALIMENTATION

Spitz nain

TAILLE : 22 à 28 cm

Malgré sa taille, le spitz nain est apparenté aux spitz de plus grandes tailles, dont le spitz-loup ; il descend des chiens de traîneau de l'Arctique.

LE SPITZ NAIN EST le plus petit de tous les spitz. Il pèse 1,8 à 3,5 kg (les femelles sont légèrement plus grandes que les mâles), mais

signalons que cette dénomination s'appliquait autrefois à des chiens plus gros que la race actuelle. La taille est généralement comprise entre 22 et 28 cm.

Avec sa tête de renard et ses yeux brillants, le spitz nain est doté d'une expression intelligente, d'une grande vivacité et d'un tempérament distant. Sa robe abondante est formée d'un sous-poil doux et duveteux, et d'un poil de couverture long et parfaitement droit qui se décline en de nombreuses couleurs. Cette robe réclame des toilettages longs et méticuleux, inversement proportionnels à la taille du chien. Pour les maîtres que cela ne découragerait pas, le spitz nain est un excellent compagnon, au caractère vif et doux.

EN BREF	
RACE	Spitz nain
AUTRE NOM	Loulou de Poméranie
CLASSIFICATION	FCI : groupe 5
COULEURS DE ROBE	toutes les couleurs acceptées, pas de nuances noires ou blanches

EN BREF

RACE	Carlin
AUTRE NOM	Pug, mops
CLASSIFICATION	FCI : groupe 9
COULEURS DE ROBE	Argent, abricot, fauve, noir

Carlin

TAILLE : 25 à 28 cm

9
GROUPE   TOILETTAGE

petite

TAILLE   ALIMENTATION

En raison de son nez écrasé, le carlin respire bruyamment ; on dit parfois qu'il ronfle comme un vieillard.

Ci-contre
Le carlin a du caractère et n'est pas facile à éduquer. Cependant, un bon dressage en fera un compagnon attachant pour toute la famille.

LES LOINTAINS ANCÊTRES du carlin viennent d'Extrême-Orient, où des mastiffs furent miniaturisés il y a environ 2400 ans. Au XVIe siècle, le carlin fut introduit en Hollande par la Compagnie hollandaise des Indes orientales, avant d'atteindre la Grande-Bretagne. Il acquit ses lettres de noblesse et a conservé depuis lors sa popularité auprès des familles royales et de l'aristocratie.

Plein de charme et d'intelligence, le carlin est un chien d'humeur égale, heureux et vif. Sa grosse tête porte des rides bien marquées et ses yeux sont globuleux, ce qui lui donne un air très expressif. Bien proportionné et musclé, il a des jambes très fortes, bien droites et de longueur moyenne. La queue, attachée haut, est portée nouée sur la hanche. Le poids idéal varie entre 6,5 et 8 kg et la taille oscille généralement entre 25 et 28 cm.

EN BREF

RACE	Terrier du Yorkshire
AUTRE NOM	Yorkshire terrier
CLASSIFICATION	FCI : groupe 3
COULEURS DE ROBE	Bleu acier foncé et feu

Terrier du Yorkshire

TAILLE : 22,5 à 23,5 cm

3
GROUPE   TOILETTAGE

petite

TAILLE   ALIMENTATION

Le plus petit terrier du Yorkshire jamais recensé mesurait 6,3 cm et pesait 113g.

LE TERRIER DU YORKSHIRE pourrait résulter du croisement entre bichons maltais et terriers du Yorkshire. Bien qu'il ne pèse jamais plus de 3 kg, c'est un chien courageux et dynamique, qui garde son caractère de terrier. Plein d'allant et d'humeur égale, ce chien possède des yeux noirs et pétillants qui lui donnent un air malin. Il mesure de 22,5 à 23,5 cm.

Les terriers du Yorkshire présentés lors d'expositions canines possèdent une robe exceptionnelle. Leurs maîtres déploient une énergie considérable pour les montrer sous leur meilleur jour. Lorsqu'ils ne participent pas à des expositions, il est nécessaire de protéger leur robe avec des vêtements. Pour cette raison, peu de Yorkshire ont la beauté d'un animal de compétition. La couleur de la robe est importante : elle doit être bleu acier foncé et non bleu argenté. Les poils feu sont foncés à la racine et vont en s'éclaircissant.

À droite
La robe du terrier du Yorkshire réclame peu d'entretien ; il n'en va pas de même pour celui qui participe à des expositions canines.

Les chiens remarquables

PARMI TOUTES LES RACES de chiens existantes, certaines présentent des particularités ou des qualités étonnantes. Les chiens regroupés ici méritent une attention particulière, que ce soit pour leur apparence, pour leurs origines lointaines ou, enfin, pour leur succès. Ces races varient donc considérablement de l'une à l'autre, provenant de tous les groupes créés par la FCI.

L'ESPÈCE CANINE est fascinante de diversité. Les races recensées ici en offrent un vaste aperçu tant elles diffèrent par leur style, par leur taille, leur caractère ou leur origine. Des plus courantes aux plus rares, des plus attachantes aux plus étranges, ces races « remarquables » ne passent jamais inaperçues.

Ci-dessus
Le caniche à poil cordé est aujourd'hui très rare ; il a été supplanté par le caniche moyen.

À droite
Cet akita a remporté le premier prix de son groupe à l'exposition Crufts. Ce chien puissant fut développé à l'origine en tant que chien de combat.

À droite
L'épagneul tibétain n'a aucun lien de parenté avec les autres épagneuls et ses origines sont entourées d'un voile mystérieux.

sa peau plissée, le chow chow et sa langue bleue ou le bulldog au museau écrasé ne manquent pas d'attirer l'attention.Il en va de même pour le dalmatien et ses drôles de taches noires et pour le spitz-loup à l'étonnante fourrure. Toutefois, bien que l'on puisse être séduit par autant d'originalité, il ne faut pas oublier que ces chiens ne sont pas de simples bêtes curieuses mais qu'ils méritent autant d'affection que n'importe quel autre animal. De plus, leur particularité physique engendre parfois des exigences d'entretien plus conséquentes, comme le chien nu mexicain qui a la peau extrêmement fragile.

DES CHIENS VENUS D'AILLEURS

PAR LEUR SIMPLE APPARENCE physique, certaines races nous font voyager à travers le monde et l'histoire. Ainsi, le terrier du Tibet évoque les temples boudhistes et le chien de Canaan témoigne du faste de l'Antiquitié dans lequel vivait la reine Jézabel. De même, le shiba et l'akita portent tout l'exotisme de leurs contrées natales dans leurs yeux bridés et nous font voyager en Asie d'un simple regard.

LES RACES À SUCCÈS

PARMI LES RACES regroupées ici, certaines ont pour mérite d'avoir attendri un grand nombre de Français. L'exemple le plus frappant est sans aucun doute celui du caniche, employé à l'origine pour la chasse en raison de ses capacités naturelles de chien d'eau, et qui s'est largement imposé au fil du temps comme chien de compagnie. C'est désormais la race la plus répandue en France, bien avant les bergers allemands et les terriers du Yorkshire.

DRÔLES D'ALLURES

CERTAINES RACES de chien présentent un aspect plutôt singulier, voire amusant. Le shar peï, avec

EN BREF

RACE	Terrier de Boston
AUTRE NOM	Boston Terrier
CLASSIFICATION	FCI : groupe 9
COULEURS DE ROBE	Bringé et blanc, noir et blanc

Terrier de Boston

TAILLE : 38 à 43 cm

9	
GROUPE	TOILETTAGE
moyenne	
TAILLE	ALIMENTATION

NÉ DU CROISEMENT du bulldog anglais et du terrier anglais blanc, le terrier de Boston, comme son nom l'indique, est originaire des États-Unis, où un club spécialisé vit le jour en 1891. Vif, intelligent, déterminé et têtu, le terrier de Boston est un chien ramassé, de taille très variable.

Avec sa tête ronde et sa queue courte, attachée bas, soit droite soit en crochet, ce chien doit avoir une silhouette équilibrée ; aucun élément ne doit paraître disproportionné. La robe, à poil court et lisse, est de préférence bringée avec des marques blanches, mais aussi noire avec des marques blanches. Le poids répartit le terrier de Boston en trois catégories : les sujets les plus petits pèsent moins de 7 kg ; les sujets moyens entre 7 et 9 kg ; et les sujets lourds plus de 9 kg (sans toutefois dépasser 11 kg). Le standard ne précise pas de taille, mais le terrier de Boston mesure en général 38 à 43 cm.

Malgré la petite stature du terrier de Boston, son museau court et large ne laisse aucun doute : du sang de bulldog coule dans ses veines.

À gauche
Le poil court et lisse du terrier de Boston est fin et brillant. Il porte des marques claires et affiche une expression éveillée.

EN BREF

RACE	Bulldog
AUTRE NOM	Bouledogue anglais
CLASSIFICATION	FCI : groupe 2
COULEURS DE ROBE	Couleurs variées, unicolore ou pie

Bulldog

TAILLE : 31 à 36 cm

2	
GROUPE	TOILETTAGE
petite	
TAILLE	ALIMENTATION

LE BULLDOG DESCEND de chiens qui combattaient jadis le taureau dans les arènes, mais sa forme et sa personnalité ont beaucoup changé au fil du temps. Dès les années 1630, il était classé comme « chien à taureau » ; après l'interdiction des combats contre les taureaux, la race a participé aux combats de chiens. Le bulldog a fait sa première apparition en exposition canine en 1860 et depuis lors, il n'a pas cessé de changer, aussi bien en terme de forme que de personnalité.

Le bulldog est un chien magnifique, qui dégage une impression de détermination, de force et de dignité. Malgré son apparence féroce, il se montre affectueux et loyal, tout en étant vif et courageux. Trapu et court sur pattes, il est large et puissant. La tête est massive, mais aucun élément ne doit paraître excessif. La robe à poil court et fin peut être de différentes couleurs. Aucune taille n'est imposée, mais le bulldog doit peser 25 kg pour le mâle et 22,7 kg pour la femelle.

À gauche
Le bulldog traîne une image de chien féroce et opiniâtre. En réalité, c'est un animal doux et affectueux.

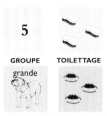

5
GROUPE — TOILETTAGE
grande
TAILLE — ALIMENTATION

Chien de Canaan

TAILLE : 50 à 60 cm

EN BREF	
RACE	Chien de Canaan
AUTRE NOM	Canaan dog
CLASSIFICATION	FCI : groupe 5
COULEURS DE ROBE	Sable à brun-rouge, blanc, noir

Selon la légende, Jézabel gardait à son trône un chien de Canaan. On le retrouve aussi sur des tombeaux à Béni-Hassan vieux de 4 000 ans.

LE CHIEN DE CANAAN est originaire d'Israël ; ses origines remontent au chien sauvage ou parias du Moyen-Orient. Ancien chien de berger, il est aujourd'hui utilisé comme chien de garde, ou même comme chien-guide d'aveugle. Cette race de chien est de plus en plus appréciée de par le monde.

Vif, intelligent, à la fois confiant et vigilant, le chien de Canaan se montre méfiant envers les étrangers, mais totalement dévoué et loyal envers son maître. De taille moyenne, il mesure 50 à 60 cm et pèse entre 18 et 25 kg. La robe présente un poil raide et rêche au toucher, de longueur moyenne. La queue, attachée haut et bien fournie, est enroulée sur le dos. Les couleurs admises vont de sable à rouge-brun, blanc, noir ou panaché, avec ou sans masque noir symétrique.

5
GROUPE — TOILETTAGE
grande
TAILLE — ALIMENTATION

Chow chow

TAILLE : 46 à 56 cm

EN BREF	
RACE	Chow chow
CLASSIFICATION	FCI : groupe 5
COULEURS DE ROBE	Noir, rouge, bleu, fauve, crème, blanc

EN CHINE, son pays d'origine, le chow chow servait de chien de garde et de chien de chasse, mais il finissait aussi parfois dans les assiettes. Il fit son entrée en Occident via la Grande-Bretagne à la fin du XVIIIe siècle. C'est la seule race à avoir la langue bleue ; le palais et les lèvres sont noirs. La démarche est guindée et l'aspect léonin. Différentes couleurs sont admises ainsi que deux types de robes : à poil court et à poil long. La seconde est la plus fréquente et réclame un entretien quotidien.

D'allure ramassée, le chow-chow mesure 46 à 56 cm et pèse généralement 20 à 32 kg. Ses yeux ovales doivent être de taille moyenne et bien nets. Les oreilles sont petites, épaisses et légèrement arrondies à l'extrémité. Le chow chow est un compagnon calme doublé d'un bon gardien. Indépendant mais loyal, il n'a qu'un seul maître, à l'égard duquel il se montre néanmoins distant.

En Chine, le chow chow était très apprécié non seulement pour sa chair, mais aussi pour sa peau qui faisait d'excellents habits.

Dalmatien

TAILLE : 56 à 61 cm

```
EN BREF

RACE             Dalmatien
CLASSIFICATION   FCI : groupe 9
COULEURS DE ROBE Blanc avec des taches noires,
                 blanc avec des taches foie
```

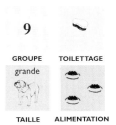

9

GROUPE   TOILETTAGE

grande

TAILLE   ALIMENTATION

DANS UN LOINTAIN PASSÉ, cette race a peut-être vécu en Inde, mais il est généralement admis qu'elle serait originaire de Yougoslavie. Elle fut d'abord sélectionnée en Angleterre, où le dalmatien était très apprécié comme accompagnateur de diligence au début du XIXᵉ siècle. Il était courant de le voir courir aux côtés de différents types de voitures à chevaux, y compris celles de la gentry, les malles-poste ou les attelages de pompiers.

Le dalmatien est reconnaissable à sa robe d'un blanc pur tacheté de noir ou de foie. Le poil est court, dur et dense, d'aspect lisse et brillant. Les taches ne doivent pas se confondre ; elles doivent être rondes et avoir des contours bien définis. Sa silhouette, symétrique, n'admet aucune lourdeur. Ce chien bien équilibré mesure 56 à 61 cm pour le mâle et 54 à 59 cm pour la femelle. Il pèse généralement de 23 à 25 kg. Sociable et amical, le dalmatien n'est ni timide ni hésitant ; très endurant, il a besoin de beaucoup d'exercice.

Autrefois, des dalmatiens accompagnaient souvent les voitures des pompiers londoniens.

À gauche
Le dalmatien était jadis surnommé « chien du coche », témoignage de la fonction d'accompagnateur qu'il occupa jusqu'à la fin du XIXᵉ siècle.

Bouledogue français

TAILLE : 30,5 à 31,5cm

```
EN BREF

RACE             Bouledogue français
CLASSIFICATION   FCI : groupe 9
COULEURS DE ROBE Bringé, pie, fauve
```

9

GROUPE   TOILETTAGE

petite

TAILLE   ALIMENTATION

L'ORIGINE DE LA RACE n'est pas certaine, mais il est probable que des ouvriers anglais venus travailler en France aient amené avec eux leurs bulldogs, qui se seraient ensuite croisés avec diverses races locales.

Actif, très affectueux et intelligent, le bouledogue français est un charmeur, courageux et enjoué. Des oreilles larges à la base et arrondies au sommet et une queue courte, attachée bas, nouée ou cassée naturellement, sont deux caractéristiques essentielles. Robuste, ramassé et doté d'une ossature solide, le bouledogue français a une tête forte, carrée et large, mais sans aucun excès. La robe, au poil court, fin et brillant, peut être bringée, pie ou fauve. Idéalement, le bouledogue français pèse 8 à 14 kg. La taille, non précisée par le standard, est d'environ 30,5 à 31,5 cm.

Les croisements du bouledogue français ont été effectués dans les quartiers populaires parisiens à la fin du XIXᵉ siècle.

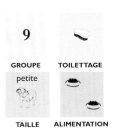

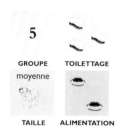

5

GROUPE
moyenne

TOILETTAGE

TAILLE

ALIMENTATION

Spitz allemand

TAILLE : 23 à 38 cm

EN BREF

RACE	Spitz allemand
AUTRE NOM	Deutscher Spitz
CLASSIFICATION	FCI : groupe 5
COULEURS DE ROBE	Toutes les couleurs et toutes les marques acceptées

L e spitz allemand présente d'importantes différences de taille. Au fil du temps, son poids a fluctué entre 2,5 et 20 kg.

À droite

Parfois réfractaire à la discipline, le spitz allemand n'apprécie pas toujours le brossage. Cependant, c'est un compagnon loyal et affectueux.

C ONNU DEPUIS LONGTEMPS sous des tailles très différentes, le spitz allemand a pour particularité de se diviser en deux variétés de taille différente mais cependant rigoureusement identique : *Klein* et *Mittel*. *Klein* désigne les chiens les plus petits (23 à 29 cm), tandis que *Mittel* regroupe les spitz de 30 à 38 cm. Les mâles et les femelles ont des aspects très différents. Il n'y a aucune restriction quant aux couleurs de robe ; seules les petites taches blanches bien définies ne sont pas admises. D'un naturel heureux, le spitz allemand

est intelligent, actif et éveillé ; il est indépendant et dévoué à sa famille. Sa double robe est composée d'un sous-poil doux et laineux, et d'un poil de couverture long, rêche et droit. Il n'existe pas de variante à poil ras. La robe réclame un entretien méticuleux.

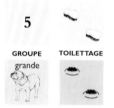

5

GROUPE
grande

TOILETTAGE

TAILLE

ALIMENTATION

Akita

TAILLE : 61 à 71 cm

EN BREF

RACE	Akita
AUTRE NOM	Akita inu
CLASSIFICATION	FCI : groupe 5
COULEURS DE ROBE	Toutes les couleurs acceptées

L 'akita compte parmi plusieurs races nippones de spitz. En japonais, *akita-inu* signifie « grand chien ».

R ACE TRÈS APPRÉCIÉE AU JAPON, l'akita a été créé il y a 300 ans comme chien de combat, puis dressé pour chasser l'ours, le sanglier et le cerf. Ses origines remontent à plusieurs autres chiens de type spitz venus de régions polaires et qui se sont retrouvés dans le nord montagneux du Japon.

Grand, puissant, éveillé, de construction et d'ossature robustes, l'akita est un animal digne, courageux et réceptif. Il a besoin d'un maître ferme car il a tendance à se montrer dominant envers les autres chiens.

Il possède un sous-poil doux et dense, et un poil de couverture dur et droit. L'akita peut être pie, blanc, fauve, sable plus ou moins charbonné ou bringé. Il mesure 61 à 71 cm et pèse généralement 34 à 50 kg. L'Akita a été désigné comme faisant partie du patrimoine naturel du Japon. Cette race a ainsi été sauvée de la disparition et connaît désormais un grand succès.

EN BREF

RACE	Shiba
AUTRE NOM	Shiba inu
CLASSIFICATION	FCI : groupe 5
COULEURS DE ROBE	Rouge, noir, noir et feu, bringé

Shiba

TAILLE : 36,5 à 39,5 cm

5
GROUPE — TOILETTAGE
moyenne
TAILLE — ALIMENTATION

C E CHIEN COMPTE PARMI les races les plus anciennes du Japon. Il était jadis utilisé pour la chasse au petit gibier et aux oiseaux. Le shiba est un chien de type spitz, petit, bien équilibré et solide, légèrement plus long que haut. Enjoué et amical, il est intelligent, actif, enthousiaste et éveillé. Il lui arrive souvent de prendre son maître par surprise. Il est néanmoins docile et fidèle et ces qualités en font l'un des animaux de compagnie préférés des Japonais.

Le shiba possède une tête triangulaire caractéristique. Les yeux et les oreilles sont relativement petits. La double robe peut être rouge, noire, noir et feu, bringée, sésame (noir ou rouge) ou blanche avec une nuance rouge ou grise. La queue, attachée haut, est enroulée sur la croupe. Ce chien mesure 36,5 à 39,5 cm et pèse 8 à 10 kg.

En japonais, *shiba-inu* signifie littéralement « petit chien des taillis » et « petit chien de tourbière ».

À gauche
Vue de dessus, la tête du shiba est triangulaire.

EN BREF

RACE	Spitz japonais
AUTRE NOM	Nihon supittsu
CLASSIFICATION	FCI : groupe 5
COULEURS DE ROBE	Blanc pur

Spitz japonais

TAILLE : 30 à 36 cm

5
GROUPE — TOILETTAGE
petite
TAILLE — ALIMENTATION

L ES JAPONAIS EUX-MÊMES n'ont aucune certitude quant à l'origine de cette race. Il existe de nombreuses théories, mais la plus simple veut que cette race existe au Japon depuis plusieurs siècles.

Le spitz japonais est affectueux et sympathique, mais toutefois méfiant à l'égard des étrangers qu'il rencontre pour la première fois. Il est intelligent, téméraire et vif.

Les yeux, foncés et de taille moyenne, sont obliques. Les oreilles sont petites, triangulaires et droites. L'abondante robe d'un blanc pur se compose d'un poil de couverture droit et dressé et d'un sous-poil dense ; elle réclame un toilettage soigneux. La queue, touffue, est enroulée sur le rein. Le spitz japonais mesure 30 à 36 cm pour le mâle, un peu moins pour la femelle. Cette race de corpulence légère pèse 5 à 6 kg.

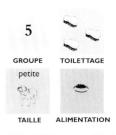

Malgré une certaine ressemblance, les spécialistes estiment qu'aucun sang de samoyède ne coule dans les veines du spitz japonais.

À gauche
Le spitz japonais aboie beaucoup ; pourtant, les croisements sélectifs ont permis d'atténuer cette caractéristique.

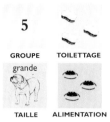

5

GROUPE   TOILETTAGE

grande

TAILLE   ALIMENTATION

Spitz-loup

TAILLE : 43 à 55 cm

EN BREF	
RACE	Spitz-loup
AUTRE NOM	Keeshond, wolfspitz
CLASSIFICATION	FCI : groupe 5
COULEURS DE ROBE	Mélange de gris et de noir

Le spitz-loup est le chien national des Pays-Bas ; il servait à l'origine de chien de garde dans les maisons et sur les barges.

À droite
Le spitz-loup réclame un maître rigoureux ; il est donc déconseillé aux personnes inexpérimentées. Cependant, c'est un excellent gardien et un compagnon loyal.

EN HOLLANDE, lors de la révolte des Gueux (XVIe siècle), le spitz-loup du héros Cornelius de Gysalaer, surnommé « Kees », devint le symbole des patriotes ; c'est pourquoi cette race fut appelée Keeshond aux Pays-Bas. Par la suite, la race déclina, pour finalement revenir au goût du jour en Hollande dans les années 1920.

Avec sa tête de renard et ses petites oreilles pointues, le spitz-loup semble toujours sur le qui-vive. La tête est entourée d'une large collerette et la queue, bien fournie, est couchée sur le rein. Intelligent, amical et doté de facultés d'adaptation, le spitz-loup est un compagnon idéal et un excellent gardien (une des caractéristiques de cette race). Son poil dur et dressé demande un entretien régulier. Idéalement, le spitz-loup mesure 43 à 55 cm (la femelle est un peu plus petite). Il pèse généralement 25 à 30 kg.

9

GROUPE   TOILETTAGE

petite

TAILLE   ALIMENTATION

Lhassa apso

TAILLE : 25,4 cm

EN BREF	
RACE	Lhassa apso
CLASSIFICATION	FCI : groupe 9
COULEURS DE ROBE	Sable à fauve doré, charbonné ou non, gris ardoise, fumée, particolore, noir, blanc, brun

ORIGINAIRE DU TIBET, le lhassa apso était jadis gardé à l'intérieur des monastères ; il y donnait l'alarme lorsqu'un intrus était parvenu à franchir le premier barrage, formé par des dogues du Tibet. Également très prisé par les familles et les commerçants, il avait la réputation de porter bonheur. Il était toujours offert et jamais vendu, car les Tibétains le considéraient comme la réincarnation de moines qui avaient péché. Les premiers sujets arrivèrent en Europe début du XXe siècle.

Avec ses 25,5 cm de haut, le lhassa apso est en quelque sorte un gros chien dans un petit corps, puisqu'il pèse généralement 6,5 à 8,5 kg. Gai et sûr de lui, le lhassa apso a un comportement un peu spécial auquel il faut s'habituer. Il se montre méfiant envers les étrangers. Le poil, extrêmement long, peut être de n'importe quelle couleur et réclame beaucoup de soin car il feutre naturellement pour servir de protection contre les éléments.

Les Tibétains comparaient le lhassa apso au mythique lion des neiges, qui est blanc et non doré comme le croyaient les premiers voyageurs qui se rendirent au Tibet.

EN BREF

RACE	Chien nu mexicain
AUTRE NOM	Xoloitzcuintle
CLASSIFICATION	FCI : groupe 9
COULEURS DE ROBE	Gris à noir, taches roses admises

Chien nu mexicain

TAILLE : 33 à 57 cm

9
GROUPE — TOILETTAGE
moyenne
TAILLE — ALIMENTATION

CE CHIEN A UNE ORIGINE très ancienne mais incertaine. Il semble ne pas avoir évolué depuis des siècles, formant ainsi un lien vivant avec les civilisations précolombiennes. Les Aztèques pensaient qu'il accompagnait les morts dans l'au-delà. Son aspect s'apparente à celui du terrier de Manchester, avec une ossature fine et un ventre relevé qui rappellent un peu le lévrier. Il demeure assez rare en Europe.

Le chien nu mexicain est timide et intelligent. Mais sa principale caractéristique reste l'absence de poil. La peau est lisse, douce et chaude. Quelques poils raides poussent entre les oreilles, que l'on qualifie parfois « d'oreilles de chauve-souris » en raison de leur forme. Le chien nu mexicain est brun foncé, gris éléphant, gris-noir ou noir ; les taches roses (c'est-à-dire dépigmentées) sont admises mais ne doivent pas être dominantes.

L'autre nom du chien nu mexicain, xoloitzcuintle, associe les mots Xolotl (un dieu aztèque) et *itzcuintle* (chien).

À gauche
Le chien nu mexicain présente une température corporelle élevée ; sa peau est toujours chaude au toucher.

EN BREF

RACE	Schnauzer nain
AUTRE NOM	Zwergschnauzer
CLASSIFICATION	FCI : groupe 2
COULEURS DE ROBE	Poivre et sel, noir, noir et argent

Schnauzer nain

TAILLE : 33 à 35 cm

2
GROUPE — TOILETTAGE
petite
TAILLE — ALIMENTATION

D'ORIGINE ALLEMANDE, le schnauzer nain a les mêmes racines que le schnauzer moyen. Il aurait reçu du sang d'affenpinscher afin de réduire sa taille, sans rien perdre de ses caractéristiques de terrier. Le premier fut présenté dans une exposition en 1899.

Ce chien ramassé et robuste, à la silhouette presque carrée, est enthousiaste et éveillé. Avec ses yeux foncés et ovales, et ses sourcils arqués et broussailleux, le schnauzer nain est élégant et s'adapte à toutes les situations. Sa robe rêche et épaisse, dotée d'un sous-poil dense, nécessite un toilettage régulier.

Les couleurs poivre et sel, noir pur ou noir et argent, ainsi que sa moustache et sa barbe, ne font que rehausser son élégante silhouette. La taille idéale est de 35 cm (33 cm pour la femelle) et le poids oscille entre 6 et 7 kg.

En allemand, *Schnauze* signifie nez ou museau. En effet, ce chien est reconnaissable à son puissant museau et à sa truffe noire aux narines écartées.

À gauche
Jadis utilisé pour chasser les rats, le schnauzer nain est aujourd'hui un excellent chien de garde et un compagnon obéissant.

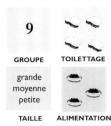

9
GROUPE

TOILETTAGE

grande
moyenne
petite

TAILLE

ALIMENTATION

Caniche

TAILLE : moins de 28 à 60 cm

EN BREF	
RACE	Caniche
AUTRE NOM	Caniche (grand, moyen, nain, miniature)
CLASSIFICATION	FCI : groupe 9
COULEURS DE ROBE	Blanc, crème, brun, abricot, noir

À Paris, en particulier sur le Pont-Neuf, les cireurs de chaussures d'antan avaient des caniches, dressés pour souiller les souliers des passants.

L EST COMMUNÉMENT ADMIS que le caniche est d'origine française. Son nom pourrait venir du latin *canis* (chien) ou du vieux français *canichon* (chien qui chassait le canard). De leur côté, les Allemands ont travaillé les qualités de chien d'eau du caniche et l'utilisaient aussi pour tirer les carrioles de lait. Sa taille s'est donc développée. En France, en revanche, le caniche était considéré comme un animal de compagnie et sa taille s'est donc réduite. Les plus petits caniches se sont fait une belle réputation dans le monde du cirque, car ils apprennent facilement des tours. Mais la race est également utilisée comme chien d'aveugle ou pour dénicher des truffes. À une époque, le caniche à poil cordé fit quelques apparitions dans les expositions.

Cette race a pour particularité de se décliner en différentes tailles, morphologiquement identiques. Le standard ne donne aucune précision quant au poids mais il doit être en accord avec la taille du chien. Le grand caniche mesure plus de 45 cm et pèse parfois plus de 19 kg. Le caniche moyen mesure 35 à 45 cm. Le caniche nain mesure 28 à 35 cm et pèse 12 à 14 kg. Enfin, le caniche « toy » mesure moins de

28 cm et pèse 6,5 à 7,5 kg. Quelle que soit leur taille, les caniches doivent avoir une allure équilibrée et élégante. Gais et joyeux, ces chiens ont bon caractère. La tête est longue et fine, avec un chanfrein solide et élégant. La couleur de la robe d'un caniche peut être blanche, crème, abricot, brune, noire, bleue et argent ; dans tous les cas, la préférence se porte sur les couleurs claires. Le poil, frisé et abondant, ne tombe pas.

Pour les expositions, il est recommandé de toiletter le chien en « lion », mais le toilettage dit « moderne » est également admis. La FCI répartit les caniches en quatre catégories, selon leur taille.

Ci-dessus
Le caniche « toy » devint plus petit à mesure qu'il était utilisé comme animal de compagnie et chien de manchon.

Ci-dessus, à droite
En Allemagne, le caniche moyen était utilisé comme chien de trait ; il devint donc grand et fort.

Ci-contre
Ce caniche miniature au port de tête altier respire la fierté.

EN BREF

RACE	Schipperke
CLASSIFICATION	FCI : groupe 1
COULEURS DE ROBE	Noir zain

Schipperke

TAILLE : 22 à 33 cm

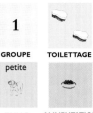

1	
GROUPE	**TOILETTAGE**
petite	
TAILLE	**ALIMENTATION**

Le schipperke était jadis très populaire auprès des savetiers, qui ne manquaient pas de s'afficher le dimanche avec leur chien.

ORIGINAIRE DES FLANDRES, le schipperke est un petit chien ramassé qui était jadis utilisé en Belgique et en Hollande pour garder les barges des bateliers ; son nom signifie d'ailleurs « petit capitaine ». Lors d'une exposition à Bruxelles en 1885, la reine de Belgique Marie-Henriette acheta un schipperke et la race devint alors à la mode en tant qu'animal de compagnie.

Actif et agile, le schipperke est doté d'une tête au regard vif qui fait penser à celle du renard. La FCI reconnaît deux catégories de schipperke, de 3 à 5 kg et de 5 à 8 kg. La taille est comprise entre 22 et 33 cm.

Toujours en éveil et infatigable, c'est un animal gentil, intelligent et fidèle. Sa robe abondante et dure est lisse sur la tête, mais dressée et épaisse autour du cou, formant une sorte de crinière et de jabot, ainsi qu'une « culotte » sur l'arrière des cuisses. Le schipperke est exclusivement noir zain.

EN BREF

RACE	Schnauzer
AUTRE NOM	Schnauzer moyen
CLASSIFICATION	FCI : groupe 2
COULEURS DE ROBE	Noir pur, poivre et sel, gris

Schnauzer

TAILLE : 45 à 50 cm

2	
GROUPE	**TOILETTAGE**
moyenne	
TAILLE	**ALIMENTATION**

En Allemagne, le schnauzer était jadis un « chien à tout faire » : ratier, chien de conducteur de bestiaux, chien de trait, chien de berger et chien de garde.

ORIGINAIRE D'ALLEMAGNE, le schnauzer semble être dérivé du caniche noir, du spitz-loup gris et d'un ancien pinscher allemand, associant ainsi des qualités de chien de travail et de terrier. Également appelé schnauzer moyen, c'est le compagnon idéal pour un maître actif et disposé à consacrer du temps à entretenir son pelage.

Animal de compagnie à l'origine, le schnauzer est un animal fort, vigoureux et très endurant. Robuste et plutôt trapu, il possède une expression intelligente et il est toujours sur le qui-vive. La robe, au poil raide et dur, est à la fois courte et élégante ; elle peut être noir pur ou poivre et sel, avec toutes les nuances de gris (du gris foncé au gris argent). Les oreilles sont attachées haut et bien droites si elles sont coupées, ou tombantes à l'état naturel. Le schnauzer mesure en moyenne 45 à 50 cm et pèse entre 14 et 20 kg.

À gauche

Le schnauzer possède un poil de couverture serré et dur, et un sous-poil encore plus dense. Par conséquent, il réclame des épilations régulières.

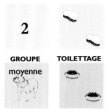

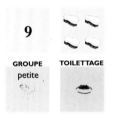

2
GROUPE
moyenne

TOILETTAGE

TAILLE ALIMENTATION

Shar peï

TAILLE : 46 à 51 cm

« Shar peï » se traduit par « peau de sable », référence à la texture de la robe et non à sa couleur.

LE SHAR PEÏ EST originaire de Chine. L'ascendance de cette race légendaire est obscure et il est difficile de démêler réalité et fiction. Cependant, on estime qu'elle remonte à la dynastie Han (206 av. J.-C. à 220 apr. J.-C.). Le dogue du Tibet et le chow-chow comptent probablement parmi ses ancêtres, ainsi que plusieurs races molossoïdes, et peut-être même le chien de montagne des Pyrénées.

Sur la côte de la Chine méridionale, le shar peï était jadis utilisé comme chien de combat, mais il devint un animal « multi-usages »

employé pour la chasse et la garde des troupeaux. Aujourd'hui, c'est surtout un animal de compagnie. Il est calme, indépendant et très affectueux. Les traits caractéristiques que constituent son crâne ridé et sa peau plissée ne doivent pas être poussés à l'excès. La robe, également très reconnaissable, peut être de plusieurs couleurs, mais toujours unies. Le poil est court et dru. Le shar peï mesure 46 à 51 cm et pèse entre 16 et 20 kg.

9
GROUPE
petite

TOILETTAGE

TAILLE ALIMENTATION

Shih tzu

TAILLE : jusqu'à 26,7 cm

À droite
On attache généralement le poil au sommet de la tête du shih tzu

Le nez du shih tzu est plus court que celui du lhassa apso ; techniquement, le premier est légèrement plus grand, même si ses pattes sont plus courtes.

LES RACINES DU SHIH TZU sont à la fois tibétaines et chinoises, puisque le lhassa apso et le pékinois ont tous deux été impliqués dans la création de cette race. D'ailleurs, à son arrivée en Europe via la Grande-Bretagne, il a souvent été

confondu avec le lhassa apso. Aux États-Unis, il a même été assimilé à cette race et croisé avec elle, ce qui a encore accru la confusion.

Robuste, haut de 26,7 cm au plus et pesant 4,5 à 8,1 kg, le shih tzu est un chien intelligent, actif, éveillé et amical qui sait faire preuve d'indépendance. Sa face est comparée à un chrysanthème en raison des poils du museau qui poussent vers le haut. La robe, composée d'un poil long et dense et d'un sous-poil épais, demande beaucoup d'entretien ; le poil du crâne est traditionnellement attaché. Toutes les couleurs sont autorisées. Une flammèche blanche sur le front et à l'extrémité de la queue blanche sont très recherchées chez les pluricolores.

EN BREF

RACE	Épagneul tibétain
CLASSIFICATION	FCI : groupe 9
COULEURS DE ROBE	Toutes les couleurs et les combinaisons de couleurs sont admises

Épagneul tibétain

TAILLE : 25 cm

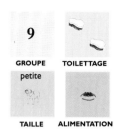

9 GROUPE	TOILETTAGE
petite TAILLE	ALIMENTATION

À L'IMAGE DE TOUTES LES RACES tibétaines et orientales, l'origine de l'épagneul tibétain est entourée d'un voile de mystère.

Il pourrait être l'ancêtre de l'épagneul japonais et du pékinois. Cette race, qui fit son entrée en Europe via la Grande-Bretagne au début du XXᵉ siècle, n'a d'épagneul que le nom.

Doté d'un caractère un peu particulier, l'épagneul tibétain se méfie des étrangers. Très intelligent, gai et sûr de lui, c'est un chien vif, loyal et néanmoins indépendant. Légèrement plus long que haut, il mesure environ 25 cm et pèse de 4 à 7 kg. Toutes les couleurs de robe et combinaisons de couleurs sont acceptées. Le poil de couverture, soyeux et de longueur moyenne sur le corps, forme une crinière (plus visible chez le mâle que chez la femelle).

Connu en France depuis vingt ans à peine, il est encore peu répandu.

D'après la légende, l'épagneul tibétain servait jadis à faire tourner le moulin à prières dans les monastères.

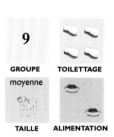

EN BREF

RACE	Terrier du Tibet
CLASSIFICATION	FCI : groupe 9
COULEURS DE ROBE	Blanc, doré, crème, gris ou fumée, noir, particolore, tricolore, chocolat et foie exclus

Terrier du Tibet

TAILLE : 35,5 à 40,5 cm

9 GROUPE	TOILETTAGE
moyenne TAILLE	ALIMENTATION

ÉGALEMENT ORIGINAIRE DU TIBET, le terrier du Tibet est utilisé notamment pour retrouver le bétail égaré et pour rapporter des objets égarés au fond des précipices. Il est nettement plus gros et plus grand que le lhassa apso et que l'épagneul tibétain. Il lui était voué un culte dans les monastères tibétains. Fort utile aux tribus nomades, c'est un chien robuste à la silhouette carrée. Vif, loyal et doté d'un bon caractère, il fait un excellent compagnon.

Sociable, éveillé, intelligent et courageux, il ne se montre ni affectueux ni agressif à l'égard des étrangers. La mâchoire est articulée en ciseaux ou en ciseaux renversés. La double robe à poil long nécessite un entretien régulier. Toutes les couleurs sont acceptées, sauf chocolat et foie. La queue, bien frangée, forme une boucle sur le dos. Le mâle mesure 35,5 à 40,5 cm, la femelle est un peu plus petite. Le standard ne précise pas le poids, qui varie généralement entre 8 et 14 kg.

Le terrier du Tibet a de gros pieds plats, parfaitement adaptés au terrain montagneux de son pays d'origine.

Les chiens de travail

CELA FAIT DES SIÈCLES que le chien travaille aux côtés de l'homme. Dans bien des cas, il accomplit la tâche la plus simple et la plus instinctive qui soit, à savoir protéger son territoire ou ses maîtres. Au fil du temps, les utilisations affectées à ces chiens se sont multipliées et, avec la facilité des échanges entre les pays, une grande variété de races a vu le jour. Du chien de traît au chien secouriste, en passant par le chien de combat, ces races se sont développées en taille et en puissance pour finalement devenir, pour la plupart, de très bons chiens de compagnie. Il ne faut pas oublier, toutefois, qu'ils ont besoin de beaucoup d'exercice et d'autorité.

Ci-dessus
L'éducation d'un rottweiler réclame à la fois fermeté et bon sens.

En haut à droite
Le husky sibérien est capable de traverser les hivers les plus rudes.

Ci-dessous
Cela fait des siècles que le chien travaille aux côtés de l'homme.

CRITÈRES D'INTELLIGENCE

TOUS LES CHIENS DE TRAVAIL sont suffisamment intelligents pour être dressés et la plupart sont des animaux de taille et de stature imposantes. Ils occupent une large variété de fonctions, certains étant des chiens de garde, tandis que d'autres étaient à l'origine des chiens de combat, alors que le dogue allemand servait jadis à la chasse au sanglier et au cerf. Le schnauzer géant et le bouvier des Flandres sont aujourd'hui utilisés pour le gardiennage. Citons également les chiens d'eau, dressés pour la récupération des filets de pêche, tandis que d'autres sont habitués à évoluer dans la neige, à l'image du saint-bernard utilisé pour le sauvetage en montagne. Enfin, parmi les chiens de traîneau, le malamute de l'Alaska et le husky sibérien sont capables de tirer de lourdes charges. D'autres races rendent aussi de fiers services à leurs maîtres en Suisse, en Belgique, en Hollande ou encore à Terre-Neuve.

Aujourd'hui, bon nombre de ces animaux ne font plus office que de chiens d'exposition ou de compagnie. Dans certains pays, ils continuent à être utilisés pour effectuer les travaux pour lesquels ils furent destinés à l'origine, se révélant souvent d'une aide inestimable. Parmi ces chiens, certaines races sont universellement reconnues et appréciées.

Les races regroupées ici sont plutôt de stature imposante. On y trouve des géants tels le saint-bernard, le terre-neuve ou encore le majestueux dogue allemand, au caractère heureusement placide (sans leur disposition au dressage, on ne voit guère comment on pourrait les contrôler). Il y a également plusieurs chiens de type « bull », d'une force redoutable. Les plus gros d'entre eux, en particulier, nécessitent une éducation stricte car ils pèsent souvent plus lourd que la personne qui les tient en laisse. En règle générale, les chiens de travail sont des animaux extrêmement puissants et il est donc essentiel qu'ils sachent qui est leur maître.

Les robes varient du poil ras au poil long. Tous les chiens de travail ont l'esprit actif puisqu'ils ont été créés en vue d'effectuer un travail bien précis, parfois pour garder une propriété et veiller sur leur maître. Avant de choisir une race adaptée à votre mode de vie (urbain ou campagnard, actif ou sédentaire, etc.), il convient donc de vous familiariser avec les caractéristiques propres à chaque chien de travail.

EN BREF

RACE	Malamute de l'Alaska
CLASSIFICATION	FCI : groupe 5
COULEURS DE ROBE	Gris clair à noir, doré à roux ou foie, blanc sur le ventre, blanc

Malamute de l'Alaska

TAILLE : 58 à 71 cm

5 GROUPE • TOILETTAGE
grande • TAILLE • ALIMENTATION

'UN DES PLUS ANCIENS chiens de traîneaux du Grand Nord, le malamute de l'Alaska tire son nom de la tribu esquimaude qui l'avait adopté. Capable de survivre aux températures polaires et de tracter de lourds fardeaux sur de longues distances, c'est un chien puissant, bien charpenté et aux pattes musclées. Il pèse entre 38 et 56 kg, et mesure 58 à 71 cm.

Compagnon affectueux, loyal et dévoué, il accepte toutefois d'avoir plusieurs maîtres au cours de sa vie. Agressif à l'égard des autres chiens, il réclame fermeté et vigilance car il peut facilement vous échapper vu sa taille et sa force. Une grosse tête et des yeux obliques lui donnent un air digne. La robe, très épaisse, va du gris clair au noir, ou du doré au roux ou au foie, avec certaines taches blanches. La seule couleur primaire acceptée est blanc pur.

Le standard de race américain du malamute de l'Alaska fut publié par l'American Kennel Club en 1927.

Ci-contre
Le malamute de l'Alaska est un chien à large poitrail, très puissant et extrêmement endurant. Très actif, il a besoin de beaucoup d'exercice.

EN BREF

RACE	Beauceron
AUTRE NOM	Berger de Beauce, bas-rouge
CLASSIFICATION	FCI : groupe 1
COULEURS DE ROBE	Noir et feu, arlequin

Beauceron

TAILLE : 63 à 70 cm

1 GROUPE • TOILETTAGE
grande • TAILLE • ALIMENTATION

LE BEAUCERON est un chien de berger qui descend des « chiens de plaine », animaux qui gardaient les troupeaux du Bassin parisien au XVIᵉ siècle. Également connu sous le nom de berger de Beauce

ou bas-rouge, c'est toujours en France qu'il est le plus répandu.

Le beauceron est particulièrement apprécié pour son obéissance, sa vigilance, son calme, son courage, sa robustesse et sa patience, et il est toujours prêt à rendre service. En dépit de son air menaçant, il fait preuve d'un naturel tolérant et s'intègre facilement dans une cellule familiale. Il convient néanmoins de consacrer du temps à son éducation et à son apprentissage de la vie en société. Haut de 63 à 70 cm, le beauceron pèse entre 30 et 39 kg. La couleur la plus recherchée est noire avec des marques de feu, notamment au bas des pattes d'où le nom bas-rouge. Mais on accepte également la robe arlequin (tricolore) : gris, noir et feu, à condition que les marques de feu soient du même type que chez les chiens bicolores.

La plus ancienne description d'un chien apparenté au beauceron provient d'un manuscrit de 1587.

À gauche
Le beauceron possède des ergots doubles sur les antérieurs ; son poil est rêche, court et épais

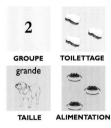

2
GROUPE

TOILETTAGE

grande
TAILLE

ALIMENTATION

Bouvier bernois

TAILLE : 58 à 70 cm

EN BREF	
RACE	Bouvier bernois
AUTRE NOM	Berner Sennenhund
CLASSIFICATION	FCI : groupe 2
COULEURS DE ROBE	Noir brillant avec des taches feu et blanches

Particulièrement adapté aux régions montagneuses, le bouvier bernois est issu du croisement de molosses et de plusieurs chiens de berger suisses.

À droite
Malgré sa taille imposante, le bouvier bernois est un animal doux et affectueux, un excellent chien de famille.

LONGTEMPS utilisé comme chien de trait par les tisserands de Berne, le bouvier bernois compte parmi les quatre races de chiens des montagnes importés en Suisse par les soldats romains, il y a deux millénaires. C'est un chien de travail fort et robuste, de structure ramassée, haut de 58 à 70 cm et pesant 40 à 44 kg. Il adore tirer de petites charrettes.

Le bouvier bernois est à la fois un chien de ferme actif et éveillé, et un chien de famille dévoué. Plein d'assurance, facile à vivre et amical, il ne craint rien ni personne. Il impressionne non seulement par son crâne large, mais aussi par sa robe noire avec des taches feu sur les joues, au-dessus des yeux, sur les pattes et la poitrine. Le poil est long, ondulé et naturellement brillant. Les pieds sont courts, ronds et ramassés. La queue, touffue, est tombante lorsque l'animal est au repos.

1
GROUPE

TOILETTAGE

grande
TAILLE

ALIMENTATION

Bouvier des Flandres

TAILLE : 59 à 68 cm

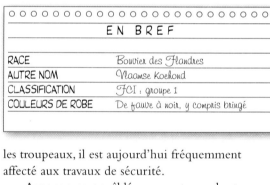

EN BREF	
RACE	Bouvier des Flandres
AUTRE NOM	Vlaamse Koehond
CLASSIFICATION	FCI : groupe 1
COULEURS DE ROBE	De fauve à noir, y compris bringé

LE BOUVIER DES FLANDRES est, comme son nom l'indique, le descendant de chiens flamands qui gardaient les bœufs. Utilisé à l'origine dans le sud-ouest des Flandres et le nord de la France pour conduire

Au cours de la Première Guerre mondiale, il servit de messager et d'ambulancier. Il fut présenté pour la première fois en 1910, à Bruxelles.

les troupeaux, il est aujourd'hui fréquemment affecté aux travaux de sécurité.

Avec son corps râblé, son ossature robuste et ses grosses pattes musclées, le bouvier des Flandres donne une impression de puissance sans lourdeur. Son caractère animé révèle intelligence, énergie et audace. La barbe très caractéristique de ce chien calme et sensé lui donne une allure un peu sévère. La robe va de fauve à noir, en passant par le bringé. Le poil est abondant, épais, rude au toucher et d'aspect broussailleux. Haut de 59 à 68 cm, ce chien pèse de 27 à 40 kg.

EN BREF

RACE	Boxer
CLASSIFICATION	FCI : groupe 2
COULEURS DE ROBE	Fauve, fauve bringé, taches blanches acceptées

Boxer

TAILLE : 53 à 63 cm

2 GROUPE
grande TAILLE

TOILETTAGE
ALIMENTATION

VRAISEMBLABLEMENT croisé du bulldog et de mastiff du type dogue allemand, le boxer fut créé en Allemagne vers la fin du XIXᵉ siècle. Les oreilles, attachées haut, ne sont pas coupées dans tous les pays, auquel cas elles tombent naturellement sur le côté de la tête.

Le boxer est un chien endurant, plein d'assurance et intrépide, ce qui ne l'empêche pas d'avoir un tempérament égal et obéissant. Loyal envers son maître et sa famille, il est bon joueur, mais son instinct de chien de garde et sa méfiance à l'égard des étrangers imposent une certaine prudence. D'apparence noble, le boxer est bâti au carré, avec une ossature solide et une musculature puissante et très développée. La robe est tendue, avec un poil court, brillant et lisse, de couleur fauve ou fauve bringé. L'animal mesure 53 à 63 cm, et pèse entre 25 et 32 kg.

Le standard de race officiel du boxer fut publié en Allemagne en 1905. Il est le descendant du *bullenbeisser*, le « chien qui mord les taureaux ».

À gauche
Un jeune boxer doit avoir un maître ferme et compétent. Bien éduqué, il sera un chien de famille doux.

EN BREF

RACE	Bullmastiff
CLASSIFICATION	FCI : groupe 2
COULEURS DE ROBE	Bringé, fauve, rouge

Bullmastiff

TAILLE : 61 à 68,5 cm

2 GROUPE
grande TAILLE

TOILETTAGE
ALIMENTATION

UTILISÉ DEPUIS 1860 par les gardes-chasse britanniques pour appréhender les braconniers, le bullmastiff serait issu du croisement du bulldog et du mastiff anglais. Cependant, ce n'est qu'en 1924 que la race fut officiellement reconnue par l'English Kennel Club.

Puissant, actif et plein de vivacité, le bullmastiff a besoin d'un maître autoritaire, mais c'est un chien que l'on peut discipliner et sur lequel on peut toujours compter. Le poil, court, dru et imperméable, peut être de n'importe quelle nuance de bringé, fauve ou rouge, tandis que le masque sombre du museau est obligatoire. La taille, comprise entre 61 et 68,5 cm, et le poids allant de 41 à 59 kg, indiquent combien ce chien est massif et puissant. Le crâne est large et carré, et sa circonférence peut parfois égaler la hauteur du chien au garrot.

D'une bravoure légendaire, le bullmastiff fut créé pour être capable d'interpeller un intrus sans lui infliger de graves blessures.

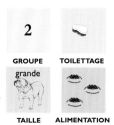

2
GROUPE

TOILETTAGE

grande

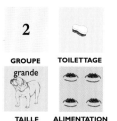

TAILLE

ALIMENTATION

Dobermann

TAILLE : 65 à 69 cm

Le créateur de la race est Ludwig Dobermann, un percepteur souhaitant impressionner le contribuable !

EN BREF

RACE	Dobermann
AUTRE NOM	Dobermann Pinscher
CLASSIFICATION	FCI : groupe 2
COULEURS DE ROBE	Noir, marron, bleu, fauve

L E DOBERMANN fut créé en Allemagne dans le but d'obtenir un animal mariant les qualités d'un terrier géant et celles d'un chien de garde. Une race satisfaisante avait été obtenue dès 1890, mais c'est finalement Otto Galler qui fixa la race en la croisant avec le pinscher, et le club national allemand fut fondé en 1900.

Chien rapide et à traiter avec beaucoup de bon sens, le dobermann associe intelligence, détermination, audace, vigilance et obéissance. Avec une hauteur idéale de 65 à 69 cm et un poids compris entre 30 et 40 kg, c'est un chien de bonne taille. Son corps musclé et bien proportionné lui confère élégance et fierté. La robe, au poil ras, dru, bien lisse et facile à toiletter, est de couleur noire, marron, fauve ou bleue, avec des marques acajou à certains endroits bien précis.

2
GROUPE

TOILETTAGE

grande

TAILLE

ALIMENTATION

Dogue de Bordeaux

TAILLE : 58 à 69 cm

EN BREF

RACE	Dogue de Bordeaux
CLASSIFICATION	FCI : groupe 2
COULEURS DE ROBE	Doré, fauve, acajou

L E DOGUE DE BORDEAUX était jadis utilisé comme chien de garde et chien de chasse au sanglier et à l'ours. Ses origines remonteraient à l'époque où les rois d'Angleterre régnaient sur l'Aquitaine et il serait donc le fruit du croisement du mastiff anglais avec les grands chiens de garde de la région. Par la suite, des croisements probables avec le mâtin espagnol aboutirent à un colosse résolument féroce.

Sa grosse tête lui donne un air querelleur. Le crâne est large et le stop très marqué. La taille varie de 58 à 69 cm et le poids est compris entre 36 et 45 kg, voire plus dans bien des cas. La robe est de couleur or, fauve ou acajou, avec un masque noir ou rouge. Malgré sa taille et sa puissance, le dogue de Bordeaux possède aujourd'hui un tempérament calme.

Intrépide, le dogue de Bordeaux ne supporte pas les étrangers. Il était dressé pour se mesurer à d'autres chiens ou des animaux tel l'ours.

EN BREF	
RACE	Husky américain
AUTRE NOM	Eskimo dog, american husky
CLASSIFICATION	En cours de reconnaissance par la FCI
COULEURS DE ROBE	Toutes les couleurs sont admises

Husky américain

TAILLE : 51 à 68 cm

aucun

GROUPE   **TOILETTAGE**

grande

TAILLE   **ALIMENTATION**

CHIEN DE TRANSPORT à usages multiples, le husky américain était le chien des Inuits (jadis connus sous le nom d'Esquimaux). De par la taille, il se situe entre le malamute de l'Alaska et le husky sibérien. Pour survivre, il devait chasser lui-même sa ration alimentaire et aujourd'hui encore mieux vaut lui épargner la présence d'autres chiens ou animaux d'élevage.

La socialisation du husky américain doit se faire dès le plus jeune âge, mais les méthodes classiques de dressage ne suffisent pas toujours. Le corps est puissant, le poil quasiment impénétrable et la queue touffue. La différence de corpulence est très marquée entre mâles et femelles : 58 à 68 cm et 34 à 48 kg pour les premiers, contre 51 à 61 cm et 27 à 41 kg pour les secondes. Toutes les couleurs ou combinaisons de couleurs canines sont acceptées.

Au Canada, les attelages de chiens constituaient jadis l'unique moyen de transport des Inuits des territoires du Nord-Ouest.

Ci-contre
Excellent chien de travail, le husky américain est tout sauf un animal domestique. Il vit en meute ou avec un maître autoritaire.

EN BREF	
RACE	Schnauzer géant
AUTRE NOM	Riesenschnauzer
CLASSIFICATION	FCI : groupe 2
COULEURS DE ROBE	Noir pur, poivre et sel

Schnauzer géant

TAILLE : 60 à 70 cm

2

GROUPE   **TOILETTAGE**

grande

TAILLE   **ALIMENTATION**

DANS LES MONTAGNES DE BAVIÈRE, le schnauzer géant était jadis utilisé pour conduire le bétail et la race fut longtemps connue sous le nom de « chien de Munich ». Classé chien de travail en 1925 en Allemagne, il est généralement moins connu que ses cousins de plus petite taille, les schnauzers moyen et nain, qui font tous deux partie de la famille des chiens d'utilité. Imposant, puissant et robuste, le schnauzer est un chien qui adore

son maître et qui possède de nombreuses qualités, associant force, courage, intelligence et vivacité. C'est un chien rapide et endurant, qui ne craint pas les intempéries et a besoin de beaucoup d'exercice. Il mesure 60 à 70 cm et pèse entre 32 et 35 kg. La robe, composée d'un sous-poil et d'un poil dur et épais, impose des toilettages réguliers ; elle est noir pur ou poivre et sel avec un masque sombre.

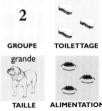

La première exposition de schnauzers géants eut lieu à Munich en 1909, avec un groupe d'une trentaine de chiens.

À gauche
Le schnauzer géant est un animal impressionnant, mais affectueux et entièrement dévoué à son maître.

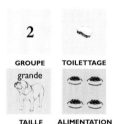

2

GROUPE — TOILETTAGE

grande

TAILLE — ALIMENTATION

Dogue allemand

TAILLE : 71 à 76 cm

C'est en 1876 que le dogue allemand devint le chien national allemand. L'année suivante, il fit son apparition en Grande-Bretagne.

À droite

Le dogue allemand, s'il impressionne par sa taille, est en réalité un géant pacifique. Bien élevé, il fait un excellent chien de famille.

EN BREF	
RACE	Dogue allemand
AUTRE NOM	Danois, deutsche Dogge
CLASSIFICATION	FCI : groupe 2
COULEURS DE ROBE	Bringé, fauve, bleu, noir

SOUVENT APPELÉ DANOIS, ce chien est pourtant bel et bien originaire d'Allemagne, où il est connu sous le nom de *deutsche dogge*. C'est d'ailleurs le chien national allemand. Il descend d'une race utilisée au XVIIᵉ siècle pour la chasse au sanglier et au cerf.

En dépit de ses dimensions impressionnantes (71 à 76 cm pour un minimum de 46 à 54 kg à l'âge adulte), le dogue allemand est d'une nature amicale et réceptive. Avec son port altier, rien ni personne ne semble pouvoir l'arrêter. La tête paraît démesurément longue, alors que la mâchoire carrée et les narines très ouvertes donnent l'impression d'un museau tronqué. La robe, au poil court, dense et lisse, peut être bringée, fauve, bleue, noire ou arlequin, c'est-à-dire blanc pur avec des taches noires ou bleues.

2

GROUPE — TOILETTAGE

grande

TAILLE — ALIMENTATION

Leonberg

TAILLE : 65 à 80 cm

Le leonberg aurait été créé en 1840 par Heinrich Essig, maire de Leonberg, en vue d'obtenir une race ressemblant au lion des armes de la ville.

EN BREF	
RACE	Leonberg
AUTRE NOM	Leonberger
CLASSIFICATION	FCI : groupe 2
COULEURS DE ROBE	Sable, doré à brun-rouge

LE LEONBERG EST ORIGINAIRE de la ville éponyme d'Allemagne. Il serait issu du croisement de terre-neuve et de saint-bernard, bien qu'il n'ait la corpulence d'aucune de ces deux races. Les moines de l'hospice du Grand-Saint-Bernard auraient participé à sa création.

Le leonberg mesure 65 à 80 cm. La couleur de robe, au long poil ondulé, va du sable au brun-rouge en passant par le doré, avec de préférence un masque ; de petites taches sombres ou noires sont tolérées. Le crâne est relativement large. De taille moyenne, les yeux sombres et intelligents ne révèlent pas de troisième paupière et expriment un tempérament doux. Fidèle, intelligent et disciplinable, c'est un bon chien de garde et un chien plein de qualités. Il a les pattes palmées et se déplace avec des mouvements rustiques. Ni timide ni agressif, le leonberg a un tempérament plein d'assurance et très égal.

EN BREF

RACE	Mastiff
CLASSIFICATION	FCI : groupe 2
COULEURS DE ROBE	Fauve abricot, fauve argenté, fauve, bringé

Mastiff

TAILLE : 70 à 76 cm

2

GROUPE | **TOILETTAGE**
grande
TAILLE | **ALIMENTATION**

CONSIDÉRÉ COMME la plus vieille race anglaise, le mastiff aurait été introduit en Grande-Bretagne au VIᵉ siècle av. J.-C. Il était utilisé pour la chasse à l'ours, au taureau et au lion, ainsi que pour les combats de chiens. Après l'interdiction de ces derniers en 1835, il perdit une grande partie de son attrait et la race faillit s'éteindre. Ce n'est qu'après la Seconde Guerre mondiale qu'elle connut un regain d'intérêt.

Avec son corps massif, son crâne large et sa tête carrée, le mastiff est un animal puissant, noble et courageux. Calme et affectueux envers ses maîtres, c'est un excellent chien de garde. Le standard n'impose ni taille ni poids très précis, mais c'est un très gros chien qui réclame un régime alimentaire bien défini et beaucoup d'exercice. La robe, au poil court et dense, est de couleur fauve abricot, fauve argenté, fauve ou fauve bringé foncé, tandis que le museau, les oreilles, le nez et les orbites doivent être noirs. En moyenne, le mastiff mesure 70 à 76 cm, et pèse 79 à 86 kg.

L'équivalent français du mot anglais *mastiff* est le mot *mâtin*, dérivé du latin *mansuetus* qui signifie « apprivoisé ».

À gauche
Le mastiff est un chien aux origines obscures. Il aurait vu le jour en Assyrie avant de se répandre au Tibet, en Chine et au Japon.

EN BREF

RACE	Mâtin napolitain
AUTRE NOM	Mastino napoletano
CLASSIFICATION	FCI : groupe 2
COULEURS DE ROBE	Noir, bleu, toutes nuances de gris, marron, de fauve à rouge

Mâtin napolitain

TAILLE : 65 à 75 cm

2

GROUPE | **TOILETTAGE**
grande
TAILLE | **ALIMENTATION**

LE MÂTIN NAPOLITAIN est une race italienne très ancienne qui descend des chiens de combat, de guerre et de cirque de la Rome antique. Il était lui-même jadis utilisé comme chien de combat et de garde, mais c'est aujourd'hui un animal de surveillance et de compagnie.

Ce chien au port altier et à la puissance redoutable garde jalousement sa propriété et veille fidèlement sur son maître. Il possède malgré tout un caractère équilibré et n'attaque que sur ordre. La peau, assez lâche, forme traditionnellement quelques replis, mais sans excès. Le poil, à la fois court, dense, régulier, fin, dur et brillant, est de couleur noire, bleue, grise ou marron, de fauve à rouge. Les mâles mesurent 65 à 75 cm, et pèsent entre 50 et 70 kg, tandis que les femelles sont sensiblement plus petites.

La présence du mâtin napolitain est répertoriée en Campanie (Italie méridionale) depuis l'Antiquité, mais c'est en 1947 qu'il fut présenté en concours pour la première fois.

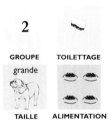

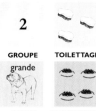

2

GROUPE
grande

TOILETTAGE

TAILLE

ALIMENTATION

Terre-neuve

TAILLE : 66 à 71 cm

EN BREF	
RACE	Terre-neuve
CLASSIFICATION	FCI : groupe 2
COULEURS DE ROBE	Noir, marron, landseer
	(blanc avec taches noires)

Dès 1732, de gros chiens au pelage d'ours étaient utilisés par les pêcheurs pour rapporter les filets et tirer leurs charrettes. On ne connaît pas la date exacte de son arrivée à Terre-Neuve.

À droite
Grand amateur d'eau, le terre-neuve est un chien doux et obéissant, un compagnon fidèle et affectueux.

POUR BON NOMBRE DE SPÉCIALISTES, le terre-neuve descendrait du dogue du Tibet. Gros chien de trait et d'eau, son instinct de secouriste lui vaut d'être utilisé par les équipes de sauvetage en mer.

Entièrement dévoué à son maître, le terre-neuve possède un caractère exceptionnellement doux et docile, allié à une grande puissance, ainsi qu'une apparence noble et majestueuse. Son ossature massive est synonyme de force et de grandes qualités athlétiques. Les pattes sont larges et palmées. La double robe, au long poil plat, dense et huileux donc imperméable, nécessite des toilettages très fréquents. Les couleurs acceptées sont le noir, le marron et le landseer, c'est-à-dire blanc avec

la tête, un manteau et la croupe noirs. En moyenne, le mâle mesure 71 cm et pèse entre 64 et 69 kg, contre 66 cm et 50 à 55 kg pour la femelle.

2

GROUPE
moyenne

TOILETTAGE

TAILLE

ALIMENTATION

Pinscher

TAILLE : 43 à 48 cm

EN BREF	
RACE	Pinscher
AUTRE NOM	Pinscher moyen
CLASSIFICATION	FCI : groupe 2
COULEURS DE ROBE	Fauve à rouge cerf

Avec ses pattes trop longues pour pénétrer dans les terriers, le pinscher était utilisé en Allemagne pour les travaux de surveillance et la conduite du bétail.

ORIGINAIRE D'ALLEMAGNE, le pinscher est un chien de ferme à usages multiples, de taille moyenne, avec une hauteur au garrot allant de 43 à 48 cm et un poids compris entre 11 et 16 kg. Élégant et bien proportionné, c'est un chien fort et musclé. Sa robe au poil ras, dense et brillant nécessite

peu d'entretien. La couleur va le plus souvent de fauve à rouge cerf, mais on trouve aussi des chiens noirs ou bleus avec des marques feu soigneusement réparties.

Les oreilles, en forme de V, sont naturellement semi-tombantes, mais elles sont habituellement coupées. La tête, forte sans être lourde, est allongée et pointue. La queue, portée haute, est traditionnellement coupée à la troisième vertèbre. Considérant que le mot *pinscher* signifie « terrier », c'est un chien plein de vivacité et maître de lui, d'un naturel éveillé, gentil et joueur. Loyal, vigilant et intrépide, il fait un excellent gardien.

8	
GROUPE	**TOILETTAGE**
grande	
TAILLE	**ALIMENTATION**

EN BREF

RACE	Chien d'eau portugais
AUTRE NOM	Cão de agua portugués
CLASSIFICATION	FCI : groupe 8
COULEURS DE ROBE	Plusieurs variantes acceptées

Chien d'eau portugais

TAILLE : 43 à 57 cm

JADIS UTILISÉ COMME chien de chasse, le chien d'eau portugais est aujourd'hui le compagnon des pêcheurs de l'Algarve. Bon chien de garde, il peut aussi être entraîné à sauter des bateaux pour ramener les filets, car c'est un excellent nageur. Très énergique, il doit avoir les épaules musclées.

Courageux et infatigable, il a bon caractère et malgré un naturel volontaire, il est très obéissant envers son maître. Il existe deux catégories de robes, toutes deux dépourvues de sous-poil : la première à poil relativement long, un peu ondulé et légèrement brillant ; la seconde à poil court, rêche et assez fourni, plus bouclé mais sans éclat. Dans les deux cas, on tond traditionnellement l'arrière-train et la queue, pour ne conserver qu'un panache à l'extrémité. La taille et le poids varient considérablement d'un chien à un autre, allant de 43 à 57 cm et de 16 à 25 kg.

Avant les moyens de communication modernes, ce chien reliait les bateaux de pêche pour porter des messages.

À gauche
L'arrière-train du chien d'eau portugais était traditionnellement tondu pour faciliter ses mouvements dans l'eau.

EN BREF

RACE	Rottweiler
CLASSIFICATION	FCI : groupe 2
COULEURS DE ROBE	Noir et feu

Rottweiler

TAILLE : 58 à 69 cm

2	
GROUPE	**TOILETTAGE**
grande	
TAILLE	**ALIMENTATION**

VÉRITABLE RÉFÉRENCE des chiens de garde, le rottweiler est utilisé par les forces de police et les agents de sécurité européens, et compte parmi les chiens de travail allemands les plus réputés.

Il serait issu du croisement de plusieurs molosses, de bouviers introduits par les Romains et du féroce bullenbeisser. Son nom provient de la ville allemande de Rottweil.

La stature du rottweiler trahit l'audace et le courage inhérents à la race, tandis que son regard calme évoque un tempérament bon et égal. Intrépide, il doit avoir bon caractère et ne doit présenter ni nervosité, ni agressivité. Mais il n'en demeure pas moins un animal sûr de lui, à l'instinct de chien de garde très développé, si bien qu'il nécessite un apprentissage sérieux et un maître intelligent. Ramassé et puissant, le rottweiler mesure 58 à 69 cm et pèse généralement entre 41 et 50 kg. La robe est noire avec des marques de feu bien délimitées, notamment au-dessus des yeux, sur les joues et le côté du museau.

La légende raconte que des rottweiler gardaient les troupeaux des Romains à mesure que l'armée progressait à travers l'Europe ; c'est ainsi que le chien atteignit l'Allemagne.

À gauche
Contrairement à sa réputation, le rottweiler est un chien obéissant et fidèle.

285

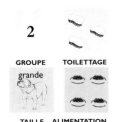

2

GROUPE   TOILETTAGE

grande

TAILLE   ALIMENTATION

A u XIXᵉ siècle, un saint-bernard sauva 40 voyageurs ensevelis sous une avalanche. Le 41ᵉ, surpris, lui asséna un violent coup de piolet qui le tua.

Ci-contre
Le saint-bernard est un géant qui réclame beaucoup d'espace et revient très cher.

Saint-bernard

TAILLE : 61 à 71 cm

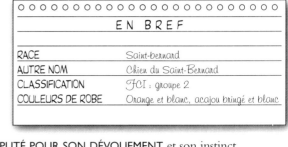

EN BREF	
RACE	Saint-bernard
AUTRE NOM	Chien du Saint-Bernard
CLASSIFICATION	FCI : groupe 2
COULEURS DE ROBE	Orange et blanc, acajou bringé et blanc

R ÉPUTÉ POUR SON DÉVOUEMENT et son instinct de sauveteur, ce chien est traditionnellement associé à l'hospice du Grand-Saint-Bernard dans les Alpes suisses. Les premiers représentants de la race étaient cependant beaucoup plus petits que le chien d'aujourd'hui. C'est vers 1660 ou 1670 qu'ils furent recueillis par les moines de l'hospice. Depuis lors, le saint-bernard – appellation donnée par les Anglais en 1865 – a sauvé la vie de plusieurs milliers de personnes perdues en montagne. Le standard de ce chien à la carrure impressionnante ne définit pas une taille déterminée, les plus beaux spécimens étant les plus grands, à condition que la symétrie soit respectée. En moyenne, il mesure 61 à 71 cm et pèse entre 50 et 91 kg. Bien entendu, l'alimentation doit être à la mesure de l'animal, notamment durant sa croissance. Calme, doux, intelligent et courageux, le saint-bernard possède une robe aux marques de couleurs bien définies et le poil est de deux types : court ou long.

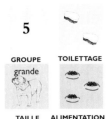

5

GROUPE   TOILETTAGE

grande

TAILLE   ALIMENTATION

Ci-contre
Le husky sibérien est particulièrement apprécié aux États-Unis, où il fait fureur sur les rings et lors des courses de traîneaux.

L e husky sibérien ne craint ni la neige ni le froid. Il saute très haut et est particulièrement doué pour creuser des trous.

Husky sibérien

TAILLE : 51 à 60 cm

EN BREF	
RACE	Husky sibérien
AUTRE NOM	Siberian husky
CLASSIFICATION	FCI : groupe 5
COULEURS DE ROBE	Toutes les couleurs et toutes
	les marques sont admises

O RIGINAIRE D'ASIE du Nord-Est, le husky sibérien est de taille moyenne pour un chien de traîneau. Rapide et agile, il fait prèuve d'endurance. À l'origine, il était utilisé par les Tchouktches qui vivaient de la chasse aux rennes. À la fin du XIXᵉ siècle, les courses de traîneaux étaient devenues très populaires en Alaska et ce n'est qu'en 1909 que le premier husky sibérien fut engagé dans le grand sweepstake d'Alaska. Pourtant, la FCI considère le husky sibérien comme une race américaine.

Ce chien mesure 51 à 60 cm et pèse entre 16 et 27 kg. Les femelles, plus petites, ne font preuve d'aucune faiblesse, tandis que les mâles doivent conserver une allure gracieuse. Affectueux, vigilant et sociable, le husky sibérien est plein de bonne volonté et fait un agréable chien de compagnie, dépourvu de tout instinct de chien de garde. Sa double robe à poil mi-long peut être de toutes les couleurs, avec ou sans marques formant des motifs étranges. Certains chiens ont les yeux vairons.

EN BREF	
RACE	Dogue du Tibet
AUTRE NOM	Tibetan mastiff, do-khyi
CLASSIFICATION	FCI : groupe 2
COULEURS DE ROBE	Noir, noir et feu, marron, doré, gris et bleu, gris et feu

Dogue du Tibet

TAILLE : 61 à 66 cm

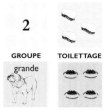

2	
GROUPE	**TOILETTAGE**
grande	
TAILLE	**ALIMENTATION**

Les dogues du Tibet avec des marques feu au-dessus des yeux sont censés voir le danger plusieurs jours à l'avance. Ils sont donc appréciés dans les régions isolées du Tibet.

LE DOGUE DU TIBET est originaire des hauts plateaux himalayens, où il était utilisé comme chien de garde. Au Tibet, il est toujours maintenu enchaîné et l'on encourage sa férocité, mais les animaux importés en Occident ont vu leur agressivité quelque peu tempérée par notre style de vie. Quoi qu'il en soit, il conserve une certaine distance et son instinct de gardien ; son maître doit donc en tenir compte et faire preuve de bon sens.

Chien de taille impressionnante, puissant et bien charpenté, le dogue du Tibet possède une expression à la fois grave et sympathique, et se révèle être un compagnon affectueux, notamment à l'égard des enfants. La robe est plus fournie chez le mâle que chez la femelle, et tous deux perdent beaucoup de poils en été. La taille minimale est de 66 cm pour le mâle, contre 61 cm pour la femelle. Le poids varie considérablement et se situe en moyenne entre 64 et 82 kg.

À gauche
La plupart des mâtins européens descendent du dogue du Tibet. Bien établi en Europe, ce dernier y demeure cependant rare.

Des chiens du monde entier

I L EXISTE DANS LE MONDE un grand nombre de races locales ou peu connues, admises ou non par les instances internationales ou nationales. Le nombre de races officielles est estimé à sept ou huit cents sur toute la planète, même si cette reconnaissance est parfois le fait d'un seul pays. Les plus répandues, ont été décrites dans le chapitre précédent. Celui qui suit a pour objet de compléter cette présentation.

DES RACES RECONNUES PAR LA FCI

SONT PRÉSENTÉES, dans le chapitre qui suit, des races du monde entier, pour la plupart reconnues par la FCI ou en passe de l'être. Bien que certaines soient marginales ou peu communes, cette organisation internationale tend à répertorier et officialiser le plus grand nombre de races représentatives.

Ainsi, du Tibet au Pérou, en passant par la France, cette présentation exhaustive des chiens reconnus par la FCI, classés par pays, offre une vision globale de l'univers canin.

Attention toutefois, car beaucoup ont plusieurs noms vernaculaires différents et leurs standards peuvent légèrement varier d'un pays à l'autre. Les poids et tailles indiqués sont ceux enregistrés par la FCI et susceptibles de divergences locales.

Ci-contre
Les pumis de Hongrie sont des chiens de travail surtout utilisés pour le tri du bétail.

Page de droite, à gauche
Peinture ancienne coréenne.

Page de droite, en haut à droite
Le tosa est un gros chien japonais élevé à l'origine pour le combat.

Page de droite, en bas à droite
Les caractéristiques du chien de berger catalan furent fixées en 1929.

UNE FABULEUSE DIVERSITÉ

Associer une race de chien
à son pays d'origine permet de le situer
dans son milieu naturel et de
comprendre ainsi ses caractéristiques
morphologiques. Pour se protéger
du froid, le chien de berger islandais
possède un poil dense et un sous-poil
protecteur. Le chien courant du Smäland
peut naître avec la queue courte pour
chasser dans les forêts du Nord de
l'Europe. L'azawakh, à la morphologie
longiligne, peut parcourir aisément
les étendues sauvages du Mali, devenant
ainsi le compagnon idéal des populations
touaregs.

À travers l'histoire de chaque race,
transparaît celle de l'homme. En fidèle
allié, le chien a accompagné
les populations du monde au gré

de leurs tribulations historiques
et géographiques, les suivant dans
leurs migrations et s'adaptant
aux mutations de leur environnement
et de leur culture.

Ainsi, si le lecteur a peu de chances
de rencontrer certains des chiens décrits,
ces pages lui feront néanmoins découvrir
l'existence de quelques races rares
et passionnantes telles que les chiens
tibétains, dogues ou chiens
de compagnie, les chiens de traîneau,
les chiens japonais ou du continent
africain.

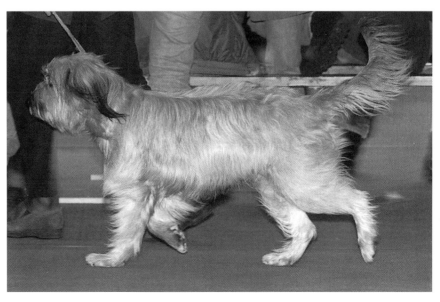

2

GROUPE
grande

TAILLE

TOILETTAGE

ALIMENTATION

ARGENTINE
Dogue argentin

TAILLE : 61 à 69 cm

EN BREF

RACE	Dogue argentin
AUTRES NOMS	Mastiff argentin
CLASSIFICATION	FCI : groupe 2
COULEURS DE ROBE	Blanc

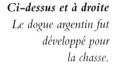

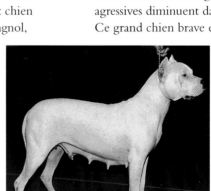

DÉVELOPPÉ EN ARGENTINE dans les années 1920 par le docteur Antonio Martinez, cette race assez récente fut créée en mélangeant chien de combat espagnol, mâtin espagnol, dogue allemand, bulldog, boxer et anciens bull-terriers. L'objectif était d'obtenir un animal intrépide capable de chasser pumas et jaguars. Le dogue argentin, doté d'une grande endurance sur terrain très difficile, a aussi servi à chasser le sanglier et le couguar. De par ses origines, il a intéressé les amateurs de combats de chiens existant

Ci-dessus et à droite
Le dogue argentin fut développé pour la chasse.

encore dans certains pays. C'est une race intrépide et agressive, il a donc été interdit dans quelques pays dont la Grande-Bretagne bien que ses tendances agressives diminuent dans certaines lignées.

Ce grand chien brave et loyal exige d'être dressé par un propriétaire expérimenté et doit apprendre l'obéissance. Son poil court blanc et lustré le protège de la chaleur et ses oreilles sont coupées pour lui donner un aspect plus impressionnant. Il mesure de 62 à 68 cm, pèse de 40 à 50 kg et a besoin de beaucoup d'espace et d'exercice.

1

GROUPE
grande

TAILLE

TOILETTAGE

ALIMENTATION

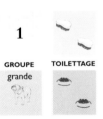

AUSTRALIE
Kelpie australien

TAILLE : 43 à 58 cm

EN BREF

RACE	Kelpie australien
AUTRES NOMS	Australian kelpie, barb
CLASSIFICATION	FCI : groupe 1
COULEURS DE ROBE	De nombreuses couleurs sont admises

APPARUE VERS 1870 et fixée vers 1890, cette race le plus souvent entretenue par les éleveurs et les fermiers joua un grand rôle dans l'industrie du mouton et de la laine. Le kelpie descend de chiens de bergers anglais ou écossais. Il fut créé pour s'adapter aux pays chauds et être capable d'encadrer les grands troupeaux de moutons mérinos, réputés indisciplinés, en élevage extensif. C'est un chien rassembleur se servant de l'œil,

de la voix et des dents pour déplacer les troupeaux. Dans le bush il travaille souvent sans surveillance, ses propriétaires faisant confiance à son intelligence. C'est une race volontaire, active, toujours prête au travail, et la légende voudrait que le kelpie ait du sang dingo.

Ce chien de bonne compagnie, agile et endurant, de taille moyenne, pèse de 13 à 15 kg. Ses oreilles, bien écartées et portées droites, ont une base solide et finissent en pointe fine. Son poil assez court, lisse et droit se double d'un sous-poil épais résistant aux intempéries. Il peut former un collier plus ou moins important et une légère culotte sur les cuisses et recouvre suffisamment la queue pour former un toupet. Les couleurs sont variables, noir, bleu, feu (de chocolat à brun roux clair) et brun (foncé à crème). Toutes ces robes peuvent comporter ou non des taches brunes et quelques marques blanches.

EN BREF

RACE	Basset des Alpes
AUTRES NOMS	Alpine Dachsbracke,
	alpenländische Dachsbracke
CLASSIFICATION	FCI : groupe 6
COULEURS DE ROBE	Fauve roux charbonné

AUTRICHE

Basset des Alpes

TAILLE : 34 à 42 cm

6

GROUPE   TOILETTAGE

moyenne

TAILLE   ALIMENTATION

NÉ AU MILIEU DU XIXᵉ siècle, cette race résulte d'un croisement entre bassets allemands et chiens courants locaux.

C'est un chien lent, à l'odorat très fin, spécialisé dans les pistes froides et souvent utilisé pour traquer les cervidés blessés afin d'abréger leurs souffrances. Cette race robuste et obstinée capable de travailler en altitude est très appréciée des chasseurs, y compris pour le lièvre et le renard. Il ressemble à un basset en plus haut, aux pattes avant solides, au museau et au nez assez larges par rapport à la taille de sa tête, et aux yeux ronds et éveillés. Haut de 34 à 42 cm il pèse de 13 à 18 kg. Son poil est dense et rustique mais élastique, de couleur généralement roux charbonné, mais aussi parfois noir avec des marques feu ou marron avec marques claires.

À gauche
L'épaisse fourrure du basset autrichien le protège des conditions climatiques extrêmes de la haute montagne.

Cette race à l'odorat exceptionnellement fin peut suivre facilement des pistes froides ou anciennes.

EN BREF

RACE	Brachet autrichien noir et feu
AUTRES NOMS	Chien courant autrichien
CLASSIFICATION	FCI : groupe 6
COULEURS DE ROBE	Noir, marques feu ou fauve, taches
	blanches, marques au dessus des yeux

AUTRICHE

Brachet autrichien noir et feu

TAILLE : 48 à 56 cm

6

GROUPE   TOILETTAGE

grande

TAILLE   ALIMENTATION

CONSIDÉRÉ COMME DESCENDANT des chiens courants celtes, l'histoire exacte de cette race n'est pas connue. C'est le cas de toutes les races d'origine ancienne existant avant l'établissement de registres et de pedigrees, au XIXᵉ siècle. Chien de chasse extrêmement populaire, il est particulièrement adapté au travail dur en haute montagne aussi bien qu'en plaine. Donnant de la voix, il sert au pistage d'animaux blessés, et surtout au lièvre. Solide, de taille moyenne, il a un corps puissant et souple et un nez sensible à la truffe noire. Sa longue queue est portée bas légèrement inclinée et ses oreilles de taille moyenne

aux extrémités arrondies pendent à plat. Il a un poil dense, lissé, ras (moins de 2 cm) aux reflets soyeux.
Sa couleur est importante. Il doit être noir avec des petites marques fauves ou feu clairement définies, particulièrement les deux taches situées au dessus des yeux (quatrœillé).
Sa taille va de 48 à 56 cm.

Ci-dessous
Ce brachet apprécié pour ses qualités de pisteur descend des anciens chiens courants celtes.

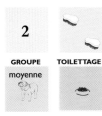

2

GROUPE
moyenne

TOILETTAGE

TAILLE   ALIMENTATION

Pinscher autrichien à poil court

TAILLE : 35 à 50 cm

L'excellent odorat et le museau solide de ce chien en font un très bon chasseur de nuisibles.

○○○○○○○○○○○○○○○○○○○○○○○○○○○○
EN BREF

RACE	Pinscher autrichien à poil court
AUTRES NOMS	Österreichischer kurzhaarigen Pinscher,
CLASSIFICATION	FCI : groupe 2
COULEURS DE ROBE	De nombreuses couleurs sont admises

LE PINSCHER AUTRICHIEN à poil court est d'abord un chien de troupeau et de garde, mais aussi un bon chasseur de vermine grâce à son museau puissant. On trouve des chiens lui ressemblant beaucoup sur des toiles du XVIIIe siècle. Apparenté au pinscher allemand bien qu'étant d'abord autrichien, c'est un excellent chien de garde toujours prêt à aboyer au moindre bruit suspect. Il a tendance à avoir une attitude agressive et à mordre les autres chiens.

Il a une tête un peu en poire, un museau assez court et des oreilles de forme variable légèrement relevées. Ses pieds sont compacts avec des orteils bien arqués. Sa taille va de 35 à 50 cm et son poids de 12 à 18 kg. Sa robe est composée de poils de couverture courts et denses et d'un sous-poil encore plus court et dense.

6

GROUPE
grande

TOILETTAGE

TAILLE   ALIMENTATION

Brachet de Styrie à poil dur

TAILLE : 45 à 53 cm

○○○○○○○○○○○○○○○○○○○○○○○○○○○○
EN BREF

RACE	Brachet de Styrie à poil dur
AUTRES NOMS	Chien courant de Styrie
CLASSIFICATION	FCI : groupe 6
COULEURS DE ROBE	Fauve et rouge

LA CRÉATION du brachet de Styrie à poil dur remonte aux années 1870 en Styrie quand Karl Peintinger croisa des chiens de rouge du Hanovre avec un chien courant d'Istrie à poil dur, réputé pour ses qualités de chasseur et son apparence. Il garda les meilleurs éléments de la portée et obtint par sélections successives un chien au poil dur et dense résistant aux intempéries. Peu connu en dehors de l'Autriche et de la Slovénie voisine, il y est élevé pour ses aptitudes à la chasse au petit gibier. Chasseur avant tout, ce n'est pas un animal d'exposition et rarement de compagnie. C'est non seulement un chien courant travaillant à la voix mais aussi un pisteur de gibier blessé en terrain montagneux difficile.

De taille moyenne il a des muscles puissants, est passionné, résistant et obstiné à la chasse. Il a une expression sérieuse mais franche, des yeux aux iris ambre à noisette et une truffe noire. Son poil est rude et mat mais pas ébouriffé, plus court sur la tête et forme une moustache. De couleur brun à fauve rouge, il peut avoir une marque blanche sur la poitrine. Sa hauteur varie entre 45 à 53 cm pour un poids de 15 à 18 kg.

À droite
Cet excellent chien de travail n'est pas fait pour la maison ou les expositions.

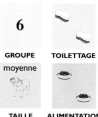

GROUPE	**6**	TOILETTAGE
TAILLE	moyenne	ALIMENTATION

EN BREF

RACE	Brachet tyrolien
AUTRES NOMS	Tiroler Bracke, chien courant du Tyrol
CLASSIFICATION	FCI : groupe 6
COULEURS DE ROBE	Fauve, noir et beige, tricolore

AUTRICHE
Brachet tyrolien

TAILLE : 42 à 51 cm

CET AUTRE DESCENDANT du brachet celte représente l'archétype du chien courant. L'empereur Maximilien Ier les utilisa au Tyrol en 1500. Selon son journal, il en fit ses principaux chiens de tête. Les croisements entre lignées sélectionnées commencèrent en 1860, aboutissant à la reconnaissance officielle de la race en 1908. Des types de chiens courants nés au Tyrol, il ne reste aujourd'hui que les variétés fauve jaune et fauve rouge et noir et fauve. C'est un chien idéal pour la chasse au lièvre et au renard en terrain boisé ou montagneux et pour le pistage d'animaux blessés. De bonne taille, chasseur solide et passionné, il a l'odorat très fin. Endurant, il travaille seul en donnant de la voix clairement et est fiable sur la trace. Ses grandes oreilles sont portées haut, tout comme la queue, et ses grands yeux bruns sont peu enfoncés. Sa robe, au poil épais doublé d'un sous-poil rêche, est plus longue sur le ventre et ébouriffée sur la culotte ; la queue est couverte de poils denses. Il existe deux types de couleur : fauve, et noir et fauve, les deux pouvant comporter des marques blanches à certains endroits précis.

À gauche
Descendant des anciens brachets, le brachet tyrolien est reconnu officiellement depuis 1908.

GROUPE	**9**	TOILETTAGE
TAILLE	petite	ALIMENTATION

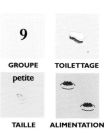

EN BREF

RACE	Griffons de Belgique : petit brabançon, griffon belge et griffon bruxellois
CLASSIFICATION	FCI : groupe 9
COULEURS DE ROBE	Fauve et noir, noir et feu

BELGIQUE
Griffons de Belgique

TAILLE : 18 à 20 cm

LA FÉDÉRATION cynologique internationale divise ces petits chiens vifs, sensibles et joyeux, en trois races. D'un côté, le griffon belge et le griffon bruxellois qui forment une sous-catégorie, et de l'autre, le petit brabançon, tous trois classés dans le groupe 9. Le premier a une robe noire, noir et feu ou fauve roux charbonné à poils demi-longs. Il est issu de croisements avec des petits chiens comme le carlin et l'épagneul nain, effectués à la fin du XIXe siècle pour réduire sa taille. Le griffon bruxellois a un poil fauve clair dur, ébouriffé et fourni, plus long que celui du griffon belge. Celui du petit brabançon est court et épais, fauve roux avec un masque noir, ou noir avec des marques feu. Ils mesurent de 18 à 20 cm.

La Première Guerre mondiale a failli voir disparaître le griffon belge. Il est désormais sauf, mais reste peu répandu.

À gauche
Le griffon belge, barbu et moustachu, est un bon chien de compagnie.

6

GROUPE   TOILETTAGE

grande

TAILLE   ALIMENTATION

BOSNIE

Chien courant de Bosnie à poil dur

TAILLE : 46 à 55 cm

EN BREF

RACE	Chien courant de Bosnie à poil dur
AUTRES NOMS	Barak
CLASSIFICATION	FCI : groupe 6
COULEURS DE ROBE	De nombreuses couleurs sont admises

AU XIXᵉ SIÈCLE, LES CHASSEURS de Bosnie, désirant créer un chien pisteur efficace, développèrent ce chien à poils mi-longs broussailleux à partir des diverses races qui les entouraient. D'abord nommée chien courant d'Illyrie, la race fut reconnue en 1965 par la FCI sous son nom actuel et le standard n'a pas évolué depuis. C'est un animal solide à l'air sérieux bien que très joueur, dont une part du charme tient à ses arcades sourcilières accentuées aux poils ébouriffés.

Un peu plus long que haut, il mesure de 46 à 55 cm et pèse de 16 à 24 kg. Très vivant, de tempérament courageux et volontaire, c'est un parfait pisteur et un bon gardien. Son long poil rude d'apparence broussailleuse doublé d'un sous-poil dense lui fournit une protection efficace contre les rigueurs du climat local.
À ses couleurs de base, froment, beige rougeâtre, grisâtre ou noirâtre s'ajoutent d'éventuelles marques blanches et des combinaisons bi ou tricolores.

À droite
Les chasseurs bosniaques créèrent cette race pour disposer d'un chien à l'odorat très fin efficace pour le gros gibier.

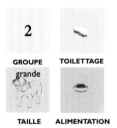

2

GROUPE   TOILETTAGE

grande

TAILLE   ALIMENTATION

BRÉSIL

Fila brasileiro

TAILLE : 60 à 75 cm

EN BREF

RACE	Fila brasileiro
CLASSIFICATION	FCI : groupe 2
COULEURS DE ROBE	Toutes sauf blanc pur

IL EST FACILE de se rendre compte que ce gros chien massif descend du croisement d'anciens mastiffs espagnols et portugais et de chiens de saint-hubert. Il servait autrefois à la chasse au gros gibier, préférant forcer les bêtes aux abois plutôt que de les attaquer.
Il servit aussi dans le passé à la traque des esclaves échappés. De nos jours, on l'emploie à la garde du bétail, des troupeaux ou des maisons et à la chasse aux fauves. Certains chiens de troupeau portugais et bulldogs entreraient également dans les origines de cette race ancienne. C'est un chien loyal mais qui peut être agressif envers les étrangers et les autres chiens, ce qui l'a fait interdire dans certains pays et rend nécessaire de le socialiser très tôt en le mettant au contact de congénères.
Il mesure de 60 à 75 cm et pèse de 40 à plus de 50 kg. Son poil est court, épais et doux aux couleurs variées unies ou bringées sauf le blanc et le gris clair.

Ci-dessus et à droite
Ce chien a des origines communes avec le mâtin espagnol.

EN BREF

RACE	Terrier brésilien
AUTRES NOMS	Terrier brazileiro
CLASSIFICATION	FCI : groupe 3
COULEURS DE ROBE	Blanc avec selle noire et marques fauves

BRÉSIL
Terrier brésilien

TAILLE : 33 à 40 cm

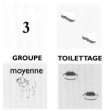

3

GROUPE   TOILETTAGE
moyenne

TAILLE   ALIMENTATION

LE TERRIER BRÉSILIEN n'existe que depuis près d'un siècle. Pourtant c'est une des deux principales races développées au Brésil. Ce petit chien fringant et bagarreur, réputé pour être un excellent ratier, épuise et terrorise ses proies pour les soumettre. Toujours désireux d'apprendre et très attaché à ses maîtres, c'est un bon chien de compagnie et d'appartement. Il a toutefois toujours besoin d'une éducation ferme. Il peut se plaire en appartement si son maître respecte son besoin d'activité. Il mesure de 33 à 40 cm et pèse de 6,5 à 10 kg. Sa robe au poil court et doux est tricolore, blanche avec une selle noire et des marques fauves.

Il existe au Brésil une autre race, le brazilian greyhound, probablement issue d'un croisement entre greyhound et foxhound.

EN BREF

RACE	Damchi
CLASSIFICATION	Aucune
COULEURS DE ROBE	Noir et blanc, différentes variations sont admises

BHOUTAN
Damchi

TAILLE : 33 à 43 cm

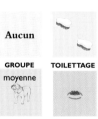

Aucun

GROUPE   TOILETTAGE
moyenne

TAILLE   ALIMENTATION

CE JOLI CHIEN qui ressemble beaucoup à l'épagneul tibétain vit au Bhoutan, pays dont les habitants aiment particulièrement les animaux de compagnie. Le précédent roi possédait un damchi nommé Khomyto, ce qui signifie « mon petit bébé », et plusieurs timbres sont illustrés d'effigies de la race. Le damchi est un peu plus grand et plus massif que l'épagneul tibétain, il a un museau plus long et moins de poil sur les joues. Quelques chiens de ce type vivent en Allemagne où ils ont été ramenés par un éleveur, mais sans apport de sang neuf du Bhoutan, l'avenir de la race en Europe est très compromis.

À gauche
Le damchi est adoré au Bhoutan mais sa survie dans le reste du monde est improbable sans apport de sang nouveau de sa race.

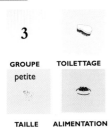

3

GROUPE
petite

TOILETTAGE

TAILLE

ALIMENTATION

GRANDE-BRETAGNE
Terrier Jack Russel

TAILLE : 25 à 30 cm

EN BREF	
RACE	Jack russel terrier
CLASSIFICATION	FCI : groupe 3
COULEURS DE ROBE	Blanc, blanc avec marques beige, feu ou noires, tricolore

À droite
Ce petit terrier typiquement anglais, joyeux et plein d'énergie, n'a pourtant été reconnu par son pays d'origine, l'Angleterre, qu'en 1990.

PRÉSENT DANS LE MONDE entier, le terrier Jack Russel est une race distincte du terrier révérend Russel (*voir* page 248). Elle se différencie par sa taille, légèrement plus petite et n'a été reconnue par le Kennel English Club qu'en 1990 (France 1991). À l'origine n'existait que terrier révérend Russel, créé dans les années 1800 par le pasteur du même nom, grand amateur de chasse, qui recherchait un bon chasseur de renard, dans les fourrés

comme dans les terriers. Les chiens du révérend faisaient sortir les animaux de leurs terriers, d'où le nom de la race. Ce terrier pouvait également chasser le lapin ou le sanglier. Très populaire en Grande-Bretagne, le terrier Jack Russel est un excellent ratier et un vrai terrier au sens original du terme, vif, confiant, exubérant et bagarreur. Son poil épais double rêche et imperméable peut être lisse ou dur, mais ni bouclé ni ondulé. Sa taille est variable et les standards peuvent différer d'un pays à un autre.

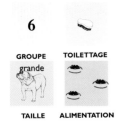

6

GROUPE
grande

TOILETTAGE

TAILLE

ALIMENTATION

GRANDE-BRETAGNE
Harrier

TAILLE : 46 à 58 cm

EN BREF	
RACE	Harrier
CLASSIFICATION	FCI : groupe 6
COULEURS DE ROBE	Toutes les couleurs sont admises

LA PREMIÈRE MEUTE de harriers fut créée en 1260 par Sir Elias de Midhope dans le Sud de l'Angleterre. Conçu pour la chasse au lièvre, cette race est surtout présente dans le Sud-Ouest de l'Angleterre et au pays de Galles. On compte parmi ses ancêtres le beagle, le chien de saint-hubert et, plus tard, le foxhound. C'est un chien à la fois endurant et rapide. Très facile à mener, il se plaît beaucoup au sein d'une meute. On l'utilise donc aussi pour la chasse au renard, voire au chevreuil ou au sanglier. Il mesure de 46 à 56 cm,

pèse environ de 22 à 27 kg, sa tête est moins large que celle du beagle et il possède une bonne vision binoculaire. Un peu plus long que haut, il doit être fort mais en restant léger et avoir une poitrine haute. Sa robe doit être à fond blanc avec des nuances du noir à l'orange. C'est un excellent chasseur mais il peut également faire un bon compagnon si toutefois il a assez d'espace pour faire de l'exercice, tout comme la majorité des chiens de chasse.

EN BREF

RACES	Lucas terrier, patterdale terrier
	plummer terrier et ratter
CLASSIFICATION	aucune
COULEURS DE ROBE	Toutes les couleurs sont admises, du marron et blanc au blanc et beige

GRANDE-BRETAGNE
Les autres terriers anglais

TAILLE : 25 à 34 cm

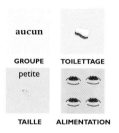

aucun	
GROUPE	TOILETTAGE
petite	
TAILLE	ALIMENTATION

PARMI LES RACES de terriers non reconnues on peut citer le **lucas terrier**, portant le nom de son créateur Sir Jocelyn Lucas qui croisa des femelles sealyham terriers avec des terriers du Norfolk. Ce chien plus long que haut aux grands yeux doux, ne lâchant jamais une proie, est cependant amical et réputé doux avec les enfants. Il mesure de 25 à 30 cm et pèse de 4,5 à 6 kg.

On rencontre surtout le **patterdale terrier** dans le Lake District et le Yorkshire. Il est utilisé pour la chasse au rat, au renard et au lapin et les critères de sélection des éleveurs sont plus ses qualités de travail que son esthétique. Il mesure moins de 32 cm et pèse de 5 à 6 kg. C'est un dur-à-cuire adorant travailler qui a la réputation d'être sage en intérieur comme en extérieur.

Le **plummer terrier**, créé par Brian Plummer dans les années 1980, est un petit ratier compact mesurant de 29 à 34 cm de haut et pesant de 5,5 à 7 kg environ.

Le **ratter** est plus présent aux États-Unis qu'en Europe. C'est un chasseur intrépide mesurant de 25 à 30 cm, au poil court et brillant. Il a des yeux ronds sombres, un museau assez pointu et des oreilles en V.

Tous ces chiens, originaires de Grande-Bretagne, sont issus d'un mélange de différents terriers.

À gauche
Le ratter, issu d'un mélange de fox-terrier à poil lisse et de terrier de Manchester, était un ratier indispensable en ville comme à la campagne.

EN BREF

RACE	Chien de berger croate
AUTRES NOMS	Hrvatski ovcar
CLASSIFICATION	FCI : groupe 1
COULEURS DE ROBE	Noir avec parfois du blanc

CROATIE
Chien de berger croate

TAILLE : 40 à 50 cm

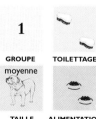

1	
GROUPE	TOILETTAGE
moyenne	
TAILLE	ALIMENTATION

CE CHIEN N'EXISTANT pratiquement qu'en Croatie est issu des chiens de berger locaux, qui descendent de races autochtones, grecques et turques. Plus grand que le mudi, auquel il ressemble beaucoup, on le rencontre surtout en Croatie où il sert à la garde des troupeaux.
Parfois agressif avec ses congénères, le chien de berger croate n'est pas très adapté la vie urbaine. Une socialisation précoce lui est nécessaire car il se méfie des étrangers,

mais il se dresse bien. Il est également employé comme auxiliaire de sécurité. Sa taille peut varier de 40 à 50 cm pour un poids de 13 à 16 kg. Son épais poil ondulé est généralement long de 8 à 13 cm, de couleur noire, avec parfois du blanc sur les pattes qui sont fines et allongées. Ses oreilles, de forme triangulaire, sont portées dressées.

À gauche
Ce séduisant chien de berger croate, assez méfiant vis à vis des étrangers, n'est pas fait pour la vie urbaine.

6

GROUPE   TOILETTAGE

grande

TAILLE   ALIMENTATION

GRANDE-BRETAGNE

Chien courant de Posavatz

TAILLE : 46 à 58 cm

EN BREF	
RACE	Chien courant de Posavatz
AUTRES NOMS	Posavski gonic
CLASSIFICATION	FCI : groupe 6
COULEURS DE ROBE	Fauve à fauve roux, taches blanches

À droite
*Les origines
du chien courant de
Posavatz, comme celles
des autres races
balkaniques, sont
incertaines.*

COMME CELLE DE TOUS LES chiens des Balkans, l'histoire de ses origines est incertaine. On pense qu'il est issu d'animaux importés dans la région via les ports de l'Adriatique par des marchands et d'anciens chiens courants développés en Yougoslavie. Le chien courant de Posavatz, aujourd'hui considéré comme hongrois, est parfaitement adapté aux terrains accidentés. Il a les pieds très sûrs, compacts et rapprochés et un poil dense et court. Ce chasseur vif de petite et grande vénerie a l'odorat très développé. Ses yeux noirs, alertes et amicaux sont à l'image de son caractère. Très affectueux, il fait aussi un excellent compagnon. De tailles assez variées, il mesure de 46 à 58 cm et pèse de 16 à 20 kg.

7

GROUPE   TOILETTAGE

grande

TAILLE   ALIMENTATION

TCHÉQUIE ET SLOVAQUIE

Barbu tchèque

TAILLE : 58 à 66 cm

EN BREF	
RACE	Barbu tchèque
AUTRES NOMS	Cesky fousek, griffon d'arrêt tchèque
CLASSIFICATION	FCI : groupe 7
COULEURS DE ROBE	Foie, marron, blanche avec taches
	ou mouchetures ou rouan

Ci-dessus et à droite
*Le barbu tchèque
a des yeux sombres
qui lui donnent un
expression avenante.*

LE BARBU TCHÈQUE, chien d'arrêt de Bohême, est apparenté aux braques allemands dont le braque allemand à poil dur et à poil raide. Très populaire durant la Première Guerre mondiale, la race faillit ensuite disparaître. Elle fut heureusement régénérée grâce à l'apport de braque allemand à poil dur et à poil raide, c'est pourquoi elle lui ressemble beaucoup aujourd'hui. Très polyvalent, surtout entre les mains de maîtres expérimentés, il est à la fois rapporteur, chien de quête et d'arrêt. Il fait aussi un bon chien de compagnie, réputé gentil avec les enfants, même si certains individus

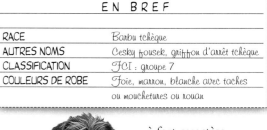

à fort caractère demandent un dressage et un contrôle stricts. Sa taille, très variable, va de 58 à 66 cm et il pèse de 22 à 34 kg. Son poil rude demi-long se double d'un sous-poil doux qui lui permet de nager dans des eaux très froides. Ses yeux sombres lui donnent une expression très douce. Reconnu par la Fédération cynologique internationale en 1963, le barbu tchèque demeure très peu répandu en France.

EN BREF

RACE	Chien-loup tchécoslovaque
AUTRES NOMS	Ceskoslovensky vlcak
CLASSIFICATION	FCI : groupe 1
COULEURS DE ROBE	Divers poils de loup

TCHÉQUIE ET SLOVAQUIE

Chien-loup tchécoslovaque

TAILLE : 60 à 75 cm

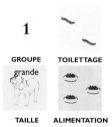

1

GROUPE — grande — TAILLE

TOILETTAGE

ALIMENTATION

C E CHIEN SOLIDE RESSEMBLANT au loup est issu de croisements entre bergers allemands et loups des Carpathes. Effectués à partir de 1955, ces croisements avaient pour objectif de réunir les qualités des deux races de manière à rendre encore plus performant le berger allemand. Il a été reconnu en 1982. Son éducation exige patience et fermeté. Il développe toutefois une grande affection pour son maître, même si sa grande méfiance envers les étrangers le rend inapte au travail de police.

Cette race au hurlement très particulier possède beaucoup des caractéristiques du loup, dont d'épaisses oreilles triangulaires très mobiles. Son poil raide dressé se double durant l'hiver d'un sous-poil épais. Il mesure 60 à 75 cm et pèse de 20 à 35 kg.

EN BREF

RACE	Broholmer
CLASSIFICATION	FCI : groupe 2
COULEURS DE ROBE	Fauve clair ou brun, marques noires ou blanches, masque noir

DANEMARK

Broholmer

TAILLE : 70 cm

2

GROUPE — grande — TAILLE

TOILETTAGE

ALIMENTATION

L E BROHOLMER EST ISSU du croisement de races allemandes et de mastiff offerts par la couronne allemande au Danemark. Le roi Frédérick VII et la comtesse Danner en possédaient plusieurs, comme en témoigne une toile représentant le couple royal avec un de ses chiens. La race, alors assez répandue, fut fixée au début du XIXᵉ siècle au Danemark et servait principalement à la garde des grandes propriétés. Ses effectifs diminuèrent énormément au cours de la Deuxième Guerre mondiale, au point d'apparaître sur la liste des races à préserver par les organismes spécialisés.

C'est un animal impressionnant, qui mesure environ 70 cm et qui pèse entre 50 et 60 kg, au poil court et épais. Sa robe peut être fauve plus ou moins claire ou noire et comporter des marques blanches. Le broholmer peut également présenter un masque noir. C'est un chien équilibré et gentil, qui demande cependant une éducation ferme et beaucoup d'espace.

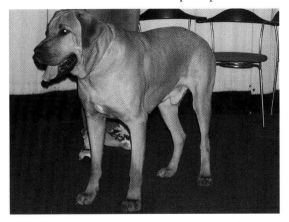

Ci-dessus

Récente, cette race est issue du croisement de loups des Carpathes et de bergers allemands.

Ci-contre

Une politique de développement menée pendant 30 ans a permis au broholmer, chien puissant issu du mastiff, de retrouver des effectifs suffisants.

299

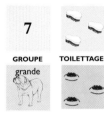

7	
GROUPE	TOILETTAGE
grande	
TAILLE	ALIMENTATION

DANEMARK

Chien d'arrêt danois

TAILLE : 48 à 58 cm

EN BREF

RACE	Chien d'arrêt danois
AUTRES NOMS	Gammel dansk
CLASSIFICATION	FCI : groupe 7
COULEURS DE ROBE	Blanche et foie, taches marron admises

À droite
Ce chien courant danois, très polyvalent, menacé d'extinction dans les années 1950, a vu ses effectifs remonter.

Le chien d'arrêt danois, race qui a failli disparaître, est très rare en dehors du Danemark.

LE CHIEN D'ARRÊT DANOIS est né au XVIIᵉ siècle du croisement de différents chiens de chasse et de saint-hubert avec des chiens courants espagnols ou des braques arrivés au Danemark via la Hollande. Conçu comme chien rapporteur, le développement parallèle de ses qualités de chien d'arrêt lui permet aujourd'hui de servir aussi bien à la quête qu'à l'arrêt. C'est aussi un bon compagnon. Au bord de l'extinction à la fin de la Seconde Guerre mondiale, on le voit rarement aujourd'hui en dehors de son pays natal.

C'est un excellent chien tous terrains au nez très fin.

Ses propriétaires le décrivent comme calme, amical en famille, s'adaptant facilement à un mode de vie urbain si nécessaire et gentil avec les enfants.

Plus massif qu'un pointer, il est doté d'une poitrine et de reins solides, d'épaules et de cuisses bien musclées. La tête est plutôt haute et le museau assez large. Ses oreilles pendantes ont une extrémité arrondie. Le poil est court, dense et épais avec un sous-poil isolant, la robe couleur blanche ou foie. Quelques taches blanches peuvent s'y ajouter.

6	
GROUPE	TOILETTAGE
grande	
TAILLE	ALIMENTATION

FINLANDE

Chien courant finnois

TAILLE : 52 à 61 cm

EN BREF

RACE	Chien courant finnois
AUTRES NOMS	Finkstövare
CLASSIFICATION	FCI : groupe 7
COULEURS DE ROBE	Tricolore

À droite
Le chien courant finnois est un pur pisteur et chien de recherche au sang.

CE CHIEN COURANT a été développé au XIXᵉ siècle en mélangeant diverses races de chiens courants français, allemands et suédois. Il est devenu le chien de chasse le plus répandu en Finlande. C'est un pisteur de cerf et de lièvre mais pas un rapporteur. Chien de recherche au sang, il mène ses maîtres jusqu'aux oiseaux tués dans les forêts les plus denses. Aujourd'hui c'est autant un animal

d'agrément qu'un chasseur. Il a besoin de beaucoup d'exercice et aime dormir dehors les mois d'été. De nature placide, il est gentil avec les enfants. Les mâles sont souvent agressifs vis-à-vis des autres mâles. Son poil rude, épais et assez court ne demande que très peu de soins. Ses oreilles portées haut sont pendantes et sa tête est d'une grande noblesse. Il mesure environ 52 à 61 cm et pèse approximativement 20 à 25 kg.

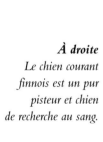

EN BREF	
RACE	Chien d'ours de Carélie
AUTRES NOMS	Karjalankarhukoïra
CLASSIFICATION	FCI : groupe 5
COULEURS DE ROBE	Noir et blanc, noir taches blanches

FINLANDE

Chien d'ours de Carélie

TAILLE : 49 à 60 cm

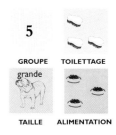

5

GROUPE   TOILETTAGE

grande

TAILLE   ALIMENTATION

CETTE RACE est originaire de la Carélie, une région qui s'étend du nord de la Russie, où elle fut autrefois considérée comme un trésor national, jusqu'à la Finlande. Elle fut reconnue par la FCI en 1946. Ce chasseur d'ours réputé fut créé par les fermiers de Carélie, à la frontière finno-russe, pour la chasse aux bêtes nuisibles, aux oiseaux

et au gros gibier. Son nom lui vient de son efficacité à protéger son entourage contre les ours. C'est encore aujourd'hui le compagnon et le protecteur des chasseurs russes, finlandais, suédois et norvégiens. Le chien d'ours de Carélie, très rustique et très résistant, quand il n'est pas sur une piste, est amical, facile à dresser, mais demande beaucoup d'énergie à son maître et de grands espaces pour pouvoir se dépenser. Encore rare, c'est un compagnon de plus en plus apprécié. Sa superbe robe est composée de poils durs et raides doublés d'un sous-poil épais et doux. Elle peut être noire, blanche ou combiner ces deux couleurs. Il mesure de 49 à 60 cm et pèse de 20 à 25 kg.

À gauche
Les qualités de chasseur d'ours de cette race sont légendaires, mais il chassait également nuisibles, oiseaux et gros gibier.

EN BREF	
RACE	Berger finnois de Laponie
AUTRES NOMS	Lapinporokoïra
CLASSIFICATION	FCI : groupe 5
COULEURS DE ROBE	Noir ou fauve charbonné

FINLANDE

Berger finnois de Laponie

TAILLE : 43 à 55 cm

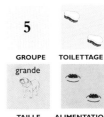

5

GROUPE   TOILETTAGE

grande

TAILLE   ALIMENTATION

LE BERGER finnois de Laponie descend du chien finnois de Laponie, utilisé par le peuple Sami au nord de la Suède, de la Norvège, de la Finlande et de la Russie. Résistant très bien aux conditions climatiques extrêmes,il était utilisé principalement à la surveillance des troupeaux de rennes, tâche dont il s'accomplit à merveille. Au XXᵉ siècle, les éleveurs lui ajoutèrent du sang de berger allemand pour améliorer ses qualités de berger. Son standard a été fixé en 1966.

Si l'utilisation des moto-neiges fait qu'on a moins besoin d'eux pour la garde des rennes, ils reviennent aujourd'hui au premier plan, grâce à un programme de réintroduction efficace. C'est

une race fiable et vigoureuse, proche du spitz, à la poitrine et aux membres antérieurs puissants et musclés. Son museau épais et court ressemble beaucoup à celui du chien finnois de Laponie, plus petit.Le poil épais de longueur moyenne, droit et raide, est doublé d'un épais sous-poil isolant. Il mesure de 43 à 55 cm et pèse de 25 à 30 kg.

Ce chien est un compagnon de plus en plus apprécié en Scandinavie.

Ci-contre
Son poil épais protège le berger finnois du froid.

301

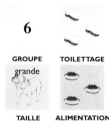

6

GROUPE   TOILETTAGE

grande

TAILLE   ALIMENTATION

FRANCE

Anglo-français de petite vénerie

TAILLE : 48 à 56 cm

EN BREF	
RACE	Anglo-français de petite vénerie
CLASSIFICATION	FCI : groupe 6
COULEURS DE ROBE	Noir et blanc, orange et blanc, tricolore

Ci-dessus et à droite
Cette race récente de chiens courants de meute sert à tous les types de chasse.

CETTE RACE APPELÉE à l'origine petit anglo-français, résulte de programmes d'élevage concertés effectués au début du XXᵉ siècle, qui consistaient à croiser des harriers avec le chien d'Artois, le porcelaine, le petit gascon-saintongeois et le petit bleu de Gascogne. Excellent chien de meute encore susceptible d'évolution, bien gorgé, volontaire, tenace, rapide et léger, il est employé pour la chasse au petit gibier, faisans, lièvres et cailles.

Le premier standard de la race date de 1978. Il définit une hauteur de 48 à 56 cm et un poids d'environ 25 kg. Ses yeux sont enfoncés, son nez légèrement busqué et son crâne légèrement convexe. Le poil est court et lisse même si on a trouvé des individus à poil dur dans les débuts de la race. Bien qu'un peu réservé, l'anglo-français

de petite vénerie est sage, obéissant et raisonnable, autant à la chasse que comme animal de compagnie.

6

GROUPE   TOILETTAGE

grande

TAILLE   ALIMENTATION

FRANCE

Ariégeois

TAILLE : 53 à 62 cm

EN BREF	
NOM	Ariégeois
CLASSIFICATION	FCI : groupe 6
COULEURS DE ROBE	Blanc et noir, mouchetures, taches fauves sur les yeux et joues

EXCELLENT CHIEN COURANT, l'ariégeois, reconnu en 1912, est issu du croisement entre grand bleu de Gascogne et grand gascon-saintongeois. La race faillit disparaître et doit sa survie à un club créé en 1908. Chien de meute à l'origine, il est né en Ariège. C'est sa couleur qui le distinguait au départ du petit bleu de Gascogne.

C'est un spécialiste du lièvre et des petits gibiers qu'il lève grâce à son nez fin en donnant de la voix. Ses yeux sombres ont une expression douce, sa tête est longue et sèche, ses oreilles longues attachées bas. Sa peau, souple et un peu lâche, est couverte d'un poil fin et dense. Il mesure entre 53 et 62 cm et pèse de 25 à 30 kg.

L'ariégeois est un croisement de briquets et de grands chiens d'ordre.

EN BREF

NOM	Barbet
AUTRES NOMS	Barbillot
CLASSIFICATION	FCI : groupe 8
COULEURS DE ROBE	Noir, blanc, gris, marron, fauve

FRANCE
Barbet

TAILLE : 50 à 54 cm

8

GROUPE   TOILETTAGE

grande

TAILLE   ALIMENTATION

ANCIEN CHIEN D'EAU européen, le barbet est certainement à l'origine de nombreuses autres races de chiens d'eau, des griffons et des caniches. Très répandu, il servait à rapporter le gibier mais aussi les flèches tirées. Aujourd'hui c'est autant un chien de chasse au pied que de compagnie, mais la quantité de travail nécessaire à son entretien peut décourager d'en faire un chien d'intérieur. Son poil, aux bouclettes caractéristiques, est totalement imperméable et forme une couche épaisse même sur la tête et la queue. L'expression amène de ses yeux vifs est renforcée par ses longues oreilles pendantes.

Ci-contre
Le poil imperméable du barbet exige énormément de soins, surtout pour le présenter à des expositions.

EN BREF

NOM	Basset artésien normand
CLASSIFICATION	FCI : groupe 6
COULEURS DE ROBE	Tricolore, fauve et blanc

FRANCE
Basset artésien normand

TAILLE : 30 à 36 cm

6

GROUPE   TOILETTAGE

petite

TAILLE   ALIMENTATION

CE DESCENDANT INDIRECT des grands chiens d'Artois et de chien de saint-hubert est un ancêtre du basset hound. Né en Normandie, le basset artésien normand possédait au départ deux types, un à membres tors et l'autre demi-tors mais respectant une torsion visible. Une société d'élevage créée en 1910 les croisa et entreprit de fixer la race. En déclin après la Seconde Guerre mondiale, elle fut néanmoins sauvée de l'extinction.

C'est un chasseur de petit gibier du type lapins et lièvres que ses pattes courtes lui permettent de suivre en terrain plat, même dans les fourrés les plus denses où des chiens plus grands ne passeraient pas. Il ne mesure que de 30 à 36 cm, pèse de 15 à 20 kg et il est plus léger que son cousin le basset hound.

À gauche
Ses pattes courtes lui permettent de suivre et de lever le petit gibier dans les fourrés denses.

303

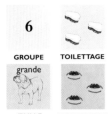

6 GROUPE

TOILETTAGE

grande

TAILLE

ALIMENTATION

Beagle-harrier

TAILLE : 45 à 50 cm

EN BREF	
RACE	Beagle-harrier
CLASSIFICATION	FCI : groupe 6
COULEURS DE ROBE	Tricolore

Le caractère très doux du beagle-harrier, excellent chasseur polyvalent, en fait un compagnon agréable.

INFATIGABLE ET ENTHOUSIASTE, le beagle-harrier est né en France, dans les années 1930, d'une politique de croisement dont l'objectif était de combiner les qualités du beagle et du harrier. Très rare à l'étranger, il servait autrefois à la chasse à courre au lièvre en petites meutes (aujourd'hui à tir), pour laquelle il fut développé, mais aussi au renard, au sanglier et au cerf. Doté d'une voix puissante, il est facile à suivre.

Aimable, il apprécie la compagnie de ses congénères autant que celle des humains.

De taille intermédiaire entre celles de ses ancêtres, il mesure de 45 à 50 cm

En bas
Le berger de picardie, l'une des plus vieilles races françaises, est un très bon chien de garde.

et pèse de 20 à 25 kg. Son dos est un peu plus long que celui du beagle et son poil généralement tricolore avec souvent un manteau noir.

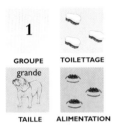

1 GROUPE

TOILETTAGE

grande

TAILLE

ALIMENTATION

Berger de Picardie

TAILLE : 55 à 65 cm

EN BREF	
RACE	Berger de Picardie
AUTRES NOMS	Berger picard
CLASSIFICATION	FCI : groupe 1
COULEURS DE ROBE	Fauve à gris, éventuellement charbonné

PEUT-ÊTRE UN DES PLUS ANCIENS chiens de troupeau, le berger de Picardie fut amené par les celtes au IXe siècle dans les fermes du Nord-Est. La guerre des tranchées en Somme réduisit énormément ses effectifs et, aujourd'hui encore, il reste assez rare.

C'est un bon gardien rustique et un excellent rassembleur d'ovins autant que de bovins. C'est un chien de bonne taille, mesurant de 55 à 65 cm et pesant de 20 à 30 kg, aux pattes longues, aux oreilles dressées et aux sourcils fournis mais ne cachant pas les yeux. Son épais poil imperméable demande de l'entretien, mais est parfaitement adapté au mode de vie pour lequel il est fait. Le berger de Picardie a une forte personnalité mais répond très bien au dressage et il est réputé pour son attachement et sa sociabilité.

EN BREF

RACE	Billy
CLASSIFICATION	FCI : groupe 6
COULEURS DE ROBE	Blanc, blanc avec taches fauve pâle, café au lait, orange clair ou citron

FRANCE
Billy

TAILLE : 58 à 70 cm

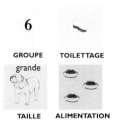

6
GROUPE TOILETTAGE
grande
TAILLE ALIMENTATION

CE GRAND CHIEN à la robe claire tient son nom de son lieu de naissance, le château de Billy, localité du Poitou. Il descend des grands chiens blancs du roy des équipages royaux du XVIᵉ siècle. Il était sélectionné principalement pour sa couleur, habituellement blanche, café au lait ou blanche avec des taches fauve très pâle, toutes robes pouvant comporter des taches sur leur poil court et brillant.

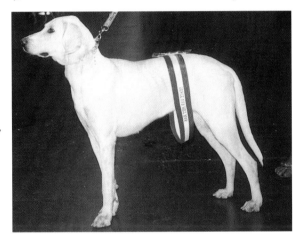

Les paupières noires qui bordent les yeux expressifs ajoutent à ses qualités esthétiques. La plupart des meutes de billy chassent le chevreuil, mais certaines sont spécialisées dans la poursuite du sanglier, qui demande courage et sagacité. Rapides et dotés d'une voix puissante, ils sont parfois querelleurs entre eux. Ils ont besoin d'exercice et répondent bien au dressage d'obéissance. Ils mesurent de 58 à 70 cm et pèsent de 25 à 33 kg.

À gauche
Les origines mélangées du billy comprennent du poitevin et du foxhound. Il est parfois querelleur.

EN BREF

RACE	Braque de l'Ariège
CLASSIFICATION	FCI : groupe 7
COULEURS DE ROBE	Blanc mat taché de marron et d'orange, mouchetures

FRANCE
Braque de l'Ariège

TAILLE : 56 à 67 cm

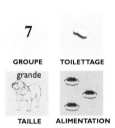

7
GROUPE TOILETTAGE
grande
TAILLE ALIMENTATION

LE BRAQUE DE L'ARIÈGE, chien d'arrêt rapide et solide, descend de l'ancien braque français. Il fut développé durant le XXᵉ siècle par l'ajout de sang de braque saint-germain, plus léger. Aujourd'hui, c'est un chien au nez fin qui recherche et lève rapidement au trot.

Le braque de l'Ariège a besoin de beaucoup d'activité physique, mais également mentale. Manquant d'exercice, il peut devenir bruyant et destructeur, c'est pourquoi il faut l'avoir très petit pour qu'il s'adapte au style de vie de ses maîtres. Il mesure de 56 à 67 cm et pèse de 25 à 30 kg, ce qui en fait le plus grand des chiens d'arrêt français.

Le braque a besoin de stimulations, sinon il s'ennuie et tend à être destructeur.

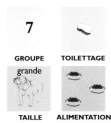

7

GROUPE   TOILETTAGE

grande

TAILLE   ALIMENTATION

FRANCE
Braque d'Auvergne

TAILLE : 55 à 63 cm

EN BREF

RACE	Braque d'Auvergne
AUTRES NOMS	Bleu d'Auvergne
CLASSIFICATION	FCI : groupe 7
COULEURS DE ROBE	Blanc et noir, blanc à taches bleues et noires, avec mouchetures

Ci-dessus et à droite
La controverse sur les origines de ce chien, introduit par les Templiers au Moyen Âge ou sous Napoléon, subsiste encore.

ORIGINAIRE du centre et du sud de la France, ce chien assez rare, peut-être amené en France par des chevaliers de l'ordre de Malte suite à l'invasion de l'île par Napoléon, est dit d'Auvergne parce que les premiers sélectionneurs venaient de cette région. Sa robe, au poil court et brillant, est à fond blanc avec des taches et mouchetures noir-bleu. Il mesure de 55 à 63 cm et pèse de 22 à 25 kg.

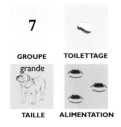

7

GROUPE   TOILETTAGE

grande

TAILLE   ALIMENTATION

FRANCE
Braque du Bourbonnais

TAILLE : 48 à 57 cm

EN BREF

RACE	Braque du bourbonnais
CLASSIFICATION	FCI : groupe 7
COULEURS DE ROBE	Fond blanc avec mouchetures marron clair ou fauve truité

LES PREMIÈRES DESCRIPTIONS de cet ancien chien d'arrêt bien français datent de 1598. Utilisé au départ comme chien courant, c'est aujourd'hui autant un compagnon qu'un chien d'arrêt polyvalent. Trouver, marquer et rapporter sur terre comme dans les marais et dans l'eau font partie du répertoire de cette race qui a été relancée après avoir failli disparaître durant les années de la seconde guerre mondiale.

D'un tempérament équilibré, il est solidement bâti, avec une poitrine ample et profonde. Il mesure de 48 à 55 cm et pèse de 16 à 25 kg. Son poil facile d'entretien est dense et souvent huileux mais jamais brillant.

À droite
Ce joli chien à la dent douce est utilisé pour le rapport.

EN BREF

RACE	Braque français type Gascogne
CLASSIFICATION	FCI : groupe 7
COULEURS DE ROBE	Blanc avec taches marron, mouchetures

FRANCE
Braque français type Gascogne

TAILLE : 58 à 69 cm

7
GROUPE TOILETTAGE

grande
TAILLE ALIMENTATION

LE BRAQUE FRANÇAIS type Gascogne, qui descend de chiens d'arrêt italiens et espagnols, fut sauvé de l'extinction au tournant du XXᵉ siècle. Si son odorat s'exprime le mieux en l'air et sur sols secs, c'est un chercheur infatigable, qui demande un dressage en douceur. Très utilisé pour la chasse à tir dans les campagnes, ses effectifs restent limités.

Chasseur enthousiaste, c'est aussi un bon chien de compagnie, aimant le contact des humains et de ses congénères mais ayant besoin d'exercice. Son poil est plutôt épais, plus raide sur le dos que la tête, et sa truffe marron s'harmonise avec sa robe. Sa taille, variable, va de 56 à 69 cm et il pèse de 25 à 32 kg.

Les braques sont de bons chiens de chasse à tir et d'arrêt mais certains demandent plus de dressage que d'autres.

Ci-contre
Ce chien est réputé pour sa nature affectueuse, son enthousiasme au travail et sa sociabilité avec les humains comme avec les autres chiens.

EN BREF

RACE	Braque français type Pyrénées
CLASSIFICATION	FCI : groupe 7
COULEURS DE ROBE	Blanc avec taches marron

FRANCE
Braque français type Pyrénées

TAILLE : 47 à 58 cm

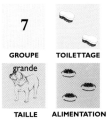

7
GROUPE TOILETTAGE

grande
TAILLE ALIMENTATION

LE BRAQUE FRANÇAIS type Pyrénées, version plus légère du braque français type Gascogne, aux pattes un peu plus courtes, est très efficace dans les couverts denses. Cette race agile, développée dans la région pyrénéenne, descend du chien courant du sud aujourd'hui disparu et du braque espagnol.

Ce chasseur d'instinct à l'odorat très fin travaille nez en l'air, recherchant la plus légère trace. Rare hors de France, ses effectifs sont assez faibles, mais c'est un bon compagnon qui sait s'adapter à de nombreux styles de vie, à la campagne ou ailleurs. Son poil est un peu plus court et plus fin que le braque français de type Gascogne, mais ses couleurs de robe sont identiques. Il mesure de 47 à 58 cm et pèse de 17 à 25 kg.

Ci-contre
Le braque français type Pyrénées est peu répandu malgré les efforts de développement de la race.

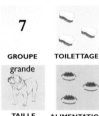

7

GROUPE TOILETTAGE

grande

TAILLE ALIMENTATION

FRANCE

Braque
saint-germain

TAILLE : 54 à 62 cm

EN BREF

RACE	Braque saint-germain
CLASSIFICATION	FCI : groupe 7
COULEURS DE ROBE	Blanc mat avec taches orange

Comme la plupart des braques, le braque saint-germain sera plus sensible à une autorité ferme mais douce.

Ci-dessous
Cette race,
une des plus vieilles
de France, a bénéficié
d'un programme
d'accroissement
de ses effectifs.

ON RETROUVE DES chiens ressemblant au braque saint-germain depuis l'époque de Louis XV, il a donc une longue histoire. Ses effectifs diminuèrent durant la révolution, mais la race fut reconstituée par croisement de braque français et de pointer. Chien d'arrêt et de rapport sur terre, il est aujourd'hui un chien de compagnie très agréable et un bon chien de chasse à tir.

Docile et obéissant, il répond bien à un dressage doux, comme les races proches, souvent un peu ardentes. Sa robe au poil court blanc mat est ornée de taches oranges et il mesure de 54 à 62 cm et pèse de 20 à 25 kg.

6

GROUPE TOILETTAGE

grande

TAILLE ALIMENTATION

FRANCE

Chien d'Artois

TAILLE : 52 à 58 cm

EN BREF

RACE	Chien d'Artois
CLASSIFICATION	FCI : groupe 6
COULEURS DE ROBE	Tricolore

LE CHIEN D'ARTOIS actuel est un briquet descendant de l'ancien grand chien d'Artois, lui-même issu du chien de saint-hubert. Il faillit disparaître au XIXe siècle. Des scènes de chasse du XVe siècle montrent des chiens très proches de l'actuel chien d'Artois chassant en meute la petite vénerie, principalement le lièvre mais aussi le chevreuil, le sanglier et le renard. Leurs membres assez courts leur permettent de travailler dans la végétation dense. C'est un chien courageux, équilibré et calme.

Sa forte popularité conduisit certains éleveurs à diluer la race originale avec des quantités inconsidérées de sang anglais, mais le standard fut recréé et fixé au cours du XXe siècle. Cette race au poil ras, à la peau épaisse, mesure entre 52 et 58 cm et pèse entre 25 et 30 kg.

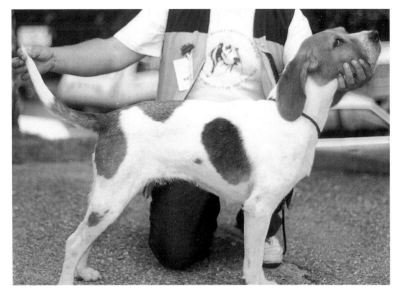

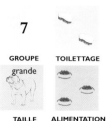

7

GROUPE   TOILETTAGE

grande

TAILLE   ALIMENTATION

FRANCE

Épagneul bleu de Picardie

TAILLE : 56 à 60 cm

```
EN BREF

RACE               Épagneul bleu de Picardie
AUTRES NOMS        Bleu picard
CLASSIFICATION     FCI : groupe 7
COULEURS DE ROBE   Bleutée, taches noires, mouchetures
                   blanches et marques feu
```

UTILISÉ pour rapporter la bécassine dans les marais du Nord-Est de la France, l'épagneul bleu de Picardie a une poitrine profonde et bien développée. Ce chien d'arrêt est issu du croisement entre épagneul picard et setter blue belton. Proche de celui-ci par de nombreux côtés, il a néanmoins un crâne plus arrondi que la plupart des setters. Ses oreilles attachées bas sont couvertes de poils soyeux ondulés et sa robe au poil épais noir-bleuté est ornée de mouchetures blanches. C'est un chien tranquille et très endurant. Il a besoin de beaucoup d'exercice. Affectueux, gai, obéissant et responsable, il adore la compagnie des humains et s'entend particulièrement bien avec les enfants. Il mesure de 56 à 60 cm et pèse environ 20 kg.

À gauche
L'épagneul bleu de Picardie est issu du croisement entre épagneul et setter, auxquels il ressemble.

7

GROUPE   TOILETTAGE

grande

TAILLE   ALIMENTATION

FRANCE

Épagneul français

TAILLE : 55 à 61 cm

```
EN BREF

RACE               Épagneul français
CLASSIFICATION     FCI : groupe 7
COULEURS DE ROBE   Blanc avec taches marron
```

CET ÉLÉGANT CHIEN D'ARRÊT descendant de l'ancien chien d'oysel est apparenté au petit épagneul de Munster et à l'épagneul à perdrix de Drente. Certains font remonter son histoire à l'époque barbaresque, durant laquelle ses ancêtres arrivèrent en Espagne puis en France, tandis que d'autres le croient originaire de Scandinavie. Appartenant à la famille des épagneuls, il a malgré tout certains traits du setter et sert à la chasse à l'arrêt et au rapport des oiseaux.

Assez grand et bien charpenté, c'est un chien de chasse à tir typique. Tranquille et docile il demande un dressage en douceur. C'est un bon chien de compagnie, peu connu en dehors de France, qui s'entend bien avec ses congénères et adore l'exercice. Sa robe composée de poils souples, plats ou un peu ondulés, plus longs sur la tête et la queue que sur le corps, lui permet de bien résister au froid. Il est haut de 55 à 61 cm et pèse environ 25 kg.

Ci-dessous
Les origines de cette race élégante sont incertaines.

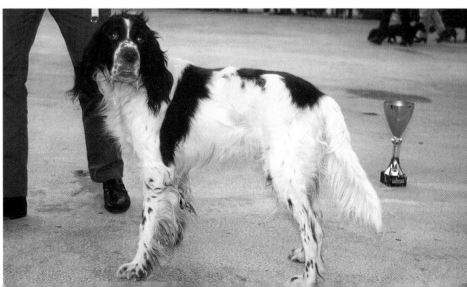

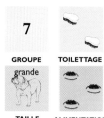

7
GROUPE

TOILETTAGE

grande

TAILLE

ALIMENTATION

FRANCE
Épagneul picard

TAILLE : 55 à 60 cm

EN BREF

RACE	Épagneul picard
CLASSIFICATION	FCI : groupe 7
COULEURS DE ROBE	Rouannée avec taches blanches, marron et feu

Les épagneuls sont les chiens d'arrêt préférés des français, mais certaines races sont extrêmement rares.

Ci-dessous
Il existe une société pour la protection et l'expansion de cette race dont la douceur est appréciée.

L'ÉPAGNEUL PICARD descend probablement de l'ancien chien d'oysel aujourd'hui disparu, et comporterait du sang de setter. La race faillit disparaître au XIXᵉ siècle mais fut relancée en Normandie et en Picardie dans les années 1900. Employé historiquement à la chasse au gibier d'eau, c'est un chien d'arrêt et de rapport polyvalent et un spécialiste des marais.

Même s'il est extraordinairement résistant, l'épagneul picard se contente d'une quantité modérée d'exercice. Rare en dehors du Nord de la France et de la Belgique, il fait un bon animal de compagnie. C'est un chien râblé, au poil fourni et long sur les oreilles, les pattes et la queue, dont les yeux marron s'accordent à la couleur de sa robe.

7
GROUPE

TOILETTAGE

grande

TAILLE

ALIMENTATION

FRANCE
Épagneul de Pont-Audemer

TAILLE : 52 à 58 cm

EN BREF

RACE	Épagneul de Pont-Audemer
CLASSIFICATION	FCI : groupe 7
COULEURS DE ROBE	Marron et gris chiné, marron

CE TRÈS BEL ÉPAGNEUL est issu du croisement de barbets et d'anciens épagneuls français, puis avec le chien d'eau irlandais. Pratiquement éteinte à la fin de la seconde guerre mondiale, la race fut relancée par l'introduction délibérée de sang de chien d'eau irlandais. Chien de quête et de rapport, il est particulièrement à l'aise et enthousiaste dans les marais, adore l'eau et convient aux chasseurs sérieux. Encore rare, une société de protection essaye de maintenir ses effectifs.

Il est bien équilibré, d'un tempérament docile, digne de confiance et s'entend bien avec les autres chiens. Vigoureux, il mesure de 52 à 58 cm et pèse entre 18 et 24 kg. Sa robe au poil long, épais et frisé est brillante. Elle comporte un toupet sur la tête et de longs poils recouvrent ses oreilles comme une perruque. Ses yeux sombres expriment toute la douceur de son caractère amical.

Français tricolore

TAILLE : 62 à 72 cm

6

GROUPE   TOILETTAGE

grande

TAILLE   ALIMENTATION

EN BREF

RACE	Français tricolore
CLASSIFICATION	FCI : groupe 6
COULEURS DE ROBE	Tricolore

PLUS GRAND CHIEN courant français, le français tricolore chasse surtout le cerf et le chevreuil et parfois le sanglier. Comme les autres Français, il est issu de croisements entre différentes races dont le poitevin, le billy, le grand bleu de Gascogne, le grand gascon saintongeois et le foxhound. Il ne fut reconnu qu'en 1965. C'est aujourd'hui un des deux chiens de meute les plus populaires.

Élégant et bien charpenté, le français tricolore couvre toutes sortes de terrains à grande vitesse. Très puissant et endurant, il peut travailler très longtemps. Il mesure de 62 à 72 cm et pèse environ 30 kg. Sa peau est fine, tout comme son poil. La robe blanche et fauve ou cuivrée comporte une selle noire. Un poil grisonnant est autorisé, mais il ne doit pas comporter trop de taches ou mouchetures beiges et marron.

À gauche et ci-dessus
Ce chien obéissant
chassait le gros gibier.

Français blanc et noir

TAILLE : 62 à 72 cm

6

GROUPE   TOILETTAGE

grande

TAILLE   ALIMENTATION

EN BREF

RACE	Français blanc et noir
CLASSIFICATION	FCI : groupe 6
COULEURS DE ROBE	Noir et blanc, marques feu pâle

AUSSI SOLIDE ET vigoureux que son double tricolore, le français blanc et noir est impressionnant. Foxhound, grand bleu de Gascogne, grand gascon saintongeois et autres races françaises ont pris part à sa création. Ce chien de meute chasse principalement à courre le cerf et le chevreuil. Quand il est excité, il porte haut sa longue queue, épaisse à la base. Ce beau chien a des supporters inconditionnels. Il a été utilisé pour la chasse au loup au Québec par les amateurs de chasse traditionnelle à la française. Il mesure de 62 à 72 cm et pèse environ 30 kg. Son poil lisse, épais et fourni est blanc et noir, ou noir avec des taches blanches et des mouchetures noires. Quelques mouchetures bleues sont autorisées, ainsi que des taches fauves à certains endroits. C'est un chien amical, aimant les enfants et facile à dresser mais inadapté à la vie citadine.

À gauche
En dépit de son nom,
la robe du français
blanc et noir comporte
des taches fauves.

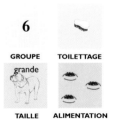

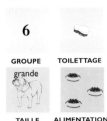

6

GROUPE   TOILETTAGE

grande

TAILLE   ALIMENTATION

FRANCE

Grand anglo-français tricolore

TAILLE : 60 à 70 cm

○○○○○○○○○○○○○○○○○○○○○○○○○○○○○

EN BREF

RACE	Grand anglo-français tricolore
CLASSIFICATION	FCI : groupe 6
COULEURS DE ROBE	Tricolore

IL EST ISSU PRINCIPALEMENT du poitevin et du foxhound, le mélange de ces races lui ayant donné sa robe tricolore caractéristique. L'important apport de sang foxhound se manifeste sur de nombreux points, de sa stature compacte à ses jarrets bas et à sa tête, moins sculpturale que celle du poitevin. Ce grand chien courant de meute, très connu, souvent employé comme animal de compagnie, est un chasseur passionné de grands animaux en équipage. Sa robe double est formée d'un poil de couverture court, épais, et d'un sous-poil doux et fin. Il mesure de 60 à 70 cm et pèse de 25 à 30 kg.

À droite
Cet efficace grand chien de meute a besoin d'énormément d'exercice.

6

GROUPE   TOILETTAGE

grande

TAILLE   ALIMENTATION

FRANCE

Grand anglo-français blanc et noir

TAILLE : 60 à 70 cm

○○○○○○○○○○○○○○○○○○○○○○○○○○○○○○○

EN BREF

RACE	Grand anglo-français blanc et noir
AUTRES NOMS	Grand blanc et noir
CLASSIFICATION	FCI : groupe 6
COULEURS DE ROBE	Noir et blanc

Ci-dessous
Spécialisé dans la chasse au cerf, le grand anglo-français blanc et noir n'est pas un chien d'appartement.

JUSQU'EN 1957, le grand anglo-français noir et blanc était regroupé avec les autres anglo-français et français courants résultant de divers croisements. Leur nom était complété par leur région d'origine, solution trop compliquée.

S'il est parfois difficile de différencier ces races très proches, la nouvelle dénomination est beaucoup plus claire. Très proche du grand anglo-français tricolore, le grand anglo-français noir et blanc a des origines saintongeoises et gasconnes.

Ce chasseur de cerfs, de chevreuils et parfois de sangliers est rarement employé comme animal de compagnie. Son poids et ses dimensions sont les mêmes que celles du grand anglo-français tricolore, seule la couleur de la robe change.

EN BREF

RACE	Grand gascon saintongeois
CLASSIFICATION	FCI : groupe 6
COULEURS DE ROBE	Blanc avec taches noires et feu pâle et mouchetures

FRANCE

Grand gascon saintongeois

TAILLE : 62 à 72 cm

6 GROUPE   TOILETTAGE

grande

TAILLE   ALIMENTATION

SI LE SAINTONGEOIS est aujourd'hui éteint, le grand gascon-saintongeois est issu du croisement du grand bleu de Gascogne et du chien de Saintonge. C'est un chasseur adroit doté d'une voix et d'un nez excellents, qui est aussi très persévérant. Ancien chasseur de cervidés, c'était un chien de meute répandu. Aujourd'hui, il est surtout employé pour la chasse à pied dans le Sud-Ouest. Il est calme, s'entend

bien avec les autres chiens, et il est affectueux avec les enfants. Il peut vivre en intérieur s'il y a été habitué tout petit mais exige un exercice régulier. Il est en outre très facile de le dresser à l'obéissance. Il mesure de 62 à 72 cm et pèse environ 35 kg. Il est généralement blanc et noir avec des taches feu pâle sur la tête et des poils feu et noirs mélangés sur les oreilles.

À gauche
Ce chien de meute surtout connu dans le Sud-Ouest travaille aujourd'hui souvent seul avec son maître.

EN BREF

RACE	Griffon d'arrêt à poil dur
AUTRES NOMS	Griffon d'arrêt korthals
CLASSIFICATION	FCI : groupe 7
COULEURS DE ROBE	De nombreuses couleurs et variations de couleurs sont admises

FRANCE

Griffon d'arrêt à poil dur

TAILLE : 50 à 60 cm

7 GROUPE   TOILETTAGE

grande

TAILLE   ALIMENTATION

LE GRIFFON à poil dur fut créé en Allemagne par l'éleveur hollandais Eduar Korthals à qui il doit son nom. Par la suite la race fut essentiellement développée en France et reconnue française par la FCI. C'est un chien particulièrement adapté au travail dans les marais grâce à son poil dur et grossier qui le protège efficacement. Très bon nageur et chien de rapport, il est intelligent,

volontaire et facile à dresser. Exubérant, loyal et digne de confiance, ce griffon mesure entre 50 à 60 cm et est un peu plus long que haut. La couleur de ses yeux à l'expression amicale et éveillée varie du jaune au brun foncé ; ils ne doivent pas être saillants et la troisième paupière ne doit pas se voir. La truffe est toujours brune. Une des particularités de cette race est son poil double, composé d'une couche externe de poils mi-longs raides et grossiers, jamais bouclés ni laineux, et d'un sous-poil fin et fourni. Les pieds ronds et solides ont des orteils serrés et palmés.

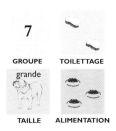

Les griffons ont un caractère équilibré, ils s'énervent rarement mais certains mâles sont parfois agressifs avec leurs congénères.

À gauche
Ce chien est particulièrement loyal et digne de confiance.

6

GROUPE

grande

TAILLE

TOILETTAGE

ALIMENTATION

Griffon fauve de Bretagne

TAILLE : 48 à 52 cm

À droite

Cette race ancienne a un poil doux sur les oreilles.

EN BREF	
RACE	Griffon fauve de Bretagne
CLASSIFICATION	FCI : groupe 6
COULEURS DE ROBE	Fauve, froment à rouge brique

C'EST L'HÉRITIER D'UNE des quatre races de griffons dont parlait Charles IX, possédant tous un poil raide, et plus rustique que les autres chiens courants. Le type original se retrouve dans le griffon fauve de Bretagne d'aujourd'hui, développé à partir de briquet griffon vendéen. Son grand ancêtre qui chassait le loup a probablement des liens avec le welsh foxhound. Doté d'un nez très sensible, c'est toujours un très bon chasseur, même s'il est plutôt employé de nos jours comme chien de garde.

Son corps est couvert d'un poil dur mais il est doux sur les oreilles, ses arcades sourcilières sont importantes. C'est un chien vigoureux, rustique et un chasseur acharné. Il mesure de 52 à 58 cm et pèse de 18 à 22 kg.

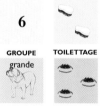

6

GROUPE

grande

TAILLE

TOILETTAGE

ALIMENTATION

Griffon nivernais

TAILLE : 53 à 60 cm

EN BREF	
RACE	Griffon nivernais
CLASSIFICATION	FCI : groupe 6
COULEURS DE ROBE	Grisonnante, noirâtre avec marques fauve et feu

LE GRIFFON NIVERNAIS est proche du grand chien sombre et hirsute appelé *Canis Segusien* contemporain des hommes qui peignirent les parois de la grotte de Lascaux. Il est utilisé depuis des siècles dans tout le nord du Massif central et les forêts denses du Nivernais pour la chasse au sanglier et au grand gibier.

Descendant des chiens gris de saint-louis, ce grand chien possède un dos long et des pattes sèches. Servant aujourd'hui quasi exclusivement à la chasse à tir, c'est un spécialiste du sanglier qu'il recherche et rapproche d'un pas sûr en terrain difficile. Il est aussi très efficace dans la chasse de tous les gibiers à poil, et surtout du lièvre, mais n'est pas fait pour l'obéissance. Son épais poil broussailleux et hirsute est dur et jamais bouclé ou laineux. Il mesure de 53 à 60 cm et pèse environ 25 kg.

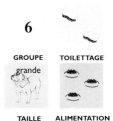

○ ○

EN BREF

RACE	Briquet griffon vendéen
CLASSIFICATION	FCI : groupe 6
COULEURS DE ROBE	Blanc, fauve, sable, bicolore,
	tricolore, plus ou moins grisonnant

FRANCE
Briquet griffon vendéen

TAILLE : 48 à 55 cm

6

GROUPE   TOILETTAGE

grande

TAILLE   ALIMENTATION

COMME ceux de beaucoup d'autres races, les effectifs du briquet griffon vendéen ont énormément diminué durant la deuxième Guerre mondiale, et aujourd'hui encore il n'est pas très connu. Version de dimensions réduites du grand griffon vendéen destiné à la chasse au petit gibier, il exige des maîtres expérimentés car il a tendance à être extrêmement têtu.

Bon travailleur à vue, c'est un chien de chasse à tir efficace sur tous les terrains et dans l'eau par tous les temps. Il est énergique, fougueux, décidé et intelligent, et gentil avec les enfants, malgré une tendance à mordre chez quelques individus. Son poil imperméable, dense et raide n'est jamais doux ni laineux et sa grande truffe noire est entourée de moustaches. Il fait aussi un bon chien de garde et peut s'adapter à la vie citadine s'il y est habitué très jeune. C'est un chien robuste et musclé qui mesure de 48 à 55 cm et pèse environ 29 kg.

À gauche
S'il est parfois têtu et peut pincer de temps à autre, ce griffon est gentil avec les enfants.

○ ○

EN BREF

RACE	Poitevin
CLASSIFICATION	FCI : groupe 6
COULEURS DE ROBE	Tricolore, blanc et orange

FRANCE
Poitevin

TAILLE : 60 à 72 cm

6

GROUPE   TOILETTAGE

grande

TAILLE   ALIMENTATION

À gauche
D'apparence délicate, le poitevin est pourtant fort et agile.

LE POITEVIN EST ISSU du mélange d'anciens grands chiens courants français. Pour éviter trop de consanguinité, il fut croisé avec le foxhound dans les années 1840, puis une seconde et dernière fois après la Deuxième Guerre mondiale. Cette influence s'est diluée après plusieurs générations, mais il semblerait que la fixation et le maintien de la race demandent du travail.

C'est un excellent chasseur aux aptitudes variées qui chassait autrefois le loup et aujourd'hui le cerf et le chevreuil. Ce « chef-d'œuvre » de l'élevage, si sculptural qu'il en paraît fragile, n'est cependant pas très répandu. Il associe pourtant résistance et élégance à un pied léger. Il mesure en général de 60 à 72 cm et pèse environ 35 kg. Sa robe au poil court et brillant peut être tricolore avec une selle et de grandes taches noires mais aussi blanche et orange ou poil de blaireau.

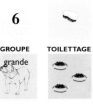

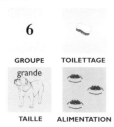

6

GROUPE   TOILETTAGE

grande

TAILLE   ALIMENTATION

FRANCE

Porcelaine

TAILLE : 53 à 58 cm

○○○○○○○○○○○○○○○○○○○○○○○○○○○○○

EN BREF

RACE	Porcelaine
CLASSIFICATION	FCI : groupe 6
COULEURS DE ROBE	Blanc intense avec taches (sans manteau)
	fauve orangé, mouchetures noires

Ci-dessous
Les taches sombres
de sa peau sont visibles
sous la robe blanche
particulière du porcelaine.

LES DÉTAILS DE LA MORPHOLOGIE de ce chien à l'allure distinguée révèlent son origine très ancienne. Il remonte en effet aux grands chiens blancs du roy. Originaire de la frontière franco-suisse, il fut un temps appelé pour cela Franche-Comté. Son appellation de « porcelaine » vient des brillantes nuances de sa robe, de sa noblesse et de son aspect racé qui lui donnent une apparence de dignité tranquille. C'est pourtant un des meilleurs chasseurs de lièvres existants. Sensible et léger, il doit sa couleur nacrée bleutée à sa peau fine et élastique, ornée de taches noires apparentes sous le poil. La robe comporte des petites marques orange jamais groupées et ne formant pas de selle. S'il mesure de 53 à 58 cm, le porcelaine ne pèse que 28 kg environ. Il est souvent considéré comme délicat et difficile à élever. On rencontre surtout en France, Suisse et Italie ce chien d'agréable compagnie, docile et doux.

6

GROUPE   TOILETTAGE

grande

TAILLE   ALIMENTATION

FRANCE

Petit bleu de Gascogne

TAILLE : 50 à 58 cm

○○○○○○○○○○○○○○○○○○○○○○○○○○○○○

EN BREF

RACE	Petit bleu de Gascogne
CLASSIFICATION	FCI : groupe 6
COULEURS DE ROBE	Moucheté noir et blanc
	avec taches noires

CONSIDÉRÉ COMME un des chiens courants les plus rares de France dans les années 1970, il est toujours en sous-effectifs et se rencontre surtout dans le Sud-Ouest. Plus fin que le grand bleu de Gascogne dont il descend, il est de taille plus réduite, a des oreilles plus épaisses et davantage papillotées. Il possède un excellent nez ; il fut créé pour la chasse au lièvre et au lapin.

Plus grand que son nom ne le laisserait supposer, il mesure de 50 à 58 cm et pèse environ 25 kg. Sa robe, d'entretien facile, au poil épais bien fourni, lui offre une bonne protection par tous les temps. C'est un chien de travail adapté à la vie campagnarde. Audacieux et déterminé, il est d'un dressage facile pour l'obéissance et apprécie la compagnie des autres chiens.

À droite
Cette race, de moins
en moins répandue, se
trouve majoritairement
dans le Sud-Ouest
de la France.

Les races françaises les plus célèbres

BEAUCOUP DE CHIENS de chasse français se ressemblent énormément, ne se différenciant souvent que par leur taille ou leur robe. Parmi les grands absents des pages qui précèdent on peut citer : le basset d'Artois (groupe 6), le braque dupuy (groupe 7), les français et grand anglo-français blanc et orange (groupe 6), le griffon à poil laineux (groupe 7), le griffon bleu de Gascogne (groupe 6) et le petit gascon–saintongeois (groupe 6). Les races suivantes, présentées dans les chapitres précédents, méritent une mention spéciale.

BERGERS DE BEAUCE ET DE BRIE

LE PREMIER DE CES deux grands chiens de berger, au poil ras noir et fauve, est aujourd'hui souvent reconverti en chien de garde.
Le second, avec son poil long et fourni, de préférence foncé, sa barbe et sa moustache, fait un chien de famille affectueux et aimant les enfants.

ÉPAGNEUL BRETON

CE CHIEN DE CHASSE au poil fin et ondulé, tricolore, blanc et noir, blanc et orange ou blanc et marron, fait un excellent compagnon pour toute la famille.

BOULEDOGUE FRANÇAIS

CE PETIT CHIEN DE compagnie à poil ras, au nez retroussé et aux yeux saillants, affectueux et sensible, a une robe souvent bringée, fauve avec des taches blanches plus ou moins importantes, ou blanche.

ÉPAGNEUL NAIN CONTINENTAL

LE PAPILLON, AUX OREILLES DRESSÉES, et son frère le phalène, aux oreilles tombantes, anciens habitués des cours royales, sont des petits comédiens au poil long, aux yeux en amandes très expressifs et aux allures fières et gracieuses. Ils pèsent 1,5 à 3 kg.

CANICHE

IL EXISTE QUATRE TAILLES (grand, moyen, nain et toy) de ce célèbre chien à poil frisé qui descend certainement du barbet. Ancien chien d'eau, c'est un animal de compagnie sociable et très intelligent dont la robe peut être noire, blanche, grise, marron ou abricot.

BERGER DES PYRÉNÉES

PLUS PETIT BERGER FRANÇAIS (40 à 48 cm), ce chien rustique et astucieux, au poil hirsute long ou demi-long, aux yeux bruns intelligents, est toujours utilisé dans les montagnes pyrénéennes. Le type comporte aussi une autre variété plus grande à face rase.

En haut à droite
Le berger des Pyrénées est robuste et parfaitement adapté au travail en terrain difficile par tous les temps.

Au centre
Le briard, qui était autrefois un gardien de troupeaux, adore les enfants.

Ci-dessous
Le griffon bleu de Gascogne est un chasseur efficace aimant travailler en meute.

La plupart des chiens de compagnie actuels sont d'anciens chiens de chasse ou de berger.

5

GROUPE   TOILETTAGE

grande

TAILLE   ALIMENTATION

ALLEMAGNE

Eurasier

TAILLE : 48 à 60 cm

<table>
<tr><td colspan="2" align="center">EN BREF</td></tr>
<tr><td>RACE</td><td>Eurasier</td></tr>
<tr><td>CLASSIFICATION</td><td>FCI : groupe 5</td></tr>
<tr><td>COULEURS DE ROBE</td><td>Noir, fauve, rouge, gris-noir</td></tr>
</table>

Très robustes, les chiens de type Spitz vivent dans les régions arctiques. Ils étaient indispensables aux peuples locaux.

À droite
Parfois timide, l'eurasier se méfie des inconnus.

L'EURASIER EST UN MEMBRE de la famille des Spitz, créé dans les années 1950 par le croisement de chow chow et de spitz-loup dans le but d'obtenir un chien de traîneau semblable au laïka de Sibérie occidentale. De nos jours, c'est surtout un animal de compagnie qui tend à ne reconnaître qu'un seul maître comme chef de meute et renâcle à obéir au reste de la famille, ce qui n'en fait pas un animal de compagnie idéal. Même s'il aboie rarement, il est considéré par certains comme un bon chien de garde à cause de sa grande méfiance des étrangers. Ses défauts reconnus sont un comportement timide ou peureux et une certaine tendance à mordre. Mesurant de 48 à 60 cm et pesant de 18 à 32 kg, c'est un assez grand gabarit au cou long et bien musclé. Sa robe au poil droit, fourni et abondant, est de couleurs variées mais le blanc et le pie ne sont pas reconnus. Ses oreilles sont typiquement spitz et sa queue épaisse est portée enroulée sur le dos. Ses pieds sont larges et accrochent bien le sol.

7

GROUPE   TOILETTAGE

grande

TAILLE   ALIMENTATION

ALLEMAGNE

Braque allemand à poil raide

TAILLE : 58 à 66 cm

<table>
<tr><td colspan="2" align="center">EN BREF</td></tr>
<tr><td>RACE</td><td>Braque allemand à poil raide</td></tr>
<tr><td>AUTRES NOMS</td><td>Stichelhaar</td></tr>
<tr><td>CLASSIFICATION</td><td>FCI : groupe 7</td></tr>
<tr><td>COULEURS DE ROBE</td><td>Brun, rouan, fauve, noir avec mouchetures, truitée</td></tr>
</table>

À droite et ci-dessous
Les longues pattes de cet excellent pisteur en font un chien très rapide.

LE BRAQUE ALLEMAND à poil raide, appelé aussi stichelhaar, serait issu d'un croisement entre griffons et braques. Ce chien de chasse excelle sur tous les terrains. Apprécié pour la chasse au lièvre, au renard et au sanglier, c'est sur piste fraîche qu'il est le meilleur. Il a une voix magnifique. Ses longs membres lui permettent de couvrir rapidement beaucoup de terrain. Son nez superbe le rend aussi efficace pour le recherche au sang d'animaux blessés

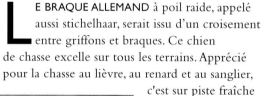

sur piste froide. Sa taille, variable, va de 58 à 66 cm pour un poids de 25 à 30 kg. Sa robe est en général brune, unie ou avec des mouchetures blanches sur les membres et la poitrine. Son poil est court, lisse, dur et fourni. Le braque allemand à poil raide a besoin de beaucoup d'exercice.

EN BREF

RACE	Terrier de chasse allemand
AUTRES NOMS	Deutscher Jagdterrier
CLASSIFICATION	FCI : groupe 3
COULEURS DE ROBE	Noir, gris-noir, brun marques fauves

ALLEMAGNE

Terrier de chasse allemand

TAILLE : 33 à 40 cm

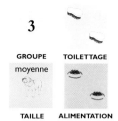

3

GROUPE   TOILETTAGE
moyenne

TAILLE   ALIMENTATION

LES ÉLEVEURS BAVAROIS créèrent cette race dans les années 1920 en mêlant terriers gallois et terriers anglais d'agrément noir et feu puis, plus tard, fox-terrier. Sa conception le destinait à la chasse aux nuisibles et au petit gibier, et il semble effectivement ravi de travailler toute la journée s'il le faut. C'est pourquoi ses maîtres sont généralement des gardes forestiers ou des chasseurs.

C'est un animal volontaire et plein de ressources qui a besoin de beaucoup d'activité. Étant de plus très indépendant, il ne saurait faire un bon chien de compagnie. Sachant travailler aussi bien sur terre que dans les terriers, il peut également lever et rapporter dans l'eau.

D'assez petite taille, il mesure de 33 à 40 cm et pèse de 7,5 à 10 kg. Son poil est en général raide et rude bien à plat et court. Il a l'expression et le comportement typiques du terrier, une forte mâchoire inférieure et des dents solides pour sa taille.

À gauche
De nature indépendante, ce terrier a besoin d'une activité constante.

EN BREF

NOM	Chien d'Oysel allemand
AUTRES NOMS	Deutscher Wachtelhund
CLASSIFICATION	FCI : groupe 8
COULEURS DE ROBE	Marron, marron et blanc, rouan

ALLEMAGNE

Chien d'Oysel allemand

TAILLE : 45 à 54 cm

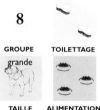

8

GROUPE   TOILETTAGE
grande

TAILLE   ALIMENTATION

LE CHIEN D'OYSEL ALLEMAND fut créé à la fin du XIXᵉ siècle pour retrouver le stober, chien du début du siècle précédent réputé pour ses aptitudes de pisteur. Les derniers représentants de cette race furent croisés en Allemagne par des chasseurs avec des cockers anglais et différents chiens de chasse à poil long. La race est actuellement peu répandue et connue surtout en Allemagne. C'est effectivement un chien à tout faire, rapportant aussi bien dans l'eau que dans le taillis dense. Son nom allemand *Wachtelhund* signifie chien de caille, mais il est aussi efficace pour le lièvre et le renard. Il adore pister et le fait avec beaucoup de ténacité.

Chien de chasseur, il a une personnalité vive et mesure de 45 à 54 cm pour un poids de 20 kg environ. D'apparence proche des autres épagneuls, il a des yeux en amande marron foncé, des oreilles pendantes bien frangées et un crâne arrondi. Son poil épais et ondulé est long sur le corps et son sous-poil isolant et imperméable. Les pattes paraissent plus larges qu'elles ne le sont à cause des touffes de poils poussant entre les orteils.

Les épagneuls furent créés à l'origine en Angleterre pour lever le gibier dans les taillis denses.

À gauche
Chien de rapport efficace, l'oysel allemand est un pisteur opiniâtre.

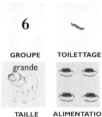

6

GROUPE — TOILETTAGE

grande

TAILLE — ALIMENTATION

ALLEMAGNE

Chien de rouge du Hanovre

TAILLE : 48 à 55 cm

EN BREF	
RACE	Chien de rouge du Hanovre
AUTRES NOMS	Hannoverscher Schweisshund
CLASSIFICATION	FCI ; groupe 6
COULEURS DE ROBE	Fauve, fauve-roux bringés, ou marron

LE GARDE-CHASSE de la cité de Hanovre croisa autrefois des chiens de saint-hubert avec d'autres chiens courants celtiques locaux plus légers pour obtenir le chien de rouge du Hanovre. Son nez réputé infaillible le prédestine à sa mission de pisteur. Ses aptitudes particulières lui permettent de suivre des pistes froides d'animaux blessés. Chasseur avant tout, il est rarement utilisé comme compagnon mais plutôt par les gardes-chasse et les forestiers pour la recherche d'animaux, mais aussi d'humains. Autrefois chien de meute, il est maintenant employé seul.

Calme et tranquille par ailleurs, il est dur à la tâche et devient même obsessionnel. C'est un animal solide aux épaisses babines pendantes et aux oreilles

plates et tombantes qui lui donnent un air solennel. Son poil est court, dense et brillant. Sa robe de couleur marron, fauve jaune à fauve rouge, est souvent bringée avec parfois un masque sombre. Il mesure de 48 à 55 cm et pèse de 30 à 35 kg.

À droite
Autrefois chien de meute, le chien de rouge du Hanovre est aujourd'hui un pisteur travaillant seul.

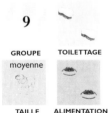

9

GROUPE — TOILETTAGE

moyenne

TAILLE — ALIMENTATION

ALLEMAGNE

Kromfohrländer

TAILLE : 38 à 46 cm

EN BREF	
RACE	Kromfohrländer
CLASSIFICATION	FCI ; groupe 9
COULEURS DE ROBE	Blanc avec taches marron

Au bord de l'extinction, cette race ne survivra pas si elle n'est pas protégée.

LE KROMFOHRLÄNDER a une histoire fascinante. Des soldats américains passant par Krumme Furche, en Westphalie, auraient offert à une dame un chien fauve qu'ils avaient avec eux. Elle l'aurait gardé et croisé avec son propre chien, proche du griffon fauve de Bretagne. Les cinq portées ainsi obtenues seraient à la base de cette race, nommée d'après sa région de naissance.

Reconnue depuis 1953, la race est aujourd'hui presque au bord de l'extinction. Conçu à l'origine exclusivement comme animal de compagnie, le kromfohrländer s'est révélé un bon gardien, à la personnalité proche de celle des terriers. Il a bon caractère, aime les enfants et s'entend bien avec les autres chiens. Il est également assez facile à dresser au travail d'obéissance. Sa robe peut avoir deux formes distinctes, une à poil court, rude et raide avec un sous-poil épais, et l'autre au poil lisse, plus long et raide. Ses yeux sombres ovales sont en amande et ont une expression vive. Il mesure de 38 à 46 cm et pèse environ 15 kg.

À droite
Docile et obéissant, le kromfohrländer fut reconnu en 1953.

EN BREF

RACE	Pudelpointer
CLASSIFICATION	FCI : groupe 7
COULEURS DE ROBE	Marron, châtain, noir

ALLEMAGNE

Pudelpointer

TAILLE : 54 à 65 cm

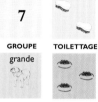

7 GROUPE — TOILETTAGE
grande TAILLE — ALIMENTATION

LE PUDELPOINTER fut créé en Allemagne par le baron von Zedlitz qui cherchait à obtenir un pisteur, leveur et rapporteur parfait, utilisable sur terre comme dans l'eau. Il se servit pour cela de sept caniches et d'une centaine de pointers différents. Aujourd'hui, tous les spécimens doivent passer des tests sur terre et dans l'eau avant d'être enregistrés, c'est par conséquent un chien qui appartient généralement à des chasseurs sérieux. Rare même dans sa région natale, c'est un bon chien de chasse à tir et de compagnie. Le type parfait a l'aspect d'un pointer lourd au poil pas trop long, touffu et hérissé, de couleur marron ou feuille-morte. Les oreilles sont plates et collées plutôt pointues qu'arrondies et couvertes de poils. L'expression des grands yeux ronds ardents jaunes ou jaune-brun rappelle celle d'un oiseau de proie. Ses pieds ronds aux orteils serrés ont des coussinets robustes. Sa taille va de 54 à 65 cm et il pèse de 25 à 30 kg.

À gauche et ci-dessous
Le pudelpointer exige un dressage sérieux pour exprimer ses qualités de chasseur.

EN BREF

RACE	Petit épagneul de Munster
AUTRES NOMS	Kleiner Munsterlander
CLASSIFICATION	FCI : groupe 7
COULEURS DE ROBE	Blanc et marron, mouchetures

ALLEMAGNE

Petit épagneul de Munster

TAILLE : 50 à 56 cm

7 GROUPE — TOILETTAGE
grande TAILLE — ALIMENTATION

LE PETIT ÉPAGNEUL DE MUNSTER, chien pisteur, leveur et rapporteur, est issu de croisements entre divers chiens de chasse à tir et d'anciens chiens d'arrêt. Ces derniers étaient autrefois utilisés avec des faucons et des filets. Ils virent toutefois leurs effectifs diminuer sérieusement et la race ne fut relancée qu'au début du XXᵉ siècle. De nos jours ils servent autant à la chasse que comme animaux de compagnie.

C'est une race gaie à la personnalité attachante. À la chasse, c'est un excellent chien de rapport, au caractère volontaire. Son poil mi-long est lisse, bien adhérent et un peu ondulé avec des franges sur la queue et les oreilles. Malgré sa taille assez modeste, c'est un chien à l'ossature solide et bien musclé, particulièrement des reins. Il mesure de 50 à 56 cm et pèse de 18 à 23 kg.

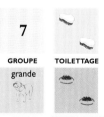

À gauche
Cette race ancienne déclina au XIXᵉ siècle. Relancée récemment, ses effectifs remontent.

Autres races allemandes

Ci-dessus et ci-dessous
Le schnauzer et le dogue allemand sont deux races allemandes très appréciées.

LES CHIENS ALLEMANDS sont très répandus en Europe. Le berger allemand, notamment, est extrêmement réputé pour ses qualités et représente aujourd'hui le chien d'utilité par excellence.

LE BOXER

Le boxer peut avoir une robe de couleur bringée ou fauve. Sa musculature développée lui donne un aspect noble et puissant.

LE TECKEL

Le teckel peut avoir le poil ras, dur ou long. La taille et la couleur de robe diffèrent d'une variété à une autre, mais la morphologie reste cependant la même.

LE DOBERMANN

Le dobermann est noir ou marron, avec des marques feu sur le corps qui doivent être clairement délimitées. C'est un chien élégant.

Ci-dessous et en bas à gauche
Le dobermann est un compagnon loyal, tout comme le pinscher nain, qui fait un très bon chien de compagnie.

LES SPITZ ALLEMANDS

Les spitz allemands se divisent en nombreuses catégories : le spitz-loup, le grand spitz, le spitz moyen blanc, le spitz nain, le spitz nain orange et le petit spitz orange. Si leur taille et leur robe diffèrent d'une variété à l'autre, leur morphologie reste cependant la même.

LE DOGUE ALLEMAND

La robe du dogue allemand peut être bringée, fauve, noire, bleue ou arlequin.

LE PINSCHER NAIN

Le pinscher nain peut être bicolore ou unicolore. Très propre, il fait un excellent chien de compagnie.

LE PINSCHER

Moins répandu que le pinscher nain, le pinscher moyen possède une robe identique, avec moins de marques toutefois.

LE SCHNAUZER GÉANT, LE SCHNAUZER ET LE SCHNAUZER NAIN

Les trois races de schnauzer possèdent des robes de couleur noire ou poivre et sel. Le schnauzer nain peut également être blanc ou noir marqué de sable.

LE BRAQUE DE WEIMAR

Le braque de Weimar peut posséder des poils longs ou courts. Le gris de sa robe, surtout s'il est argenté, est vraiment de toute beauté.

EN BREF	
RACE	Chien du Groenland
AUTRES NOMS	Groenlandais, grönlandshund
CLASSIFICATION	FCI ; groupe 5
COULEURS DE ROBE	Toutes sont admises sauf albinos

GROENLAND
Chien du Groenland

TAILLE : 56 à 64 cm

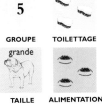

5

GROUPE   TOILETTAGE

grande

TAILLE   ALIMENTATION

ENTRANT DANS LA CATÉGORIE des chiens de traîneau, le chien du Groenland s'apparente aux autres chiens du Nord destinés à cette fonction. Ses origines remontent aux chiens accompagnant les ancêtres des Inuits venus de Sibérie il y a 12 000 ans qui croisèrent certainement leurs chiens avec le loup boréal. Le chien du Groenland voit ses effectifs diminuer suite à l'introduction relativement récente des moyens de transport mécaniques dans les régions arctiques.

Un peu plus grand que le husky sybérien, il est moins lourd. Distant et indépendant, il peut être affectueux avec ceux qu'il connaît bien et est dévoué à ses maîtres. De nos jours, on s'en sert pour la chasse. On l'attèle aussi aux traîneaux pour les courses.

En Scandinavie c'est souvent un compagnon de randonnée. Il mesure au moins 55 à 60 cm et pèse environ 30 kg. Son poil relativement long, droit, rude et fourni est doublé d'un épais sous-poil. Sa queue épaisse et touffue, portée enroulée sur le rein, lui sert à se protéger la face quand il dort, ne laissant alors voir que ses oreilles triangulaires érigées.

Comme celle du husky sibérien, l'épaisse fourrure de ce spitz le protège parfaitement du froid.

À gauche
Le chien du Groenland est utilisé dans les courses de traîneaux et à la chasse.

EN BREF	
RACE	Épagneul à perdrix de Drente
AUTRES NOMS	Drentse patrijshond
CLASSIFICATION	FCI ; groupe 7
COULEURS DE ROBE	Blanc avec taches brunes et/ou orangées

PAYS-BAS
Épagneul à perdrix de Drente

TAILLE : 55 à 63 cm

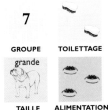

7

GROUPE   TOILETTAGE

grande

TAILLE   ALIMENTATION

À gauche
L'épagneul à perdrix de Drente est un chien de compagnie fidèle et un excellent chasseur.

L'ÉPAGNEUL À PERDRIX DE DRENTE est né au XVIᵉ siècle en Hollande de spaniels arrivés d'Espagne via la France. La race, dont la pureté fut soigneusement maintenue depuis lors dans l'Est de la Hollande, fut reconnue officiellement en 1943. Proche du petit épagneul de Munster et de l'épagneul français, c'est le chien idéal pour les chasseurs hollandais ne souhaitant pas faire d'efforts physiques trop intenses. Il recherche à portée de fusil en restant proche de son maître et tient l'arrêt jusqu'à ce que ce dernier se soit rapproché. Totalement polyvalent, il peut tout chasser sur tous les terrains et rapporter le gibier perdu.

Bien proportionné, puissant et capable d'aller vite, il mesure de 55 à 63 cm et pèse de 20 à 25 kg. Son poil de longueur moyenne, dense et lisse, est plus long sur le poitrail et forme des franges sur ses oreilles collées. Obéissant, loyal et intelligent c'est un parfait compagnon, à la chasse comme à la maison.

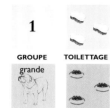

1

GROUPE

grande

TAILLE

TOILETTAGE

ALIMENTATION

Berger hollandais

TAILLE : 55 à 62 cm

EN BREF

RACE	Berger hollandais
AUTRES NOMS	Hollandse herdershond
CLASSIFICATION	FCI : groupe 1
COULEURS DE ROBE	Sable ou fauve bringé, parfois charbonné, mouchetures dorées ou argentées.

À droite
Ce berger fut créé pour faire un chien de ferme polyvalent.

LE BERGER HOLLANDAIS s'est développé au XIXᵉ siècle dans le Brabant, le sud de la Hollande, en Belgique qui formaient un seul pays. C'est un chien de garde et de ferme polyvalent, capable de garder, conduire et séparer le bétail. Il sert aussi aujourd'hui à la garde des maisons et au travail de police et de sécurité. Ses effectifs sont toutefois limités.

Il compte trois variétés de robes à poil court, long et raide. Considérées comme une même race, elles ont toutes un sous-poil laineux. Le poil de la première est assez court et dur avec collerette, culotte et queue en toupet. Celui de la seconde est long sur tout le corps, raide, fourni et rude, sans ondulations ni boucles, alors qu'il est très épais, dur et ébouriffé sur la troisième variété, avec une barbe, des moustaches et des sourcils épais et désordonnés. Les oreilles érigées sont placées haut et assez petites. C'est une race affectueuse, docile, facile à dresser, alerte et digne de confiance. Sa taille va de 55 à 62 cm et son poids est d'environ 30 kg.

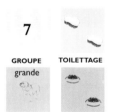

7

GROUPE

grande

TAILLE

TOILETTAGE

ALIMENTATION

Chien d'arrêt frison

TAILLE : 48 à 53 cm

EN BREF

RACE	Chien d'arrêt frison
CLASSIFICATION	FCI : groupe 7
COULEURS DE ROBE	Orange, brun, bleu-noir, marques blanches

À droite
Le chien d'arrêt frison a énormément de qualités, c'est un compagnon agréable et un bon chien de chasse.

CETTE RACE est élevée depuis le XVIIᵉ siècle en Frise, province du nord de la Hollande, même si les premières traces écrites ne remontent qu'au XIXᵉ siècle. Ses ancêtres sont probablement des épagneuls venus de France au XVIᵉ siècle. Malgré ses qualités de pisteur, son excellence à l'arrêt et la douceur de sa bouche pour le rapport, ce merveilleux compagnon a subi une baisse de popularité au XIXᵉ siècle. La race ne s'en est jamais vraiment remise et elle reste

malheureusement rare aujourd'hui hors des Pays-Bas.

C'est un chien calme, placide, digne de confiance, paraissant toujours désireux de plaire et réputé amical avec les enfants. Sa robe au poil long et doux comporte un sous-poil dense, surtout en hiver, et forme un plumeau sur la queue. Elle peut être rouannée ou mouchetée. Les oreilles tombantes placées assez bas ont la forme de truelles et le museau s'amincit sans être pointu. Il mesure de 48 à 53 cm et pèse de 15 à 20 kg.

EN BREF

RACE	Chien d'eau frison
AUTRES NOMS	Wetterhoun, chien d'eau néerlandais
CLASSIFICATION	FCI : groupe 8
COULEURS DE ROBE	Noir, marron, uniforme ou pie

PAYS-BAS
Chien d'eau frison

TAILLE : 48 à 60 cm

8
GROUPE

TOILETTAGE

grande

TAILLE

ALIMENTATION

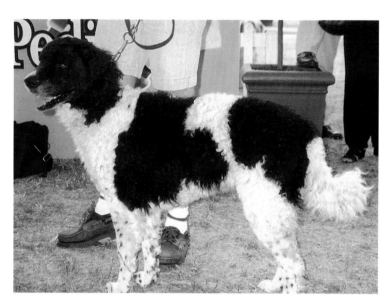

DÉVELOPPÉ EN FRISE HOLLANDAISE il y a 400 ans, le chien d'eau frison était un chasseur de loutres, ce qui le rendait populaire auprès des pêcheurs. La diminution du nombre de loutres aidant, il se diversifia dans la chasse aux petits mammifères et la garde des fermes. Assez rare et très peu connu hors de Hollande, il est toujours utilisé aujourd'hui pour la chasse grâce à sa polyvalence de leveur et rapporteur sur terre comme dans l'eau.

Il sert aussi de chien de compagnie mais, vu son fort caractère et son instinct de gardien, il doit recevoir un dressage ferme dès son plus jeune âge. La robe est faite de poils rudes, épais et bouclés. Elle couvre tout le corps à l'exception de la tête et demande beaucoup d'entretien. Le corps s'inscrit dans un carré, la poitrine est large, le pieds arrondis ont des coussinets très épais. Il mesure de 48 à 60 cm et pèse environ 25 kg.

EN BREF

RACE	Griffon hollandais
AUTRES NOMS	Hollandse smoushond
CLASSIFICATION	FCI : groupe 2
COULEURS DE ROBE	Sable uni, paille foncée

PAYS-BAS
Griffon hollandais

TAILLE : 35 à 42 cm

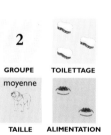

2
GROUPE

TOILETTAGE

moyenne

TAILLE

ALIMENTATION

À LA FIN DU XIXe siècle un chien similaire, le pinscher allemand à poil rude, était apprécié dans toute l'Allemagne mais, préférant les robes noires, les producteurs supprimaient les chiots sables et fauves, pourtant nombreux dans les portées. Un commerçant hollandais, Abraas, acheta quelques chiots destinés à être supprimés et les ramena en Hollande pour les vendre à Amsterdam comme chiens d'écurie pour gentilshommes. La population diminua, surtout durant les années de guerre, mais en 1970,

Mme Barkman recréa la race par un élevage sélectif. Aujourd'hui il a retrouvé son type d'origine et son tempérament particulier. Très proche du terrier, c'est un excellent ratier, toujours vif mais affectueux et amical sans être nerveux. Il mesure de 35 à 42 cm, pèse 9 à 10 kg, a de petits yeux expressifs noirs brillants. Ses oreilles triangulaires placées très haut ajoutent à son charme. Le poil est mi-long, rude et raide ; la tête comporte une barbe et des moustaches.

Le chien d'eau frison, conçu pour la chasse aux loutres, est aujourd'hui chien de tir et de rapport.

À gauche
Un élevage sélectif a sauvé de l'extinction ce chien, qui reste un excellent ratier et chien d'écurie.

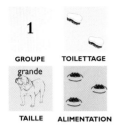

1

GROUPE

TOILETTAGE

grande

TAILLE

ALIMENTATION

PAYS-BAS

Chien-loup de Saarloos

TAILLE : 60 à 75 cm

EN BREF

RACE	Chien-loup de Saarloos
AUTRES NOMS	Saarloos wolfhond
CLASSIFICATION	FCI : groupe 1
COULEURS DE ROBE	Poil de loup, agouti, parfois brun

CE CHIEN-LOUP FUT créé en 1921 par Leenderf Saarloos qui croisa un berger allemand avec une louve. Élevé et sélectionné depuis des décennies, il est beaucoup plus facile à dresser que son homologue le chien loup tchèque. Il est d'ailleurs parfois utilisé comme chien guide d'aveugle. Ayant hérité la méfiance de son ancêtre, il conserve son instinct de fuite et des souvenirs du comportement de meute. Reconnue en 1975, la race est rare hors de Hollande. Son poil rêche doit être long mais pas trop et recouvrir un sous-poil dense. La queue a un panache épais. Le cou est large et puissant et les oreilles sont dressées. Mesurant de 60 à 75 cm et pesant de 36 à 41 kg, il a de longues pattes et des pieds légèrement tournés vers l'extérieur.

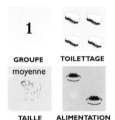

1

GROUPE

TOILETTAGE

moyenne

TAILLE

ALIMENTATION

PAYS-BAS

Schapendoes

TAILLE : 40 à 50 cm

EN BREF

RACE	Schapendoes
AUTRES NOMS	Does
CLASSIFICATION	FCI : groupe 1
COULEURS DE ROBE	Toutes les couleurs sont admises

Ci-dessus
Certains pensent
que le chien loup
de Saarloos est issu
d'une louve
canadienne.

L'ORIGINE DU SCHAPENDOES est inconnue, mais il descend vraisemblablement du berger de brie, du chien de berger bergamasque et du colley, et présente quelques ressemblances avec le puli et le berger polonais de plaine. Utilisé autrefois comme chien de troupeaux dans les landes, c'est un rassembleur courageux mais parfois anxieux, ce qui est très pénalisant en concours. Vigilant sans être agressif, il fait un très bon chien de garde et un merveilleux compagnon pour les enfants.

Sauteur très agile, il est joueur et plein d'énergie. Sa robe aux poils très longs, abondants, rudes et ondulés, peut être de différentes teintes. Toutes sont acceptées, même si les plus prisées vont du bleu-gris au noir avec des pieds plus clairs. La tête est plate et assez large, les oreilles placées haut tombent mollement sur les côtés. Mesurant de 40 à 50 cm, il pèse environ 15 kg.

Sa gentillesse avec les enfants fait du schapendoes un parfait chien de compagnie.

10

GROUPE — TOILETTAGE

grande

TAILLE — ALIMENTATION

EN BREF

RACE	Lévrier hongrois
AUTRES NOMS	Magyar agar
CLASSIFICATION	FCI : groupe 10
COULEURS DE ROBE	Toutes les couleurs sont admises

HONGRIE

Lévrier hongrois

TAILLE : 64 à 70 cm

C'EST VERS le Xᵉ siècle que les ancêtres du lévrier hongrois arrivèrent avec les Magyars dans la région des actuelles Hongrie et Roumanie. Des Lévriers d'Asie et des greyhounds jouèrent ensuite un rôle dans le développement de la race. Servant à l'origine à la chasse au petit gibier, il fait surtout de nos jours des courses au lièvre et d'endurance. Calme et docile, c'est aussi un bon animal de compagnie ressemblant en de nombreux points au greyhound. Il s'entend en général bien avec ses congénères et pince ou mord rarement.

En chasse dite « de course » il travaille à vue comme les autres lévriers. Ses yeux clairs sont ovales et brillants. Son poil, lisse et ras, le protège assez peu des éléments, mais épaissit nettement durant les mois froids d'hiver. Il mesure de 64 à 70 cm et pèse de 25 à 30 kg.

À gauche et ci-dessous
Ce chien rapide est utilisé pour la chasse au lièvre.

EN BREF

RACE	Mudi
CLASSIFICATION	FCI : groupe 1
COULEURS DE ROBE	Noir, quelquefois noir et blanc ou blanc

HONGRIE

Mudi

TAILLE : 35 à 47 cm

1

GROUPE — TOILETTAGE

moyenne

TAILLE — ALIMENTATION

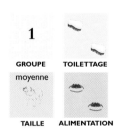

AUTREFOIS, il gardait oies et troupeaux et chassait les sangliers. Aujourd'hui, il est essentiellepment utilisé comme berger et gardien par les propriétaires de bétail. Très rare par comparaison avec les autres chiens hongrois, il serait en voie d'extinction si quelques éleveurs n'y étaient pas particulièrement attachés. C'est un chien efficace et adaptable que l'on voit rarement hors de son pays. La race fut fixée au début du xxe siècle et les standards établis en même temps que ceux des autres races autochtones dans les années 1930. Le mudi, très vivant, courageux et intelligent, est un chien de travail très conscient de son territoire qu'il protège farouchement. Il est d'abord et avant tout chien de troupeau ; ses propriétaires doivent absolument lui faire pratiquer une activité sportive, obéissance ou agility. De dressage facile, il peut vivre avec d'autres animaux et est très attaché à sa famille. Son poil ondulé assez long, ne retenant pas la poussière, est d'un entretien facile puisqu'il suffit de le brosser. Haut de 35 à 47 cm, le mudi pèse de 8 à 13 kg.

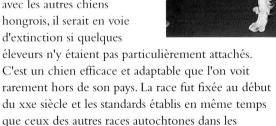

À gauche
Des éleveurs dévoués à sa cause ont fait remonter les effectifs de ce chien de garde et de troupeaux.

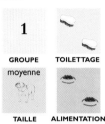

1

GROUPE   TOILETTAGE

moyenne

TAILLE   ALIMENTATION

HONGRIE

Pumi

TAILLE : 35 à 44 cm

EN BREF	
RACE	Pumi
CLASSIFICATION	FCI : groupe 1
COULEURS DE ROBE	Gris, noir, blanc ou fauve roux

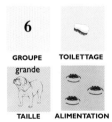

Ci-dessus et à droite
Avec sa drôle de tête, le pumi est un chien affectueux et très attachant.

CE CHIEN À L'ALLURE sympathique est issu du croisement du puli, au poil cordé, avec des spitz allemands ou des chiens de berger étrangers. Identifié dès 1815, il ne fut pourtant pas distingué des autres bergers hongrois avant les années 1930. Davantage meneur de troupeaux que gardien, il reste très attaché à son territoire et avertit bruyamment au moindre événement inhabituel ou suspect. Chien de travail, il a besoin d'activité. Sa tête et ses oreilles aux pointes retombantes, garnies de poils hérissés, lui donnent un aspect cocasse particulier. Un peu réservé vis à vis des inconnus, il est sociable et amical, adorant être à la maison entouré de visages familiers. Ressemblant un peu à un terrier, sa robe au poil rêche bouclé doit être unie et ses yeux sombres, noirs ou gris foncé. D'une hauteur de 35 à 44 cm, il pèse entre 8 et 13 kg. C'est un chien polyvalent qui séduit de plus en plus.

6

GROUPE   TOILETTAGE

grande

TAILLE   ALIMENTATION

HONGRIE

Chien courant de Transylvanie

TAILLE : 45 à 55 et 55 à 65 cm

EN BREF	
RACE	Chiens courants de Transylvanie
AUTRES NOMS	Erdelyi kopo
CLASSIFICATION	FCI : groupe 6
COULEURS DE ROBE	Grand : noir et feu ; petit : fauve roux marques blanches

CE BEAU CHIEN serait arrivé en Hongrie avec des conquérants provenant de Russie ou des Balkans à la conquête de nouveaux territoires. Très appréciée des rois et des nobles locaux, la race ne s'est pas modifiée depuis plus de mille ans. Malheureusement les chiens courants de Transylvanie présents en Roumanie furent exterminés sur ordre des autorités en 1947 parce que, comme les lévriers hongrois, également massacrés, ils rappelaient l'occupation hongroise. Certains survécurent en Hongrie et Slovaquie et des tentatives sérieuses de relance de la race sont actuellement en cours. Cet ancien chasseur d'ours sert toujours à la chasse et comme chien de garde. Il est grand, solide, ardi et infatigable ; il est également pourvu d'un odorat très fin. On distingue deux tailles, aux pattes plus ou moins hautes, mesurant respectivement de 45 à 55 cm et 55 à 65 cm. Sa tête ressemble à celle du doberman, en plus lourd, et ses yeux bruns ovales ont une expression sérieuse. Le poil est court et épais et les couleurs sont noir et feu, pour le grand, et fauve pour le petit ; toutes les robes pouvant comporter des marques blanches.

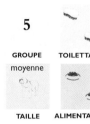

ISLANDE
Chien de berger islandais

TAILLE : 38 à 48 cm

5

GROUPE	**TOILETTAGE**
moyenne	
TAILLE	**ALIMENTATION**

EN BREF

RACE	Chien de berger islandais
AUTRES NOMS	Farehond
CLASSIFICATION	FCI : groupe 5
COULEURS DE ROBE	Nombreuses variantes avec ou sans taches

LE CHIEN DE BERGER ISLANDAIS est la seule race de chien locale et descend probablement directement du buhund norvégien introduit sur l'île par les Scandinaves. Malheureusement, il faillit disparaître, décimé par la maladie de Carré. Il fut sauvé par des éleveurs anglais et islandais, préoccupés du sort de la race.

Développé pour le travail des troupeaux, le chien de berger islandais a conservé ses aptitudes. Sa vivacité en fait un bon gardien et sa nature affectueuse, un animal de compagnie dévoué.

De taille relativement petite, 38 à 48 cm, il pèse de 10 à 15 kg. Il est pourtant solide et possède des ergots doubles bien développés, semblables à ceux du chien norvégien de macareux. Ses yeux brun sombre de taille moyenne donnent au berger islandais une expression éveillée. Son poil moyennement long est épais, rude et près du corps. La robe de couleurs variées peut présenter ou non des taches.

À gauche et ci-dessous
Seul chien islandais autochtone, ses instincts de berger et sa vivacité en font un bon chien de garde.

IRLANDE
Kerry beagle

TAILLE : 55 à 61 cm

aucun	
GROUPE	**TOILETTAGE**
grande	
TAILLE	**ALIMENTATION**

EN BREF

RACE	Kerry beagle
CLASSIFICATION	En cours de reconnaissance
COULEURS DE ROBE	Différentes variations sont admises

LE KERRY BEAGLE est une des plus anciennes races irlandaises. Il serait le descendant d'un chien de chasse au cerf irlandais. C'était alors un pisteur qui cherchait les traces au sol pour lancer la chasse, reprise ensuite par d'autres chiens plus grands. Le kerry beagle contemporain, dont le pedigree remonte à 1794, semble avoir reçu du sang de chiens courants français, ariégeois et saint-hubert. Il décrit toujours un cercle avant de s'élancer sur une piste. Il participe aussi maintenant à des field trials. L'Irish Kennel Club ne l'a reconnu que récemment. Sa tête est volumineuse, ses oreilles

longues, ses yeux brillants et intelligents de diverses teintes de brun. Il donne une impression de vigilance, d'endurance et de vitesse. Mesurant de 55 à 61 cm, il pèse jusqu'à 27 kg, il est légèrement plus grand que le beagle. S'il est en général noir et blanc, sa robe peut être mouchetée de bleu et fauve, noire, fauve et blanc, ou fauve et blanc. Le « chant » d'une meute de kerry beagle s'entend à des kilomètres à la ronde.

En haut et à gauche
Ce chien a un aboiement puissant lorsqu'il chasse.

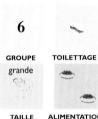

6

GROUPE

TOILETTAGE

grande

TAILLE

ALIMENTATION

ISTRIE

Chien courant d'Istrie à poil ras

TAILLE : 44 à 56 cm

○○○○○○○○○○○○○○○○○○○○○○○○○○○○○○○

EN BREF

RACE	Chien courant d'Istrie (à poil ras)
AUTRES NOMS	Istarski gonic (kratkodlaki)
CLASSIFICATION	FCI : groupe 6
COULEURS DE ROBE	Blanc avec taches fauve orangé
	sur la tête et le corps

LE CHIEN COURANT D'ISTRIE, né du croisement de chiens courants phéniciens et européens choisis pour leur odorat ou pour leur vue perçante, vit dans la région limitrophe entre l'Autriche et l'Italie. L'histoire de cette race aux origines anciennes suscite diverses hypothèses : elle pourrait avoir été créée par des moines, car on sait que des chiens de chasse à poil lisse furent envoyés à des monastères français depuis ce qui est aujourd'hui la Slovénie. Le chien courant d'Istrie, capable de suivre une piste froide vieille de plusieurs jours, est réputé pour ses qualités de pisteur de gibiers divers, renards, lièvres, lapins, chevreuils et sangliers.

La coloration de son poil, fin et court, est une de ses principales différences avec d'autres races similaires. Sa robe est blanche avec

À droite
Le très bon nez de ce chien en fait un excellent pisteur.

quelques taches fauve orangé ou jaunes, surtout sur les oreilles, qui sont larges et tombent à plat sur les côtés de la tête. Les yeux ovales sont sombres. Mesurant entre 44 et 56 cm, il pèse de 18 à 20 kg.

6

GROUPE

TOILETTAGE

grande

TAILLE

ALIMENTATION

ISTRIE

Chien courant d'Istrie à poil dur

TAILLE : 46 à 58 cm

○○○○○○○○○○○○○○○○○○○○○○○○○○○○○○

EN BREF

RACE	Chien courant d'Istrie (à poil dur)
AUTRES NOMS	Istarski gonic (ostrodlaki)
CLASSIFICATION	FCI : groupe 6
COULEURS DE ROBE	Blanc avec taches fauve orangé
	sur la tête et le corps

À droite
Le chien courant d'Istrie à poil dur chasse aussi bien renards, lapins et lièvres que sangliers.

LES ORIGINES DE CE CHIEN, comme celles de son cousin à poil ras, remontent aux chiens phéniciens et aux pisteurs européens. Au milieu du XIXᵉ siècle, il lui fut ajouté

du sang de griffon vendéen pour lui donner une voix plus puissante. Cela le transforma, il grandit un peu et son poil le rendit plus résistant aux intempéries. Son caractère se modifia aussi : plus volontaire, il devint plus difficile, son dressage demandant davantage de patience, et il servit habituellement pour la chasse plutôt que comme animal de compagnie. Connu pour la qualité de son nez, c'est un pisteur de renards, lièvres, lapins et sangliers.

De couleurs identiques à la variété à poil court, son poil dur, long de 5 à 8 cm, est doublé d'un sous-poil laineux. L'avant de sa mâchoire inférieure est arrondi et les oreilles élargies dans le milieu tombent sans faire de plis. Il mesure de 46 à 58 cm et pèse de 18 à 20 kg.

EN BREF	
RACE	Chien de cour italien
AUTRES NOMS	Cane corso
CLASSIFICATION	FCI : groupe 2
COULEURS DE ROBE	Noir, gris, fauve ou bringé

ITALIE

Chien de cour italien

TAILLE : 60 à 68 cm

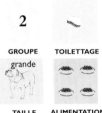

2

GROUPE — TOILETTAGE

grande

TAILLE — ALIMENTATION

LE CHIEN DE COUR ITALIEN est une recréation du cane di macellaio, ancien chien de troupeaux sicilien. Cette race ancienne servait certainement à conduire le bétail aux abattoirs et probablement aussi aux combats de chiens. Répondant très bien au dressage, il a un caractère bien trempé qui lui permet de servir aujourd'hui de chien de garde ou de compagnie. Méfiant et parfois agressif avec les inconnus, il doit être tenu avec autorité et bon

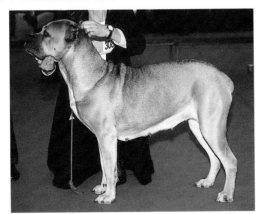

sens ; une socialisation précoce lui est bénéfique.

Il n'a pas une peau lâche comme d'autres mâtins. Sa tête est massive, son crâne large, son museau court et carré. Ses oreilles triangulaires sont coupées dans certains pays. C'est un grand chien mesurant 60 à 68 cm et pesant de 40 à 50 kg, puissant et musclé, à la course harmonieuse. Toutes sortes de teintes marron et bringées sont acceptées pour sa robe au poil court, dur et dense.

La stature massive et la tête solide du chien de cour italien révèlent le sang de mâtin.

À gauche
Très puissant, ce gros chien exige un maître sachant le dresser avec intelligence et sérieux.

EN BREF	
RACE	Cirneco de l'Etna
CLASSIFICATION	FCI : groupe 5
COULEURS DE ROBE	Fauve, et blanc, taches blanches

ITALIE

Cirneco de l'Etna

TAILLE : 42 à 50 cm

5

GROUPE — TOILETTAGE

moyenne

TAILLE — ALIMENTATION

DESCENDANT DU CHIEN du pharaon et ressemblant au chien de garenne des Baléares, le cirneco de l'Etna est beaucoup plus petit. Il serait arrivé en Sicile il y a 2 000 ans et aurait conservé son type originel grâce à l'isolement de l'île. À l'origine chasseur à vue, il est également capable de pister à l'odeur et donne de la voix une fois en action. Spécialiste du lièvre et du lapin, il est actif sur le gibier à plumes.

Faisant aussi office de chien de garde, le cirneco de l'Etna aime dormir dehors par temps chaud. Ayant besoin de beaucoup d'exercice, il n'est pas fait pour vivre en ville. Assez difficile à dresser, il faut faire preuve de prudence en présence d'enfants

et d'autres chiens, mais c'est un compagnon vivant et amical. Il mesure de 42 à 50 cm et pèse de 8 à 12 kg. Son poil est ras, brillant, collé et d'apparence rustique.

À gauche
Ressemblant à un chien du pharaon modèle réduit, le cirneco est difficile à dresser et a besoin de beaucoup d'exercice physique.

 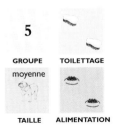

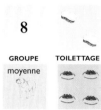

8

GROUPE
moyenne

TOILETTAGE

TAILLE

ALIMENTATION

ITALIE

Chien d'eau romagnol

TAILLE : 41 à 48 cm

○○○○○○○○○○○○○○○○○○○○○○○○○○

EN BREF

RACE	Chien d'eau romagnol
AUTRES NOMS	Lagotto romagnolo
CLASSIFICATION	FCI : groupe 8
COULEURS DE ROBE	Diverses nuances de blanc et marron, orange, taches

À droite
Le poil dense
du chien d'eau
romagnol doit être
coupé au moins
une fois par an pour
ne pas feutrer.

L E CHIEN d'eau romagnol est une ancienne race de chiens d'eau de rapport des régions marécageuses de Comacchio et de Ravenne. Une fois les marais asséchés et transformés en terres agricoles, il changea de fonction et devint un très bon chien truffier, aussi efficace en plaine que dans les régions accidentées.

Râblé et solide, il est couvert d'un poil dense et frisé de texture laineuse recouvrant un épais sous-poil imperméable apparent. Faute d'entretien

son poil a tendance à feutrer, il faut donc le tondre complètement au moins une fois par an et lui enlever régulièrement les poils et sous-poils feutrés. La couleur de sa peau, brun clair à foncé, s'harmonise à celle de la robe, qui peut être blanc à blanc sale, avec des taches foie ou orange, rouan foie, foie ou orange. Même la tête et les joues sont recouvertes d'une épaisse couche de poils. Il mesure de 41 à 48 cm et pèse de 12 à 20 kg. C'est un chien gentil et affectueux, un bon animal de compagnie et un gardien efficace.

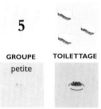

5

GROUPE
petite

TOILETTAGE

TAILLE

ALIMENTATION

ITALIE

Spitz italien

TAILLE : 25 à 30 cm

○○○○○○○○○○○○○○○○○○○○○○○○○○

EN BREF

RACE	Spitz italien
AUTRES NOMS	Volpino
CLASSIFICATION	FCI : groupe 5
COULEURS DE ROBE	Blanc, fauve roux

À droite
Le spitz italien
partage plusieurs
caractéristiques
morphologiques
du spitz.

S I CERTAINS VOIENT en ce chien un descendant du spitz allemand, d'autres pensent au contraire que le spitz italien, dont le nom signifie petit renard, est son ancêtre. Il est apprécié depuis des siècles, en particulier des Italiennes. Certains portaient même des colliers d'ivoire témoignant de l'affection de leur propriétaire.

Malgré sa petite taille, de 25 à 30 cm, et son poids de 4 à 5 kg, c'est un bon chien de garde, que l'on peut dresser, bien qu'il ait tendance à aboyer si on ne le contrôle pas bien. L'entretien de sa robe exige beaucoup de soins. Il est gentil, loyal et se méfie des inconnus. Sa tête est plus grosse et ses yeux plus larges que ceux du spitz allemand, par contre sa collerette est moins dense. La queue se recourbant sur les reins et les petites oreilles triangulaires érigées sont celles des spitz.

EN BREF

RACE	Hokkaïdo
AUTRES NOMS	Hokkaïdo-ken, aïnou-ken
CLASSIFICATION	FCI : groupe 5
COULEURS DE ROBE	Poivre et sel, brun, rouge, noir ou blanc

JAPON

Hokkaïdo

TAILLE : 45,5 à 52 cm

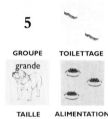

5

GROUPE — TOILETTAGE

grande

TAILLE — ALIMENTATION

LE HOKKAÏDO VIENDRAIT des chiens qui accompagnèrent vers 1140, des émigrants japonais depuis l'île d'Honshu jusqu'à Hokkaïdo. Il fut reconnu « trésor national » en 1937 et prit le nom de la région. Son autre nom, *aïnou-ken*, vient de celui des Aïnous, premiers habitants de l'île, qui l'élevaient pour la chasse au gros gibier.

La physiologie de ce chien solide et fortement charpenté lui permet de supporter les grands froids et les fortes chutes de neige.

Remarquablement endurant, c'est un bon compagnon et un chien de garde, souvent attaché au Japon en extérieur avec une chaîne ou une corde.

Alerte, hardi et parfois très bruyant, il a la queue enroulée et les oreilles pointues caractéristiques de la famille des spitz. Le poil est dur et droit, le sous-poil dense et souple et le toupet de queue long et en faucille. Il mesure de 45,5 à 52 cm et pèse environ 25 kg.

À gauche
Ce chien robuste et bien bâti est extrêmement endurant.

EN BREF

RACE	Terrier japonais
AUTRES NOMS	Nihon teria
CLASSIFICATION	FCI : groupe 3
COULEURS DE ROBE	Blanc et noir

JAPON

Terrier japonais

TAILLE : environ 33 cm

3

GROUPE — TOILETTAGE

petite

TAILLE — ALIMENTATION

LE TERRIER japonais est né du croisement de fox-terrier à poil lisse avec différents petits chiens et pisteurs locaux. S'il servit surtout de chien d'agrément dans les ports comme Kobe ou Yokohama, ses origines de terrier en font aussi un bon ratier et chien de rapport. L'élevage devint sélectif vers 1920 et le type fut fixé en 1930. Les effectifs de ce petit compagnon plein de ressources et d'agréable

compagnie sont faibles même dans son pays d'origine. Une société pour sa protection et celle d'autres espèces japonaises a d'ailleurs vu le jour pour parer à son déclin. Ses oreilles haut placées sont repliées, sa truffe et ses yeux noirs de taille moyenne, très alertes, se détachent sur le poil noir de la tête. Le reste de la robe au poil court est à dominante blanche parsemée de taches et moucheture noires. Il mesure environ 33 cm de haut et pèse entre 4,5 et 6 kg.

À gauche
Malheureusement cette race compte peu de représentants mais une société créée pour sa protection tente de faire remonter sn nombre.

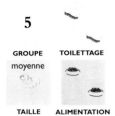

5

GROUPE
moyenne

TOILETTAGE

TAILLE

ALIMENTATION

JAPON
Kaï

TAILLE : 45 à 56 cm

EN BREF	
RACE	Kaï
AUTRES NOMS	Kaï inu, tora inu
CLASSIFICATION	FCI : groupe 5
COULEURS DE ROBE	Fauve bringé de toutes nuances, si possible bien défini

S'étant développé dans un milieu isolé, le kaï a conservé des caractéristiques primitives et a traversé le temps sans grande modification.

À droite
Chasseur, puis chien de garde, le kaï est de plus en plus apprécié comme compagnon.

CETTE RACE, qui n'est reconnue que depuis 1934, développée pour la chasse sur l'île japonaise de Honshu, est pourtant très ancienne. Originaire d'une région isolée par des montagnes, elle était utilisée par les chasseurs professionnels de gros gibier, cervidés et sangliers. Gardien compétent au courage légendaire, on croyait le kaï trop primitif pour faire un chien d'agrément, mais il s'est révélé ces dernières années un bon animal de compagnie. Réservé avec les inconnus,

il est pourtant généralement d'un tempérament amical et n'agresse pas ses congénères. De taille intermédiaire entre l'akita et le shiba, de 45 à 56 cm, et pesant de 16 à 18 kg, le kaï, solide et musclé, est d'une agilité et d'un courage exceptionnels. Sa queue est recourbée ou enroulée. Sa robe bringée est à l'origine de son surnom, tora inu, qui signifie chien tigre. Les robes nettement bringées sont préférées et des taches blanches sur la poitrine et les pieds sont autorisées.

5

GROUPE
moyenne

TOILETTAGE

TAILLE

ALIMENTATION

JAPON
Kishu

TAILLE : 42 à 55 cm

EN BREF	
RACE	Kishu
CLASSIFICATION	FCI : groupe 5
COULEURS DE ROBE	Blanc, fauve, fauve bringé

Ci-dessous
Le kishu est un « trésor national » japonais.

LE KISHU EST UN DESCENDANT des anciens chiens de taille moyenne de la région montagneuse de Kishu, qui lui a donné son nom. Essentiellement utilisé à l'origine pour

la chasse au sanglier, il traqua aussi le cerf. Après la Première Guerre mondiale, sa popularité diminua au Japon avec l'introduction du berger allemand, plus fort et plus grand. En 1934, le kishu fut déclaré « trésor national ». Assez typique du groupe des spitz, ses plus proches parents sont le shikoku et l'aïnu.

Dans le passé, les robes comportaient des taches bien visibles de couleurs diverses, fauve, beige, ou étaient bringées. Depuis 1934, seules les teintes unies sont autorisées et, dès 1954, les robes comportant des marques avaient complètement disparu. Aujourd'hui, on ne rencontre pratiquement que des robes blanches. Le poil court, droit et rude est doublé d'un sous-poil épais avec des franges sur la queue et les joues. Il mesure de 42 à 55 cm et pèse de 20 à 25 kg.

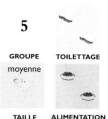

EN BREF

RACE	Shikoku
AUTRES NOMS	Kochi-ken
CLASSIFICATION	FCI : groupe 5
COULEURS DE ROBE	Fauve, brun, rouge bringé

JAPON
Shikoku

TAILLE : 43 à 55 cm

GROUPE 5
TOILETTAGE
moyenne
TAILLE **ALIMENTATION**

LE SHIKOKU, qui est issu des chiens japonais anciens de taille moyenne, était autrefois élevé pour la chasse au sanglier dans la région montagneuse de Kochi. Il en existait trois variétés, appelées awa, hongawa et hata en fonction de leur lieu de naissance. Ces chiens robustes et agiles, adaptés aux environnements montagneux, se caractérisent par leurs robes couleur sésame grillé. Il acquièrent leur nom actuel lors de leur reconnaissance en 1937 en tant que « trésor national ».

Chasseur enthousiaste, le shikoku, obéissant bien à son maître, est néanmoins têtu et parfois dominateur vis à vis des autres races. Ses oreilles triangulaires dressées typiquement spitz s'inclinent légèrement vers l'avant et sa queue, portée haut, est enroulée ou en faucille. Ses petits yeux triangulaires sont brun sombre et bien écartés. Les poils sont plutôt rudes et droits, le sous-poil dense et moelleux, le panache de queue assez long. Il mesure de 43 à 55 cm et pèse de 15 à 20 kg environ.

Cette race, dominatrice vis-à-vis de ses congénères, est très obéissante.

En bas
Le tosa, ancien chien de combat, a la réputation d'être agressif.

EN BREF

RACE	Tosa
AUTRES NOMS	Tosa inu, tosa ken
CLASSIFICATION	FCI : groupe 2
COULEURS DE ROBE	Rouge à fauve uni

JAPON
Tosa

TAILLE : 55 et 60 cm minimum

GROUPE 2
TOILETTAGE
grande
TAILLE **ALIMENTATION**

IL FUT CRÉÉ DANS la région de Kochi par le croisement de chiens de combat locaux avec des bulldogs, mastiffs, braques allemands, dogues allemands, bull-terriers et même saint-bernard. L'objectif était d'augmenter la taille et la force des chiens locaux pour les rendre compétitifs dans les combats avec des chiens européens. Le tosa devint un combattant stoïque, laissant rarement échapper un cri ou un gémissement, mais se battant jusqu'à la mort dans des combats s'apparentant à des cérémonies et exigeant endurance et agressivité. Bien qu'interdits au Japon comme dans la plupart des pays, il y a encore

aujourd'hui des combats de chiens dans certaines régions rurales du Japon auxquels participent des tosa. Interdit dans de nombreux pays dont la France à cause de sa prédisposition au combat, le tosa, puissant et robuste, mesure de 55 à 60 cm et pèse environ 40 kg. Il exige donc un maître expérimenté capable de tenir physiquement et de dominer mentalement ce chien qui attaque sans prévenir.

Les couleurs recherchées pour sa robe au poil court et dense sont le fauve et le rouge, mais de petites marques blanches et rouges sont autorisées.

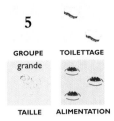

5

GROUPE TOILETTAGE

grande

TAILLE ALIMENTATION

CORÉE

Jindo coréen

TAILLE : 41 à 58 cm

○○○○○○○○○○○○○○○○○○○○○○○○○○○○○○○

EN BREF

RACE	Jindo coréen
CLASSIFICATION	FCI : groupe 5
COULEURS DE ROBE	Fauve, blanc, noir et brun, poil de loup gris

C'EST LE CHIEN CORÉEN le plus connu. Il tient son nom de l'île de Jindo dont il est originaire. Il ne fut reconnu qu'en 1938, durant l'occupation coloniale par les Japonais, et devint le « Trésor national n°53 ». Avec ses oreilles dressées et sa queue en faucille, il mesure de 41 à 58 cm et pèse de 16 à 18 kg. Sa robe, généralement fauve ou blanche, est composée d'un sous-poil doux, dense et fin, recouvert de poils plus longs. C'est un chien à l'expression alerte et digne, dévoué à son maître. L'avenir du jindo coréen, bon gardien et fidèle compagnon paraît aujourd'hui assuré.

À droite

Son inscription sur la liste des trésors nationaux a peut-être sauvé le jindo de l'extinction.

Ci-dessous

Cette race élégante de lévrier du Mali est peut-être vieille de 3 000 ans.

10

GROUPE TOILETTAGE

grande

TAILLE ALIMENTATION

MALI

Azawakh

TAILLE : 60 à 74 cm

○○○○○○○○○○○○○○○○○○○○○○○○○○○○○○○

EN BREF

RACE	Azawakh
AUTRES NOMS	Sloughi touareg, azi
CLASSIFICATION	FCI : groupe 10
COULEURS DE ROBE	Sable clair à fauve foncé, bringé, pieds blancs

CE CHIEN AFRICAIN tient son nom de la vallée du nord-est du Mali où il fut découvert. Il a longtemps servi de compagnon et de gardien aux Touaregs, avec qui il chassait les gazelles en les faisant trébucher pour que les cavaliers puissent les rattraper. Les chiots apprennent leur métier très tôt en étant placés avec des jeunes chiens de meutes sachant déjà chasser et tuer. Si certaines représentations picturales permettent de penser que l'azawakh existait déjà il y a 3 000 ans, ses liens génétiques avec les autres lévriers ne sont pas encore certains. Il a été introduit en France en 1970 et reconnu officiellement en 1982. Fier, éveillé et attentif, c'est un gardien naturel, réservé avec les inconnus, mais attaché à ceux qu'il aime. Ses muscles sont visibles sous la peau fine et sèche ; il a une démarche dansante et une silhouette élancée. Il mesure de 60 à 74 cm et pèse de 15 à 25 kg. Sa peau lisse et tendue est couverte d'un poil très court et soyeux. Les couleurs de sa robe, variables, peuvent être crème, rouge sombre, blanc, chocolat, noir, toutes bringées ou louvet avec des taches blanches.

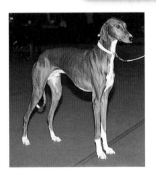

EN BREF

RACE	Aïdi
AUTRES NOMS	Berger de l'Atlas
CLASSIFICATION	FCI : groupe 2
COULEURS DE ROBE	Blanc, diverses variations

MAROC
Aïdi

TAILLE : 53 à 61 cm

2

GROUPE — TOILETTAGE

grande

TAILLE — ALIMENTATION

L'AÏDI EST UTILISÉ depuis des siècles au Maroc par les nomades pour protéger les troupeaux des prédateurs. Doté d'un odorat très fin, il servait également de pisteur à la chasse, d'autres chiens de suite tels le sloughi étant chargés ensuite de courser l'animal. C'est un chien de montagne typique, bien adapté aux rudes conditions climatiques locales : très forte chaleur le jour et nuits glaciales.

Chien de garde efficace et facile à dresser, l'aïdi est vif, très nerveux, extrêmement curieux et déborde d'énergie, il demande donc à être occupé en permanence. Ce n'est pas un chien d'intérieur, même s'il sert parfois d'animal de compagnie. Mesurant entre 52 et 62 cm et pesant environ 30 kg, c'est un chien assez fin, bien musclé, à la poitrine développée, certainement lié à d'autre races de chiens de berger. Un long poil rude d'environ 5 cm compose la robe de couleurs variées.

À gauche
L'aïdi est bien adapté à son environnement accidenté et peu hospitalier.

EN BREF

RACE	Chien courant de Halden
AUTRE RACE	Haldenstövare
CLASSIFICATION	FCI : groupe 6
COULEURS DE ROBE	Tricolore

NORVÈGE
Chien courant de Halden

TAILLE : 50 à 60 cm

6

GROUPE — TOILETTAGE

grande

TAILLE — ALIMENTATION

LE CHIEN COURANT DE HALDEN est né dans la région de Halden dans le sud de la Norvège. Le standard de ce chien de chasse indigène d'origine très ancienne, qui aurait reçu du sang de foxhound, fut fixé durant les années 1950. Résistant et rapide, il travaille seul et non en meute. Il est surtout employé pour la chasse au lièvre et comme animal de compagnie. Très apprécié en Norvège, il est peu connu hors du pays.

De tempérament placide et affectueux, il pince rarement mais il est préférable de prendre quelques précautions lors de la première mise en contact avec des enfants. Assez grand, il mesure de 50 à 60 cm et pèse environ 25 kg. Ses pattes sont robustes et bien musclées, les pieds ovales ont des doigts bien cambrés. Très résistant au froid, il a un poil court, très serré et lustré. Ses oreilles implantées assez bas, typiques des chiens courants, sont longues et tombantes ; ses yeux expriment la sérénité.

Sa robe tricolore comporte des taches noires et fauves sur fond blanc.

À gauche
Ce chien élancé et affectueux s'entend bien avec les enfants après des présentations prudentes.

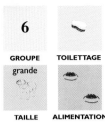

6	
GROUPE	**TOILETTAGE**
grande	
TAILLE	**ALIMENTATION**

NORVÈGE

Chien courant de Hygen

TAILLE : 47 à 55 cm

Ci-dessus et à droite
*Dans les veines
de ce robuste chasseur
coule du sang de chiens
de toute l'Europe.*

EN BREF

RACE	Chien courant de Hygen
AUTRE RACE	Hygenhund
CLASSIFICATION	FCI : groupe 6
COULEURS DE ROBE	Fauve, fauve roux ou charbonné, noir et fauve

DÉVELOPPÉ VERS 1830 pour la chasse au lièvre, et appelé chien courant de Hygen du nom de son créateur, ce chien de rapport est issu du croisement de chiens courants allemands et scandinaves. Il est toujours utilisé pour la chasse au petit gibier, dans laquelle il excelle, mais rarement comme animal de compagnie.

Il a un dos assez court, des yeux bruns de taille moyenne à l'expression sérieuse et une truffe noire aux grandes narines. Considéré comme un bon chien de garde s'entendant relativement bien avec ses congénères, il se révèle également de très bonne compagnie. Il a besoin de beaucoup d'exercice et, s'il apprécie de vivre en extérieur, il ne faut pas le laisser dehors sous les pires tempêtes de neige par moins 50° C en plein hiver scandinave car son poil court, épais et brillant ne lui offre pas une protection suffisante. Il mesure de 47 à 55 cm et pèse de 20 à 24 kg.

6	
GROUPE	**TOILETTAGE**
grande	
TAILLE	**ALIMENTATION**

NORVÈGE

Chien courant norvégien

TAILLE : 48 à 55 cm

EN BREF

RACE	Chien courant norvégien
AUTRE RACE	Dunker
CLASSIFICATION	FCI : groupe 6
COULEURS DE ROBE	Variées

LE CHIEN COURANT NORVÉGIEN, à l'aise sur tous les terrains, fut créé pour le pistage du lièvre. Son éleveur, le norvégien Wilhem Dunker, croisa des chiens courants russes porteurs du gène arlequin avec des chiens pisteurs solides et fiables pour obtenir cette race au poil dense et raide assez court. La robe aux couleurs intéressantes peut être noire ou bleue marbrée, avec des taches fauve pâle ou blanches. Le brun chaud et une prédominance de noir sont moins recherchés mais acceptables.

Le corps s'inscrit dans un rectangle et la hauteur de la poitrine est de la moitié de celle au garrot. La tête, noble et bien dessinée, doit être allongée et non en coin. Les yeux assez grands et ronds sont sombres ; un strabisme divergent est autorisé quand la robe est marbrée bleue. L'impression générale est celle de calme, d'éveil et de sérieux. Les oreilles, de longueur et largeur moyennes, tombent à plat contre les joues. Il mesure de 48 à 55 cm et pèse environ 25 kg.

Citons parmi les races de ce pays, le **chien d'élan norvégien (gris ou noir)**. Très ancien chasseur de gros gibier, courageux et doté d'un nez excellent, il sert aujourd'hui dans l'armée et tire les traîneaux. Très solide, plutôt ramassé, il a une tête en forme de cône, des oreilles droites pointues et la queue enroulée sur le rein. Le gris, plus grand (49 à 52 cm, 23 kg) a un poil épais et rude et une robe sable charbonnée. Le noir (44 à 47 cm, 20 kg) un poil raide et dense noir brillant.

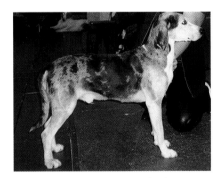

Ci-dessus
*Ce chien courant, créé
pour la chasse
au lièvre, est à l'aise
sur tous les terrains.*

EN BREF

RACE	Chien nu du Pérou
AUTRES NOMS	Perro sin pelo del Perú
CLASSIFICATION	FCI : groupe 9
COULEURS DE ROBE	Variées

PÉROU

Chien nu du Pérou

TAILLE : 50 à 60 cm

9

GROUPE   TOILETTAGE

grande

TAILLE   ALIMENTATION

L EST POSSIBLE que le chien nu du Pérou ait des liens avec des chiens courants arrivés en Amérique avec les conquistadors. Pourtant, comme on le voit représenté sur des statues et gravures précolombiennes, certains spécialistes pensent qu'il s'agit d'une vieille race autochtone ou descendant du chien nu mexicain. Une autre hypothèse le ferait même descendre du loup américain. Il semblerait qu'il ait été amené dans la région par mer depuis l'Équateur.

La forme de son corps évoque un cerf en réduction. La race est subdivisée en trois tailles : 25 à 40 cm, 40 à 50 cm et 50 à 60 cm, qui pèsent respectivement de 4 à 8, de 8 à 12 et de 12 à 23 kg. Dénuée de poils à l'exception de quelques-uns sur la tête, cette race doit être protégée des coups de soleil. Les oreilles assez étroites sont érigées quand le chien est en éveil et couchées vers l'arrière, au repos. L'expression des yeux est gentille et intelligente.

Le Pérou compte une autre race appelée **orchidée inca** qui, pour certains, ne se différencie pas du chien nu. Elle comporte deux variétés, avec et sans poils. Les Incas préféraient les premiers, dont ils faisaient leurs animaux de compagnie. Leur poil peut être court ou très long. Les deux variétés, puissantes et rapides, sont calmes, gentilles et propres.

Ci-dessous
La peau de ce chien sans poil a besoin d'une crème solaire, sinon c'est le coup de soleil assuré.

EN BREF

RACE	Brachet polonais
AUTRES NOMS	Ogar polski, chien courant polonais
CLASSIFICATION	FCI : groupe 6
COULEURS DE ROBE	Fauve et noir ou gris sombre

POLOGNE

Brachet polonais

TAILLE : 55 à 65 cm

6

GROUPE   TOILETTAGE

grande

TAILLE   ALIMENTATION

L SEMBLERAIT QUE les origines du brachet polonais remontent au chien de saint-hubert, peut-être mélangé avec des chiens courants allemands, mais on en sait peu sur son histoire, si ce n'est qu'un chien de chasse plus petit lui ressemblant a disparu durant la Seconde Guerre mondiale. Le brachet polonais lui-même faillit s'éteindre durant les années de conflit, mais les chasseurs polonais réussirent à préserver cet exceptionnel pisteur, qui leur était très utile. Son corps massif et solide, un peu lourd, sa tête bien découpée et sa forte ossature sont plus adaptés à l'endurance qu'à la vitesse.

Il mesure de 55 cm à 65 cm et pèse de 20 à 32 kg. Son gros poil mi-long recouvre un sous-poil épais ; sa robe est noire ou gris très sombre, alors que sa tête, ses oreilles, ses pattes et ses reins sont de diverses nuances de fauve. Le poil blanc est autorisé à certains endroits. Sa voix est sonore et pure. Malheureux en ville, il a besoin d'espace et d'exercice.

À gauche et ci-dessous
À la chasse, le brachet polonais compte sur sa force et son endurance plutôt que sur sa vitesse.

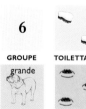

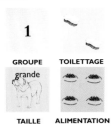

1

GROUPE TOILETTAGE

grande

TAILLE ALIMENTATION

POLOGNE

Chien de berger des Tatras

TAILLE : 60 à 70 cm

EN BREF	
RACE	Chien de berger des Tatras
AUTRES NOMS	Owczarek Podhalanski,
	Berger polonais de Podhale
CLASSIFICATION	FCI : groupe 1
COULEURS DE ROBE	Blanc uniforme

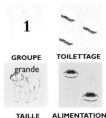

Ci-dessus
Ce chien de berger protégeait les moutons des loups dans les montagnes.

LE CHIEN DE BERGER DES TATRAS, appelé également chien polonais de Podhale, descend certainement des grands mâtins arrivés d'Asie il y a 1 000 ans. Il est également proche du kuvasz hongrois ou slovaque et du berger de Bergame. C'est un grand gardien de troupeaux à l'ossature et la musculature puissantes, aujourd'hui recyclé en animal de compagnie. Gardien réservé, il servit à tirer des voitures et comme auxiliaire militaire et de police. Dans son environnement naturel, il vit et voyage avec les moutons, et il est même tondu en même temps que le troupeau.

Ce chien imposant, vif et intelligent, mesurant de 60 à 70 cm et pesant 45 kg environ, même s'il paraît plus léger, aime protéger son maître ou le bétail contre les prédateurs dangereux, loups ou même humains. Son poil est long, épais, droit ou légèrement ondulé et il développe une collerette par climat froid. C'est un chien calme et de nature indépendante qui est toutefois très obéissant.

On trouve aussi en Pologne des **lévriers polonais** utilisés autrefois pour la chasse aux gibiers à poil. Grands, musclés et puissants, il sont assez proches du greyhound et reconnus provisoirement par la FCI (groupe 10).

1

GROUPE TOILETTAGE

grande

TAILLE ALIMENTATION

PORTUGAL

Fila de Saint Miguel

TAILLE : 48 à 60 cm

EN BREF	
RACE	Fila de Saint Miguel
AUTRES NOMS	Bouvier des Açores
CLASSIFICATION	FCI : groupe 1 (provisoire)
COULEURS DE ROBE	Fauve, gris et jaune bringés

LE FILA de Saint Miguel, lié au fila da Terceira aujourd'hui disparu, est connu depuis le début du XIXᵉ siècle. Aujourd'hui reconnu et ayant retrouvé des effectifs plus importants, on le trouve surtout dans l'île de São Miguel aux Açores, où il est très apprécié et utilisé pour conduire et protéger les troupeaux. De caractère dominant, c'est un excellent gardien à la grosse tête massive et carrée dont les pointes d'oreilles sont souvent coupées en arrondi. À l'état naturel elles sont tombantes, de taille moyenne, triangulaires et un peu éloignées des joues.

Doté d'un très fort caractère, il n'obéit qu'à son maître. Très intelligent, il a une grande capacité d'apprentissage. Son atavisme de chien de berger l'amène à mordre les talons sans vouloir blesser, mais il peut serrer plus fort pour ramener les bêtes égarées. Il mesure de 48 à 60 cm et pèse de 20 à 30 kg. Son poil est court, dense, lisse, de texture épaisse avec quelques franges. La robe aux couleurs bringées peut comporter des taches blanches spécifiques.

À droite
Protecteurs au fort tempérament, ces chiens sont très fidèles à leurs maîtres.

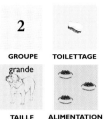

EN BREF

RACE	Chien de Castro Laboreiro
AUTRE RACE	Cão de castro de laboreiro
CLASSIFICATION	FCI : groupe 2
COULEURS DE ROBE	Gris, fauve ou noir bringés

PORTUGAL
Chien de Castro Laboreiro

TAILLE : 52 à 60 cm

2 GROUPE — TOILETTAGE
grande TAILLE — ALIMENTATION

SI L'HISTOIRE DU chien de castro laboreiro comporte des zones d'ombre, il est probable qu'il compte dans ses ancêtres des petits chiens de montagne portugais noirs à poil lisse, probablement croisés avec des chiens locaux, dont certains de type molosse : les chiens de montagne portugais qui descendaient l'hiver dans les plaines du Portugal avec les troupeaux. À la pointe nord du pays se trouve un village nommé Castro Laboreiro (village de laboureurs),

qui a donné son nom à la race. Cet efficace gardien supportant tous les climats est toujours employé pour la protection des troupeaux contre les prédateurs, y compris les loups. C'est un chien de garde aux possibilités vocales étendues.

Il a tendance à être menaçant lors de la première rencontre mais son dévouement à ses maîtres est proverbial. Son poil est court, épais, rugueux et lourd. Ses yeux ont une expression sérieuse et ses oreilles, assez petites, sont tombantes. Il mesure de 52 à 60 cm et pèse environ 40 kg.

Parfois intimidants avec les inconnus, ces chiens sont particulièrement dévoués à leur maître.

À gauche
Le chien de Castro Laboreiro est un excellent chien de garde qui doit son nom à un village portugais.

EN BREF

RACE	Chien d'arrêt portugais
AUTRES NOMS	Perdiguero portugués
CLASSIFICATION	FCI : groupe 7
COULEURS DE ROBE	Fauve ou marron, avec ou sans taches blanches

PORTUGAL
Chien d'arrêt portugais

TAILLE : 48 à 60 cm

7 GROUPE — TOILETTAGE
grande TAILLE — ALIMENTATION

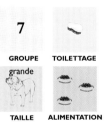

LE CHIEN D'ARRÊT PORTUGAIS, connu depuis le XVIᵉ siècle, serait né dans les chenils royaux et ceux de la noblesse. Il servait à la recherche au sang ainsi qu'à la chasse au faucon et au filet. Dès cette époque il fut également apprécié des catégories sociales moins privilégiées pour ses qualités de pisteur et de chien de rapport.

Un certain nombre d'individus arrivèrent jusqu'en Angleterre où ils participèrent au développement du pointer. Le standard du chien d'arrêt portugais fut fixé en 1932. Solide, plein de qualités, souple et agile, c'est un chasseur

né, méthodique, passionné et plein d'entrain. À l'arrêt, il est indifférent à tout ce qui se passe autour et n'abîme pas le gibier en le rapportant. Gentil avec les enfants et les autres chiens, il est facile à dresser mais son éducation doit rester ferme. Sa robe courte et lisse demande peu d'entretien.

Le chien d'arrêt portugais, vif et plein d'énergie, demande impérativement beaucoup d'exercice. Sa hauteur varie entre 48 et 60 cm et son poids entre 19 et 24 kg.

À gauche et ci-dessous
Servant au départ à rechercher et rapporter les animaux blessés, ces chiens sont faciles à dresser.

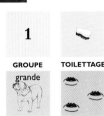

1	
GROUPE grande	**TOILETTAGE**
TAILLE	**ALIMENTATION**

PORTUGAL

Chien de berger de la Serra des Aires

TAILLE : 42 à 55 cm

EN BREF	
RACE	Chien de berger de la Serra des Aires
AUTRES NOMS	Cão de Serra de Aires
CLASSIFICATION	FCI : groupe 1
COULEURS DE ROBE	Brun-jaune, gris, fauve, noir, loup

Encore peu connue à l'étranger, l'avenir de cette race paraît assuré grâce aux efforts d'éleveurs.

Ci-dessous
Le chien de garenne portugais est morphologi-quement proche de son cousin espagnol.

TRÈS LONGTEMPS, le chien de berger de la Serra des Aires fut le compagnon des bergers pauvres travaillant dans le sud du Portugal, mais dans les années 1970 la race était en danger d'extinction. Repérée et sauvée par des éleveurs ayant davantage de moyens, sa survie paraît maintenant assurée, même si elle est encore peu connue en dehors de son pays d'origine. Dans la région de l'Alentejo, il sert toujours à la garde et à la conduite des troupeaux de moutons, de bétail, de chèvres, de chevaux et de cochons. Exceptionnellement vif et intelligent, c'est un chien

puissant et prudent, dévoué au berger et à son troupeau, mais ayant tendance à éviter les inconnus. Ses attitudes et expressions rappelant celles des singes lui ont valu localement le surnom de « chien-singe ». Le poil long, plat ou légèrement ondulé, forme une barbe, des moustaches et des sourcils fournis, mais ne couvre pas les yeux. La robe a la texture du poil de chèvre et ne comporte pas de sous-poil. Mesurant de 42 à 55 cm, il pèse entre 12 et 18 kg.

5	
GROUPE petite, moyenne grande	**TOILETTAGE** en fonction de la taille
TAILLE	**ALIMENTATION**

PORTUGAL

Chien de garenne portugais

TAILLE : 20 à 70 cm

EN BREF	
RACE	Chien de garenne portugais
AUTRES NOMS	Podenco portuguès
CLASSIFICATION	FCI : groupe 5
COULEURS DE ROBE	Fauve clair à foncé, gris, avec ou sans marques blanches

BIEN QUE ne formant qu'une seule espèce, le chien de garenne portugais existe en trois tailles et deux types de robes, à poil lisse ou dur. Très ancien, on le trouve surtout dans le Nord du pays. Le plus grand, mesurant de 55 à 70 cm pour un poids de 20 à 30 kg, est devenu très rare. Il est employé pour la chasse au gros gibier et, comme le moyen, à celle du lièvre et du lapin. Le plus petit est lui un leveur et un ratier. Il est probable que ce chien de garenne soit issu des chiens de type chien

du pharaon amenés dans la péninsule Ibérique, mais les petits loups espagnols ont peut-être aussi une part dans son développement. Le petit chien de garenne, issu des plus grands, a été sélectionné plutôt en fonction de sa taille que de son poil ou sa couleur.

Sa hauteur est de 20 à 30 cm, pour un poids de 4 à 5 kg. Les individus de taille moyenne mesurent jusqu'à 55 cm et pèsent entre 16 et 20 kg. Les couleurs n'ont pas une importance déterminante et les robes peuvent être unies ou tachées de blanc. Les robes des variétés à poil dur sont composées de poils assez longs, surtout sur le corps, avec des franges sur la face et le museau, et des oreilles bien couvertes. Ces dernières sont triangulaires, érigées, mobiles et se tournent vers l'avant pour capter les sons. Tous ces chiens qui ont besoin de beaucoup d'exercice font de bons compagnons, le plus petit étant un animal de compagnie très populaire.

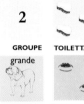

EN BREF

RACE	Rafeiro de Alentejo
AUTRES NOMS	Chien de garde portugais
CLASSIFICATION	FCI : groupe 2
COULEURS DE ROBE	Noir, gris-loup, fauve avec ou sans taches blanches

PORTUGAL
Rafeiro de Alentejo

TAILLE : 64 à 74 cm

2

GROUPE   TOILETTAGE

grande

TAILLE   ALIMENTATION

EXCELLENT CHIEN DE GARDE utilisé par les habitants de l'Alentejo portugais, le rafeiro de Alentejo est très apprécié comme protecteur de troupeaux. Extrêmement vigilant la nuit, il est toujours menaçant à l'égard des inconnus.

Haut de 64 à 74 cm et pesant entre 35 et 50 kg, c'est un grand chien un peu plus long que haut, puissant et rustique. Sa tête, rappelant celle de l'ours, plus large au sommet qu'à la base, est proportionnée à son corps. Les petits yeux sombres aux paupières noires ont une expression calme, les oreilles tombantes placées haut forment des plis.

Il se déplace lourdement, d'un mouvement lent et chaloupé. Le poil est parfois court mais de préférence mi-long, épais dense et droit. Il couvre tout le corps, y compris les espaces entre les orteils.

La robe est noire, gris-loup, fauve clair à mordoré avec des taches blanches ou bien blanche avec une de ces couleurs, et parfois bringée ou tachetée.

CHIEN DE LA SERRA ESTRELA

On reconnaît deux variétés de cette même race : le chien de la Serra Estrela à poil long et à poil court.

CHIEN D'EAU PORTUGAIS

Le chien d'eau portugais peut présenter deux types de poil : poil bouclé et poil ondulé.

EN BREF

RACE	Terrier noir
AUTRES NOMS	Tchiorny-terrier
CLASSIFICATION	FCI : groupe 2
COULEURS DE ROBE	Noir, noir avec poils gris

RUSSIE
Terrier noir

TAILLE : 64 à 72 cm

2

GROUPE   TOILETTAGE

grande

TAILLE   ALIMENTATION

Ci-dessus
Le rafeiro d'Alentero doit être bien dressé. Il est souvent agressif envers les inconnus.

RECONNU DANS LES ANNÉES 1940, le terrier noir est né en URSS dans les chenils de l'armée rouge par croisements entre airedale terrier, schnauzer géant, rottweiler et peut-être d'autres races. Il est le résultat d'un programme d'expériences visant à prouver une théorie comportementale portant sur les caractéristiques acquises, qui fut ultérieurement réfutée. C'est un chasseur résistant et efficace, doté d'une bonne endurance et supportant bien le froid.

Aujourd'hui surtout utilisé comme chien de garde et de protection, il peut être affectueux et de bonne compagnie si son agressivité est canalisée par un bon dressage doux. La tête longue est couverte de longs poils formant des sourcils épais et broussailleux, une barbe et une moustache en brosse. La longueur du poil varie de 4 à 10 cm. Il est dur, fourni, épais et forme une crinière sur le cou et le garrot. Le sous-

poil rêche est très développé. Haut de 64 à 72 cm, son poids, variable, est d'environ 40 kg. Cette race aux gros pieds arrondis, aux orteils voussés, se rencontre principalement en Russie.

Race assez récente, le terrier noir sert surtout comme chien de garde et de protection.

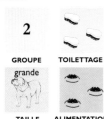

2	
GROUPE	**TOILETTAGE**
grande	
TAILLE	**ALIMENTATION**

RUSSIE
Chien de berger du Caucase

TAILLE : 62 à 72 cm

<table>
<tr><td colspan="2" align="center">EN BREF</td></tr>
<tr><td>RACE</td><td>Chien de berger du Caucase</td></tr>
<tr><td>AUTRES NOMS</td><td>Kavkazskaïa ovtcharka</td></tr>
<tr><td>CLASSIFICATION</td><td>FCI : groupe 2</td></tr>
<tr><td>COULEURS DE ROBE</td><td>Sable à fauve roux, charbonnée, pie</td></tr>
</table>

Avec un dressage strict et de la discipline, ce berger peut devenir un bon compagnon.

En bas (gauche et droite) :
Ce chien robuste et puissant est généralement employé à la garde du bétail.

CE BERGER tient son nom de ses montagnes d'origine en Géorgie. C'est un grand chien solide évoquant un ours. Vivant avec les hommes depuis des siècles, il est peut-être issu du croisement de spitz et de mâtins il y a des milliers d'années. Très populaire dans toute la Russie, bien que de moins en moins utilisé dans son emploi original de gardien de troupeaux, on l'y rencontre aujourd'hui dans de nombreuses expositions ainsi qu'ailleurs en Europe. Il servit en RDA aux patrouilles surveillant le mur de Berlin, qui comptèrent 7 000 chiens. Ayant vécu dans des conditions climatiques rigoureuses et l'isolement pendant des siècles, il forme une race très rustique, vigoureuse, qui protégeait instinctivement les troupeaux de moutons contre tous les prédateurs, animaux ou humains. Méfiant et agressif à l'égard des inconnus, il peut néanmoins devenir un compagnon agréable s'il est bien socialisé et soumis à un dressage strict. D'une hauteur supérieure à 62 cm (femelles) et 65 cm (mâles) et pesant de 45 à 65 kg, il est massif, solidement charpenté et puissant. Ses yeux enfoncés lui donnent une vision binoculaire. Son poil qui peut avoir différentes longueurs est grossier, dense et épais.

2	
GROUPE	**TOILETTAGE**
grande	
TAILLE	**ALIMENTATION**

RUSSIE
Chien de berger d'Asie centrale

TAILLE : Plus de 60 et 65 cm

<table>
<tr><td colspan="2" align="center">EN BREF</td></tr>
<tr><td>RACE</td><td>Chien de berger d'Asie centrale</td></tr>
<tr><td>AUTRES NOMS</td><td>Sredneasiatskaia ovtcharka, ovtcharka d'Asie centrale</td></tr>
<tr><td>CLASSIFICATION</td><td>FCI : groupe 2</td></tr>
<tr><td>COULEURS DE ROBE</td><td>Toutes les couleurs sont admises</td></tr>
</table>

PLUS GRAND que la moyenne, le chien de berger d'Asie centrale est de constitution robuste et déteste les inconnus. Pur gardien de troupeaux il ne fait pas un bon animal de compagnie. La race descend probablement des dogues d'Asie et sert certainement à la garde du bétail depuis des siècles, voire des millénaires. On le rencontre dans toute l'Asie centrale, des montagnes de l'Oural à la Sibérie, et dans les républiques du sud de l'Asie centrale. Puissant et solidement bâti, il est aussi alerte qu'athlétique. Imperturbable et sûr de lui, il a une excellente mémoire.

Sa tête au crâne plat est massive, ses zygomatiques bien développés, ses arcades peu prononcées et ses babines supérieures épaisses recouvrent les inférieures. Le poil droit, court et lisse sur le museau et l'avant des membres, est rude et de longueur moyenne ailleurs. Il recouvre un sous-poil bien développé. On trouve deux variétés de robes, une longue (7 à 8 cm) et une plus courte (3 à 5 cm). Il n'y a pas de taille maximum mais un minimum de 65 cm pour les mâles et de 60 cm pour les femelles. Le poids va de 45 à 65 kg et jusqu'à parfois 90 kg.

EN BREF

RACE	Laïka de Sibérie orientale
AUTRES NOMS	Laïka vostotchno sibirskaïa
CLASSIFICATION	FCI : groupe 5
COULEURS DE ROBE	Blanc, noir et blanc, gris, fauve, noir

RUSSIE

Laïka de Sibérie orientale

TAILLE : 56 à 63 cm

5

GROUPE · TOILETTAGE

grande

TAILLE · ALIMENTATION

CETTE RACE FUT DÉVELOPPÉE au XIXᵉ siècle par croisement sélectif entre des spitz sibériens tireurs de traîneaux et des laïka de chasse. Aujourd'hui elle sert à la chasse au gros gibier, pistant sous le fusil et fixant l'animal en aboyant sans arrêt jusqu'à l'arrivée du chasseur. Cette technique est aussi employée pour les oiseaux.

C'est un chien au tempérament équilibré, à la personnalité calme, ce qui en fait un bon compagnon qu'on peut aussi entraîner au travail d'obéidence. Il est très bien isolé contre le froid par une robe au poil court et dense recouvrant un sous-poil laineux imperméable. Même les oreilles et les coussinets sont bien protégés et sa queue enroulée serré lui sert aussi à lutter contre le froid. Il mesure de 56 à 63 cm et pèse de 18 à 23 kg.

L es Laïka sont des spitz descendant du chien des tourbières.

À gauche
Le laïka de Sibérie orientale sert toujours à chasse en aboyant.

EN BREF

RACE	Laïka russo-européen
AUTRES NOMS	Laïka zapadno sibirskaïa
CLASSIFICATION	FCI : groupe 5
COULEURS DE ROBE	Noir, taches blanches, fauve charbonné,
	poivre et sel foncé, blanc avec taches foncées

RUSSIE

Laïka russo-européen

TAILLE : 58 cm maximum

5

GROUPE · TOILETTAGE

grande

TAILLE · ALIMENTATION

LE LAÏKA RUSSO-EUROPÉEN fut créé par des éleveurs russes qui cherchaient à accroître la puissance et l'agressivité du chien d'ours de Carélie en le croisant avec des chiens de bergers de Russie. Ils obtinrent un intrépide chasseur d'ours, mais aussi d'élans, de sangliers et de loups. C'est un très bon chien de garde-forestier mais il ne s'adapte ni à la vie urbaine ni aux contacts humains quotidiens et n'est absolument pas fait pour la vie de chien de compagnie.

Ses oreilles érigées et sa queue, enroulée sur le rein sauf quand il se détend, trahissent son origine spitz. Ses petits yeux brun vif lui donnent une expression éveillée. Le museau droit se rétrécit vers la truffe. La hauteur, variable, est de 58 cm maximum, pour un poids de 18 à 23 kg environ. Son poil droit, ras et dur sur la tête, est plus long sur le corps et souvent noir avec des taches blanches.

À gauche
Typique du groupe des spitz, ce chien est assez puissant pour chasser l'élan et le sanglier.

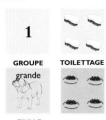

1

GROUPE

grande

TAILLE

TOILETTAGE

ALIMENTATION

Berger de Russie méridionale

TAILLE : 60 à 65 cm

En Bref

RACE	Berger de Russie méridionale
AUTRES NOMS	Ioujnorousskaïa ovtcharka
CLASSIFICATION	FCI : groupe 1
COULEURS DE ROBE	Blanc et diverses teintes pâles

Ce chien de berger tient du dogue : de dimensions massives, il a une grosse tête.

LE BERGER de Russie méridionale descend probablement des dogues tibétains qui arrivèrent en Russie il y a des siècles aux côtés d'envahisseurs asiatiques. À l'origine, en Russie et en Ukraine, les troupeaux étaient gardés par des chiens blancs mais il y a 250 ans environ ils furent croisés avec des chiens de berger espagnols plus petits. Le type que nous connaissons aujourd'hui a longtemps servi de chien de garde à l'armée soviétique. Si elle est surtout connue en Russie, la race compte quelques spécimens à l'étranger où ils sont admirés et récompensés.

À droite
Ce berger a servi de chien de garde dans l'armée rouge.

C'est un chien plus grand que la moyenne, solide, protecteur, qui apprécie peu les inconnus. Bien charpenté et musclé, le berger de Russie méridionale s'adapte bien aux différents climats. Si la hauteur maximale n'est pas définie, la taille minimum est de 60 et 65 cm selon le sexe, mais certains sont beaucoup plus grands. Ils pèsent généralement de 55 à 75 kg. Le poil est long, rude et légèrement ondulé, avec un sous-poil bien développé. La robe est le plus souvent blanche mais peut aussi être fauve pâle, grise, bleue ou de toute teinte pâle, avec ou sans taches blanches.

5

GROUPE

grande

TAILLE

TOILETTAGE

ALIMENTATION

Laïka de Sibérie occidentale

TAILLE : 53 à 62 cm

En Bref

RACE	Laïka de Sibérie occidentale
AUTRES NOMS	Laïka zapadno sibirskaïa
CLASSIFICATION	FCI : groupe 5
COULEURS DE ROBE	Blanc, noir et blanc, fauve, charbonné, noir

PARMI LES LAÏKAS, celui de Sibérie occidentale est le plus apprécié et le plus répandu. C'est une race bien implantée, servant surtout à la chasse au gros gibier. Le renne, l'élan et l'ours entrent dans son champ de compétences, mais il est aussi adroit avec les oiseaux et le petit gibier.

Son développement est certainement le résultat d'une politique d'élevage délibérée des chasseurs de l'Oural adaptée à leurs besoins spécifiques. En dehors de ses talents de chasseur, il est aussi capable de tracter des poids énormes comme chien de traîneau.

Il a été utilisé par les Soviétiques aussi bien pour l'expérimentation médicale que pour la recherche spatiale. Ses oreilles droites et ses petits yeux bruns lui confèrent une expression alerte et volontaire. Sa peau épaisse, son poil serré et épais et son sous-poil dense lui procurent une excellente isolation. Il mesure entre 53 et 62 cm et pèse de 18 à 23 kg.

Ci-contre
Avant que l'opinion publique ne s'en indigne, ce chien servait aux expérimentations médicales.

Autres races russes

LE TERRIER TOY MOSCOVITE est une petite race séduisante, à l'excellent tempérament, facile à dresser et de santé robuste. Beaucoup de ces chiens périrent durant la Seconde Guerre mondiale, mais la population limitée qui survécut suffit à relancer la race moderne, encore sujette toutefois à une grande variabilité. La taille normale est de 20 à 28 cm mais les plus petits individus (15 cm parfois) sont très appréciés. Si la couleur la plus recherchée est le fauve sable, on trouve aussi des robes noires, marron ou fauve rouge. Il existe deux variantes de poil, long et court, la première ayant pour principal signe distinctif de longs poils retombant sur les épaules depuis les oreilles érigées ou semi-érigées. La queue est écourtée.

Les origines du **chien courant russe** sont incertaines, mais il semble qu'il descende des laïka.

Il mesure entre 59 et 69 cm pour un poids de 18 à 32 kg. Les robes sont fauves jaune et feu, avec un manteau noir et des taches blanches, le poil est court et serré.

Certainement issu d'épagneuls européens, **l'épagneul russe** est un bon animal de compagnie, fidèle et fiable avec les enfants. C'est aussi un bon chien de garde. Mesurant entre 38 et 43 cm, il pèse de 13 à 18,5 kg. Sa robe est soyeuse et comporte des franges.

En haut, à gauche
Le terrier toy moscovite est un chien très rare. Les poils de la tête de la variété à poils longs lui retombent sur les épaules.

EN BREF

RACE	Tchouvatch slovaque
CLASSIFICATION	FCI : groupe 1
COULEURS DE ROBE	Toujours blanche

SLOVAQUIE
Tchouvatch slovaque

TAILLE : 55 à 70 cm

1	
GROUPE	TOILETTAGE
grande	
TAILLE	ALIMENTATION

LE TCHOUVATCH SLOVAQUE est très proche du kuvakz et ils ont certainement les mêmes ancêtres. Il était menacé d'extinction quand un vétérinaire décida de le sauver. Son programme d'élevage intensif, démarré après la Première Guerre mondiale, réussit, et la race fut reconnue internationalement en 1969. Ses origines, incertaines, sont de toutes manières très anciennes. Il est peut-être issu d'un croisement de lévriers et de loup, ou de chiens arrivés avec les Huns ou les Turcs, qui lui auraient donné son nom. C'est un chasseur de loups et de gros gibier.

Gardien de bétail, il fait aussi un compagnon agréable, au tempérament calme et équilibré, adorant vivre en famille et joueur. D'un gabarit imposant, il est couvert d'un long poil blanc épais recouvrant un sous-poil dense qui demande un entretien régulier. D'une hauteur comprise en général entre 55 et 70 cm, il pèse de 30 à 45 kg, bien que certains individus plus grands puissent atteindre 48 kg.

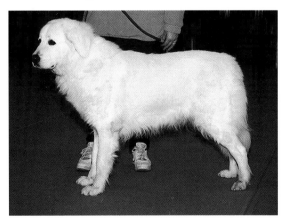

Ci-contre
Cet ancien chien de garde, calme et équilibré, fait un excellent compagnon familial.

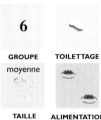

6

GROUPE
moyenne

TOILETTAGE

TAILLE

ALIMENTATION

Chien courant slovaque

TAILLE : 40 à 50 cm

EN BREF	
RACE	Chien courant slovaque
AUTRES NOMS	Slovenski Kopov
CLASSIFICATION	FCI : groupe 6
COULEURS DE ROBE	Noir et feu

CE CHIEN UTILISÉ pour la chasse au sanglier et aux nuisibles a été créé par les chasseurs tchécoslovaques après la Seconde Guerre mondiale en croisant de façon sélective des chiens de montagne locaux capables de travailler en terrain montagneux, difficile et accidenté. C'est un excellent pisteur à la voix puissante, toujours employé de nos jours à la chasse au sanglier. L'indépendance de la Slovaquie ayant renforcé l'orgueil national, on le rencontre aujourd'hui dans les expositions, surtout en République tchèque et en Slovaquie.

Mesurant entre 40 et 50 cm et pesant de 15 à 20 kg, c'est un chien bien musclé au poil lisse. Ses oreilles moyennes pendent et ses yeux enfoncés sont protégés par des paupières noires. Ses pieds sont ovales et ses orteils bien incurvés. Le chien courant

slovaque aurait un tempérament proche de celui du dobermann, bien que cette race n'ait joué aucun rôle significatif dans son développement.

À droite
Ce chien courant assez récent est devenu une source de fierté nationale en Slovaquie.

7

GROUPE
grande

TOILETTAGE

TAILLE

ALIMENTATION

Braque slovaque à poil dur

TAILLE : 48 à 66 cm

EN BREF	
RACE	Braque slovaque à poil dur
AUTRES NOMS	Slovenski hubosrsty stavac
CLASSIFICATION	FCI : groupe 7
COULEURS DE ROBE	gris (sable ombré de marron) argenté, souris ou gris chevreuil

LE GRIFFON D'ARRÊT SLOVAQUE fut créé après la Seconde Guerre mondiale par croisement du griffon d'arrêt et du braque allemand à poil dur. Ses descendants furent

À droite
Bien que de création récente, le braque slovaque à poil dur est reconnu par la FCI.

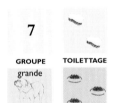

alors croisés avec des braques de Weimar et la nouvelle race obtenue fut reconnue en Tchécoslovaquie en 1975, puis quelques années plus tard par la FCI. Efficace par tous les temps, chien d'arrêt et leveur, il est facile à vivre. Si la Suisse en utilise quelques-uns pour la recherche et le secours, ils sont rares hors des Républiques tchèque et slovaque.

Cette nouvelle race semble conjuguer le meilleur de celles ayant participé à sa création. Le poil, dur et droit, recouvre une couche protectrice de sous-poil fin et serré. De longs poils souples surmontent les yeux et tombent sur les joues en formant une barbe bien dessinée. Les oreilles tombantes sont larges, arrondies et placées haut, les yeux en amande sont couleur ambre. Il mesure de 48 à 66 cm et pèse de 25 à 35 kg.

○○○○○○○○○○○○○○○○○○○○○○○○○○○○

EN BREF

RACE	Boerboel
CLASSIFICATION	En cours de reconnaissance
COULEURS DE ROBE	Plusieurs variantes de couleurs admises

AFRIQUE DU SUD
Boerboel

TAILLE : 69 à 70 cm

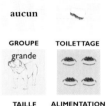

aucun

GROUPE TOILETTAGE

grande

TAILLE ALIMENTATION

Certains chiens d'Afrique du Sud tiennent leur nom de leur aspect physique.

S'IL N'EST PAS ENCORE RECONNU, en Afrique du Sud, le boerboel est l'objet de beaucoup d'attentions, ce qui l'a déjà fait inscrire au South Africa's Foundation Stock' register. Ses origines sont controversées, mais c'est certainement un descendant de l'ancien chien de chasse des boers, animal rapide et puissant indispensable aux fermiers. Issu du croisement de mastiff et de bulldog, le boer servait à chasser le léopard et le babouin.

Grand, solide, fortement charpenté et doté de muscles puissants, le boerboel est plus massif, plus lourd et a un corps plus développé que le boxer mais, mesurant de 59 à 70 cm, il est moins haut que le dogue allemand. Sa tête, forte, large et volumineuse au niveau des oreilles, reflète son caractère. Les babines sont tombantes et charnues, mais ne doivent pas descendre trop bas, ni être rugueuses et épaisses. La robe, courte et lisse, peut être de divers coloris, mais les éleveurs s'efforcent d'obtenir une teinte unique ne comportant que peu ou pas de blanc. Les yeux sont brun clair à foncé, mais pas bleu ou gris-bleu.

Parmi les autres chiens sud-africains, on peut citer **les chiens du peuple Bantou**, qui les accompagnèrent lors de leur migration depuis le bassin du Congo il y a plusieurs siècles. Les chiens de race pure sont devenus rares mais un projet visant à leur sauvegarde est en route. Les **ibaku** et **itwina** étaient autrefois appelés « kaffir dogs », ce qui est aujourd'hui interdit par la loi, *kaffir* étant un terme raciste designant les populations de couleur noire. Les ibaku à la jolie robe tachée étaient les chiens des Xhosa, le terme *ibaku* signifiant oreilles grandes ou tombantes dans la langue xhosa. Le itwina, très connu dans les campagnes du Natal est considéré comme le représentant vivant des chiens de l'âge du fer. C'est un chien athlétique, ayant tendance à l'obésité si on ne surveille et ne restreint pas son alimentation. Il est intelligent, obéissant et très adaptable.

Le **venda** est une autre race grande et élancée comme le itwina, aux grandes oreilles semi-érigées ou en ailes de chauve-souris, ressemblant assez aux chiens de l'ancienne Égypte. Il est vraisemblable qu'il soit issu des chiens d'Afrique du Nord, avec peut-être une introduction plus récente de sang de races est-africaines ou européennes.

Ci-dessous
Cette race puissante est probablement issue de chiens de ferme chasseurs de sangliers.

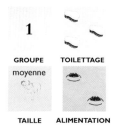

1

GROUPE — TOILETTAGE

moyenne

TAILLE — ALIMENTATION

ESPAGNE

Chien de berger catalan

TAILLE : 45 à 55 cm

EN BREF	
RACE	Chien de berger catalan
AUTRES NOMS	Gos d'atura Català, berger de Catalogne
CLASSIFICATION	FCI : groupe 1
COULEURS DE ROBE	Gris ou fauve, charbonné, poils tricolores mélangés

LE CHIEN DE BERGER catalan est proche des bergers des Pyrénées et portugais. De plus en plus apprécié, y compris en dehors de sa Catalogne d'origine, son standard est fixé depuis 1929. Sa vraie nature se révèle lors de la garde des troupeaux, qu'il dirige merveilleusement, obéissant à son maître, mais sachant aussi faire preuve d'initiative. Très courageux il fait aussi un bon chien de garde.

Calme et posé, ce chien intelligent et actif à l'attitude noble a un caractère agréable. Dévoué au troupeau, il se méfie des inconnus, ce qui peut le faire paraître peu sociable. Toujours vigilant, il résiste aux intempéries et peut travailler par n'importe quel temps. Son long poil rude, plat ou légèrement ondulé, comporte un sous-poil abondant sur l'arrière du corps. Sa barbe, sa moustache, son toupet et ses sourcils épais n'affectent pas sa vue. Il est haut de 45 à 55 cm, pèse 16 à 18 kg environ et a des ergots doubles aux pattes arrières.

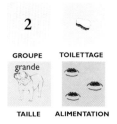

2

GROUPE — TOILETTAGE

grande

TAILLE — ALIMENTATION

ESPAGNE

Dogue majorquin

TAILLE : 56 cm

EN BREF	
RACE	Dogue majorquin
AUTRES NOMS	Perro de Presa Mallorquín, Cans Bou, Ca de Bou
CLASSIFICATION	FCI : groupe 2
COULEURS DE ROBE	Fauve bringé, taches blanches

Ce chien de combat qui se battait autrefois contre les taureaux exige un maître ferme et énergique.

COMME SON nom l'indique, c'est une race de type molossoïde, bien que moins imposante que certains autres dogues. Le dogue majorquin est né entre le XIIIᵉ et le XVIᵉ siècle. Plus tard, les combats de chiens étant devenus populaires dans les îles Baléares, il y participa activement, devenant un combattant très réputé. L'interdiction des combats fit chuter ses effectifs de façon spectaculaire, malgré les efforts d'éleveurs installés sur la Péninsule qui le présentèrent dans les expositions.

À droite

Le dogue majorquin au caractère sanguinaire est désormais très rare.

Son évolution vers le chien de concours le rendit moins agressif et il peut aujourd'hui se montrer affectueux et obéissant, mais il ne faut jamais oublier que c'est un ancien chien de combat très puissant et agile. Son poil est court et dur, sans sous-poil, son cou fort et puissant, tout comme ses mâchoires. Sa hauteur au garrot est de 56 cm environ mais l'arrière-train est plus haut que les épaules. Il pèse environ 36 kg. Le dogue majorquin a, bien évidemment besoin d'exercice et de beaucoup d'espace.

EN BREF

RACE	Berger de Majorque
AUTRES NOMS	Ca de bestiar, perro de pastor mallorquín
CLASSIFICATION	FCI : groupe 1
COULEURS DE ROBE	Noir, marques blanches sur
	le poitrail et les pieds

ESPAGNE

Chien de berger de Majorque

TAILLE : 62 à 73 cm

GROUPE	TOILETTAGE
1	
grande	
TAILLE	ALIMENTATION

À gauche
Le chien de berger de Majorque est attaché à son maître jusqu'à la mort.

ISSU DE CHIENS ARRIVÉS il y a très longtemps aux Baléares, le berger de Majorque fut sélectionné par les paysans en fonction de ses aptitudes de chien de troupeau plutôt que pour son apparence. Utilisé à l'origine pour la garde des fermes, il sert aujourd'hui d'auxiliaire de sécurité autant que de chien de compagnie. En Amérique du Nord on l'emploie pour tenir les coyotes à l'écart et garder les riches résidences.

Ce chien tenace est capable de travailler sous des climats chauds ce qui est inhabituel pour un chien à robe noire. Le poil est court, lisse et dur. D'un grand gabarit, au dos long et puissant, il mesure entre 62 et 73 cm et pèse 35 à 40 kg. Ses babines supérieures recouvrent légèrement les inférieures et ses oreilles ressemblent en un peu plus larges à celle du retriever du Labrador.

EN BREF

RACE	Mâtin des Pyrénées
AUTRES NOMS	Mastin de los Pirineos,
	mâtin de Navarre, de León
CLASSIFICATION	FCI : groupe 1
COULEURS DE ROBE	Blanc et noir, blanc et jaspé

ESPAGNE

Mâtin des Pyrénées

TAILLE : 75 à 81 cm

GROUPE	TOILETTAGE
1	
grande	
TAILLE	ALIMENTATION

LE MÂTIN DES PYRÉNÉES ressemble à un mélange de chien de montagne des Pyrénées et de mâtin espagnol, descendant eux-mêmes de mâtins amenés d'Asie par les Phéniciens et revendus en Espagne.

Le mâtin des Pyrénées était au départ destiné à la protection des troupeaux dans la région dont il tient son nom. Les loups étaient alors un problème réel, et les chiens étaient équipés de colliers de protection hérissés de pointes.

C'est un compagnon fiable et obéissant, qui n'est reconnu que depuis la fin du XIXᵉ siècle. Sa tête allongée aux taches symétriques surmonte un cou puissant mais souple à la peau lâche avec un fanon. Le poil épais, dense et assez rude est un peu plus long sur les épaules et le cou. Ce mâtin mesure 75 et 81 cm minimum selon le sexe.

10

GROUPE | TOILETTAGE
grande
TAILLE | ALIMENTATION

ESPAGNE

Lévrier espagnol

TAILLE : 60 à 70 cm

EN BREF

RACE	Lévrier espagnol
AUTRES NOMS	Galgo español
CLASSIFICATION	FCI : groupe 10
COULEURS DE ROBE	Fauve clair à fauve roux, bringé, noir, taches blanches

L'histoire des lévriers remonte à la Rome antique où ils étaient utilisés comme chasseurs à vue.

S I L'HISTOIRE DE CE CHIEN commence à l'époque romaine, il n'est probablement arrivé dans la péninsule Ibérique que bien plus tard. Lors de l'occupation par les Maures, différents lévriers furent mélangés, ce qui explique pourquoi aujourd'hui il existe des lévriers espagnols à poil dur ou lisse. Chasseur magnifique, d'allure noble mais sans sophistication, il est toujours employé à la chasse dans son pays natal, et aux courses pour lesquelles il est souvent croisé avec le greyhound.

Le lévrier espagnol a besoin d'énormément d'exercice et est assez difficile à dresser. Bien qu'assez distant, il peut devenir un chien de compagnie amical. Sa tête est proche de celle du greyhound, mais sa musculature ressemble davantage à celle du sloughi. Ses yeux sont ovales,

Ci-dessous

Son isolement géographique a fait de cette race une des plus anciennes et des plus pures de chiens courants.

ses oreilles au repos tombent en rose et sa queue est généralement portée bas. La variété à poil dur est devenue assez rare. Sa hauteur va de 60 à 70 cm pour un poids de 20 à 30 kg.

6

GROUPE | TOILETTAGE
grande
TAILLE | ALIMENTATION

ESPAGNE

Chien courant espagnol

TAILLE : 49 à 56 cm (grand)

EN BREF

RACE	Chien courant espagnol
AUTRES NOMS	Sabueso español (grande, ligero)
CLASSIFICATION	FCI : groupe 6
COULEURS DE ROBE	Blanc, taches noires, rouges et oranges

C ET ANCIEN CHIEN descendant du talbot blanc partage nombre d'ancêtres avec le chien de saint-hubert. Son isolement sur la péninsule Ibérique a préservé la pureté de la race. Elle existe en deux tailles, la plus petite, mesurant moins de 48 et 51 cm selon le sexe, étant pratiquement éteinte. Lorsqu'il piste le gibier avec enthousiasme des heures durant, il travaille seul avec son maître. Toujours utilisé pour la chasse sous le fusil, il sert aussi comme chien de garde et de compagnie.

Sa robe au poil court est généralement à prédominance blanche avec des taches rouges ou noires. Les yeux sont châtains et la truffe se fond dans la teinte des poils l'environnant. Il mesure entre 49 et 56 cm, est solidement bâti et pèse de 20 à 25 kg. Plus long que haut, il a une tête de longueur moyenne et de longues oreilles tombantes. Dotée d'un fort tempérament, cette race demande de l'attention lorsqu'elle est mise au contact d'inconnus, d'enfants ou d'autres chiens.

○ ○

EN BREF

RACE	Mâtin espagnol
AUTRES NOMS	Mastín español, mâtin d'Estrémadure,
	de la Manche
CLASSIFICATION	FCI : groupe 2
COULEURS DE ROBE	Toutes couleurs

ESPAGNE

Mâtin espagnol

TAILLE : 72 à 77 cm

2

GROUPE   TOILETTAGE

grande

TAILLE   ALIMENTATION

LE MÂTIN ESPAGNOL garde le bétail depuis le XVe siècle au moins, accompagnant les moutons mérinos lors des transhumances saisonnières. C'est un bon gardien, sûr de lui et connaissant sa force énorme, très déterminé face aux animaux dangereux et aux inconnus. Intelligent, il est surtout employé comme chien de garde. Ses dimensions imposantes ne le prédisposent pas au rôle de chien de compagnie, d'autant qu'il n'a pas de limite supérieure de taille et que les plus grands sont les plus récompensés dans les expositions.

Les tailles minimales admises sont de 72 cm pour les femelles et 77 cm pour les mâles, pour un poids allant en général de 55 à 70 kg. C'est un chien plus long que haut, qui doit être équilibré et harmonieux aussi bien à l'arrêt qu'en mouvement. Sa grosse tête massive a la forme d'une pyramide tronquée à base large, ses oreilles triangulaires de taille moyenne, collées aux joues au repos mais semi-érigées lorsqu'il est attentif, ne sont pas coupées. Les couleurs unies sont préférées mais les robes peuvent aussi être mélangées, bringées ou pluricolores. Le poil est dense et épais.

À gauche
Cet énorme mâtin prend beaucoup de place dans un intérieur.

○ ○

EN BREF

RACE	Spitz de Norbotten
AUTRES NOMS	Norbottenspets
CLASSIFICATION	FCI : groupe 5
COULEURS DE ROBE	Toutes, surtout blanc avec taches
	oranges, fauves ou marron

SUÈDE

Spitz de Norbotten

TAILLE : 42 à 45 cm

5

GROUPE   TOILETTAGE

moyenne

TAILLE   ALIMENTATION

LE SPITZ DE NORBOTTEN est une race très ancienne, originaire du nord de la Scandinavie. Menacé d'extinction il y a quelque cinquante ans, il est de nouveau bien établi grâce à un programme d'élevage des années 1960. C'est un chien endurant, courageux et plein d'entrain. Il a bon caractère et n'est jamais agressif. Il excelle dans la chasse du gibier à plumes.

Haut de 42 à 45 cm il pèse entre 12 et 15 kg. Son poil mi-long est épais, rude et en tous sens, le sous-poil doux. La robe est généralement blanche avec des taches orangées, jaunes ou fauves.

Le spitz de Norbotten est peut-être un descendant direct des chiens vikings.

À gauche
Dynamique et résistant, ce spitz servait à tirer des traîneaux légers.

 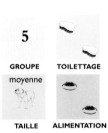

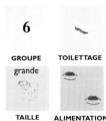

6

GROUPE
grande

TOILETTAGE

TAILLE

ALIMENTATION

Chien courant schiller

TAILLE : 49 à 61 cm

EN BREF	
RACE	Chien courant schiller
AUTRES NOMS	Schillerstövare
CLASSIFICATION	FCI : groupe 6
COULEURS DE ROBE	Noir et fauve

Le chien courant schiller, malgré son ancienneté, a été développé en tant que race seulement à partir du XIXᵉ siècle.

Ci-dessous
Le chien courant du Smäland a une queue écourtée pour pouvoir évoluer dans les forêts denses.

DESCENDANT d'anciens chiens de chasse locaux, le chien courant schiller a été amélioré au XIXᵉ siècle par l'éleveur Per Schiller qui recherchait un chien rapide au pied léger. Il croisa les chiens locaux avec des limiers allemands pour créer la race, portant son nom qui fut reconnue en 1907. Spécialiste de la chasse au renard et au lièvre sur la neige, il fixe la proie jusqu'à l'arrivée du chasseur. Il se rencontre peu hors de son pays, même si on en voit quelques-uns en Scandinavie. Ses oreilles tombantes douces au toucher, portées haut sont plaquées contre les joues. La robe est courte, mais il développe l'hiver un épais poil de protection contre les intempéries. Ses pieds compacts ont des orteils élastiques aux coussinets larges, souples et robustes, adaptés aux terrains neigeux. Mesurant de 49 à 61 cm, il pèse environ 25 kg.

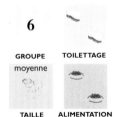

6

GROUPE
moyenne

TOILETTAGE

TAILLE

ALIMENTATION

Chien courant du Smäland

TAILLE : 42 à 54 cm

EN BREF	
RACE	Chien courant du Smäland
AUTRES NOMS	Smålandsstövare
CLASSIFICATION	FCI : groupe 6
COULEURS DE ROBE	Noir et feu

ON CONNAÎT L'HISTOIRE du chien courant du Smäland depuis le Moyen Âge. C'est un chien purement suédois originaire du centre du pays. Il ne fut pourtant reconnu qu'en 1921 par les autorités canines de Suède. Fait pour travailler dans les forêts denses, il compte davantage sur sa résistance que sur sa vitesse pour réussir. C'est aussi un bon pisteur capable de chasser efficacement par tous les temps, sur tous les terrains.

La queue peut être courte de naissance, la tête étroite, les yeux sombres ont une expression tranquille, les oreilles tombantes sont collées aux joues. La robe lustrée, au poil court et épais, est d'un noir brillant avec des taches feu. Il mesure de 42 à 54 cm et pèse de 15 à 20 kg.

EN BREF

RACE	Basset suédois
AUTRES NOMS	Drever, dachsbracke suédois
CLASSIFICATION	FCI : groupe 6
COULEURS DE ROBE	Tricolore, blanc et noir, blanc et fauve

SUÈDE
Basset suédois

TAILLE : 30 à 40 cm

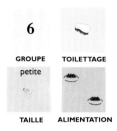

6	
GROUPE	TOILETTAGE
petite	
TAILLE	ALIMENTATION

LE BASSET SUÉDOIS, parfois appelé drever, est un basset de chasse très populaire en Suède. C'est un rabateur, qualité développée par croisement de bassets de Westphalie et de chiens courants locaux. Court sur pattes, il est moins rapide que d'autres races ce qui ne l'empêche pas de tenir un sanglier en respect par ses aboiements puissants. Bon pisteur, c'est aussi un chien de compagnie très apprécié dans son pays, mais peu connu en dehors.

Sa tête, assez grosse par rapport à son corps allongé, est bien proportionnée. Ses petites pattes sont bien droites et parallèles. La queue portée bas est courbée. C'est un chien volontaire au fort caractère, ce qu'exprime bien ses yeux noisette au regard alerte. Son poil est court, épais, dense et collé au corps. La robe de toutes couleurs est souvent tricolore, blanc et feu ou blanc et noir. Il mesure de 30 à 40 cm et pèse environ 15 kg.

À gauche
Peu rapide, le basset suédois est un excellent pisteur.

EN BREF

RACE	Chien d'élan suédois
AUTRES NOMS	Jämthund
CLASSIFICATION	FCI : groupe 5
COULEURS DE ROBE	Fauve clair charbonné

SUÈDE
Chien d'élan suédois

TAILLE : 58 à 63 cm

5	
GROUPE	TOILETTAGE
grande	
TAILLE	ALIMENTATION

L'AUTRE NOM DE CETTE RACE, jämthund, est celui d'une province suédoise. C'est aujourd'hui une race nationale dans ce pays. C'est le plus grand des chiens d'élan du nord de l'Europe. Il était utilisé autrefois pour la chasse à l'ours, mais celle-ci déclinant, il se reconvertit dans celle de l'élan, du lynx, et du loup, puis du petit gibier. Également capable de tirer les traîneaux, de garder les animaux et les maisons et utilisé par l'armée, il est aussi très populaire en Suède comme chien de compagnie.

C'est un chien rustique, solide, fortement charpenté, à la cage thoracique très développée et aux côtes élastiques. Ses pattes arrière sont particulièrement puissantes, son cou long et fin mais solide. Sa tête, aux oreilles érigées un peu inclinées vers l'avant, est proche de celle des spitz, et ses yeux relativement petits et sombres ont une expression vive. Le poil assez long est dur et très serré. Haut de 58 à 63 cm, il pèse de 25 à 30 kg.

Les chiens des régions arctiques chassent souvent l'élan.

Ci-contre
Le populaire chien d'élan, très polyvalent, tire les traîneaux, garde les troupeaux et les maisons. Il est aussi utilisé par l'armée.

2
GROUPE

grande

TAILLE

TOILETTAGE

ALIMENTATION

SUISSE

Bouvier appenzellois

TAILLE : 48 à 58 cm

EN BREF	
RACE	Bouvier appenzellois
AUTRES NOMS	Appenzeller Sennenhund
CLASSIFICATION	FCI : groupe 2
COULEURS DE ROBE	Noire avec marques blanches et feu précises

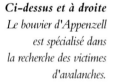

S I LES FERMIERS SUISSES utilisent ce chien depuis le Moyen Âge, la première description qu'on en ait date de 1853. Elle le décrivait comme de type Spitz, ce qu'on retrouve dans sa queue enroulée sur le rein. Considéré comme une race à part entière depuis 1898, il eut son club d'amateurs dès 1906. Originaire de l'Appenzell, on le trouve aujourd'hui dans toute la Suisse et en Europe. Chien de travail et de compagnie polyvalent, il peut

Ci-dessus et à droite
Le bouvier d'Appenzell est spécialisé dans la recherche des victimes d'avalanches.

surveiller, garder troupeaux et maisons ou tracter des véhicules légers. Toujours attentif, intelligent et sûr de lui, il est fiable et sans peur mais parfois un peu suspicieux à l'égard des inconnus. Massif, le bouvier appenzellois mesure de 48 à 58 cm et pèse de 22 à 25 kg. Sa robe est tricolore à base noire ou havane, avec une ligne blanche allant du front au museau et des taches feu aux sourcils. Le poil court, épais et brillant est doublé d'un sous-poil.

2
GROUPE

moyenne

TAILLE

TOILETTAGE

ALIMENTATION

SUISSE

Bouvier de l'Entlebuch

TAILLE : 40 à 50 cm

EN BREF	
RACE	Bouvier de l'Entlebuch
AUTRES NOMS	Entlebucher Sennenhund
CLASSIFICATION	FCI : groupe 2
COULEURS DE ROBE	Tricolore avec taches blanches et marques feu

Ci-dessous
Ce bouvier suisse est gentil avec les enfants.

L E BOUVIER DE L'ENTLEBUCH est le plus petit des quatre bouviers suisses. Il est originaire de la vallée du même nom dans le canton de Lucerne. Il est connu depuis 1889, mais ne fut pas différencié du bouvier appenzellois avant 1926. La race fut alors reconnue, mais son développement est lent. Chien polyvalent, il peut surveiller, garder troupeaux et maisons, et fait un agréable animal de compagnie de plus en plus populaire.

Intelligent, courageux et sûr de lui, il est d'un tempérament équilibré, très dévoué à sa famille et méfiant à l'égard des inconnus. Joyeux et apprenant bien, il mesure 40 à 50 cm et pèse de 16 à 22 kg. Son poil court, serré et brillant se double d'un sous-poil dense. La robe tricolore est noire avec des marques, fauve pâle à feu et blanches, symétriques et régulières.

○ ○

EN BREF

RACE	Grand bouvier suisse
AUTRES NOMS	Grosser schweizer Sennehund
CLASSIFICATION	FCI : groupe 2
COULEURS DE ROBE	Noir brillant avec marques feu et blanc

SUISSE
Grand bouvier suisse

TAILLE : 60 à 72 cm

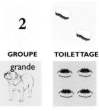

2	
GROUPE	TOILETTAGE
grande	
TAILLE	ALIMENTATION

TRADITIONNELLEMENT ASSOCIÉ aux fermiers et marchands des petits villages suisses, le grand bouvier suisse a aussi servi comme chien de trait. Comme les autres bouviers suisses, on pense qu'il descend des mâtins romains. La race a été reconnue en 1910 peu après sa redécouverte alors que certains la croyaient déjà éteinte.

Servant surtout de nos jours d'animal de compagnie, ce grand bouvier était d'abord un chien de trait, ce que l'on peut retrouver dans sa morphologie solide et puissante. Il mesure de 60 à 72 cm et pèse de 35 à 40 kg. Ses yeux marron à l'expression douce ont des paupières noires. Le poil de sa robe tricolore est dense et le sous-poil peut être parfois épais et apparent. Ce travailleur fiable, volontaire et intrépide, alerte et vigilant ne doit jamais être nerveux ou agressif. Bien éduqué, il peut être un parfait compagnon.

Ci-contre
Ce chien protecteur et actif a besoin d'espace pour se dépenser.

○ ○

EN BREF

RACE	Chien courant suisse
AUTRES NOMS	Bernois, bruno du Jura, lucernois, schwyzois
CLASSIFICATION	FCI : groupe 6
COULEURS DE ROBE	Variable selon les races

SUISSE
Chiens courants suisses (grands)

TAILLE : de 47 à 59 cm

6	
GROUPE	TOILETTAGE
grande	
TAILLE	ALIMENTATION

L'HISTOIRE DES chiens courants suisses remonte au Moyen Âge lorsqu'ils servaient à la chasse aux cervidés et au petit gibier dans la région de Berne. Si on remonte encore plus loin dans le temps, il est possible qu'ils descendent de chiens d'origine celtique ou phénicienne. Très appréciés dès le XVe siècle en Italie, ils le devinrent en France au XVIIIe siècle pour leurs aptitudes à la chasse au lièvre. Des standards décrivant cinq types furent établis en 1882. Lorsqu'ils furent révisés en 1909, le cinquième, appelé thurgovie, fut supprimé. Les quatre autres, bernois, bruno du Jura, lucernois et schwyzois différent surtout par la nature et la couleur de leur poil. Tous sont de bons pisteurs indépendants qui peuvent chasser tous les gibiers par tous les temps en donnant de la voix. Ils s'entendent bien avec les enfants et font de bons animaux de compagnie, peu agressifs avec leurs congénères sauf s'ils sont provoqués. Ils doivent cependant être dressés avec fermeté. Ils mesurent entre 47 et 59 cm environ, pèsent entre 15 et 20 kg et ont une forte ossature. Leur tête est longue, leur expression gentille et leurs longues oreilles tombantes et plissées.

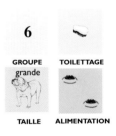

À gauche
Ces chiens sont de lointains descendants des chiens courants français et des saint-hubert.

Chiens courants suisses (petits)

TOUS LES CHIENS COURANTS suisses ont des robes au poil court, lisse et épais, plus court sur la tête et les oreilles. La peau du **bernois** est noire sous les poils noirs et blanche avec des mouchetures noires sous les poils blancs. Sa robe comporte un manteau noir avec des marques blanches et fauves à des endroits bien définis.

Ci-dessus
Le bruno du Jura descend peut-être des chiens celtiques ou phéniciens.

À droite
Le petit bernois est simplement un bernois aux pattes plus courtes.

Le **bruno du Jura** a une peau noire sous les poils noirs et plus claire sous les zones fauves. Sa robe est fauve avec un manteau noir ou noire avec des marques fauves avec parfois une tache ou des mouchetures blanches sur le poitrail.

La peau du **lucernois** est noire sous le poil noir et plus claire sous les mouchetures bleues, qui résultent du mélange de poils noirs et blancs. Sa robe ressemble à celle du bleu de Gascogne avec parfois un manteau noir ou des marques feu.

Le **schwyzois** a une peau gris sombre sous les taches fauve orangé de sa robe et tachetée de noir sous les parties à poil blanc. La robe est blanche avec des taches ou un manteau orangé, parfois légèrement moucheté.

Les **petits chiens courants suisses** sont issus de croisements de leurs grands frères avec divers types de bassets.

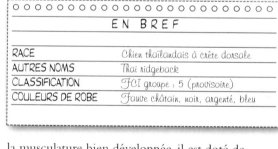

5	
GROUPE	**TOILETTAGE**
grande	
TAILLE	**ALIMENTATION**

THAÏLANDE
Chien thaïlandais à crête dorsale

TAILLE : 51 à 56 cm

COUPÉES DU MONDE depuis des siècles dans leur région d'origine, d'accès difficile, les populations isolées de ce chien ont conservé intactes leurs caractéristiques raciales déjà décrites il y a 350 ans. Il servait à la chasse dans l'Est de la Thaïlande, à escorter les chars et à la garde. Connu depuis peu en dehors de son pays, un suivi attentif a permis d'assurer sa protection. Chien de bonne stature solide, actif, à

À droite
Une rangée de poils poussant à l'envers sur son épine dorsale caractérise ce chien.

la musculature bien développée, il est doté de grosses capacités de saut. Sa robe au poil lisse et court se caractérise par une crête sur l'échine dorsale, faite de poils poussant en sens inverse, qui doit être nettement définie. Haut de 51 à 56 cm, il pèse entre 23 et 34 kg environ. Ses grandes oreilles triangulaires doivent être érigées et inclinées vers l'avant. Très doué pour le saut, vif et résistant, c'est un gardien efficace. Une éducation ferme est toutefois de rigueur.

EN BREF	
RACE	Chien thaïlandais à crête dorsale
AUTRES NOMS	Thai ridgeback
CLASSIFICATION	FCI groupe : 5 (provisoire)
COULEURS DE ROBE	Fauve châtain, noir, argenté, bleu

TIBET

Kyi apso

TAILLE : 56 à 71 cm

GROUPE   TOILETTAGE

TAILLE   ALIMENTATION

AU TIBET, dans sa région natale des monts Kailas, le kyi apso vit à haute altitude dans des conditions difficiles et exigeantes. La rareté de la nourriture et la menace des prédateurs en ont fait un chasseur fort, rapide, agile et plein de ressources, capable de pister les petits rongeurs. Même dans sa région d'origine, un des lieux les plus sacrés du monde pour les bouddhistes comme pour les hindous, il est difficile d'en rencontrer.

Il commence à être connu ailleurs sur la planète, et on trouve des élevages en Europe comme aux États-Unis où il bénéficie d'un programme de développement contrôlé sous les auspices du Kyi Apso Club. Ce grand chien musclé à l'ossature légère, au déplacement fortement chaloupé, mesure au moins 56 et 66 cm selon le sexe. Sa tête est massive, son crâne plat, son museau étroit, ses yeux en amande et ses oreilles triangulaires tombantes, alors

que sa queue est recourbée sur le rein et portée haut, frangée et en panache. L'épais poil long et double peut être de toutes les couleurs, mais les robes les plus courantes sont des combinaisons de sable et noir, noir et gris et noir et blanc.

Son environnement hostile a fait du kyi apso un chien très solide et résistant.

À gauche
Une variante très rare du dogue du Tibet est barbue.

TIBET

Les dogues tibétains

TAILLE : 51 à 63 cm

GROUPE   TOILETTAGE

TAILLE   ALIMENTATION

EN OCCIDENT ON CROIT SOUVENT que tous les chiens assez grands et lourds du Tibet sont des dogues tibétains, ce qui est inexact. Les nomades du Tibet emploient plusieurs races un peu plus petites pour garder moutons et chèvres. Il n'est pas facile de les différencier et aux yeux des Tibétains, leurs qualités comptent davantage que leur dénomination.

Le **bangara** est une race distincte développée par les Tehri Garhwallas à partir du dogue tibétain. Mesurant entre 51 et 63 cm, ce chien au corps massif sert à conduire les troupeaux de yacks et de chèvres qu'il protège des prédateurs. Il a un poil et un sous-poil rudes très épais, sa queue au fort panache est recourbée latéralement et sa robe est en général noire, fauve ou abricot.

Le **bhotia** est un chien plus léger à la robe souvent noire et fauve ou noire et blanche. Comme le bangara, il mesure entre 53 et 61 cm, mais pèse entre 22 et 27 kg. En Inde, ces deux chiens partagent le même standard. Ils ne sont pas encore reconnus dans le reste du monde.

Le **chien de chasse tibétain**, bien connu des nomades autochtones des montagnes, n'a pas changé depuis au moins un siècle.

À gauche
Depuis cette photo datant du XIXᵉ siècle, le chien de chasse tibétain n'a pas changé.

Chiens chinois et tibétains

IL EXISTE NOMBRE D'AUTRES races de chiens en Chine et au Tibet n'ayant reçu aucune reconnaissance officielle.

Ci-dessus
Cet étrange petit chien ressemble à un pékinois à poil lisse.

Ci-contre
Il était dit que le happa avait disparu mais cette photo prouve le contraire.

Le **happa** est une race chinoise peu connue que l'on rencontre parfois au Tibet. Elle fut d'abord décrite comme un pékinois au poil lisse, seules des photos de ce chien, présumé disparu depuis longtemps, permettraient d'en savoir plus. L'auteur, qui voyage régulièrement pour des expéditions de recherche chez les peuples de l'Himalaya, a rencontré un chien (*voir* photo ci-contre) que les moines tibétains considèrent être un happa bien qu'il soit plus haut sur pattes que ceux connus jusque là, et mesure environ 25 cm de haut.

Un happa fut exposé en Grande-Bretagne en 1907 à la première manifestation organisée par le Pekingese Club. Il y était décrit comme ressemblant un peu à un bulldog miniature, avec une face curieuse aux yeux très écartés, et « aux oreilles rappelant les voiles d'une jonque de guerre ». On n'en connaît pas vivant en Europe.

Les tribus Khampa de l'ouest du Tibet élèvent une autre race peu connue, habituellement nommée **tibetan hound**. Des recherches montreraient que ce chien de chasse rapide et élancé, est plus ou moins identique à un chien de chasse tibétain mais avec un poil plus court.

ÉTATS-UNIS
Chien esquimau américain

TAILLE : 23 à 48 cm

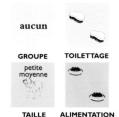

aucun	
GROUPE	**TOILETTAGE**
petite moyenne	
TAILLE	**ALIMENTATION**

EN BREF

RACE	Chien eskimo américain
CLASSIFICATION	aucune
COULEURS DE ROBE	Blanc, crème

CHIEN FAVORI DES DRESSEURS DE CIRQUE au début du XXᵉ siècle, il n'a pourtant été reconnu par l'American Kennel club qu'en 1994. En dépit des croyances populaires, il ne descend pas de chiens de traîneaux. Capable d'apprendre rapidement de nouvelles tâches, il est toujours désireux de faire plaisir. Bien qu'il ne morde et n'attaque pas les humains, il est enclin à protéger sa famille et sa maison.

Incarnation de la force et de la beauté, cette race alerte de type nordique se subdivise en trois tailles, le toy, haut de 23 à 30,5 cm, le moyen allant de 30,5 à 38 cm et le standard de 38 à 48 cm. Tous doivent être de préférence blancs mais la présence de crème (biscuit) est aussi autorisée. Les yeux légèrement ovales, à l'expression aimable et intelligente, sont entourés de paupières bordées de noir aux cils blancs. Le poil dressé double se compose d'un sous-poil dense et d'un poil de protection plus long passant au travers. Le poil est plus court sur le museau.

○○○○○○○○○○○○○○○○○○○○○○○○○

EN BREF

RACE	Foxhound américain
CLASSIFICATION	FCI : groupe 6
COULEURS DE ROBE	Toutes les couleurs sont admises

ÉTATS-UNIS
Foxhound américain

TAILLE : 53 à 63 cm

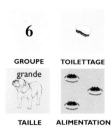

6

GROUPE   TOILETTAGE

grande

TAILLE   ALIMENTATION

Ci-dessous
Le foxhound américain est plus solide que son cousin anglais.

L E FOXHOUND américain est le résultat du croisement de foxhounds anglais, introduits en 1650 en Amérique du Nord avec des chiens courants de meutes français et irlandais (kerry beagle) envoyés en 1860 à George Washington, qui désirait produire une race mieux adaptée aux terrains difficiles du pays que le foxhound anglais. Utilisé à l'origine pour la chasse au renard, ce chien fut également employé par la suite pour le gros gibier. Il en existe diverses variétés, néanmoins conformes au standard. Si elles sont toutes très résistantes et agressives au travail, elles manifestent douceur et affection à domicile.

Le foxhound américain à une robe au poil assez court, très dense, lisse et serré, qui peut être de toutes les couleurs. Sa tête est assez longue, ses oreilles tombantes sont attachées au niveau de l'œil, qui est grand et doux, marron ou noisette. Ces chiens très volontaires ont chacun une voix particulière facilement reconnaissable par leurs propriétaires. Ils mesurent de 53 à 63 cm et pèsent de 30 à 33 kg.

○○○○○○○○○○○○○○○○○○○○○○○

EN BREF

RACE	Staffordshire américain
AUTRES NOMS	American staffordshire terrier
CLASSIFICATION	FCI : groupe 3
COULEURS DE ROBE	Toutes les couleurs sont admises
	particolore ou avec taches

ÉTATS-UNIS
Staffordshire américain

TAILLE : 43 à 48 cm

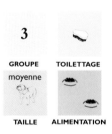

3

GROUPE   TOILETTAGE

moyenne

TAILLE   ALIMENTATION

I DENTIQUE à l'origine au bull-terrier du Staffordshire, le staffordshire américain fut par la suite l'objet d'un programme d'élevage sélectif destiné à accroître sa taille, sa force et son poids. Il fut en conséquence reconnu comme une race séparée en 1936. En dépit de sa réputation, sa ténacité et sa capacité à infliger de graves blessures aux autres chiens, il est d'une nature gentille et bon avec les enfants.

Ce chien râblé aux pattes assez courtes est musclé, agile, et très attentif à son environnement. Les oreilles peuvent être coupées ou non, la forme naturelle étant préférée. La queue implantée bas se terminant en pointe est portée à l'horizontale. Le poil est court, serré, brillant et raide au toucher. Si toutes les couleurs sont autorisées, celles comportant plus de 80 % de blanc, noires et fauve, ou foie, ne sont pas encouragées. Il mesure de 43 à 48 cm et pèse environ 18 à 23 kg.

C onsidéré comme chien d'attaque, le staffordshire américain est soumis à une réglementation particulière.

À gauche
Le staffordshire américain, malgré sa mauvaise réputation, a bon caractère et fait un excellent animal de compagnie.

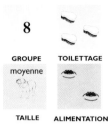

8

GROUPE
moyenne

TOILETTAGE

TAILLE

ALIMENTATION

ÉTATS-UNIS

Chien d'eau américain

TAILLE : 36 à 46 cm

EN BREF	
RACE	Chien d'eau américain
AUTRES NOMS	American water spaniel
CLASSIFICATION	FCI : groupe 8
COULEURS DE ROBE	Marron ou fauve foncé unis

LE CHIEN D'EAU AMÉRICAIN, développé aux États-Unis, est la première race capable de rapporter depuis un bateau, barque ou canoé, aussi bien que sur terre. Avant sa reconnaissance par l'American Kennel Club en 1940, il n'avait jamais fait l'objet de présentation, ses propriétaires craignant que les qualités d'un chien d'exposition n'aillent à l'encontre de ses aptitudes à la chasse.

Actif et musclé, l'accent est mis sur une taille conforme

À droite
Ce descendant de chiens d'eau européens est un excellent chien de rapport aimant travailler depuis les bateaux.

et une bonne symétrie. Il est un peu plus long que haut, mesurant de 36 à 46 cm et pesant de 11,5 à 20,5 kg, sans contrainte de taille selon les sexes. La tête est de longueur moyenne, l'expression, quant à elle, est alerte, confiante et intelligente. La couleur des yeux s'harmonise à celle de la robe qui est marron à fauve foncé, avec parfois un peu de blanc sur les orteils et la poitrine. C'est un chien très doux qui fait un excellent compagnon s'il a assez d'exercice.

6

GROUPE
grande

TOILETTAGE

TAILLE

ALIMENTATION

ÉTATS-UNIS

Chien noir et feu de chasse au raton laveur

TAILLE : 58 à 68 cm

EN BREF	
RACE	Chien noir et feu de chasse au raton laveur
AUTRES NOMS	Black and tan coonhound
CLASSIFICATION	FCI : groupe 6
COULEURS DE ROBE	Noire et feu

LE CHIEN NOIR ET FEU de chasse au raton laveur descend vraisemblablement du talbot, chien courant du XIe siècle, ses ancêtres plus récents étant le bloodhound, le foxhound, le chien de saint-hubert, le petit bleu de Gascogne et le kerry beagle irlandais. S'il se caractérise par sa robe, ses qualités de chasseurs de raton laveur ont aussi une grande importance. C'est un pisteur méthodique, travaillant nez au sol, qui change de voix pour signaler qu'une proie est acculée. En dehors du raton laveur et des petits gibiers, il peut aussi chasser le gros gibier et l'ours.

Son poil est court, épais et brillant. Les robes au manteau bien noir avec des taches feu sur le poitrail, les jambes, au dessus des yeux et sur les côtés du museau sont recherchées par les propriétaires. Le crâne est arrondi, le museau long et rectangulaire.

À droite
Descendant d'anciens chiens courants, ce chien est reconnu depuis 1945.

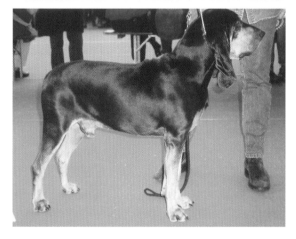

Les oreilles, longues, larges et attachées bas, pendent en plis. Cette race mesurant de 58 à 68 cm et pesant de 23 à 35 kg a besoin de beaucoup d'exercice.

EN BREF

RACE	Plott hound
CLASSIFICATION	Aucune
COULEURS DE ROBE	Toutes teintes bringées ou bleu admises

ÉTATS-UNIS
Plott hound

TAILLE : 51 à 64 cm

aucun

GROUPE — TOILETTAGE

grande

TAILLE — ALIMENTATION

Ci-dessous
Le plott hound peut être de différentes couleurs, mais les robes bringées sont les plus appréciées.

UNE FAMILLE DE MONTAGNARDS allemands, les Plott, émigrèrent en Amérique du Nord avec leurs chiens de rouge du Hanovre. Ils s'établirent dans les Smoky Mountains, dans le Tennessee, et leurs chiens furent surnommés *plott hound*. Ils servaient à chasser l'ours, le sanglier, le coyote et le couguar. Après plusieurs générations, ils furent croisés avec succès avec des chiens courants anglais.

Les chasseurs de ratons laveurs s'intéressèrent alors à la race pour ses qualités. Elle fut donc classifiée comme chien de chasse au raton laveur.

Ce chien courant à la robe étonnante, qui traque le gibier au sol ou dans les arbres, est réputé pour sa résistance, son endurance, son agilité, sa détermination et son agressivité durant la chasse.

Puissant, bien musclé et fuselé, le plott hound mesure de 51 à 64 cm et pèse entre 18,5 et 27 kg. Ses oreilles semi-érigées tombent gracieusement, la partie intérieure s'enroulant vers l'avant en direction du museau. Le poil généralement lisse, fin et brillant, est assez épais pour offrir une protection contre le vent et l'eau, quelques individus ayant parfois un sous-poil. Les robes bringées de toutes teintes sont préférées, bien que touts les couleurs soient acceptées.

EN BREF

RACE	Catahoula léopard dog
AUTRES NOMS	Chien léopard de Catahoula, cat
CLASSIFICATION	aucune
COULEURS DE ROBE	Merle, noir, marron ou fauve, blanc

ÉTATS-UNIS
Catahoula léopard dog

TAILLE : 51 à 66 cm

aucun

GROUPE — TOILETTAGE

grande

TAILLE — ALIMENTATION

Ci-dessous
Le « cat » se caractérise par sa peau tachetée.

LE CATAHOULA LÉOPARD DOG, originaire de Louisiane, est très apprécié, aimé et respecté dans cet État du Sud de l'Amérique du Nord. Sa dénomination de chien léopard vient des taches caractéristiques de sa robe.

Ayant d'abord pris le nom d'un petit village de l'État de Louisiane, il devint la mascotte de l'État en 1979 et reçut alors officiellement son nom complet. On pense que ses ancêtres seraient des mastiffs ou des lévriers arrivés dans le Nouveau-Monde à bord des bateaux de l'explorateur Hernando de Soto.

Ces « chiens de guerre » auraient été laissés aux tribus autochtones qui les auraient croisés avec des loups. Plus tard, on y aurait ajouté du sang de Bauceron. Mesurant de 51 à 66 cm, cet athlétique chien tacheté a un corps musclé et puissant, des pattes solides et une poitrine profonde offrant une bonne capacité respiratoire. La robe, de préférence tachetée, au poil court à moyen, est bleue, grise, noir, marron, fauve ou blanche. Ce sont des chiens pouvant être agités et têtus. Également intrépides, ils s'attaquent au sanglier et au cochon sauvage.

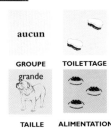

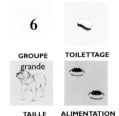

aucun	
GROUPE	TOILETTAGE
grande	
TAILLE	ALIMENTATION

ÉTATS-UNIS
Pitbull terrier

TAILLE : 46 à 56 cm

EN BREF	
RACE	Pitbull terrier
AUTRES NOMS	American pitbull
CLASSIFICATION	Aucune
COULEURS DE ROBE	Toutes couleurs

À droite
Si le pitbull terrier a souffert de sa réputation ces dernières années, il est de nouveau élevé comme chien de compagnie.

IL EXISTE aux États-Unis de nombreuses races non reconnues par les organismes officiels mais défendues par leur club d'amateurs. Le bulldog américain, race vivante et hardie descendant de chiens introduits par des immigrants, dont des bulldogs anglais, en fait partie. C'est aussi le cas du pitbull terrier, chien intrépide créé pour les combats de taureaux et de chiens, qui est

aujourd'hui interdit ou soumis à des réglementations particulières dans certains pays dont la France en raison de son agressivité.

Il est issu de croisements sélectifs entre bull terrier du Staffordshire et chiens de combat, dont d'authentiques bulldogs. Pour l'empêcher d'exprimer ses tendances agressives, il exige une socialisation précoce et un dressage efficace par un maître expérimenté. Il pèse entre 14 et 36 kg et a des épaules extrêmement larges.

6	
GROUPE	TOILETTAGE
grande	
TAILLE	ALIMENTATION

EX-YOUGOSLAVIE
Chien courant yougoslave de montagne

TAILLE : 45 à 55 cm

EN BREF	
RACE	Chien courant yougoslave de montagne
AUTRES NOMS	Jugoslovenski planinski gonic
CLASSIFICATION	FCI : groupe 6
COULEURS DE ROBE	Noir et feu

Ci-dessous
Extrêmement endurant, ce chien sait chasser seul autant qu'en meute.

LES CHIENS de l'ex-Yougoslavie sont considérés comme de race ancienne et le chien courant yougoslave de montagne ne fait pas

exception. On pense qu'il descend des chiens de recherche au sang européens et de chiens sauvages chassant à vue. Ce mélange l'a rendu bien adapté à la chasse dans les régions montagneuses où il vit. On l'utilise sur le renard, le lièvre, les cervidés et le sanglier. Cette race est aujourd'hui très rare, sa population ayant décliné durant la guerre à la fin du XXᵉ siècle.

C'est un chien de travail, d'une nature agréable, capable de chasser seul ou en meute. Audacieux et agile, il est très efficace en terrain difficile. Doté d'oreilles tombantes et de paupières bordées de noir, sa robe est noire et feu, avec parfois des marques gris blanc sur le poitrail. Son poil court est formé d'un poil de couverture épais et fourni et d'un sous-poil chaud et isolant. Il mesure de 45 à 55 cm et pèse de 20 à 25 kg.

EX-YOUGOSLAVIE
Chien courant yougoslave tricolore

TAILLE : 46 à 56 cm

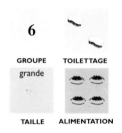

EN BREF	
RACE	Chien courant tricolore yougoslave
AUTRES NOMS	Jugoslovenski trobjoni gonic
CLASSIFICATION	FCI : groupe 6
COULEURS DE ROBE	Tricolore

CETTE RACE TRÈS PROCHE du chien courant de montagne yougoslave, partage pratiquement les mêmes ancêtres, chiens courants européens et parias. On le rencontrait généralement aux abords de la frontière grecque, mais il est devenu très rare même dans cette région. Réputé pour sa vue excellente, c'est un chasseur appliqué de renards, lièvres, cervidés et sangliers.

Toujours désireux de faire plaisir à son maître, c'est un compagnon tranquille, dévoué et obéissant à la maison, autant qu'un chasseur. Il a une tête plate assez large, des yeux noirs dont l'expression affectueuse est renforcée par le bord de ses paupières, noir comme celui de ses lèvres bien jointives. Sa robe au poil dense et brillant, résistant aux intempéries, est fauve avec du blanc sur la tête, le museau, la poitrine, les pattes et la queue et un manteau noir. Il mesure de 45 à 55 cm et pèse de 20 à 25 kg.

Les chiens d'ex-Yougoslavie ont eux aussi beaucoup souffert de la guerre.

À gauche
Ce chasseur efficace descendant des chiens courants européens est devenu très rare.

EX-YOUGOSLAVIE
Chien de berger yougoslave

TAILLE : 57 à 71 cm

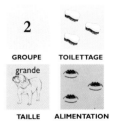

EN BREF	
RACE	Charplanina
AUTRES NOMS	Sarplaninac, berger d'Illyrie,
	chien de berger yougoslave
CLASSIFICATION	FCI : groupe 2
COULEURS DE ROBE	Robes unies du blanc au gris fer foncé

ANCIEN GARDIEN de troupeaux du Sud-Est de l'ex-Yougoslavie, le charplanina était appelé autrefois berger d'Illyrie du nom de la région. Reconnu en 1957 par la FCI, il prit celui des monts Sar Planina où sa population était plus importante. On pense qu'il descend des anciens dogues grecs et des chiens de garde de troupeaux turcs. Il sert toujours à la garde des moutons dans sa région d'origine. Il doit mesurer au moins 57 et 61 cm selon le sexe et peser de 30 à 45 kg. Il paraît plus lourd à cause de ses os épais et de son poil fourni. Ses oreilles en V retombent et sa longue queue est portée en sabre. Un peu plus petit que nombre d'autres gardiens de troupeaux, le charplanina a une dentition impressionnante et est extrêmement fort, ce qui en fait un adversaire redoutable.

À gauche et ci-dessus
Le charplanina est un excellent gardien des maisons comme des troupeaux.

Ci-dessus
*Le chien de chasse
tibétain est toujours
populaire dans
les vallées perdues
de l'Himalaya.*

À droite
*Spécialisé dans
la chasse au lièvre,
le chien courant grec est
méconnu à l'étranger.*

En bas
*Le berger du bassin
de Kras est
un excellent gardien
des maisons comme
du bétail.*

Les chiens exotiques

LES RACES DÉCRITES dans ces pages sont rares ou exotiques, quasi inconnues hors de leur pays d'origine et ne sont généralement reconnues par aucune instance officielle.

CHIENS DE TROUPEAUX

ON IGNORE L'ORIGINE EXACTE du **berger grec** mais il ressemble au Maremma et au Kuvasz, mesure environ 66 cm de haut et pèse entre 36 et 43 kg. Sa robe au poil épais peut comporter du blanc. C'est un bon chien de chasse et de troupeau, rarement utilisé comme animal de compagnie. Il n'est pas reconnu par la FCI mais ses amateurs grecs tentent d'obtenir son enregistrement.

CHIENS DE CHASSE

LE CHIEN COURANT GREC, aussi appelé hellenikos ichnilatis, est très populaire dans son pays mais quasiment ignoré à l'extérieur, bien qu'il soit reconnu par la FCI. C'est un spécialiste du lièvre, au nez excellent et aux possibilités vocales étendues. Il mesure de 45 à 55 cm et pèse entre 17 et 20 kg environ.

BERGER D'ISTRIE

LE BERGER D'ISTRIE, aussi appelé kraski ovcar, est une des plus anciennes

races des Balkans. Il est aujourd'hui rattaché à la Slovénie par la FCI dans le groupe 2. Conducteur et gardien de troupeaux, c'est un chien courageux. Sa méfiance vis-à-vis des inconnus en fait un excellent gardien. En famille, il est affectueux et joueur. Mesurant de 54 à 63 cm et pesant de 25 à 42 kg, il a un poil assez long, plat, raide avec un sous-poil abondant. Sa robe est gris fer ombrée.

CHIENS ORIENTAUX

LE KINTANAMI est un chien indonésien que l'on rencontre dans les régions isolées au nord-est de Bali. L'élevage s'effectue surtout dans les zones montagneuses volcaniques, les chiots étant ensuite descendus vers les petites villes et villages

avoisinants pour y être vendus. Si la taille et la corpulence varient, en partie de par le type d'élevage, ils ont tous des oreilles érigées et une robe au poil double isolant de couleurs variées, dont la préférée est la tricolore, blanc, jaune et noir.

CHIEN CHANTEUR DE NOUVELLE-GUINEE

DURANT LA PREMIÈRE moitié du XXe siècle, un couple de ces chiens, amené des hautes terres du Sud de la Papouasie Nouvelle-Guinée, fut exposé pour la première fois dans le zoo Taronga de Sidney. Leur classification fut à l'origine d'un grand débat. Aujourd'hui on s'accorde à penser que cette espèce primitive fut amenée dans l'île il y a au moins 6 000 ans. Son isolement en a fait un fossile vivant. Ressemblant au dingo, il a un poil double dense et de texture pelucheuse. Sa taille varie de 33 à 46 cm. Les modulations de son hurlement sont caractéristiques et il dispose d'un vocabulaire sonore complexe. Ses articulations sont extrêmement souples. Ses puissants instincts de chasseur risquent de prendre le dessus sur toute forme de dressage et, s'il est généralement gentil et affectueux avec les humains, il se montre agressif avec les autres chiens.

CHIENS DE TRAVAIL

BIEN QU'ASSEZ ANCIEN le braque de Burgos est un des chiens d'arrêt le plus récent. Il est probablement né de croisements entre des chiens d'arrêt légers et des Braques portugais Navarre. Utilisé à l'origine pour la chasse aux cervidés, le pistage et le rapport, il exerce toujours ces activités mais sur des petits gibiers rapides, perdrix et lièvres. Il peut travailler aussi bien sur terre que dans l'eau. Facile à vivre, se plaisant dans un environnement familial et avec les enfants, il sert aussi de chien de compagnie. À moins d'être provoqué, le Braque de Burgos n'est pas enclin à mordre ni à pincer et apprécie en général la compagnie de ses congénères. Il a de grands yeux sombres protégés par des paupières supérieures plissées, des oreilles longues et larges et un fanon plissé sur le cou. Il mesure de 65 à 75 cm et pèse de 25 à 30 kg.

Ci-dessus
Le chien chantant de Nouvelle-Guinée a pu conserver ses caractéristiques primitives grâce son isolement géographique.

En bas à gauche et à gauche
Le kintanami, typiquement balinais, est élevé dans les villages isolés puis vendu comme animal de compagnie.

Le braque de Burgos, ancienne race espagnole, est un excellent chien d'arrêt et de rapport très résistant.

L e Huntaway fut sélectionné pour sa capacité à aboyer en travaillant.

À droite
S'il n'est pas reconnu le huntaway est néanmoins sélectionné pour sa robe noire et feu.

Ci-dessous
Proche du lévrier, le rampur est capable de chasser les chacals.

HUNTAWAY DE NOUVELLE-ZÉLANDE

LE HUNTAWAY DE NOUVELLE-ZÉLANDE est né d'un élevage sélectif visant à obtenir des chiens de troupeau travaillant à la voix. Ce chien puissant au poil court, qui mesure de 51 à 61 cm, rassemble et conduit efficacement les bêtes à la voix. Sa robe est à prédominance noire avec des taches fauves. Très utilisée en Nouvelle-Zélande, la race n'est pas reconnue bien que son type soit fixé. Quelques-uns ont été importés en Grande-Bretagne où certains éleveurs apprécient sa manière particulière de travailler.

LÉVRIER DU RAMPUR

LE RAMPUR, ou lévrier du rampur ou lévrier d'Inde du Nord, apprécié des maharadjahs, était surtout utilisé pour la chasse au chacal. Il est aussi capable de traquer et d'achever les bêtes blessées. Solidement bâti, il a un poil lisse ressemblant à celui d'un cheval juste étrillé. Sa tête est plus grosse que celle du lévrier anglais et son nez romain incurvé a une forme caractéristique. Ses oreilles assez larges sont fixées haut et sa morsure très puissante. Il a un excellent équilibre et ses pieds sont palmés. Hormis quelques individus existant aux États-Unis, la race est inconnue en dehors de l'Inde.

LANDSEER CONTINENTAL EUROPÉEN

CE JOLI CHIEN EST MENTIONNÉ ici car, malgré sa ressemblance avec son cousin le terre-neuve noir et blanc, il forme aujourd'hui une race séparée. Ses pattes sont un peu plus hautes, son poil moins huileux et bien lisse. Sa robe est blanc pur avec des plaques noires sur la croupe, la tête et le tronc, et ses grosses pattes bien palmées en font un excellent nageur.

CHIENS CORÉENS RARES

JUSQU'À RÉCEMMENT les races coréennes de chiens étaient au bord de l'extinction, mais aujourd'hui elles sont l'objet de programmes d'élevage sérieux. Le **poong san**, originaire de la région du même nom au nord-est du pays, ressemble au malamute et au husky sibérien.
Le **sapsal**, rare et protégé, est considéré comme un trésor national (n° 368). Il n'en resterait que 40 en Corée selon le dernier recensement officiel. C'est un chien au poil long ébouriffé donnant envie de s'y blottir.

Plusieurs chiens coréens étaient en voie d'extinction avant l'instauration de programmes d'élevage sélectif rigoureux.

À gauche
Le landseer, à la robe noire et blanche, est aujourd'hui une race différente du terre-neuve.

Ci-dessous
Autrefois les chiots de chiens de chasse tibétains étaient soumis à des techniques de dressage qui nous paraissent aujourd'hui discutables.

LE CHIEN DE CHASSE TIBÉTAIN

LE CHIEN CI-DESSOUS fut photographié au début du XIXᵉ siècle. Inchangé depuis lors, on trouve des chiens identiques dans les régions reculées du Tibet. À peu près de la taille d'un airedale, il a généralement un poil gris crème, bien que certaines robes soient beaucoup plus sombres. Son poil est dense et assez court, son museau allongé et ses oreilles pendantes sont tournées vers l'avant. À la chasse, il était tenu en laisse jusqu'à être en vue de la proie, puis lâché. Il ne tuait pas mais aboyait pour occuper le gibier jusqu'à ce que le chasseur se soit rapproché pour tirer. Son dressage était étrange. Les chiots étaient attachés à leur mère, et, lorsqu'elle se précipitait sur le gibier, le petit se retrouvait traîné derrière elle. Cette technique apparemment cruelle était supposée les rendre à la fois féroces et enthousiastes. À la connaissance de l'auteur,

il n'y eut qu'un seul exemplaire importé en Grande-Bretagne au début des années 1930, et selon un éleveur anglais installé au Tibet, leur « agressivité envers les inconnus était pénible ».

Adresses utiles

Assistance aux animaux
23, avenue de la République – 75011 Paris
Tél. : 01 43 55 76 57

Association d'intégration du chien par l'éducation
6, villa Molière – 94500 Champigny-sur-Marne
Tél. : 06 14 09 75 59

Association des amateurs d'attelages canins
1, rue de Montcontour – 22600 Loudéac
Tél. : 02 95 25 08 19

**Association nationale pour l'éducation
des chiens d'assistance pour handicapés**
137 bis, rue Nationale – 75013 Paris
Tél. : 01 45 86 58 88

**Confédération nationale de sociétés
de protection des animaux de France**
25, quai Jean-Moulin – 69002 Lyon
Tél. : 04 78 38 71 71

École des chiens guides d'aveugles
Sud-Ouest Zi du Phare
Rue Joseph-Cugnot – 33700 Mérignac
Tél. : 05 56 47 85 15

École nationale vétérinaire d'Alfort
7, avenue du Général-de-Gaulle
94704 Maisons-Alfort Cedex
Tél. : 01 43 96 71 00

École nationale vétérinaire de Lyon
1, avenue Bougelat BP 83 – 69280 Marcy-L'Étoile
Tél. : 04 78 87 25 25

École nationale vétérinaire de Nantes
Route du Gachet – Case postale 3013
44087 Nantes Cedex 03
Tél. : 02 40 68 77 77

École nationale vétérinaire de Toulouse
23, chemin des Capelles – 31076 Toulouse Cedex
Tél. : 05 61 19 38 00

Fédération Athlétique Canine
BP47 – 59250 Halluin Cedex
Tél. : 03 20 38 45 99

Fédération cynologique internationale (FCI)
14 rue Leopold II – 6530 Thuin
Belgique
Tél. : 00 32 71 59 12 38

Fédération française des associations de chien guides d'aveugles (FFAC)
71, rue de Bagnolet – 75020 Paris
Tél. : 01 44 64 89 89
Flandres : 03 20 36 89 75
Provence : 04 93 98 90 90
Ouest : 02 41 68 59 23
Île de France : 01 54 05 73 82
Limousin : 05 55 37 03 31
Centre-Est : 04 74 00 60 11
Midi : 04 42 59 41 40
Paris : 01 43 65 64 67

Fédération française sport traîneau
1, rue du Moulin-Supérieur – 68150 Ribeauville
Tél. : 03 89 73 69 05

Fédération nationale contre le martyre des animaux
7, rue Saint-Henri – 31100 Toulouse

Fédération nationale des maîtres chiens d'avalanche
Tél. : 04 79 33 03 60

Fédération nationale des maîtres-chiens sauveteurs aquatiques
27, rue Grembrechts Hoffen – 67110 Dberbronn
Tél. : 03 88 80 35 00

Fondation Assistance aux Animaux
24, rue Berlioz – 75016 Paris
Tél. : 01 40 67 10 04

Office national de la chasse et de la faune sauvage
85 bis, avenue de Wagram – 75017 Paris
01 44 15 17 17

Société centrale canine
155, avenue Jean Jaurès – 93535 Aubervilliers cedex

Fichier central des chiens identifiés par tatouages :
01 49 37 54 54
Service de recherche de la SPA :
01 47 98 57 40
Service administratif :
01 49 37 54 00
Information aux acquéreurs de chiens :
01 49 37 54 01

Société de Venerie
10, rue de Lisbonne – 75008 Paris
Tél. : 01 42 93 24 31

Société protectrice des animaux (SPA)
39, boulevard Berthier – 75847 Paris cedex 17
Tél. : 01 43 80 40 66

Syndicat national des amateurs de chiens de chasse
BP 12 – 40190 Villeneuve-de-Marsan
Tél. : 05 58 03 35 58

Syndicat national des professionnels du chien
01320 Chatillon La Palud
Tél. : 04 74 35 47 81

Kennel club
1-5 Clarges Street Piccadilly
London W1J8AB Angleterre
0870 606 6750

Bibliographie

BAILEY Gwen, *Le Guide du chiot*, Marabout, 2001.

BARNABE Jean-Patrick, *Connaître le dressage des chiens de chasse*, coll. « Connaître », Sud-Ouest, 2000.

BOLZINGER Michel, *Guide des chiens d'appartement*, De Vecchi, 2003.

CHARON Olivier, *Guide pratique du chien : pour faire de votre compagnon un chien de rêve*, Flammarion, 2001.

DEHASSE Joël, *L'Éducation du chien*, coll. « Vivre avec nos animaux », Le Jour, 2002.

DENNIS Helen, *101 Questions que votre chien aimerait vous poser*, coll. « 101 Questions », Nathan Nature, 2000.

DESACHY Florence, *Bien vivre avec son chien pour le rendre heureux*, De Vecchi, 2002.

DESACHY Florence, *Le Livre de mon chiot*, De Vecchi, 2001.

DESACHY Florence, *La reproduction du chien*, De Vecchi, 2000.

FATIO Arnold, *Manuel pratique d'éducation et de dressage du chien*, Payot-Lausanne, 1998.

Fiddy Rolland, *Le Guide des fanatiques de chiens*, Exley, 1995.

FISCHER John, *Comprendre et soigner son chien*, J'ai lu, 2000.

FOGLE Bruce, *Questions au vétérinaire : le chien*, Marabout, 2002.

HAVARD Christian, *Tous les chiens du monde*, coll. « Animaux du monde », Milan, 2003.

LARKIN Peter, STOCKMAN Mike, *Le Grand Livre des chiens*, Manise, 2001.

LEBOURG Bernard, *Le Chien de chasse*, De Vecchi, 2000.

MATTEI Christel, *100 Chiens de légende*, Solar, 2001.

MAUTROT André, *Le Chien de défense*, coll. « Nos amis les animaux », Solar, 1994.

MORRIS Desmond, *Le Chien révélé illustré*, Calmann-Lévy, 1997.

PACHETEAU Claude, *Chiens de garde*, coll. « Découverte nature », Artémis, 2000.

PAGEAT Patrick, *L'Homme et le Chien,* Odile Jacob, 2001.

PALMER Joan, *Chiens*, Solar, 2002.

Dir. ROUSSELET-BLANC Pierre, *Larousse du chien*, coll. « Encyclopédie active », Larousse, 2000.

SCOTT Peter, TAYLOR David, *Vous et votre chien*, coll. « Vous et votre animal familier », Larousse, 1986.

SILVERMAN Ruth, *Cabotinages : les plus belles photos de chiens*, Chronicle books Seuil, 2000.

VIAL Véronique, *Amis de tous poils... de chiens*, A. Viénot, 2002.

Glossaire

Action
Mouvement, par
exemple, marche
ou course.

Allure
Mouvement
à différentes vitesses.

Arlequin
Désigne une robe
tachetée ou pie,
généralement noir sur
blanc ou bleu sur blanc.

Avorton
Se dit du plus faible
des chiots d'une portée.

Barbe
Poils longs sur
le museau et sous
la mâchoire.

Belton
Désigne un mélange
de poils blancs et colorés.

Bicolore
À deux couleurs.

Blenheim
Désigne la couleur
noisette et blanche des
épagneuls king Charles
spaniel et cavalier king
Charles spaniel.

Castré
Pour une chienne,
signifie que l'utérus
et les ovaires ont été
retirés.

Chaleurs
Fertilité saisonnière
de la femelle.

Côtes flottantes
Les treizième et dernière
côtes qui ne sont pas
rattachées aux autres.

Couple
Désigne deux chiens
courants.

Coussinet
Peau épaisse recouvrant
le dessous des pattes
et les protégeant.

Crête
Épi linéaire formé par des
poils qui poussent en sens
inverse du reste du pelage.

Croisement
Reproduction de deux
chiens de race différente.

Donner de la voix
Hurlements
et aboiements
d'une meute de chiens
courants.

Écourter la queue
Opération consistant
à couper la queue
du chien.

Ergot
Cinquième griffe située
sur la face intérieure
des pattes.

Fanon
Peau pendante sous
la gorge.

Fémur
Os long allant de la
hanche au grasset.

Flammes de bougie
Forme des oreilles
du terrier d'agrément
anglais noir et feu.

Frange
Longue bannière de poils
sur les oreilles, la queue,
les pattes ou le corps.

Froment
Couleur fauve ou jaune
pâle.

Gestation
Période entre la
conception et la naissance,
généralement de
63 jours chez les chiens.

Gibier
Animaux sauvages
et oiseaux chassés
par les chiens.

Glandes anales
Poches situées de part
et d'autre du rectum.

Glandes lacrymales
Glandes productrices
de larmes, situées dans
le coin intérieur de l'œil.

Humérus
Os le plus large des pattes
avant ; désigne le bras.

Huppe
Poils plus longs de la tête.

Hurlement
Cri prolongé d'un
chien de chasse.

**Inhibition
de la morsure**
Exercice consistant
à apprendre au chiot
à contrôler sa morsure.

Jabot
Poils plus longs sous
le cou et sur le poitrail.

Landseer
Couleur noire et blanche ;
désigne certains types
de terre-neuve.

Liste
Rayure blanche
au centre du visage.

Marbrée
Désigne une robe
bicolore dotée
de taches sombres
et arrondies sur un fond
plus clair.

Masque
Nuance foncée
du chanfrein.

Merle
Désigne une robe de
couleur bleu-gris, souvent
mouchetée de noir.

Meute
Troupe de chiens
courants dressés pour
la chasse à courre.

Molaires
Dents arrière (deux
paires pour la mâchoire
supérieure, trois paires
pour la mâchoire
inférieure).

Moucheté
Mélange équilibré
de poils noirs et de
poils de couleur plus
claire, généralement
en stries.

Moucheture
Désigne une robe
mouchetée d'une autre
couleur.

Mue
Chute des poils.

Museau
Partie de la tête située
devant les yeux (aussi
appelée chanfrein).

Oreille en anse
Désigne une oreille
dressée, large à la base
et arrondie au sommet.

Panache
Frange de longs poils
pendant de la queue.

Pedigree
Atteste de la pureté
de l'ascendance d'un chien
et de sa correspondance
avec les critères constituant
le standard de sa race.

Pied de lièvre
Se dit d'un pied
d'un ovale allongé.

Poils de garde
Poils plus longs, plus
raides et plus doux qui
poussent sous le sous-poil.

Poil double
Désigne un poil de
couverture à l'épreuve
des intempéries
et un sous-poil isolant
et imperméable.

Poil dur
Poil d'une texture dure,
rêche et sèche.

Poil lisse
Poil court, ras.

Prémolaires
Dents situées entre les
molaires et les canines.

Queue en faucille
Queue portée en forme
de demi-cercle.

Rouan
Mélange de poils
colorés et de poils blancs.

Sable
Poils aux extrémités
noires sur fond de
couleur différente.

Selle
Désigne une robe de
qualité ou de couleur
différente sur le dos.

Sous-poil
Désigne le pelage
généralement dense,
doux et court dissimulé
par le poil de
couverture.

Sternum
Os plat allongé, situé
au milieu de la poitrine.

Tonte « en lion »
Tonte du corps, partant
de la dernière côte, pattes
avant exceptées. Il peut
aussi s'agir de la tonte
des pattes, du chanfrein
et de la queue.

Tricolore
Désigne une robe de
trois couleurs mélangées :
noir, blanc et feu.

Unicolore
Désigne une robe d'une
seule et même couleur,
qui peut avoir des
nuances plus claires.

Remerciements et crédits photographiques

L'éditeur remercie Carol Ann Johnson, Polly Willis, Claire Dashwood, Karen Villabona, Sally MacEachern, Ruth Shane et Harvey de Roemer pour leur collaboration éditoriale particulièrement efficace.

L'éditeur tient à signaler que les pratiques vétérinaires et la législation variant d'un pays à l'autre, il est indispensable de prendre conseil auprès d'un professionnel compétent.

Dessins anatomiques de Susie Green : 12 (bg), 13 (b), 14, 16, 18 (b).

Illustrations de Jennifer Kenna et Helen Courtney, courtesy of Foundry Arts 1999.

Toutes les photographies sont de Carol Ann Johnson à l'exception de :

AKG : 19 (h), 68 (h), 69 (b), 70 (c), 70 (b), 71 (b), 73 (b), 74 (h), 74 (b), 77 (b), 80 (h), 81 (r), 85 (b), 86 (b), 87 (h), 87 (b), 88 (hg), 97 (hd), 108 (b), 109 (h), 110 (c), 110 (b), 112 (hd), 112 (b), 113 (h), 114 (h), 115 (h), 115 (b), 118 (h), 121, 122, 128 (cg), 128 (bc), 130 (h), 130 (b), 131 (hg), 131 (hd), 133 (hd), 137 (b), 140 (l), 141 (h), 143 (r), 152 (h), 152 (b).

Alyce Ingle : 363 (b).

Angela Racheal : 271 (hg).

Animal Photography : R. T. Willbie 310 (h), 310 (b), 322 (bd), 356 (b). Sally Anne Thompson : 293 (b), 301 (b), 309 (h), 319 (b), 323 (b), 324 (h), 329 (hd), 329 (hg), 341 (bg), 341 (bd), 342 (b), 348 (h), 355 (b), 356 (hg), 356 (hd), 358 (hg), 358 (hd).

Ardea : 172 (h). John Daniels 322 (hg), 322 (c). Jean-Paul Ferrero 322 (bg).

Cogis : Fleury/Cogis : 296 (bg), 296 (bd), 302 (hd), 311 (b). Francais/Cogis : 291 (h), 291 (b), 293 (h), 297 (h), 298 (h), 307 (h), 307 (b), 311 (hg), 311 (hd), 318 (h), 319 (h), 320 (b), 320 (h), 321 (r), 321 (h), 321 (b), 328 (b), 330 (b), 332 (bg), 334 (b), 334 (h), 337 (bd), 337 (bg), 338 (hd), 338 (hg), 339 (bg), 339 (h), 340 (h), 361 (hg), 361 (hd), 363 (h), 364 (b), 366 (bg), 367 (h). Hermeline/Cogis : 298 (b), 327 (hd), 332 (bd). Hutin/Cogis : 339 (bd). Labat/Cogis : 327 (hg).

Lanceau/Cogis : 318 (bd). Lili/Cogis : 318 (bg). Nicais/Cogis : 297 (b), 330 (h).

D. G. Philipson, Spanish Water Dog Partnership : 204 (b).

Dorling Kindersley : 208 (b), 292 (b), 294 (h), 301 (h), 302 (b), 312 (b), 314 (h), 315 (b), 315 (h), 333 (h), 333 (b), 335 (h), 337 (h), 341 (h), 343 (h), 344 (h), 344 (b), 346 (b), 348 (b), 357 (b), 365 (h), 368 (h), 369 (h).

Dr Daniel Taylor-Ide : 359 (h).

Dutch Kennel Club : 324 (b).

G. Samson : 217 (hg), 217 (hd).

Harry Baxter : 292 (h), 299 (b), 300 (h), 300 (b), 303 (b), 305 (h), 312 (h), 314 (b), 317 (b), 325 (h), 325 (b), 338 (b), 347 (h), 350 (b), 351 (h), 352 (h), 352 (b), 353 (h), 358 (b). Claudio Celotto 256 (b).

Hellenic Magazine for Dogs : 366 (h).

Martina Krüger : 295 (b).

Milepost 92½ : 84 (b).

R. Gould : 190 (b).

Swedish Kennel Club : 355 (h), 355 (b), 354 (h), 354 (b).

Topham Picture Point : 78 (bg), 88 (r), 89 (b), 92 (h), 93 (cd), 94 (h), 103 (c), 103 (b), 105 (b), 110 (h), 129, 131 (b), 132 (h), 136 (bd), 137 (cd), 140 (h), 147 (b), 149 (h), 150 (h), 150 (b), 151 (h), 153 (h).

Vos Chiens : 295 (h), 304 (h), 305 (h), 306 (b), 306 (h), 308 (b), 309 (b), 310 (b), 313 (h), 313 (b), 314 (h), 314 (b), 316 (h), 316 (b), 323 (h), 325 (h), 331 (b), 333 (b), 374.

L'éditeur a fait tout son possible pour retrouver les ayants droit des documents et présente ses excuses à ceux qui n'auraient pas été mentionnés. Les personnes et les institutions qui n'auraient pu être jointes sont priées de contacter l'éditeur, qui intégrera les remerciements dans la prochaine édition de cet ouvrage.

Index